ŚREŻOGA

KATARZYNA PUZYŃSKA

ŚREŻOGA

Prószyński i S-ka

Projekt okładki
Mariusz Banachowicz

Zdjęcie na okładce
© mcherevan/Shutterstock

Redaktor prowadzący
Anna Derengowska

Redakcja
Małgorzata Grudnik-Zwolińska

Korekta
Maciej Korbasiński

Łamanie
Wójcik

ISBN 978-83-8169-366-0

Warszawa 2020

Wydawca
Prószyński Media Sp. z o.o.
02-697 Warszawa, ul. Rzymowskiego 28
www.proszynski.pl

Druk i oprawa
POZKAL

Dla Krzyśka

Forgive me
I have but two faces
One for the world
One for God
Save me

The Poet and the Pendulum
Tuomas Holopainen, Nightwish

Z NOTATEK MŁODSZEJ ASPIRANT EMILII STRZAŁKOWSKIEJ W SPRAWIE ŚMIERCI JULII SZYMAŃSKIEJ

<u>Julia Szymańska</u> – śmierć   Malwina Górska ???
6 lutego 2018

firma 1 – Dąbrowscy   **firma 2 + zajazd**
(Szymańscy)   **Sadowskiego**
Jakub Dąbrowski   Franciszek Sadowski
Zofia Dąbrowska   Robert Janik
Paweł Krupa   Izabela Pietrzak
Julia Szymańska   Ryszard Pietrzak
(Tomasz Szymański)

firma 3 – Kwiatkowscy   **agencja modelek Oliwiera**
Sławomir Kwiatkowski   Oliwier Pietrzak
Hanna Kwiatkowska   Kalina Pietrzak
Beniamin Kwiatkowski

* * *

2020
Działka Trawińskiego w Kuligach.
Niedziela, 23 lutego 2020. Godzina 20.00.
Sierżant sztabowy Radosław Trawiński

Sierżant sztabowy Radosław Trawiński nacisnął guzik pilota. Brama nie zaskoczyła od razu. Otworzyła się dopiero po kolejnej próbie. Zaklął cicho pod nosem. Będzie trzeba coś z tym zrobić. Tym bardziej że wyglądało na to, że trochę posiedzi na działce. Kłótnia z żoną przeciągała się. Maja nie rozumiała, że on miał dość. Nie jej oczywiście. Tylko tego, co robił. Ale ona chciała więcej i więcej. Była nienasycona. Nie pytała, skąd Trawiński bierze pieniądze. A przecież musiała wiedzieć, że nie z pensji policjanta. M u s i a ł a. Nie wierzył, że nie.

W końcu porozmawiał z nią wprost. Myślał, że znajdzie w niej sprzymierzeńca. Przecież oboje obiecywali sobie, że będą zawsze stali ramię w ramię. Nieważne, jakie przeciwności przyniesie życie. Bez względu na wszystko. Tymczasem Maja wybuchnęła. Krzyczała, że nie będzie żyła w biedzie. Potem nakręcała się coraz bardziej. Mówiła, że zawsze jest wyjście. Tylko wyjście proponowane przez nią wcale mu nie odpowiadało. W końcu Trawiński nie wytrzymał i wyszedł z mieszkania. Czuł, że jeżeli tego nie zrobi, to wybuchnie. A nie chciał, żeby dzieci na to patrzyły. Nie były niczemu winne.

Całe szczęście kupili jakiś czas temu tę działkę. Tu miał być ich wymarzony dom. Po remoncie oczywiście. Na razie to była tylko ruina. Ruina obok ruiny. Działka mieściła się

11

w Kuligach. Tuż obok opuszczonego starego dworu, który teraz majaczył mu w ciemności we wstecznym lusterku. Obok był jeszcze zniszczony pegeer. Powybijane szyby i dziurawe dachy straszyły w ciągu dnia. Teraz ukryła je czerń nocy.

– Kurwa – mruknął Trawiński i jeszcze raz nacisnął guzik pilota.

Brama zaczęła się zamykać, zamiast otwierać. Powinien był zamówić elektryka, żeby to zamontował. Ale nie, uparł się, że zrobi to sam. A praktycznie w ogóle nie znał się na elektryczności. No i proszę. Teraz są efekty.

W końcu brama się otworzyła i policjant wjechał na teren działki. Zakupy rzucone niedbale na tylne siedzenie pobrzękiwały. Niedługo spodziewał się gościa. Nie oczekiwał niczego dobrego po tym spotkaniu. Niestety nie umiał odmówić. Za długo się na wszystko zgadzał, żeby teraz to zrobić.

A zgadzał się na wszystko. Zabił nawet człowieka. I to koleżankę z pracy. Trawińskiego zalała gorzka fala rozpaczy, kiedy przypomniał sobie, jak celował Emilii Strzałkowskiej w głowę.

Jak głucho zabrzmiał wystrzał.

Jakby dochodził z daleka, a nie z jego zabezpieczonej rękawiczką dłoni. Jakby nie dotyczył jego i Strzałkowskiej. Jakby to się działo gdzie indziej. A jednak. Policjantka upadła na ziemię i było po wszystkim.

A właściwie nie, nie było po wszystkim. Minęły dwa lata, a Trawiński nie potrafił zapomnieć. To, że codziennie w robocie widział Daniela Podgórskiego, pogarszało jeszcze jego samopoczucie. Doskonale pamiętał rozpacz kolegi nad ciałem kochanki. Czegoś takiego się nie zapomina. Dobrze, że Podgórski nigdy nie dowie się prawdy. Już Trawiński o to zadbał. On i ludzie, dla których pracował. Śmierć Emilii uznano za samobójstwo i tak zostanie. Prawdziwy przebieg zdarzeń pozostanie na zawsze tajemnicą.

Trawiński wziął pilota i nacisnął guzik, żeby zamknąć bramę. O dziwo, od razu zaczęła się zamykać. Już się ucieszył, ale w pewnym momencie coś zgrzytnęło i znów się otworzyła.

– Kurwa – rzucił Trawiński, naciskając jeszcze raz guzik na pilocie.

Sytuacja się powtórzyła. W bramie był czujnik, żeby nie zamknęła się, kiedy na przykład pies albo dziecko wbiegnie nagle pomiędzy jej skrzydła. Może jakiś zbłąkany kot się tu zapuścił. Najbliższe zabudowania były co prawda dobry kawałek dalej, ale po polach często wędrowały zwierzaki. Te dzikie też. Może lis przyszedł w poszukiwaniu jedzenia. Trawiński widywał tu kilka. Nawet trochę je dokarmiał.

Policjant nacisnął znów guzik pilota. Światło czujnika zamigało w ciemności, ale brama się nie zamknęła. Uparcie trwała otwarta. Trawiński spojrzał w lusterko. Na tle majaczącego w ciemności opuszczonego dworu zobaczył jakiś ruch. Na pewno nie był to lis. To musiał być człowiek. I to wysoki.

Trawiński wysiadł z samochodu i odwrócił się powoli.

– Daniel? – zapytał zaskoczony.

Ostrze siekiery połyskiwało w świetle księżyca.

* * *

CZĘŚĆ 1

2020

ROZDZIAŁ 1

Droga wzdłuż jeziora Strażym. Piątek, 21 lutego 2020.
Godzina 12.00.
Weronika Podgórska

Weronika Podgórska patrzyła, jak Klementyna przedziera się pomiędzy gałęziami. Emerytowana komisarz szła ścieżką tuż przed nią i mruczała coś pod nosem. Zapewne coś bardzo niepochlebnego. Klementynie niezbyt się podobało, że wybrały ścieżkę wzdłuż jeziora, ale Weronika bardzo chciała porozmawiać z nią sam na sam. Latem na tej ścieżce aż roiło się od turystów. Zimą miejsce pustoszało i można było co najwyżej spotkać najbardziej zapalonych biegaczy albo leśniczego, który doglądał swoich włości wokół jeziora Strażym. Podgórska czuła, że będą tu mogły pomówić spokojnie.

– Zaraz wyjdziemy na taką dziką polankę – poinformowała, żeby złagodzić choć trochę irytację Kopp.

Klementyna zatrzymała się i powoli odwróciła się do Weroniki. Ogolona głowa i zmarszczki na twarzy dodawały jej wyglądowi surowości. Stare wyblakłe tatuaże, skórzana kurtka z przykrótkimi rękawami, bojówki i wojskowe buty dopełniały obrazu. Kto by zobaczył Klementynę po raz pierwszy, myślałby pewnie, że twarda z niej kobieta. Nie pomyliłby się. Ale Weronika wiedziała swoje. Za groźnym wyglądem kryły się też uczucia. A przede wszystkim wielka przyjaźń, którą darzyła Daniela. A właśnie o byłego męża Weroniki tu chodziło.

– Spoko. Ale! Już od dłuższego czasu czołgam się po tych krzakach. A ty niezbyt chcesz gadać – irytowała się Kopp. – Bo o czymś chcesz gadać, co? Księżyca teraz nie odkrywam. Raczej nie wybieramy się codziennie na takie urocze wspólne przechadzki.

Weronika nie zaprzeczyła. Faktycznie chciała g a d a ć. Nawet bardzo chciała. Tylko że ciężko było się do tego zabrać. A przede wszystkim odpowiednio ubrać to w słowa. Odkąd zmarła Wiera, Podgórska nie miała tu takiej prawdziwej przyjaciółki od serca. Rozpaczliwie potrzebowała po prostu z kimś pomówić. Nie tylko o Danielu, ale też o tym wszystkim, co sama przechodziła.

Tylko od czego by tu zacząć? Od tego, że ciągle zostawiała swoją maleńką córeczkę pod opieką p i e r w s z e g o byłego męża i d r u g i e j byłej teściowej? Bo mimo że tak bardzo oczekiwała dziecka, okazało się, że po porodzie coś było nie tak i nie potrafiła odnaleźć w sobie satysfakcji i szczęścia, których tak pragnęła. Myślała, że z czasem będzie lepiej. Ale wszystko było takie skomplikowane. Ułoży się, słyszała.

Tylko że nic nie było lepiej. Córeczka miała już rok i prawie cztery miesiące, a niewiele się zmieniło. Weronika nie potrafiła odnaleźć radości z macierzyństwa, którego tak pragnęła. Wyrzuty sumienia, że jest złą matką, zupełnie ją wyniszczały. Gdyby nie Mariusz i Maria, pewnie by sobie nie poradziła.

Mogłaby mówić o tym, i to bardzo długo. Ale mogła też wspomnieć, jak bardzo winiła się za śmierć Emilii Strzałkowskiej. Zadręczanie się śmiercią kochanki d r u - g i e g o męża, właściwie teraz już e k s m ę ż a, zatrącało co najmniej o melodramat, ale Weronika nie potrafiła tego powstrzymać. Przecież to ona doprowadziła do tego, że Daniel zerwał z Emilią, w wyniku czego policjantka popełniła samobójstwo.

Może dlatego Weronika w jakimś geście rozpaczy nazwała swoją maleńką córeczkę imieniem rywalki. Z jakiegoś powodu czuła, że jest to Strzałkowskiej winna. Może myślała, że zagłuszy wyrzuty sumienia. Maleńka Emilka urodziła się pierwszego listopada dwa tysiące osiemnastego roku. Dokładnie w dzień Wszystkich Świętych. Mniej więcej osiem miesięcy po tym, jak Strzałkowska popełniła samobójstwo.

Podgórski był w tamtym czasie pogrążony w zupełnym stuporze. Zaakceptował imię. Weronika nie była jednak pewna, czy dlatego że faktycznie chciał, żeby ich córka tak się nazywała. Być może uznał, że po rozwodzie i tak nie ma prawa do decydowania. A może jego żal był zbyt wielki, żeby cokolwiek go to obchodziło.

– O czym chcesz gadać, co? – zapytała Kopp, przerywając potok myśli Podgórskiej.

Weronika chciała rozmawiać o Danielu. Niedługo po samobójstwie Emilii wzięli rozwód, mimo że Weronika była w zaawansowanej ciąży. Policjant powiedział jej szczerze, że nie da rady. Że kocha Emilię i tak zostanie. Mimo że ona nie żyła.

19

Głos mu wyraźnie drżał, kiedy to mówił. Twarz miał wprawdzie spokojną, ale Weronika czuła, że buzują w nim emocje. Była mu wdzięczna za tę szczerość. Nie chciała żyć w kłamstwie i uznała, że mimo iż spodziewa się jego dziecka, lepiej będzie dla nich wszystkich, jeżeli faktycznie się rozstaną.

Wtedy niespodziewanie pomógł jej Mariusz. Jej pierwszy były mąż z nieoczekiwaną radością zaczął zajmować się cudzym dzieckiem i nią. Nawet kiedy byli małżeństwem, nigdy nie okazywał jej tyle czułości. Może dopiero teraz do tego dojrzał.

Po zakończeniu śledztwa dotyczącego Pokrzyku Mariusz miał trochę kłopotów. Założył nielegalny podsłuch i musiał to wyjaśnić. Ostatecznie się wybronił. Artykuł 267 paragraf 3 kodeksu karnego głosił, że bezprawne uzyskiwanie informacji podlega grzywnie, karze ograniczenia wolności albo pozbawienia wolności do lat dwóch. Ściganie następuje na wniosek pokrzywdzonego. Ale osoby pokrzywdzone nie żyły. I w ten sposób Mariusz wylądował u Weroniki w dworku w Lipowie. Zamiast Daniela. A Podgórski wrócił do sutereny domu swojej matki. Czyli tam, gdzie mieszkał, kiedy go poznała. Życie bywa przewrotne.

– Jak chcesz – mruknęła Kopp i ruszyła dalej przez krzaki, nie czekając, aż Weronika zdecyduje się odezwać.

– Myślałam, że łatwiej będzie tędy przejść – przyznała z westchnieniem.

Wiosną i latem faktycznie było tu gęsto od liści. Teraz drzewa i krzaki miały łyse gałęzie. Mimo to jakby próbowały je zatrzymać. Jakby nie chciały dopuścić, żeby Weronika i Klementyna dotarły do polanki nad jeziorem.

Przedzierały się dalej w milczeniu. Weronika zastanawiała się, od czego zacząć. Chciała powiedzieć, że Daniel przychodzi odwiedzać córeczkę. Że bawi się z nią, że nawet się uśmiecha. Ale ten uśmiech nie jest prawdziwy. Jego oczy zawsze są smutne. Podgórska była bardzo czuła na takie rzeczy. Może dlatego, że była psychologiem.

Wiedziała też, że ona sama nie jest odpowiednią osobą, żeby z Danielem o tym wszystkim pomówić. Za dużo nagromadziło się między nimi niewypowiedzianych słów, żeby teraz jej się zwierzał. Z matką też nie chciał rozmawiać, chociaż Weronika była pewna, że Maria chętnie by go wysłuchała. Pozostawała więc tylko Klementyna.

Weronika patrzyła, jak pod ciężkimi butami emerytowanej komisarz łamią się gałązki na ścieżce. Ziemia nie była zamarznięta. Temperatury tej zimy praktycznie nie spadały poniżej zera. Teraz było prawie dziesięć stopni, choć zdawało się zimniej. Chłodny wiatr sprawiał, że raz po raz przebiegały jej po plecach dreszcze. Wilgoć w powietrzu potęgowała chłód. Może niedługo będzie padać śnieg z deszczem. To nie była zwykła zima. Czuło się, że rok dwa tysiące dwadzieścia zaczyna się dziwnie. Ciekawe, co jeszcze może się zdarzyć.

– Chcesz pogadać o Danielu, co? – rzuciła Kopp. Tym razem się nie odwróciła. – Tak przynajmniej zasugerowałaś, kiedy wychodziłyśmy. To może już przejdziesz do rzeczy, co? Czy będziemy tak wędrować w milczeniu, co? Pije znów czy jak?

Klementyna jak zwykle wyrzucała z siebie słowa z prędkością karabinu maszynowego. Póki się człowiek nie przyzwyczaił, trudno ją było zrozumieć.

– Nie.

Weronika chciała powiedzieć, że po prostu się o niego martwi. Nie wrócił co prawda do nałogu. Z tego, co wiedziała, przestał nawet palić. Całe dnie spędzał w pracy. Wydawało jej się, że to była forma ucieczki. Chciała mu pomóc, ale wiedziała, że były mąż by sobie nie życzył, żeby o nim rozmawiała. Nawet z Kopp. Może Weronika wyolbrzymiała problem. Czy miała w ogóle prawo ingerować w jego sprawy? Po tym wszystkim, co się stało?

– Chodzi o Malwinę Górską – powiedziała więc, porzucając temat Daniela.

Może jeszcze przyjdzie czas, że pomówi o nim z Klementyną. Teraz miała jeszcze jedną sprawę do obgadania. Obiecała.

– Czyli? – odparła Kopp. – Nie kojarzę kobiety.

– To pisarka. Niedawno wprowadziła się do tego drewnianego domu koło mnie – wyjaśniła Weronika.

Podgórska przeprowadziła się z Warszawy do Lipowa prawie dokładnie siedem lat temu. Po rozwodzie z Mariuszem. Kupiła wtedy stary dworek pod lasem. Przez bardzo długi czas za jedynych sąsiadów miała z jednej strony drzewa, a z drugiej pola. Zabudowania Lipowa znajdowały się nieco dalej. Dwa lata temu jeden z rolników sprzedał część swojego terenu. Kupiła go pisarka z Warszawy i wybudowała drewniany dom. Trochę to trwało, ale teraz roboty dobiegły końca i Malwina Górska w końcu się wprowadziła.

Początkowo Weronice wydawało się, że znalazły wspólny język. Może dlatego, że Podgórska była tak bardzo spragniona wychodzenia z domu. A może dlatego, że Górska też chciała z kimś nawiązać kontakt. Najwyraźniej potrzebowała otworzyć się przed kimś, bo opowiadała Weronice o sobie i wielu innych rzeczach. Również o tych, których ta wcale nie chciałaby słuchać.

Podgórska westchnęła. Po prostu pewien fakt z życia Malwiny od razu sprawił, że Weronika pożałowała znajomości z nią.

– Co z tą pisarką, co? – zapytała Kopp.

– Obiecałam jej, że pomówię o jej problemie z kimś, kto jest z policji albo zna się na policyjnej robocie.

– W domu masz cksmężusia byłego policjanta i drugiego eksmęża policjanta, to po co ci ja, co?

– Ta Malwina Górska twierdzi, że ktoś ją chyba śledzi – powiedziała Weronika, ignorując pytanie Klementyny. – I ona nie wie, co zrobić. Boi się, bo…

– Czekaj. Stop! – Kopp zatrzymała się nagle.

– Co? – zdziwiła się Weronika.

Były już prawie na polance, do której zmierzały na tym niezbyt udanym spacerze. Znajdowała się mniej więcej pośrodku jeziora Strażym. Na wysokości ośrodka wypoczynkowego Na Wzgórzu, tylko po drugiej stronie.

– Słyszysz to, co? – zapytała Klementyna.

Podgórska w tym momencie też to usłyszała. Oprócz plusku wody w jeziorze dało się rozróżnić jakiś dziwny dźwięk. Coś jakby szum połączony z delikatnymi uderzeniami? Nic wicdziała, co to mogło być ani dlaczego twarz Kopp przybrała szczególny wyraz.

– Tam – oznajmiła emerytowana komisarz. – A miałam się już nie pakować w takie rzeczy.

Weronika zadrżała, kiedy zobaczyła, co wskazuje Klementyna. A właściwie kogo. To był młody mężczyzna z długimi czarnymi włosami. Pewnie farbowanymi, bo kolor był na tyle głęboki, że nie mógł być chyba dziełem natury. Mężczyzna leżał tuż przy stercie kamieni, które wyglądały, jakby były jego stosem pogrzebowym. Gdyby nie to, że były częściowo zarośnięte zeszłoroczną trawą i mchem, można by pomyśleć, że stanowiły część inscenizacji.

Bo całość zdecydowanie przypominała Weronice jakąś inscenizację. Ciało młodego mężczyzny było zmasakrowane. Tułów, nogi i ręce pokrywały głębokie rany. Tylko twarz pozostała nietknięta. Zastygła w grymasie ni to strachu, ni to zaskoczenia.

A dłonie i stopy…

Dłoni i stóp nie było. Zostały zastąpione groteskowymi ptasimi łapkami. Podgórska widziała takie kiedyś w sklepie dla zwierząt, kiedy szukała psich ciasteczek dla Bajki. Nigdy by nie kupiła takich smakołyków. Nie wyobrażała sobie, żeby jej suczka latała po domu z czymś takim w pysku.

– Może nie powinnaś… – krzyknęła, kiedy Kopp przykucnęła, żeby zbadać puls leżącego.

Klementyna nawet na nią nie spojrzała. Dotknęła ostrożnie szyi młodego mężczyzny, mimo że od razu widać było, że jest martwy.

– Świeży – mruknęła. – Zrobiono z niego trupka całkiem niedawno. Ciało jest jeszcze ciepłe.

Weronika rozejrzała się nerwowo. Jeżeli do morderstwa faktycznie doszło przed chwilą, to sprawca mógł tu jeszcze być. Rozejrzała się nerwowo. Dopiero teraz zauważyła aparat fotograficzny, który stał na statywie kawałek dalej. Obiektyw skierowany był prosto na zbezczeszczone ciało.

– A ten dźwięk? – zapytała.

Na poranionej piersi zamordowanego mężczyzny leżał niewielki dyktafon. To z niego dobywał się dźwięk, który usłyszały, kiedy tu szły. Urządzenie nadal odgrywało swoje nagranie. Szum i stukot.

– Nie mam pojęcia – mruknęła Kopp.

– No i ten aparat fotograficzny…

– Wiem. Widzę – odparła Klementyna z krzywym uśmieszkiem. – Też mam oczy.

– Ktoś mu robił zdjęcia?

– A tego to akurat nie wiem. J e s z c z e.

– Chyba musimy zadzwonić na poli… – zaczęła mówić Podgórska, kiedy zauważyła poruszenie. Z drugiej strony polanki też prowadziła droga. Ktoś tam był.

ROZDZIAŁ 2

Zajazd Sadowskiego. Piątek, 21 lutego 2020.
Godzina 12.00.
Aspirant Daniel Podgórski

Aspirant Daniel Podgórski spojrzał na ciało zamordowanej kobiety. Leżała na plecach i martwymi oczami patrzyła w sufit. Lewa ręka ułożona była wzdłuż ciała, a prawa zgięta i uniesiona wnętrzem dłoni do góry. Wyglądało to tak, jakby kobieta komuś machała.

– Ktoś chyba specjalnie ją tak ułożył – zastanawiał się głośno doktor Koterski.

Medyk sądowy wstał z kolan i zdjął rękawiczki. Uśmiechnął się do Podgórskiego szeroko. W żadnej mierze nie przypominał stereotypowego przedstawiciela swojego zawodu. Miał nieco pucołowatą twarz, kasztanowe loki i wyglądał niczym cherubinek. Trudno byłoby odgadnąć, ile ma lat.

– Krwi jest dość mało jak na takie obrażenia – zauważył Ziółkowski. – Na moje oko ktoś tu posprzątał. Ale luminol nam pomoże. Przekonamy się, czy tu była krew. Zaraz się tym zajmę.

Natomiast szef techników kryminalnych praktycznie nigdy się nie uśmiechał. Jego twarz wykrzywiona była w wiecznym grymasie, jakby życie nie sprawiało mu ani odrobiny radości. Nawet ślub, który wziął niedawno, tego nie zmienił. A może dlatego, zaśmiał się w duchu Daniel.

– Przyjrzę się temu dokładniej podczas sekcji, ale widzę też ranę z tyłu głowy – kontynuował Koterski. – Zobaczymy, co to jest. Na pewno użyto innego narzędzia zbrodni niż na reszcie ciała. Ale na oko, chociaż na oko to dziadek zmarł, jak to niektórzy mówią… ale na oko większość ran została zadana nożem. Oprócz tej tłuczonej z tyłu głowy. Tam stawiałbym na jakieś tępe narzędzie.

Daniel popatrzył na rozbitą butelkę wódki, która leżała nieopodal. Nie pił już długo, ale za każdym razem gdzieś głęboko czuł, że kilka łyków by mu pomogło. Kiedyś liczył dni trzeźwości. Teraz tylko te, które minęły od śmierci Emilii. Siedemset trzydzieści. Dziś mijały dokładnie dwa lata bez niej.

– Tego nie użyto? – zapytał, wskazując rozbitą butelkę. – Taki tulipan może być naprawdę śmiercionośnym narzędziem. Nie raz tak bywało.

– Wypowiem się po sekcji – powtórzył Koterski. Uśmiech nie schodził mu z twarzy.

– Znamy tożsamość ofiary? – zapytała Laura Fijałkowska.

Zastępczyni naczelnika co chwilę poprawiała nerwowym ruchem ciemne włosy. Daniel i tak się dziwił, że się tu zjawiła. Wszyscy wiedzieli, że nienawidzi nieboszczyków. Bała się ich. Unikała jeżdżenia na zdarzenia związane ze śmiercią, nawet kiedy służyła w prewencji. Potem w wydziale kryminalnym pozostawała wierna tej tradycji.

Dziś chciała chyba się pokazać, bo sama zaproponowała pomoc, kiedy partner Daniela spóźnił się do pracy. Podgórski podejrzewał, że chciała się popisać przed naczelnikiem Urbańskim, żeby utrzymać swoją pozycję. Różne plotki chodziły po jednostce.

– Ofiara nazywała się Izabela Pietrzak i była pracownicą tego zajazdu – powiedział sierżant sztabowy Radosław Trawiński.

Daniel ostatnio często pracował z Trawińskim. Zaprzyjaźnili się po śmierci Emilii. Radek był na miejscu, kiedy Strzałkowska strzeliła sobie w głowę. Sama ta myśl... Podgórski odetchnął głębiej. Starał się nie myśleć o tym, że nigdy już nie usłyszy głosu Emilii ani nie zobaczy, jak wywraca oczami i mówi, że nie powinien tyle palić. Nie mógł znieść myśli, że jej nie będzie. A Trawiński zdawał się jedyną osobą, która go rozumie. Może dlatego, że ostatni widział ją żywą.

Od śmierci Emilii naczelnik Urbański często przydzielał im służby razem. Daniel był z tego zadowolony, rozumieli się z Radkiem bez słów. Dobrze było móc komuś zaufać. Niektórzy żartowali nawet na komendzie, że Podgórski i Trawiński zaczynają się do siebie upodabniać. Obaj wysocy, z długą brodą i nieco zbyt wystającym brzuchem. Wyglądali trochę jak bracia.

– Sorry, że się spóźniłem – szepnął kolega. – Pożarliśmy się z żoną i teraz mieszkam na działce w Kuligach. Dobrze, że ją kupiliśmy, przynajmniej mam gdzie się zatrzymać. Mówię ci, stary...

– A co, aż tak źle? – zapytał Podgórski.

– No tak średnio – przyznał kolega, wzruszając

ramionami lekceważąco. Widać było jednak, że jest przejęty. – Jakoś to będzie.

Daniel skinął głową. Życie potrafiło dać człowiekowi w kość jeszcze bardziej niż niejeden trup.

– Zjawa zamierza przyjechać? – zapytał.

Prokurator Bastian Krajewski nazywany był Zjawą ze względu na swój charakterystyczny wygląd. Białe włosy i blada skóra albinosa nadawały mu złowrogi wygląd. Przypominał ducha.

– Chyba żartujesz – zaśmiał się Trawiński. – Przecież wiesz, jaki on jest.

Daniel uśmiechnął się pod nosem. Stwierdzenie, że prokurator prowadzi sprawę, oznaczało ni mniej, ni więcej, że policja ma wykonać wszystkie czynności, a Krajcwski będzie tylko dzwonił i wszystkich popędzał. Zjawa nie budził zbyt ciepłych uczuć i wyglądało na to, że bardzo dba, żeby to się nie zmieniło.

– Zostawcie prokuratora w spokoju – obruszyła się Fijałkowska, jakby i Zjawie chciała się podlizać, mimo że go tu nie było.– To poradzicie sobie teraz beze mnie? Skoro jesteście już we dwóch?

W głosie zastępczyni naczelnika słychać było nadzieję.

– Jasne – powiedział Daniel. – Możesz wracać do bazy.

Fijałkowskiej nie trzeba było dwa razy powtarzać. Daniel widział, że Trawiński uśmiecha się pod nosem. Doktor Koterski też wyglądał na rozbawionego tą niezbyt subtelną rejteradą.

– Chodźmy pogadać z tą pisarką – powiedział Daniel do kolegi.

Wyszli z kuchni na korytarz. Zajazd Sadowskiego zbudowany był z bali. Wszędzie pachniało drewnem. Z kuchni prowadziły drzwi na klatkę schodową. W wolnej przestrzeni pod schodami ulokowano palarnię. Właśnie tam stała Malwina Górska oparta niedbale o ścianę. Jej farbowane na różowo włosy stanowiły mocny kontrast z dość bladą skórą. Duże kolczyki i koła bransoletek na nadgarstkach brzęczały przy każdym jej ruchu. Minispódnica i ciężkie buty sprawiały, że przypominała Danielowi młodszą wersję Klementyny Kopp. Tylko bez tatuaży.

Obok niej przycupnął młody mężczyzna. Palił nerwowo papierosa. Przez twarz przebiegała mu wyraźnie widoczna blizna. Napinała się za każdym razem, kiedy mężczyzna się zaciągał. To był Robert Janik. Jeszcze jeden pracownik zajazdu.

– I co? – zapytał Robert. Malutki piesek, którego trzymał na rękach, nie pasował do jego wyglądu rapera z blokowiska. – Ja pierdolę, to jakaś masakra. Przepraszam za słownictwo, ale nie wiem dosłownie, co powiedzieć.

Malwina Górska wzruszyła tylko ramionami. Kolczyki i bransoletki znów zadźwięczały. Niedawno wprowadziła się do domu w Lipowie. Daniel kojarzył ją jednak nie tylko ze swojej rodzinnej wsi. Pisała kryminały, ale także książki z wywiadami z policjantami. Wielu ją znało w policyjnym środowisku. Kilka razy usłyszał nawet od kolegów żartem, jak bardzo podobne są ich nazwiska.

– Słyszeliśmy, że panowie rozmawiają o ranie tłuczonej. Drzwi są uchylone – powiedziała tonem wyjaśnienia Malwina i pokazała głową w stronę kuchni. Widać było, jak Koterski przygotowuje ciało do zabrania. – Izabela miała taki młotek, prawda?

Pisarka odwróciła się do chłopaka z blizną.

– Jo – potwierdził Robert Janik. – Piec czasem nie działał i Izabela w niego waliła. Jak weszliśmy do kuchni, to młotka nie było. Więc może to ten.

Ciało zamordowanej kobiety znalazła właśnie ta dwójka. Daniel zdążył już z nimi porozmawiać, zanim przyjechał Trawiński, ale rozmów nigdy dość. Nawet powtarzania tego samego. Czasem okazywało się bowiem, że świadek za drugim razem mówił coś zupełnie innego.

– Pani przyjechała tu po rzeczy, tak? – upewnił się więc Podgórski. Trzeba było powoli uporządkować informacje.

– Tak. Mieszkałam tu w pokoju numer jeden. Od początku lutego – uściśliła Malwina. – Bo musiałam sprzedać dom w Warszawie. A pan Sadowski i jego ekipa dopiero kończyli budować mi dom w Lipowie. Sam pan wie.

Podgórski potwierdził.

– No i teraz przewożę rzeczy. Właściwie przewiozłam, bo wczoraj rano przeprowadziłam się tam ostatecznie – wyjaśniła. Miała niski, nieco zachrypnięty głos. – Ale trochę drobiazgów zostało w pokoju, więc przyjechałam. Nikogo nie było w recepcji, postanowiłam więc, że zajrzę do kuchni. Myślałam, że może ktoś tam będzie i się przywitam. Izabela czasem tam przesiadywała, jak nie było gości. Głupio mi było tak po prostu pójść do jedynki. Nie byłam pewna, czy jakiś nowy klient nie zajął pokoju.

– Oczywiście – powiedział Daniel, chociaż nie wyglądało na to, żeby byli tu jacyś klienci. Zajazd był zupełnie pusty. Nie licząc ekipy z policji i tej dwójki.

Policjant zapamiętał to miejsce nieco inaczej. Byli tu kiedyś z Emilią. To było dwa lata temu. Zanim wszystko się

31

stało. Pojechali na jakieś zdarzenie i wracając, po prostu tu zajechali. To nie było zaplanowane. Po prostu się stało. I to w okresie, kiedy na jakiś czas przestali się potajemnie spotykać. No a potem... dwa tygodnie później Emilia popełniła samobójstwo...

Teraz miejsce wyglądało na zaniedbane. Jakby przez te dwa lata, kiedy Daniela tu nie było, nastąpił zupełny upadek. Mimo to stanęły mu przed oczami tamte chwile. Zmierzwione blond włosy i zaczerwienione policzki Strzałkowskiej. Miał wrażenie, że Emilia zaraz wyjdzie z pokoju numer jeden, który wtedy dostali. Najwyraźniej tego samego, który ostatnio zajmowała pisarka.

Może nie wszyscy uznaliby Emilię za piękność. Według niego była idealna. Wiele razy przeklinał swoją głupotę i to, jak długo zwlekał, żeby wreszcie wykonać ruch. Jej śmierć to była jego wina. W całości j e g o w i n a. Tymczasem on żył już dwa lata, a jej nie było. A przecież powinno być odwrotnie. Nieraz myślał nawet, żeby zrobić to samo co ona. Wtedy kabura przy pasku ciążyła naprawdę mocno.

A najdziwniejsze było to, że świat się nie skończył. Mimo całej rozpaczy Daniela piekarze nadal piekli chleb, złodzieje nadal kradli, dilerzy nadal sprzedawali towar na mieście, a mordercy nadal zabijali. I on też wstawał codziennie, wkładał blachę* do kieszeni i szedł na służbę. Chociaż codziennie mu się zdawało, że umarł w środku.

– Właściciela zajazdu nie ma? – zapytał Daniel, porzucając ponure rozmyślania. Trzeba skupić się na sprawie. Odwrócił się do Roberta Janika. – Bo pan, zdaje się, jest tylko sekretarzem szefa? Dobrze zrozumiałem?

* Potocznie odznaka.

– Tak – potwierdził Robert Janik. – Jestem sekretarzem…
Próbowałem dzwonić do szefa, ale pan Sadowski nie odbiera. Ja dziś miałem wolne. Byłem na działce. Przyjechałem, bo obiecałem usiąść w recepcji. Jak wchodziłem, to pani Malwina stała w drzwiach kuchni. No i można powiedzieć, że razem ją znaleźliśmy… znaczy Izabelę.

Pisarka pokiwała głową. Była wysoka. Wyższa nawet niż Weronika. Wpatrywała się w Daniela nieco zaczepnie. Jakby rzucała mu wyzwanie. Nie potrafił rozszyfrować tego spojrzenia. Wiedziała więcej, niż mówiła?

– Filemon bardzo się zdenerwował – ciągnął Robert Janik, unosząc delikatnie małego pieska.

Daniel miał właśnie powiedzieć, że Filemon to był chyba kot, kiedy na drewnianych schodach rozległy się kroki.

– Panie aspirancie, pozwoli pan na górę.

Podgórski nie musiał nawet odwracać się w tamtą stronę. Sarkastyczny ton głosu nie pozostawiał wątpliwości. Mimo to spojrzał w górę. Łukasz stał u szczytu schodów w granatowym mundurze policjanta prewencji.

Był synem Daniela i Emilii. Podgórski starał się zobaczyć w twarzy młodego mężczyzny rysy Strzałkowskiej, ale widział tam tylko siebie. I spojrzenie pełne nienawiści. Przez minione dwa lata syn ani razu nie dał Podgórskiemu zapomnieć, że to przez niego Strzałkowska popełniła samobójstwo.

– Co się stało? – zapytał syna.

Daniel wcale nie był zadowolony, że Łukasz został policjantem. Ale najwyraźniej to było mu pisane, skoro oboje rodzice tym się właśnie zajmowali. Zresztą ojciec Daniela także nosił niebieski mundur. Mimo to Podgórski najchętniej oszczędziłby synowi widoków takich, jaki zastali tu w kuchni. Dlaczego akurat jego patrol znajdował się niedaleko zajazdu? Nie mogło paść na kogoś innego?

– No raczej się stało – odpowiedział Łukasz cierpko.

Widać było, że stara się zachować zimną krew, ale Daniel doskonale wiedział, ile chłopaka musiało to kosztować. Pierwszego trupa zawsze się zapamiętuje. Z a w s z e. Chociażby potem było ich tysiące.

– Co jest? – zapytał Trawiński.

Podgórski niemal zapomniał o obecności kolegi. Radek był dziś mocno przygaszony. Pewnie przez kłótnię z żoną. Trzeba będzie z nim potem pogadać. Może jakoś pomóc.

– Kolejny trup – powiedział Łukasz, poprawiając furażerkę. – Jest na górze.

– Kto? – zapytał Robert Janik. – Kto jeszcze nie żyje?!

– Proszę tu zaczekać – poprosił Daniel.

Był trochę zły na Łukasza, że tak po prostu powiedział to przy świadkach. No ale syn dopiero się uczył. Zaczął służbę na początku tego roku. Puste pagony posterunkowego pokazywały, jak mało doświadczenia jeszcze ma i jak długa przed nim droga. Do młodych trzeba dużo spokoju i cierpliwości.

– Ale kto tam jest? – zapytał znów Robert Janik.

Jego nerwowość wydawała się teraz teatralna, ale w takiej sytuacji stres to coś normalnego. Przecież Janik i ta pisarka znaleźli przed chwilą trupa. A okazało się, że zajazd krył kolejne tajemnice.

Daniel odwrócił się do Trawińskiego.

– Poczekaj tu z nimi – poprosił. Nie potrzebował jakichś histerycznych reakcji przy denacie. Lepiej było najpierw zobaczyć, co się dzieje na górze.

Trawiński potwierdził skinieniem głowy.

– No dobrze – mruknął Podgórski i ruszył na górę po drewnianych schodach.

Były pokryte grubą warstwą piasku, kołtunów kurzu i jakiegoś bliżej niezidentyfikowanego brudu. Policjant spodziewał się, że stopnie będą skrzypiały pod jego stopami, ale nic takiego się nie stało. Zajazd nie był starym budynkiem. Daniel nie pamiętał dokładnie, kiedy został zbudowany, ale było to zaledwie kilka lat temu. Przedtem był tu zakład produkujący domy drewniane. Jedna z trzech konkurujących ze sobą na tym polu firm w mieście. Franciszek Sadowski postawił zajazd chyba tylko po to, żeby się wyróżniać spośród swoich przeciwników biznesowych.

– Jest tu, panie aspirancie – poinformował Łukasz. Jego głos znów ociekał sarkazmem i niechęcią. – To jakaś sala konferencyjna czy coś.

Weszli do pomieszczenia. Było całkiem spore. Z oknami w skośnym dachu. W powietrzu unosiła się woń rozkładu. I wcale nie chodziło o trupa, który leżał na kanapie. A przynajmniej nie tylko. Bo wszędzie walały się brudne talerze, pokryte pleśnią resztki jedzenia, puste butelki i różne inne rzeczy wskazujące wyraźnie na to, że odbyła się tu większa impreza.

– Chyba już nie musimy szukać właściciela zajazdu – powiedział Daniel. Bardziej do siebie niż do Łukasza. Był pewien, że syn i tak nie odpowie.

– Ja tam nic wiem – mruknął chłopak wbrew oczekiwaniom Podgórskiego. Nie było to wiele, ale przynajmniej zareagował.

Policjant ruszył pomiędzy stolikami z pozostałościami balangi. Pośrodku tego rozgardiaszu na kanapie pod ścianą leżał trup. Zupełnie jakby nigdy nic. Daniel kojarzył Franciszka Sadowskiego i był pewien, że ma przed sobą właściciela zajazdu. W przeciwieństwie do swojej pracownicy, która leżała pocięta w kuchni, mężczyzna wyglądał, jakby po prostu zasnął.

– Narkotyki – mruknął Daniel.

Na podłodze obok kanapy leżała strzykawka, a wokół ręki mężczyzna miał zaciśniętą opaskę, żeby łatwiej znaleźć żyłę.

– No i zauważyłem coś tu pod kanapą – powiedział Łukasz, teraz prawie normalnym tonem.

Podgórski musiał przykucnąć, żeby zajrzeć pod sofę. Kolana trzasnęły mu głośno. Ileż to razy obiecywał sobie, że weźmie się za siebie. Że schudnie. Że znów zacznie ćwiczyć i tak dalej. Nigdy nie było na to czasu.

Zajrzał pod kanapę. Na podłodze leżały dwie ptasie nóżki.

ROZDZIAŁ 3

Dzika plaża nad jeziorem Strażym.
Piątek, 21 lutego 2020. Godzina 12.20.
Weronika Podgórska

Klementyna rzuciła się w stronę ścieżki po przeciwległej stronie polanki. Niewiele myśląc, Weronika też pobiegła w tamtą stronę. Trup czarnowłosego chłopaka z makabrycznymi ptasimi łapkami zamiast dłoni i stóp zdawał się machać im swoimi okaleczonymi kończynami na pożegnanie.

– Co tu się dzieje?!

Obie z Kopp zatrzymały się jak wryte. Ścieżką nadchodziła Maria Podgórska. Pulchna twarz była zaczerwieniona od zimna i szybkiego marszu. Jej widok zupełnie nie pasował do zbrodni, która się tu rozegrała. Aż dziwne, że Weronika od razu nie rozpoznała sapania eksteściowej. Może ten dziwny niepokojący dźwięk z umieszczonego na ciele chłopaka dyktafonu sprawił, że Podgórska skupiła się tylko na tym, a inne dźwięki zupełnie wyparła ze świadomości.

– Co tu się dzieje? – powtórzyła matka Daniela.

Oddychała głośno, najwyraźniej zmęczona wędrówką. Nie przeszkadzało jej to rozglądać się z zainteresowaniem wokoło. Zawsze była wścibska i pierwsza znała wszystkie plotki we wsi.

– Mama miała pilnować Emilki – przypomniała Weronika.

Nadal nazywała byłą teściową *mamą*. Rozwód z Danielem nic tu nie zmienił. Jakoś tak się utarło i zostało. Maria przyszła rano odwiedzić wnuczkę. A kiedy przyjechała Klementyna, została z Mariuszem w dworku. A przynajmniej miała zostać.

– No jest z twoim Mariuszkiem – w głosie Marii zabrzmiał lekki wyrzut. Jakby o wszystko obarczała winą Weronikę. A przecież to jej syn chciał rozwodu. – Miałam wrażenie, że będziecie rozmawiali o Danielku, więc uznałam, że chcę przy tym być. Nie chcę, żeby beze mnie podejmowało się jakieś decyzje na temat mojego syna.

– Spoko. Ale! Zostawmy na razie może twojego syneczka. Mamy tu ważniejsze sprawy. Na przykład trupa. Widziałaś tam kogoś, co? – zapytała Klementyna. – Jak szłaś.

Kopp kiwnęła głową w stronę drogi, skąd Maria przyszła. Była szersza niż ta, którą dotarły tu z Klementyną. Ta ich przeznaczona była tylko dla spacerowiczów. Przecinała polankę i biegła dalej wzdłuż jeziora Strażym. Z kolei ta, którą zeszła na plażę Maria, była odgałęzieniem większej leśnej drogi i pozwalała dojechać na polankę samochodem.

– Co tam leży… – zainteresowała się Maria, ignorując pytanie Klementyny.

Weronika zastanawiała się, czy powinna zasłonić martwego chłopaka przed teściową, czy może pozwolić jej zobaczyć ciało. Inscenizacja była wprawdzie makabryczna, ale Maria też wiele w życiu widziała. Ojciec Daniela był policjantem. Na pewno opowiadał jej o swojej służbie. Maria pracowała też przez długi czas na posterunku w Lipowie jako pracownica cywilna.

– Świeży denat – odparła po prostu Kopp. Najwyraźniej nie miała takich rozterek jak Weronika. – Widziałaś kogoś na tej ścieżce czy nie, co? Sprawca może cały czas być w pobliżu.

Maria była niewiele starsza od Klementyny, ale trudno byłoby znaleźć dwie bardziej różne od siebie kobiety. Matka Daniela była pulchną, stateczną starszą panią. Najczęściej chodziła w kraciastych spódnicach, a siwe włosy nawijała na wałki. Wyglądała jak uosobienie stereotypowej dobrodusznej babci. Kopp ze swoimi tatuażami i ogoloną na łyso czaszką wręcz przeciwnie.

– Samochód – wyjaśniła Maria. – Wyjechał stąd, kiedy schodziłam z głównej drogi.

– Leśniczy? – zapytała Weronika.

Podgórska spacerowała tędy dość często i czasem też wybierała tę szerszą drogę. Co jakiś czas widywała tam samochód służb leśnych.

– Nie, ale też taki duży. Terenowy.

Weronika zerknęła na Klementynę. Najwyraźniej ktoś był tu samochodem tuż przed tym, jak nadeszły. A jeżeli ktoś tu był, to albo widział to, co one, albo zamordował tego chłopaka i przygotował tę makabryczną inscenizację, a potem uciekł.

– Jaki to był samochód, co? – zapytała Kopp, znów wypluwając słowa. Chyba pomyślała o tym samym, co Weronika.

– A czy ja wiem? Nie znam się na tym. Trzeba by zapytać Danielka.

– Spoko. Ale! Danielka tu nie ma – odparła Kopp ze sztuczną słodyczą. – Opisz jakoś to auto.

– Ciemne.

– Ciemne – powtórzyła za Marią Klementyna uszczypliwie. – Okej. No dobra. Bardzo wiele nam to mówi.

Weronika nie mogła powstrzymać uśmiechu.

– To był duży i ciemny samochód – powtórzyła Maria. – Już mówiłam, taki terenowy jak ma leśnik. Ale to nie był on. Ktoś inny.

– Widziałaś kierowcę, co? – indagowała dalej Klementyna.

– Nie przypatrywałam się – odparła Maria defensywnie. – Skąd niby mogłam wiedzieć, że to ważne? Myślałam, że będziecie rozmawiać o Danielu, a nie znajdować trupy. Ot co!

– Niech mama się zastanowi – poprosiła Weronika spokojnie. – Pamięta mama coś jeszcze?

– Wydaje mi się, że tam był kierowca i pasażer. To znaczy wydaje mi się, że ktoś siedział na siedzeniu z przodu obok kierowcy.

– Czyli to były dwie osoby – powiedziała Weronika w zamyśleniu.

– Jo. A co się stało temu biedakowi?

Zanim Weronika zdążyła ją powstrzymać, była teściowa ruszyła żwawym krokiem w stronę zamordowanego chłopaka.

– O mój Boże – wykrztusiła i przeżegnała się kilkakrotnie. – Przecież on jest cały pokiereszowany. I te kurze łapki zamiast rąk i stóp. Kto mógł coś takiego zrobić? Co

się dzieje z tym światem? A ten aparat fotograficzny?!
Ktoś chciał mu robić zdjęcia? Przecież tak nie wolno!

– Nie sądzę, żeby ten człowiek się przejmował, co wolno,
a co nie wolno, mamo – odparła Weronika delikatnie. – Pamiętasz może cokolwiek więcej na temat tego samochodu?
Oprócz tego, że był ciemny i terenowy? To może być ważne.

– Nie. Przecież mówię.

Weronika odwróciła się do Kopp.

– Nie skończyłam ci opowiadać, ale ta pisarka mówiła
mi, że śledziła ją właśnie terenówka   wyjaśniła Klementynie. – A właściwie SUV. Może to ten sam... Mamo, czy
ten samochód to był taki naprawdę terenowy, czy taki
bardziej elegancki?

– Nie wiem. Nie znam się. Chyba był ładny.

Weronika westchnęła. Nie wiedziała, jak przekazać
Marii, jaka jest różnica pomiędzy autem terenowym
a SUV-em, żeby mogły zdobyć choć trochę więcej konkretów. Tymczasem była teściowa wyciągnęła z kieszeni
płaszcza paczuszkę herbatników.

– Zjedzcie dziewczyny – zarządziła. – Trzeba mieć siłę.

Weronika znów się uśmiechnęła. Maria po prostu nie
potrafiła nie karmić wszystkich wokół siebie. Zazwyczaj
wytrzymywała nie dłużej niż pół godziny. To chyba było
silniejsze od niej. Jedzenie miała zawsze ze sobą, nawet
kiedy wydawało się, że nie było gdzie go schować. Potrafiła
na przykład ukryć coś w podomce, którą nosiła latem. Aż
strach pomyśleć, ile zapasów schowała w ciężkim zimowym
płaszczu, który miała teraz na sobie.

– Ja dziękuję – zapewniła Weronika. Zdecydowanie nie
czuła głodu w towarzystwie okaleczonego ciała. Odwróciła się

znów do Kopp. – Myślisz, że to może być ten sam samochód, który śledził pisarkę? I że ci ludzie zabili tego chłopaka?

Kopp wzruszyła ramionami. Wzięła ciastko od Marii, ale nawet nie zaczęła go jeść. Wyglądała na zamyśloną.

– A skąd ja niby mam wiedzieć, co? To nie mnie pisarka się zwierzała.

– Ależ to przecież jest ten chłopak! – zawołała nagle matka Daniela, podchodząc bliżej do trupa. Chrupała przy tym zawzięcie herbatnik. Najwyraźniej stan, w jakim znajdowało się ciało, zupełnie nie robił na niej wrażenia.

– Znasz go, co? – zapytała Klementyna szybko.

– No kojarzę z gazety. Syn takich ludzi od budowy domów drewnianych. Jak on się nazywał? Beniamin chyba. Beniamin Kwiatkowski. Tak, jestem pewna. – Maria się uśmiechnęła. – Bo wiecie, że u nas trzy rodziny budują te drewniane domy. Kwiatkowscy, Sadowscy i Dąbrowscy. Był o tym cały artykuł w „Prawdziwym Głosie". I akurat dali zdjęcie tego chłopaka. I mówili tam, że to nowe pokolenie i że ono może doprowadzi do zgody i współpracy pomiędzy trzema firmami. Coś w tym guście. Zapamiętałam go, bo ma te okropne czarne włosy. Ja to nie rozumiem, jak chłopcy mogą farbować włosy. To tak nieporządnie wygląda. Kobiety to co innego. Trzeba o siebie dbać.

Weronika znów pomyślała o Malwinie Górskiej. Pisarka zamieszkała w drewnianym domu zbudowanym właśnie przez jedną z tych trzech firm. Podgórska nie pamiętała, o którą z nich chodziło. Może to byli właśnie Kwiatkowscy? Tylko dlaczego ich syn leżał teraz martwy tak niedaleko Lipowa? Dlaczego był tu ciemny samochód terenowy, który być może śledził pisarkę?

– On jest chyba porąbany siekierą – zauważyła Maria. Otarła okruszki z twarzy. – Wy na pewno nie jesteście głodne?

– Nie – odpowiedziały niemal chórem Weronika i Klementyna.

– No bo widziałam już takie rany – podjęła Maria. – Kiedyś Chruścik się pokłócił z Borowieckim i tak to się skończyło. Byłam wtedy młodą dziewczyną.

– Też pomyślałam o siekierze – przyznała Kopp znów zamyślona.

– Wygląda trochę jak na tym obrazie – powiedziała Weronika. Dopiero teraz przyszło jej to do głowy: – *Krzyk* Muncha.

Nie mogła sobie uzmysłowić, gdzie ostatnio widziała reprodukcję tego obrazu. Postać z otwartymi szeroko ustami i rękami uniesionymi wzdłuż twarzy. Absolutne przerażenie. Beniamin Kwiatkowski wyglądał podobnie. Z wyjątkiem tego, że zamiast dłoni miał te groteskowo wyglądające ptasie nóżki.

– Czekaj. Stop. A to co? – mruknęła Kopp, kucając przy ciele.

Emerytowana policjantka wyciągnęła komórkę i zrobiła zdjęcie.

– Co tam masz? – zaczęła pytać Weronika, kiedy znów kątem oka zobaczyła poruszenie.

To było trochę jak déjà vu sytuacji, kiedy przyszła tu Maria. Tylko tym razem ktoś pojawił się na wąskiej ścieżce, która była przedłużeniem tej, którą dotarły tu z Klementyną. Weronika mimowolnie wstrzymała oddech.

Stał tam mężczyzna z siekierą. Nawet z tej odległości Podgórska widziała, że narzędzie pokryte było krwawymi plamami.

ROZDZIAŁ 4

Daniel wstał z kolan. Mimo że w pomieszczeniu panował taki bałagan, kurze łapki pod kanapą zdawały się zupełnie nie na miejscu. To na pewno nie była część z resztek jedzenia, które wszędzie tu się walało. Nóżki były jakby zaschnięte. Podgórski zamierzał poprosić Ziółkowskiego, żeby je zabezpieczył. Mogły okazać się istotnym dowodem.

– Nie jesteś tu już potrzebny – powiedział do Łukasza.

Już jak to mówił, zorientował się, że nie zabrzmiało to zbyt dobrze.

– Nie no, wielkie dzięki, p a n i e a s p i r a n c i e – odparł syn, salutując przesadnie.

– Chodziło mi o to, że nie musisz tego oglądać – uściślił Podgórski. Wskazał głową martwe ciało Franciszka Sadowskiego. – To nie jest twoje zadanie. Wy mieliście tylko poczekać, aż my przyjedziemy.

Łukasz nie powiedział Danielowi, że chce zostać policjantem. Poszedł z tym do naczelnika Urbańskiego. A ten, jako szef Emilii, załatwił mu wzięcie udziału w kursie podstawowym, mimo że było już za późno na dołączenie kolejnych kandydatów. Urbański miał swoje sposoby.

Z jednej strony Podgórski był szefowi za tę pomoc wdzięczny. Jeżeli syn chciał służyć w policji, to dobrze, że mógł spełnić swoje marzenie. Może zrobił to ze względu na Emilię. Ale z drugiej strony Podgórski czuł naprawdę dyskomfort, że syn będzie musiał mierzyć się z tyloma konsekwencjami pracy w tym zawodzie. Niektórymi znacznie gorszymi niż trupy.

– Marna patrolówka kłania się wielkim mędrcom z kryminalnego – szydził Łukasz kąśliwie. Ukłonił się przy tym teatralnie. – Wiem, rzecz jasna, jak mało ważny jestem. Powinienem nagrywać tę naszą rozmowę, żeby potem nie było, że obraziłem pana aspiranta?

Jad w głosie syna bolał.

– Dobrze wiesz, że nie o to mi chodziło – mruknął Daniel. – Ale warto, żebyś swoje interwencje czasem nagrywał, bo...

– Doprawdy? – przerwał mu Łukasz. – Dzięki za jakże cenną poradę, panie aspirancie.

Podgórski westchnął z rezygnacją.

– No to co my tu mamy?

Daniel poczuł niesamowitą ulgę na dźwięk wesołego głosu doktora Koterskiego. Medyk sądowy w końcu wdrapał się po schodach na górę, żeby do nich dołączyć. Widocznie skończył z Izabelą Pietrzak w kuchni.

– No proszę – dodał Koterski. – Drugi to też świeżynka?

Ani Podgórski, ani Łukasz nie odpowiedzieli. Atmosfera była tak napięta, że Daniel miał wrażenie, że

45

syn skoczy mu zaraz do gardła. Nie widywali się często. A tak praktycznie w ogóle. Czasem przelotnie na korytarzach komendy. W czasie wolnym Łukasz unikał Daniela. A jak się spotkali, okazywał mu wrogość. Jak dzisiejszego ranka.

Daniel znów westchnął. Miał w zwyczaju codziennie rano odwiedzać grób Emilii. Od czasu pogrzebu nie było dnia, żeby tam nie zajrzał. Kiedy przyszedł dziś rano, Łukasz już tam był. Oczywiście doszło do kłótni. A syn kazał mu wypierdalać, bo przez niego matka nie żyła. Chyba tak to ujął. Te słowa trafiały w najczulszy punkt.

– Jak bardzo niedawno zginęli? – zapytał policjant, żeby już o tym wszystkim nie myśleć.

– Wiesz, że nie lubię wypowiadać się przed sekcją, bo w trakcie wszystko może się okazać inaczej, ale na oko wygląda mi na to, że zarówno Izabela Pietrzak, jak i on – Koterski kiwnął głową w stronę ciała właściciela zajazdu – nie żyją od wczorajszego wieczoru.

– Tu możemy mieć przedawkowanie – powiedział Podgórski. – Jest strzykawka i…

Do pomieszczenia wszedł Trawiński.

– Daniel, ten Robert Janik mówi, że coś zginęło z recepcji. Chodź na moment.

Podgórskiemu nie trzeba było dwa razy powtarzać. Miał olbrzymią ochotę wyjść stąd i nie czuć na sobie wrogiego spojrzenia syna.

– Co zginęło? – zapytał, kiedy schodzili z Trawińskim po schodach.

– Robert Janik mówi, że pieniądze.

– Dużo?

– Tu była taka kasetka na drobne – wyjaśnił chłopak z blizną. Recepcja była tuż obok schodów, więc najwyraźniej usłyszał pytanie Daniela. – Stała za kontuarem. To były pieniądze do wydawania reszty, jak ktoś wynajmował pokój tylko na kilka godzin.

– Na kilka godzin? – zdziwił się Trawiński.

Daniel westchnął po raz kolejny tego dnia. Sam był tu dwa lata temu z Emilią na niecałe dwie godziny. Tylko tyle albo aż tyle. Musiał przecież wrócić do Weroniki. To było tylko wykradanie wspólnych chwil.

– Czyli to mógł być atak o podłożu rabunkowym? – zastanawiała się głośno Malwina Górska.

Pisarka po raz kolejny zerkała dziwnie na Daniela. Tak się policjantowi zdawało.

– Mówię, że tych pieniędzy nie było za dużo – przypomniał Robert Janik. – No ale kasetki nie ma.

Nie miał już psa na rękach. Zwierzak siedział dumnie na popękanym fotelu w recepcji.

– Ile mogło tam być? – zapytał Trawiński.

– Czy ja wiem? Myślę, że maksimum tysiąc złotych. O ile Izabela części nie wzięła. Lubiła podbierać z kasetki. Pan Franciszek jej za to nie gonił.

Zabrzmiało to tak, jakby Robert Janik nie był tak wyrozumiały jak jego szef. Daniel pokiwał głową w zamyśleniu. Czy tysiąc złotych mogło być powodem brutalnego morderstwa? Albo nawet podwójnego morderstwa. Bo w kuchni leżało ciało Izabeli Pietrzak, a na górze Franciszka Sadowskiego. Czyżby Izabela przyłapała złodzieja, a ten ją zabił? Ludzie zabijali za mniejsze sumy, uznał policjant w duchu.

– Zaczęliśmy oglądać pokój, który zajmowała ofiara z kuchni.

Głos szefa techników wyrwał Podgórskiego z zamyślenia.

– Tam jest niezły bałagan – mówił dalej Ziółkowski.

– Rzeczy powyrzucane z szafy i nie tylko. Będzie sporo roboty. Sami zobaczcie.

Wszyscy ruszyli za technikiem do pokoju w drugim końcu korytarza. Daniel nie miał siły protestować, że Robert Janik i Malwina Górska idą z nimi. Postanowił interweniować, jeżeli nie będą trzymali się z tyłu.

W pokoju faktycznie panował bałagan. Ubrania Izabeli Pietrzak walały się po podłodze. Pościel była rozrzucona. Tylko dwa zdjęcia w ramkach na stoliku nocnym zdawały się stać na swoim miejscu. Jedno przedstawiało chudego starszego mężczyznę z mocno wyłupiastymi oczami. Drugie blondwłosą kobietę z urodą wyraźnie poprawianą skalpelem.

Twarz mężczyzny ze zdjęcia wydawała się policjantowi znajoma. Podgórski nie mógł przez chwilę uzmysłowić sobie dlaczego. W końcu dotarło do niego, że to był niejaki Ryszard Pietrzak. Podejrzany z ostatniej sprawy, którą prowadziła Emilia. No tak. Przecież mąż Izabeli Pietrzak trafił do więzienia podejrzany o zabójstwo niejakiej Julii Szymańskiej. Strzałkowska zajmowała się tą sprawą na krótko przed swoim samobójstwem. Potem dokończyła ją za nią Fijałkowska.

– Taki tu zawsze bałagan? – zapytał Daniel, odwracając się do Roberta Janika.

Pomieszczenie wyglądało, jakby ktoś je przeczesał w poszukiwaniu czegoś. Może sprawca myślał, że znajdzie coś cennego? Skoro zabrał kasetkę z recepcji, być może faktycznie chodziło o rabunek.

– Nie. Izabela nie była może szczytem pedantyzmu, ale szef wymagał od nas, żeby w pokojach panował jaki taki porządek. Bo każdy z nas ma pokój dla siebie – dodał tonem wyjaśnienia chłopak z blizną. – Mieszkamy tu na stałe. To znaczy kiedyś szef wymagał porządku, bo teraz to zupełnie inna historia...

– Co ma pan na myśli? – wtrącił się Trawiński. On chyba też wyczuł dziwną nutę w tonic młodego mężczyzny.

– No nic. Pan Franciszek po prostu ostatnio różnie sobie radził. Trochę ten zajazd podupadł.

– Niech pan się rozejrzy, czy tu niczego nie brakuje – poprosił Trawiński.

– A niby skąd ja mam, kurwa, wiedzieć, czy tu czegoś brakuje – mruknął Robert Janik, zapominając najwyraźniej o kulturze. – Nie mam pojęcia, co Izabela miała w swoich rzeczach. Pracowaliśmy razem, ale ja jej w majtkach nie grzebałem.

– A ktoś inny to robił? – zapytał Podgórski, bo czuł, że w ostatnim stwierdzeniu czaiła się wyraźna sugestia.

Robert Janik wzruszył ramionami.

– A pani może coś zauważyła? Albo może coś zginęło? – spróbował policjant, odwracając się do pisarki. – Mieszkała tu pani.

– Mieszkałam tu wprawdzie w zajeździe. Tak jak panu powiedziałam – odparła. – Ale nie zbliżyłyśmy się z Izabelą aż tak bardzo. Nie wiem, co mogła mieć w swoich rzeczach.

– Kto mógłby wiedzieć, czy tu czegoś nie brakuje?

– Pewnie Kalina Pietrzak – poinformował Robert Janik.

Chłopak z blizną kiwnął w stronę zdjęcia blondwłosej kobiety, które nadal porządnie stało na stoliku nocnym. Kalina ubrana była w czerwoną sukienkę ze sporym dekoltem ukazującym jej równie spore wdzięki.

– To córka Izabeli – dodał Janik.

– Mieszka w Brodnicy?

– Jo. Chociaż firmę prowadzi w Rypinie. Dam panu namiar.

Przez chwilę nikt nic nie mówił.

– Na górze też jest spory bałagan – odezwał się w końcu Daniel. – Mieliście jakąś imprezę?

– Jo – przyznał Robert Janik. – W zeszłą sobotę było tu spotkanie właścicieli trzech firm produkujących domy drewniane. Szef przyjął Dąbrowskich i Kwiatkowskich u siebie, żeby zaproponować współpracę zamiast ciągłego zwalczania się. Trzy firmy na tak niewielkim rynku to trochę dużo.

– Czyli to było spotkanie biznesowe? – upewnił się Daniel.

Puste butelki, strzykawka przy ciele Franciszka Sadowskiego, popielniczki pełne niedopałków. To wszystko sugerowało raczej ostrą popijawę niż rozmowy kontrahentów.

– Wie pan, jak jest. – Chłopak z blizną wzruszył ramionami. Chyba zrozumiał, do czego odniósł się Podgórski.

– I nikt tego nie sprzątnął od soboty?

Daniel nie raz widział już takie rzeczy. Na służbie zdarzało się mu wchodzić do najgorszych melin. Sam też miał w życiu okres, kiedy było mu wszystko jedno, w jakim chlewie żyje. W końcu doszedł do takiego stanu, że liczyło się tylko, żeby przetrwać dzień w pracy i dotrwać do kolejnej butelki wieczorem. Być może gdyby nie Emilia, nie wyrwałby się z tego błędnego koła. Jego mieszkanie w suterenie domu matki wyglądało wtedy podobnie jak sala na piętrze zajazdu.

Robert Janik odchrząknął cicho.

– Bo panu Franciszkowi już nie zależało na tym biznesie – powiedział z goryczą. Tak jakby uderzało to w niego samego. – No i tak to wszystko leżało od soboty, bo ja już nie dawałem rady wszystkiego ogarniać, a Izabela tylko piła i jej było wszystko jedno. Zresztą gości w zajeździe też ostatnio nie było za wiele. Właściwie tylko pani Malwina. A jak pani się wyprowadziła, to już byliśmy tu my sami.

Młody mężczyzna wskazał głową Malwinę Górską. Daniel miał wrażenie, że pisarka chce coś powiedzieć. Czekał, ale milczała. Najwyraźniej zmieniła zdanie.

– Kto uczestniczył w tym sobotnim spotkaniu? – zapytał więc policjant.

– No mówię przecież. Dąbrowscy i Kwiatkowscy. Znaczy panowie z żonami. No i Kwiatkowski wziął też syna, Beniamina. A Dąbrowski tego swojego szefa produkcji, Pawła Krupę. A Kalina Pietrzak, córka Izabeli, obsługiwała imprezę, bo ma firmę, która wynajmuje hostessy. Zna się na tym.

Robert Janik znów spojrzał na zdjęcie blondynki w czerwonej sukience.

– Pana szef brał narkotyki? – zapytał Podgórski. Strzykawka przy ciele nie dawała mu spokoju.

– Czasem – przyznał niechętnie Robert Janik po chwili milczenia. – Dlatego to wszystko się tak sypało. Potraciliśmy

51

klientów. Tylko pani Malwina nam została. No ale byliśmy strasznie spóźnieni z budową jej domu. Za co przepraszam.

Pisarka poruszyła się, jakby chciała powiedzieć, że nic się nie stało. Biżuterią znów zabrzęczała.

– Ale nie chcę, żeby pan go źle oceniał. Pan Franciszek był dla mnie jak ojciec – powiedział chłopak z blizną. – Żal było patrzeć, jak się staczał, a to wszystko, co wypracował, traciło na znaczeniu. Ale nie chcę, żeby go pan oceniał.

Daniel daleki był od oceniania kogokolwiek. Sam doskonale wiedział, że wystarczy kilka drobnych potknięć i człowiek znajdował się zupełnie nie tam, gdzie mu się wydawało, że będzie. Na przykład z butelką zaciśniętą w dłoni. Kupowaną w coraz to innych miejscach, żeby nikt się nie dowiedział. A potem nawet pozory przestawały się liczyć.

– Starałem się to wszystko jakoś ciągnąć – wyjaśnił Robert Janik. – Ale ciężko było samemu. Ostatnio to ja miałem wszystko na głowie, bo na Izabelę to już zupełnie nie można było liczyć. Ona piła. No ale to nie tajemnica. Franciszek uratował ją z niezłej menelowni. A teraz oboje nie żyją…

– Stało się coś konkretnego, że Sadowski zaczął zażywać narkotyki?

– Nie wiem.

– Gdzie pan był wczoraj wieczorem?

Koterski może i dopiero potwierdzi czas zgonu na sekcji, ale Daniel postanowił wypytać tych dwoje o alibi na czas śmierci Izabeli Pietrzak i Franciszka Sadowskiego.

– Już chyba mówiłem, że byłem na działce po ojcu. Tatusiek się zachlał. Ja też nie pochodzę z najlepszej okolicy – zaśmiał się gorzko Robert Janik. – Franciszek nam wszystkim pomógł. Mogłem odejść, jak się wszystko zaczęło sypać, ale nie chciałem go samego zostawić. Musiałem jakoś to trzymać w ryzach, bo firma by padła.

– Ktoś pana widział na tej działce? – wtrącił się Trawiński niewzruszony wynurzeniami Janika.

– Byłem sam – przyznał młody mężczyzna. – Podejrzewa mnie pan?

Daniel nie mógł oprzeć się wrażeniu, że zabrzmiało to jak wyzwanie. Trawiński zaczerwienił się lekko.

– A pani była gdzie? – zapytał Daniel, żeby uprzedzić ewentualną utarczkę słowną.

Ta dwójka znalazła ciało Izabeli Pietrzak, ale nie było powiedziane, że któreś z nich nie widziało go już wcześniej. Na przykład podczas morderstwa.

– Też jestem podejrzana? – zapytała Malwina Górska.

Poprawiła kosmyk różowych włosów. Policjant dopiero teraz zauważył, że na lewej dłoni pisarka ma niewielki tatuaż. Znak wyglądał jak litera Y. Tylko spomiędzy krótszych ramion wychodziło jeszcze trzecie. Jakby przedłużenie dolnej nóżki. Daniel nie był pewien, czy o to chodziło, czy może tatuażysta był po prostu nieuważny.

Wzdrygnął się. Nieoczekiwanie dziwny znak na ręce Malwiny Górskiej skojarzył mu się z ptasimi nóżkami, które leżały na górze pod kanapą. Tamte miały co prawda trzy szpony i coś w rodzaju zawiniętego kciuka. Daniel nie był pewny, jak poprawnie nazwać anatomię ptasiej kończyny. Chyba były kurze.

Tatuaż na dłoni pisarki przypominał odcisk ptasiej nóżki w piasku. Daniel nie mógł oderwać od niego wzroku.

– Też jestem podejrzana? – powtórzyła Malwina Górska.

– Myślałem, że rozmawiała pani już z tyloma policjantami, że wie pani, że musimy o takie rzeczy pytać – odparł.

– To są zwykłe procedury.

Sam nie wiedział, skąd w jego głosie pojawiła się niechęć. Chyba zirytowało go, że Górska nie chce po prostu odpowiedzieć. Podgórski łapał się na tym, że ostatnio coraz trudniej było mu zebrać myśli, a cierpliwości nie miał. Mało spał. Szczerze mówiąc, prawie w ogóle. Czasem korciło go, żeby znów znieczulić się butelką wódki. Trzymał jedną na czarną godzinę. Z jakiegoś jednak powodu nie mógł tego zrobić. Tak jak i zapalić. Twarz Emilii przewracającej oczami i wyciągającej mu papierosa z ust za bardzo go prześladowała. Rzucił palenie niedługo po jej śmierci.

Po jej śmierci wszystko się zmieniło. A on starał się tylko trwać, choć czuł zmęczenie, wypalenie i rozpacz. Czarną rozpacz, której nie potrafił w żaden sposób zagłuszyć. Nieważne, ile nadgodzin spędziłby w pracy i ile spraw zrobiłby za innych chłopaków.

– Byłam w domu – odpowiedziała pisarka, wyrywając go z zamyślenia. – W Lipowie. Obok pańskiej byłej żony.

Daniel spojrzał na nią uważniej. A więc i ona wiedziała, kim był.

– Ktoś tam panią widział?

– Nie. Chyba że światło w oknach.

Czyli w gruncie rzeczy ani Robert Janik, ani Malwina Górska nie mieli alibi, uznał Daniel. Zanim zdążył zadać kolejne pytanie, poczuł, że telefon wibruje mu w kieszeni. Wyciągnął go szybko. Dzwonił dyżurny z komendy.

– No? – zapytał Podgórski bez przywitania.

– Właśnie mamy zgłoszone pobicie – oznajmił Jurek Jeleń.

– Stary, ja jestem z Trawińskim w zajeździe Sadowskiego i mamy dwa trupy. Chyba możesz to dać komuś innemu?

Wszyscy najwyraźniej przyzwyczaili się, że Daniel ciągle siedzi w pracy. Może i to był zdrowszy nałóg niż butelka, ale dziś z jakiegoś powodu poczuł, że ogarnia go zmęczenie. Jakby po tych dwóch latach dopiero teraz zaczynał czuć cokolwiek oprócz rozpaczy.

– Została pobita Zofia Dąbrowska. I to brutalnie. To ta od domów drewnianych. Znajoma żony twojego naczelnika i…

– Jadę – rzucił Daniel.

To była szybka decyzja. Postanowił udać się na komendę i pomówić z Dąbrowską. Wcale nie dlatego, że chodziło o naczelnika Urbańskiego i o to, że poszkodowana była jakąś znajomą jego żony. Chodziło o coś innego.

Daniel miał dwa trupy: Franciszka Sadowskiego i jego pracownicę, Izabelę Pietrzak. Ale Sadowski nie zajmował się tylko prowadzeniem zajazdu. Miał również firmę budującą drewniane domy, a w zeszłą sobotę odbyło się spotkanie przedstawicieli trzech firm. Teraz Sadowski i jego pracownica nie żyli, a Zofia Dąbrowska została pobita. Coś Podgórskiemu mówiło, że powinien tym się zainteresować. Jeszcze tylko brakowało, żeby coś się stało w rodzinie Kwiatkowskich, pomyślał przelotnie. Wtedy wszystkie konkurujące ze sobą rodziny by ucierpiały.

ROZDZIAŁ 5

Dzika plaża nad jeziorem Strażym.
Piątek, 21 lutego 2020. Godzina 12.30.
Klementyna Kopp

Stój – krzyknęła Klementyna Kopp. Wstała z kolan i schowała telefon do kieszeni. Dziwny ślad, który właśnie zobaczyła obok ciała zamordowanego Beniamina Kwiatkowskiego, musiał poczekać. – Policja!

Nie nosiła już co prawda blachy. I to od kilku lat. Była cywilem. Musiała się z tym pogodzić. Choć to słowo miało w jej poczuciu mocno gorzki smak. Ale! Teraz miała przed sobą jakiegoś osiłka z siekierą w dłoniach. Okrzyk *Policja!*, oczywiście wypowiedziany dostatecznie pewnym tonem, najczęściej był skuteczny. Nie zamierzała więc pozwolić takiej drobnostce jak emerytura wpływać na efektywność jej działań.

Mężczyzna z zakrwawioną siekierą jakby się wahał. Najwyraźniej jednak Kopp nie przekonała go do końca, bo zrobił kilka kolejnych kroków w ich stronę. Klementyna mogła oczywiście udawać, że ma gnata w kieszeni. Choć w sytuacji, kiedy się go nie miało, lepiej było po prostu emanować pewnością siebie. Zwykle działało podobnie.

– Stój – powtórzyła więc niemal nonszalancko.

Mężczyzna zatrzymał się w pół kroku. Był krępej budowy. Być może nawet niższy od Kopp. Za to jego bicepsy robiły wrażenie. Olbrzymie wyćwiczone mięśnie wyraźnie rysowały się pod czarną bluzą. Kurtki na sobie nie miał, mimo że do wiosny zostało jeszcze sporo czasu, a w powietrzu czuć było nieprzyjemną wilgoć.

– Pawełek? zawołała nicoczckiwanic Maria.

Przez chwilę na polanie panowała zupełna cisza. Nie licząc oczywiście miarowego stukotu i szumu dobywającego się z dyktafonu na piersi czarnowłosego truposza. Kopp nic zamierzała go dotykać przed przyjazdem grupy z komendy. Były zasady i zasady. Niektórych się nie łamało. Inne można było trochę nagiąć.

– Tego też znasz, co? – zapytała matkę Daniela.

– Tak. To Paweł Krupa. Wnuk znajomego mojego męża – wyjaśniła Maria. – Paweł, co ty tu robisz? I to z siekierą?

Mężczyzna wyglądał na zszokowanego. Patrzył na ciało zamordowanego chłopaka i miarowo zaciskał dłonie na zakrwawionym trzonku siekiery.

– Spoko. Ale! Nie mamy całego dnia – przerwała milczenie Kopp. – Ty to zrobiłeś, co?

Znajomek Marii nie odpowiedział.

– Więc? – ponagliła Kopp, robiąc ostrożny krok w jego kierunku.

Paweł Krupa mocniej zacisnął palce na trzonku siekiery.

– To nie tak – powiedział cicho. Kopp ledwie go słyszała.

– Co?

– Nic nie rozumiecie. Jestem niewinny.

Kopp uśmiechnęła się słodko, słysząc te słowa. Ileż to razy je słyszała. Najczęściej oznaczały coś wręcz odwrotnego. Przed chwilą co prawda zastanawiała się, czy dwie osoby z ciemnego dużego samochodu nie są winne śmierci Beniamina Kwiatkowskiego. Ale! Trzeba było zweryfikować podejrzenia.

Rzuciła się w stronę mężczyzny, żeby wyrwać mu broń.

ROZDZIAŁ 6

Komenda Powiatowa Policji w Brodnicy.
Piątek, 21 lutego 2020. Godzina 13.10.
Aspirant Daniel Podgórski

Gdzie została pani zaatakowana? – zapytał Daniel.

Upił duży łyk kawy. Od rana nie zdążył jeszcze nic zjeść. Trzeba było jakoś oszukać głód. Teoretycznie miał dziś pracować do czternastej. Zerknął przelotnie na zegarek. Widział już, że to jest zupełnie nierealne. Dwa morderstwa i pobicie. Zapowiadało się dużo roboty.

– No na całym ciele…

– Chodziło mi o miejsce, gdzie doszło do ataku – uściślił Podgórski z delikatnym uśmiechem.

Kobieta wyglądała na wystraszoną. Nic dziwnego. Chyba każdy by był, gdyby kilka godzin wcześniej został brutalnie pobity. Należało jej się trochę cierpliwości.

– Na łąkach niedaleko strzelnicy wojskowej – wyjaśniła cicho Zofia Dąbrowska. – Mamy zakład produkcji domów drewnianych na Targowej, a nasz dom jest obok. Te łąki są niedaleko. Czasem tam chodzę się przewietrzyć.

Daniel widział, że kobieta z całych sił ściska dłoń męża. Jakub Dąbrowski był dużo młodszy od żony. Na oko nawet o kilkanaście lat. O ile nie więcej. Może dwadzieścia? Stanowili przez to dość charakterystyczną parę. Policjant pamiętał ich sprzed dwóch lat. To byli rodzice zamordowanej dziewczyny, Julii Szymańskiej. Dochodzenie prowadziła wtedy Strzałkowska.

– Jak dokładnie to przebiegło?

Zofia Dąbrowska milczała przez chwilę. Jakby temat był zbyt trudny, żeby o nim mówić. Jej rany zostały już opatrzone w szpitalu. Z tymi wszystkimi bandażami i opatrunkami wyglądała jak obraz nędzy i rozpaczy. Rany psychiczne zostaną pewnie na dłużej. Nawet kiedy wszystkie opatrunki i szwy zostaną zdjęte.

– Na pewno niczego się państwo nie napiją? – zapytał delikatnie Trawiński.

Proponowali już Dąbrowskim herbatę, ale oboje odmówili. Rozmowa trwała już od jakiegoś czasu i Daniel czuł narastające poczucie irytacji. Nie mieli żadnych informacji, czy ekipa śledcza nie odkryła czegoś więcej w zajeździe. Przed chwilą ktoś pukał do pokoju. Okazało się, że dyżurny. Najwyraźniej więc coś się stało. Podgórski uznał jednak, że najpierw skończy to, co zaczął. Czyli porozmawia spokojnie z Dąbrowskimi. Czuł, że jeżeli teraz przerwą, Zofia nie zdobędzie się więcej na odwagę, żeby mówić.

– Wciągnięto mnie do samochodu – odezwała się w końcu Dąbrowska, ignorując pytanie Trawińskiego. – To stało się z tyłu. W tej części ładunkowej.

– Co to był za samochód? – zapytał Daniel.

– Taki jakby towarowy. Ja to tak nazywam – wyjaśniła cicho Zofia Dąbrowska. – W jakimś ciemnym kolorze. Nie wiem jakim. Granatowy, czarny, może ciemnozielony. Ciężko mi powiedzieć. To był samochód w typie większych radiowozów, które tu panowie mają.

Podgórski i Trawiński wymienili spojrzenia. W i ę k s z y r a d i o w ó z mogło oznaczać wszystko i nic. Daniel wyciągnął telefon i otworzył wyszukiwarkę. Jego służbowy komputer nie był podłączony do Internetu.

– Coś takiego? – zapytał, pokazując jej zdjęcie mercedesa sprintera. Mógł to jeszcze być na przykład fiat ducato.

– Tak, ale chyba trochę mniejsze.

– To może taki?

Daniel pokazał jej volkswagena transportera.

– Nie wiem – szepnęła Zofia Dąbrowska.

– Niech jej pan tak nie męczy – poprosił Jakub Dąbrowski. – To chyba nie ma takiego znaczenia. Żona raczej nie przypomni sobie marki.

– Musimy ustalić fakty – oznajmił Daniel. – Żeby łatwiej znaleźć sprawców.

Czuł zmęczenie. Być może powinien zostawić te wszystkie dochodzenia i odebrać trochę zaległego urlopu. Przez ostatnie dwa lata nie miał prawie ani jednego dnia wolnego. Naczelnik kilka razy próbował go przekonać do odebrania urlopu. W końcu jednak chyba zrozumiał, w czym rzecz, i wpisywał Danielowi służby do grafiku. Podgórski nie chciał być sam. Nie chciał wolnego. Z tego nic dobrego by nie wynikło. Aż do teraz. Teraz miał wrażenie, jakby zmęczenie w końcu i jego dopadło.

Zofia otarła napływające do podbitego oka łzy. Drugie było całkiem zapuchnięte. Nawet łza by się nie przecisnęła.

– Żałuję, że nalegałem, żeby żona zgłosiła to pobicie – mruknął Jakub. Głos mu się łamał. – Najpierw Julia, a teraz ona. Po co ty w ogóle tam akurat poszłaś, kochanie? Dlaczego?

Daniel widywał już takie zachowanie bliskich w stosunku do ofiary. Z reguły wynikało z tego, że czuli się zupełnie bezradni wobec tego, co się stało. Może powinien był porozmawiać z Zofią sam na sam. A Jakuba przekazać Trawińskiemu.

No i tak było już rozlane. Poza tym niezbyt mógł dyskutować z naczelnikiem Urbańskim. Szef poprosił, żeby zapewnić Zofii dobre warunki, bo to była jakaś znajoma jego żony. Z tego, co Daniel zrozumiał, kobiety brały udział w jakimś charytatywnym pieczeniu pączków na tłusty czwartek. Nie chciało mu się wnikać, o co chodziło. Przekaz był jasny. Zająć się Dąbrowskimi jak najlepiej.

– Może pani podać ramy czasowe? – poprosił tymczasem Trawiński.

– Ramy czasowe? – zdziwiła się Zofia Dąbrowska.

– Kiedy to się wydarzyło.

– Nie wiem… Wyszłam z domu chyba koło wpół do dziesiątej. Myślę, że zaatakowano mnie jakieś dwadzieścia minut później. A może punkt dziesiąta. Wrócić zdołałam chyba przed jedenastą. Potem mąż namówił mnie, żebyśmy pojechali do szpitala. Ja wolałam zostać w domu… Nie chciałam niczego zgłaszać.

Teraz w głosie Zofii pobrzmiewała wrogość. Najwyraźniej wcale nie chciała tu być. Ofiary często nie chciały mówić o zajściu. Wolały zaszyć się w swojej bezpiecznej przestrzeni i nie rozdrapywać ran.

– Mówienie o takich wydarzeniach wymaga sporej odwagi – powiedział Podgórski, żeby ją pocieszyć. – Jeśli pani o tym opowie, być może dzięki temu zapobiegniemy kolejnym atakom.

Skinęła głową.

– Potem pojechali państwo na pogotowie i stamtąd zadzwonili na komendę? – upewnił się Trawiński.

– Tak – odpowiedział Jakub. – Mój pracownik, Paweł Krupa, chciał nas podwieźć do szpitala, ale pojechałem sam z żoną. Zofia nie chciała obecności osób trzecich.

Kobieta znów tylko skinęła głową.

– Gdzie teraz jest Paweł Krupa? – zapytał Daniel.

Widać było, że Dąbrowscy nadal byli w dużych emocjach. Może warto byłoby porozmawiać z ich pracownikiem. Być może on zapamiętał coś więcej.

– Pewnie nadal w firmie. Zadzwonić do niego?

– Jak skończymy, to będę bardzo wdzięczny. Wciągnięto panią do samochodu i co dalej? – zapytał Daniel najłagodniej, jak potrafił.

– Pobito mnie. Siekierą. To znaczy jej trzonkiem i tym drugim końcem. Tym, który nie jest ostry. Jak to się nazywa? To ma jakąś nazwę, Jakubie, prawda?

Kobieta odwróciła się do męża.

– Obuch – wyjaśnił Jakub Dąbrowski. Wyglądał teraz, jakby i on miał się rozpłakać.

Przez chwilę wszyscy siedzieli w milczeniu. Daniel zdusił chęć pocieszenia Zofii. Ktoś znów zapukał do drzwi. Zajrzał jeden z dyżurnych, ale Daniel po raz kolejny pokręcił głową, że jeszcze nie skończyli. Najwyraźniej coś się działo. Czyżby w zajeździe odkryto coś jeszcze?

– Na koniec ukradziono mi naszyjnik – odezwała się Zofia Dąbrowska.

Jakub popatrzył na żonę zmartwiony.

– Co to za naszyjnik? – zapytał Trawiński.

– Taki kamień z dziurką, przez którą był przewleczony łańcuszek.

– Był wartościowy? – zapytał Daniel.

Niedawno w zajeździe zginęła kasetka z pieniędzmi. Być może coś jeszcze ukradziono z pokoju Izabeli Pietrzak. Tego dotąd nie ustalili. A teraz kradzież naszyjnika. Daniel nie wiedział w tej chwili, czy to wszystko jest dziełem jednego sprawcy, ale miał przeczucie, że tak może być. Dwa zabójstwa i brutalne pobicie w tak krótkim czasie. I to w środowisku osób zajmujących się budową domów drewnianych. Za dużo tu chyba przypadków.

– Nie – pokręciła głową Zofia. – Raczej nie. Taki zwykły kamień. To znaczy podobno nazywany jest wiedźmim kamieniem. Bo ta dziurka nie jest wywiercona. Ona powstaje naturalnie. Tak mi mówiła Hanka.

– Hanka? – zapytał Daniel.

– Hanna Kwiatkowska. Od niej dostałam ten naszyjnik w zeszłą sobotę.

– W zeszłą sobotę? – powtórzył policjant. Był ciekawy, czy chodzi jej o spotkanie w zajeździe, o którym opowiadał Robert Janik.

– Tak. Widziałyśmy się w zajeździe – wyjaśniła Zofia, potwierdzając jego przypuszczenia. – Wtedy mi go dała.

– Z jakiejś szczególnej okazji?

– A to ma jakieś znaczenie? – włączył się znów do

rozmowy Jakub Dąbrowski. – Chciałbym zabrać żonę do domu. Dużo dziś przeszła.

– Wszystko może mieć jakieś znaczenie – odparł Trawiński, jakby wyczuł, że Daniel jest już na skraju cierpliwości.

– To takie prywatne sprawy – powiedziała Zofia Dąbrowska. – Nie wiem, czy powinnam opowiadać?

– Proszę – zachęcił Daniel.

– Po prostu chodziło o to, że jeden z naszych pracowników, właśnie Paweł Krupa, jest synem pierwszego męża Hanny. No i dała mi ten naszyjnik za to, że się nim tak dobrze zajęliśmy. Paweł nie chciał z Hanną mieszkać po śmierci ojca. To długa historia. Ale chyba faktycznie chodziło im o naszyjnik, skoro mi go ukradli? Znaczy on był nic niewart, ale...

– Ukradli? – przerwał jej Daniel. Zofia chyba po raz pierwszy użyła liczby mnogiej. To było przejęzyczenie czy sprawców było więcej?

– Tak. No bo ich była dwójka.

– Jest pani pewna?

– Tak. To byli kobieta i mężczyzna w kominiarkach.

* * *

2018
Ulica Beskidzka.
Wtorek, 6 lutego 2018. Godzina 17.05.
Julia Szymańska

Kiedy Julia Szymańska dotarła w końcu do ulicy Beskidzkiej, zapadał już zmierzch. Ulica to za wiele powiedziane.
To była raczej polna droga. Julii ciężko się szło w nie swoich
butach. Wysokie kozaki zupełnie nie były w jej stylu. No
i były na nią sporo za duże. Miała ochotę zdjąć je z nóg
i pójść dalej boso. Wiedziała jednak, że to nie jest najlepszy
pomysł. I tak już zmarzła. Musi jakoś dojść na miejsce, a nie
ryzykować odmrożenie stóp.

To był idiotyczny pomysł, żeby przyjeżdżać tu tak wcześnie. Przecież do osiemnastej trzydzieści było jeszcze półtorej
godziny. A Julia już z godzinę łaziła po okolicznych łąkach!
Gdyby nie zepsuł się jej samochód, mogłaby decydować
sama, a tak była zależna. A bardzo tego nie lubiła.

Poza tym martwiła się tą głupią monetą, ale chyba nic
się nie stanie…

– No nic – mruknęła do siebie.

Szybko to załatwi. Za robotę dostanie tysiaka i będzie
po sprawie. Nawet dobra odmiana po tym, co robiła na co
dzień. I wreszcie jakieś wyzwanie. Ta myśl dodała jej trochę
sił. Ruszyła żwawszym krokiem. Zaraz będzie w cieple i poczeka sobie, aż przyjdzie odpowiedni moment, żeby wyruszyć.
Postara się dobrze wykorzystać wieczór.

Wzdrygnęła się, mijając dziwne drzewo z wielką dziuplą. Sprawiało wrażenie, jakby patrzyło na człowieka. A dalej…

– A co ty tu robisz? – zdziwiła się.

W zapadającym zmierzchu zauważyła znajomą sylwetkę, tuż za tym drzewem. Nie spodziewała się tu nikogo, a tu proszę. Może zauważyli, co zniknęło, i domyślili się, że to ona wzięła. Tak musiało być. Tylko skąd wiedzieli, że będzie tędy szła?

– Chodź na chwilę.

Westchnęła. Nie miała ochoty gadać. Siekierę zobaczyła dopiero, kiedy była już całkiem blisko.

Cios padł nagle i precyzyjnie.

* * *

CZĘŚĆ 2
2018

ROZDZIAŁ 7

Komenda Powiatowa Policji w Brodnicy.
Środa, 14 lutego 2018. Godzina 7.15.
Młodszy aspirant Emilia Strzałkowska

Młodszy aspirant Emilia Strzałkowska rozsiadła się wygodnie na krześle. Czekała, aż zaskrzypi, ale najwyraźniej nowy naczelnik zdecydował się pozbyć starych. Właściwie to był nowy s t a r y naczelnik, bo komisarz Bolesław Urbański przeniósł się do ich jednostki z Warszawy dopiero niedawno. Wrócił na stare śmieci, bo właśnie tu lata temu rozpoczynał służbę. Stąd pochodził i tu miał rodzinę. I jak sam jej powiedział, kiedy się poznawali, tu chciał doczekać emerytury.

– To przejmiesz tę sprawę? – zapytał Emilię bez wstępów.

Z ogoloną na łyso głową Urbański przypominał jej Telly'ego Savalasa w roli słynnego Kojaka. Naczelnik miał w zwyczaju nosić prochowce, co z kolei upodabniało go do Petera Falka w roli Columbo. Szef lubił chyba stare seriale.

– Chodzi o śmierć Julii Szymańskiej? – upewniła się Strzałkowska.

71

To była sprawa, która ostatnio wstrząsnęła ich lokalną społecznością. Dziewczyna została potraktowana niezwykle brutalnie. Rany rąbane zadane siekierą pokrywały niemal całe jej ciało. Twarz też zmasakrowano. Co gorsza, dłonie i stopy ofiary odrąbano, policja jak dotąd ich nie odnalazła. Mimo naprawdę usilnych poszukiwań. Zniknęły. Jakby zapadły się pod ziemię.

– Przecież pan to prowadzi – dodała policjantka.

Urbański początkowo zajął się sprawą ochoczo. Przekonywał, że ma największe doświadczenie w sprawach zabójstw. Poza tym dużo się ostatnio działo w okolicy, więc chciał odciążyć wydział. Zapału najwyraźniej starczyło mu tylko na nieco ponad tydzień. Julia Szymańska została zamordowana szóstego lutego.

– Tak, ale moja córka ma osiemnastkę – wyjaśnił Urbański nieco zawstydzony. – Żona poleciła mi, żebym wymyślił coś specjalnego na tę okazję. I grozi mi rozwodem, jeśli się nie spiszę. Wiesz, jak jest. A że Daria jest notariuszem, to prawników wśród znajomych ma bez liku i nie zdziwiłbym się, gdyby to zrobiła.

Naczelnik mówił to wesołym tonem, ale Strzałkowska miała wrażenie, że wcale nie jest mu do śmiechu.

– Zresztą śledztwo jest już właściwie zamknięte – dodał. – Główny podejrzany siedzi w zakładzie karnym w Starych Świątkach. Musisz dosłownie dopiąć szczegóły. Jeżeli nie dasz rady, przekażę to Laurze Fijałkowskiej. Wspominała, że da radę sama to zrobić. A inni ludzie są zajęci. Nie ukrywam, że na rękę byłoby mi, jakby ktoś to zrobił w pojedynkę, żeby nikogo od roboty nie odrywać.

– Laura? – zapytała Emilia powoli.

Fijałkowska to była jej nemezis od czasu sporu o to, która z nich przejdzie do wydziału kryminalnego. Ostatecznie padło na Strzałkowską, ale najwyraźniej koleżanka nadal nie zamierzała odpuścić i chciała zabłysnąć przed naczelnikiem dokończeniem medialnej sprawy za niego.

– Tak. To co? Bierzesz to czy dać jej?

Strzałkowska miała w toku sporo innych spraw. Uznała jednak, że nie może odmówić, bo Fijałkowska gotowa wskoczyć na jej miejsce. Może nie od razu, ale Emilia była pewna, że Laura tylko czeka, aż jej się powinie noga.

– Wezmę to.

– Dać ci Laurę do pomocy czy poradzisz sobie sama?

Laurę do pomocy, zaśmiała się w duchu Emilia. To była ostatnia rzecz, jakiej Strzałkowska by chciała. Wolała brnąć przez to wszystko sama niż z Fijałkowską, która na koniec zgarnie wszystkie zasługi.

Oczywiście najlepiej byłoby prowadzić dochodzenie razem z Danielem. Byłby przynajmniej pretekst, żeby spędzać więcej czasu razem. Ale tego Emilia naczelnikowi powiedzieć nie mogła. Nie szkodzi. Daniel obiecał, że z okazji walentynek spędzą dziś wieczorem trochę czasu razem. Jakoś się wyrwie z domu.

Spotykała się z Podgórskim nieoficjalnie. Nawet lepiej powiedzieć, że w ukryciu. Daniel miał przecież żonę. Policjantka westchnęła. Obiecała sobie, że nie będzie tą trzecią, ale uczucie, które łączyło ją z Danielem, wygrało i znów do niego wróciła. Pocieszała się, że ukrywanie się już niedługo dobiegnie końca. Tak jej obiecał Podgórski. Chciał jedynie mieć pewność, że żona nie jest w ciąży. Trzeba było wytrzymać jeszcze dosłownie kilka dni, żeby

Weronika zrobiła test. Jak się okaże, że nie jest, to Daniel powie, że odchodzi. Wreszcie będzie po wszystkim.

– Poradzę sobie sama – zapewniła Emilia, uspokojona własnymi myślami.

Naczelnik Urbański uśmiechnął się szeroko.

– Świetnie – powiedział i podał jej plik dokumentów.

– Jakbyś miała jakieś wątpliwości, to dawaj znać. Mogę w każdej chwili dać ci do pomocy Laurę.

– Nie trzeba – zapewniła Emilia raz jeszcze.

Pożegnała się i wyszła na korytarz, kiwając głową sekretarce szefa. Helena Rylska przypominała jej trochę matkę Daniela. Też była pulchna, uśmiechnięta i wszystkich chciała karmić. Policjantka uciekła czym prędzej na korytarz, żeby uniknąć kulinarnych propozycji. Od dawna starała się trzymać dietę. Choć zauważyła, że to niewiele daje. I tak wiecznie miała za dużo tu i ówdzie. Tak widać już musiało być. Dobrze, że Danielowi to nie przeszkadzało.

Nagle rozdzwonił się telefon. Strzałkowska zerknęła na wyświetlacz. To był prokurator Bastian Krajewski. Nazywany przez wszystkich Zjawą. Przezwisko zyskał nie tylko dlatego, że był albinosem, a jego skóra była niemal biała. Zazwyczaj spoglądał na wszystkich zza grubych okularów i nic nie mówił. Jakby był nieobecny. Albo pojawiał się nagle za plecami, kiedy się tego ktoś najmniej spodziewał. Niczym zjawa właśnie. Emilia niezbyt go lubiła. Wywoływał w niej niepokój.

Korciło ją, żeby odrzucić połączenie. W końcu pomyślała, że i tak nie uniknie rozmowy z nim. To on zajmował się sprawę śmierci Julii Szymańskiej ze strony prokuratury. Widocznie naczelnik zdążył dać mu już znać, że ona ma ją dokończyć.

– Halo?

– Właściwie mam już wszystko – oznajmił Zjawa bez zbędnych wstępów. – Daruj sobie ekscesy i kończymy to. Wszystko jest na wczoraj. Toniemy tu w papierach.

– Miałam zamiar pojechać do Starych Świątek, żeby przesłuchać podejrzanego – powiedziała policjantka.

Niejaki Ryszard Pietrzak został zatrzymany od razu na miejscu zbrodni. Z tego, co Emilia słyszała, wszystko wskazywało na to, że mężczyzna faktycznie zamordował Julię Szymańską. Był już przesłuchiwany przez naczelnika i protokół na pewno znajdował się w dokumentacji, którą przed chwilą dostała. Sprawa może i była na finiszu, ale Strzałkowska nie lubiła robić niczego po łebkach. Chciała pomówić z podejrzanym osobiście. Zorientować się co i jak.

– Skoro mam to prowadzić, to chciałabym jednak…

– Nie masz tego prowadzić. Ty masz to dokończyć – przerwał jej z wściekłością prokurator. – Rozumiemy różnicę?

ROZDZIAŁ 8

Komenda Powiatowa Policji w Brodnicy.
Środa, 14 lutego 2018. Godzina 9.50.
Sierżant sztabowy Radosław Trawiński

Sierżant sztabowy Radosław Trawiński wypił duszkiem zimną kawę. W pokoju socjalnym nie było nikogo oprócz niego. Całe szczęście. Włączył jeszcze raz czajnik. Miał ochotę napić się czegoś mocniejszego, ale to oczywiście nie było możliwe. Był przecież na służbie.

Podszedł do lodówki i zajrzał do środka. Miał nadzieję, że znajdzie tam coś dobrego do jedzenia. To nie było to samo, ale może by trochę pomogło. Niestety zabrakło już nawet pączków, które wypiekała naczelnikowa. Żona Trawińskiego mówiła mu, że chodzi o jakieś charytatywne pieczenie czy coś. Nie ogarniał tematu. Za dużo miał teraz na głowie, żeby słuchać, co paple Maja.

Czajnik elektryczny pyknął głośno. Policjant niemal podskoczył.

– Kurwa – mruknął pod nosem.

Ręce drżały mu, kiedy zamykał lodówkę. Miał dosyć wszystkiego. D o s y ć. Dosyć tego, do czego go doprowadzili.

Zamiast robić swoją robotę, donosi na kolegów. Sprzedaje informacje. I co jeszcze przyjdzie mu zrobić?

Nie był głupi. Wiedział doskonale, że równia jest pochyła. Będzie tylko gorzej i gorzej. Kiedy nie mógł spać w nocy, a zdarzało się to często, zastanawiał się, jak daleko się posunie. Do czego będzie zdolny. Gdzie przebiega granica, której nie przekroczy? Czy w ogóle taka istnieje? Przewracał się wtedy z boku na bok i słuchał oddechu żony. Uspokajał go. Odwracał się cicho i patrzył na jej jasne włosy leżące na poduszce. Dla Mai to robił. Lubiła luksus, a on bardzo chciał jej go zapewnić.

Nie pytała, skąd brał pieniądze. Ani razu nie zdziwiło jej, jak Trawiński opłaca drogie prezenty, wyjazdy, coraz to nowsze pomysły na wyposażenie mieszkania, dodatkowe lekcje dla dzieci i tak dalej. Nie wiedział, czy coś podejrzewa. Ale może wolała nie myśleć, że z pensji policjanta nie byłoby go na te wszystkie rzeczy stać. Nie pytała też, czemu zawsze przynosi gotówkę. Czasem lepiej chyba nie wiedzieć. Dlatego jej nie tłumaczył. Może kiedyś przyjdzie na to czas, ale nie teraz.

Zerknął na swoją drżącą dłoń i siłą postarał się uspokoić. Zdrowie psychiczne. Wolne żarty.

– Kurwa – mruknął znów pod nosem.

– Kawę robisz?

Nawet nie zauważył, kiedy do pokoju socjalnego wszedł kolega z wydziału. Trawiński zadrżał. Miał irracjonalne wrażenie, że wszyscy wiedzą. Telefon ciążył mu w kieszeni. Musiał zadzwonić. Musiał przekazać wiadomość, że Strzałkowska pojechała do Starych Świątek dyskutować z tym pojebanym menelem, którego tam wsadzili za zabicie Julii.

Na Trawińskiego to spadło. Cała afera z Julią Szymańską spadła kurwa na niego! A przecież nie był jedyną wtyką w komendzie. Dlaczego on miał to wszystko załatwiać? Przecież nie on jeden zaprzedał duszę diabłu.

– Ktoś tu robi kawę?

No i proszę, na domiar złego zrobiło się zbiegowisko. Do pokoju weszli jeszcze dwaj ruchacze*. Waldek i Jarek musieli zjechać właśnie ze służby. Zazwyczaj bawili Trawińskiego, bo wyglądali jak Flip i Flap. Jeden niewielki i chudy, drugi wysoki i gruby. Mieli poczucie humoru i często sami żartowali na ten temat. Trawiński zawsze uśmiechał się na ich widok. Nie dziś. Dziś czuł, że to, w czym bierze udział, prowadzi do jakiejś katastrofy. I to najpewniej z jego udziałem. Poczucie nadchodzącego zagrożenia zdawało się ciążyć bardziej niż wyrzuty sumienia. Bardziej nawet niż strach o rodzinę.

Nie był głupi. Wiedział, że jest różowo tylko do czasu, kiedy robi, co mu kazano. Jak odmówi, to być może którejś nocy zobaczy na poduszce zakrwawione włosy swojej żony. A nowy rower dla dzieciaków już nikomu się nie przyda.

Trawiński odetchnął, żeby odpędzić te obrazy. Wiedział już, że zrobi, co trzeba, żeby tej tragedii uniknąć. Nawet jeżeli to naprawdę oznaczało zaprzedanie duszy diabłu.

---

* Slangowe wyrażenie oznaczające funkcjonariuszy ruchu drogowego.

ROZDZIAŁ 9

Zakład Karny w Starych Świątkach.
Środa, 14 lutego 2018. Godzina 9.50.
Młodszy aspirant Emilia Strzałkowska

Strzałkowska podążała szybkim krokiem za klawiszem.
Mężczyzna to zwalniał, to przyspieszał. Jakby z jakiegoś
tajemniczego powodu utrzymanie równego tempa było
niemożliwe. Teraz akurat był w fazie czegoś, co było niemal biegiem. Szczerze mówiąc, miała trudności, żeby go
dogonić. Był wysoki, z długimi nogami i na jego jeden krok
przypadały co najmniej jej dwa. Ciekawa była, czy mężczyzna zdaje sobie sprawę z jej trudności. A może właśnie o to
mu chodziło? Nie wydawał się zbyt przyjemnym typem.
Choć podobno nikt tu nie był przyjemny. Więzienie
cieszyło się złą sławą. Nie tylko w kręgach osadzonych,
ale też wśród policjantów.

Nie chodziło tylko o ludzi. Budynek też zdawał się
emanować złą energią. Nikogo poza nimi na korytarzu
nie było, ale i tak miała wrażenie, że nawet te stare mury
ją lustrują. Wszystko tu było obskurne. Inaczej Emilia nie
umiała tego nazwać. Ostatni remont przeprowadzono tu

chyba dobrych kilkadziesiąt lat temu i nie zanosiło się na kolejny. Czuła się, jakby została przeniesiona w czasie do najgorszych lat Peerelu.

Odetchnęła głębiej, żeby wyrównać przyspieszony oddech. Powietrze wypełniał nieprzyjemny zapach detergentów i potu męskich ciał. Teraz niemal żałowała, że tu przyjechała. Niemal. Bo dziwny nacisk prokuratora, żeby zamknąć sprawę Julii Szymańskiej jak najszybciej, sprawił, że Emilia chciała poznać fakty. Zdążyła już przejrzeć częściowo dokumentację wykonaną przez naczelnika Urbańskiego. Nie dopatrzyła się błędów, ale postanowiła porozmawiać z głównym podejrzanym. Może właśnie na przekór Zjawie.

– No to co? – zagadnął klawisz, zwalniając nieco.

Na twarzy miał dziwny uśmiech. Widziała jego żółtawe zęby. Patrzył na nią pożądliwie, jakby sam był tu zamknięty i latami nie widział kobiety. A przecież mógł stąd wychodzić, a ona nawet nie należała do bardzo atrakcyjnych. Za niska, za szeroka w biodrach i udach. *Mysia policjantka*, jak mówiła o niej Klementyna Kopp. W końcu Strzałkowska zdecydowała się ufarbować włosy na blond, żeby dodać sobie trochę wyrazu. Czasem wierzyła nawet, że to pomogło.

– W jakim sensie? – zapytała ostro. Nie podobało jej się ani jego spojrzenie, ani ton.

– Ten Rychu Pietrzak sobie tu u nas posiedzi, prawda? – odpowiedział pytaniem klawisz. Jego głos aż ociekał satysfakcją.

Znów rzucił Emilii nieprzyjemne spojrzenie. Krążyły pogłoski, że niektórzy pracownicy tego więzienia są gorsi niż ludzie, których tu osadzono. W tej chwili była skłonna w to uwierzyć.

– Nie wiem – odparła. Starała się nie odwracać wzroku. Nie chciała, żeby klawisz domyślił się, że się go boi. – Nie mam w zwyczaju ferować przedwczesnych wyroków.

Mężczyzna wzruszył ramionami i ruszył dalej bez słowa. Jego ciężkie buty łomotały po posadzce więziennego korytarza. Echo rozchodziło się daleko i zapowiadało ich przybycie na długo, zanim skręcili w korytarz do sali, gdzie czekał podejrzany.

Drzwi właśnie się otwierały. Ze środka wyszła trójka osób. Dwie kobiety i mężczyzna. Pierwsza szła dziewczyna, która przypominała Emilii Pamelę Anderson z czasów *Słonecznego patrolu*. Tuż za nią kroczył wysoki mężczyzna. Twarz miał gładko ogoloną. Jakby wydepilowaną. Dopiero po chwili Strzałkowska zauważyła, że usunął nawet brwi. Chyba przez to jego rzęsy wydawały się nienaturalnie pogrubione. Jakby pomalowane. Były jedynym owłosieniem na jego twarzy.

– To pani jest tą policjantką, co miała rozmawiać z Rychem?!

Tej dziwnej dwójce towarzyszyła wychudzona starsza kobieta. Zdawała się zupełnie wyniszczona. Emilia widywała takie osoby za często, żeby mieć jakiekolwiek wątpliwości. To była alkoholiczka. Ziemista cera i podpuchnięte oczy niezbyt pasowały do starannie wyprasowanej czarnej sukienki. Mimo wszelkich starań ubranie wisiało na kobiecie jak na wieszaku. Potęgowało wrażenie przegranego życia.

– Pani jest tą policjantką? – krzyknęła jeszcze raz przepitym głosem. – Izabela Pietrzak jestem!

Emilia skinęła głową. Najwyraźniej miała przed sobą żonę głównego podejrzanego.

– Żona Ryśka – oznajmiła kobieta, potwierdzając podejrzenia Strzałkowskiej. – Szefowo, on nikogo nie zajebał. A już na pewno nie Julię. Przecież one się znały z moją Kaliną.

Izabela Pietrzak zwróciła głowę w stronę Pameli Anderson. Kalina Pietrzak poprawiła blond włosy i obciągnęła obcisły sweter. Na ten widok klawisz niemal zaczął się ślinić. Emilia przewróciła oczami. Ale przynajmniej nie patrzył na nią. Dobre i to.

– Mamo, daj już spokój – mruknęła Kalina. Nie wyglądało na to, żeby przeszkadzał jej wzrok klawisza. Wręcz przeciwnie. Chyba czuła się jak ryba w wodzie z objawami męskiej atencji.

– A to bratanek mojego starego – dodała Izabela Pietrzak. – Oliwier. Mój Rychu jest niewinny!!!

Krzyk kobiety poniósł się echem przez korytarz zakładu karnego.

– Ciociu, idziemy już – powiedział Oliwier Pietrzak. – Pani się wszystkim zajmie.

Najwyraźniej nie chciał kontynuować tematu. Może był zawstydzony zachowaniem ciotki. A może po prostu chciał już stąd wyjść. Emilia wcale mu się nie dziwiła. Wolała nie unosić wzroku i nie patrzeć na zagrzybiały sufit. Miało się wrażenie, że zaraz na nich runie.

– Mój Rysiu nikogo nie zabił! – nie ustępowała Izabela Pietrzak. Chudą ręką poprawiła sukienkę i zaśmiała się skrzekliwie. – Zgoda. Ideałem to on nie jest. Zresztą oboje nigdy nie byliśmy. Takie to życie. Ale on nikogo nie zajebał. On by muchy nie skrzywdził, szefowo.

Emilia była przyzwyczajona, że rodzina wierzyła w niewinność nawet największego oprawcy. Kiwnęła więc głową, chociaż widziała jego akta. Ryszard Pietrzak był dobrze znany brodnickiej policji. Obecnie mieszkał na terenie zakładu produkcyjnego Franciszka Sadowskiego, ale przedtem często widywano go w hotelu* na komendzie.

Sam Sadowski budował domy drewniane. To była jedna z trzech takich firm w mieście. Oprócz tego miał zajazd. Spory budynek z pomalowanych na ciemno bali. Miejsce było Emilii dosyć dobrze znane. Bo właśnie tam akurat na dzień przed śmiercią Julii Szymańskiej spędziła trochę upojnych chwil w ramionach Daniela.

To był pierwszy raz od dłuższego czasu. Wracali z jakiegoś zdarzenia. Od kiedy powiedziała mu, że nie chce dłużej być jego kochanką, mało rozmawiali. Wtedy w samochodzie atmosfera była napięta. Początkowo mówili trochę o pracy. Potem oboje ucichli. Kiedy mijali zajazd, Emilia kazała mu tam zajechać. Chociaż była pewna, że będzie tego żałowała. Nic nie odpowiedział, tylko zatrzymał samochód na parkingu przed zajazdem. Wynajęli pokój, nie zważając na znaczące spojrzenia właściciela.

To było piątego lutego. Szóstego zginęła Julia Szymańska. Dosłownie dwieście metrów od miejsca, gdzie dzień wcześniej uprawiali z Danielem wygłodniały, spragniony siebie seks. Dziś były walentynki, więc może zrobią to samo.

Policjantka poczuła, że się rumieni. Daniel wysłał jej przed chwilą kolejną wiadomość, że zobaczą się wieczorem. To było aż za piękne, żeby było prawdziwe. Przecież

* Potocznie Pomieszczenie dla Osób Zatrzymanych, PdOZ.

tak trudno było mu znaleźć czas, żeby się spotkali. No nic, w razie czego Strzałkowska zamierzała dobrze się bawić w towarzystwie syna. Obejrzą film i zjedzą pizzę. O ile Łukasz będzie miał ochotę. Z dorastającym młodym mężczyzną w domu nie było łatwo. Cokolwiek będzie, będzie dobrze. Tego zamierzała się trzymać.

– Rychu muchy by nie skrzywdził! – dowodziła Izabela Pietrzak. – No zdarzyło się, że walnął mnie z raz czy dwa, ale to nie to samo co bieganie z siekierą. Na pewno pan Sadowski potwierdzi. On nas tak dobrze przyjął.

Z tego, co Emilia wiedziała, podejrzany pracował jako nocny stróż u Franciszka Sadowskiego. Właściciel zajazdu nie tylko produkował domy drewniane i prowadził hotel, ale też był filantropem. Pomagał ludziom z trudnych środowisk. Głównie młodzieży. Wyciągnął też z rynsztoka małżeństwo Pietrzaków. Była o tym krótka wzmianka w dokumentacji Urbańskiego.

– Jak ojciec brał te swoje tabletki, to był spokojny – włączyła się do rozmowy Kalina Pietrzak. Znów obciągnęła sweterek. Uwydatnił jeszcze bardziej jej krągłe piersi.

– Czyli brał leki? – upewniła się Emilia. W notatkach Urbańskiego była o tym mowa, ale wolała się upewnić. Podejrzany podobno cierpiał na schizofrenię.

– Jo! – zapewniła ją Izabela Pietrzak.

Kiwała głową tak energicznie, że miało się wrażenie, że jej chuda szyja nie uniesie ciężaru czaszki. Emilia wzdrygnęła się mimo woli.

– Dobrze. Już nie przeszkadzajmy pani policjant – włączył się do rozmowy Oliwier. – Na pewno zajmie się stryjem jak najlepiej.

– O, to na pewno – żachnęła się Kalina. – Żartujesz sobie, Oli? Aż taki naiwny jesteś? Odkąd to policja zajmuje się takimi ludźmi jak ojciec? Nie widzicie, że chcą go w to wrobić? Jest idealnym podejrzanym. Zrobią wszystko, żeby go skazać i żeby tu za to pogarował. Nawet jeżeli jest niewinny. Po to ją tu wysłali. A nie żeby coś zrobiła!

Strzałkowska pomyślała o dziwnej rozmowie ze Zjawą. Prokurator faktycznie nalegał, żeby zamknąć sprawę jak najszybciej. Bez względu na wszystko. Oczywiście nie można było popadać w paranoję. Kalina Pietrzak wyglądała na osobę, która ma pretensje do stróżów prawa. Być może za to, że sama została kiedyś za coś ukarana. I to słusznie ukarana. Tacy, co mieli zatarg z prawem, pyskowali z reguły najgłośniej.

– Idziemy – zarządził Oliwier. Odwrócił się do klawisza. – Pan nas stąd wyprowadzi?

– Tak. Kolega jest w środku – powiedział funkcjonariusz do Emilii. – Niech pani wchodzi. Chyba że potrzebuje pani mojej pomocy?

– Poradzę sobie – zapewniła Strzałkowska po raz kolejny tego dnia.

Weszła szybko do pomieszczenia, żeby nie pozostawić żadnych wątpliwości. W środku nieprzyjemny zapach wilgoci był jeszcze intensywniejszy niż na korytarzu. Starała się więc oddychać przez usta. Skinęła głową klawiszowi, który stał w rogu pomieszczenia. Bawił się telefonem i nie wyglądał na szczególnie zainteresowanego czymkolwiek innym.

Ryszard Pietrzak siedział przy stole pośrodku sali. Mebel przykręcono do podłogi, ale policjantka widziała, że jedna ze śrub się poluzowała. Krzesło, na którym siedział, też wydawało się chybotliwe. Ryszard Pietrzak nie wyglądał na groźnego. Pozory mogły mylić, ale jej wydawał się pogrążony w apatii. Nawet nie uniósł wzroku, kiedy weszła do pomieszczenia.

– Dzień dobry. Mogę? – zapytała, pokazując głową drugie krzesło. Bardziej żeby zaanonsować jakoś swoją obecność niż żeby czekać na pozwolenie.

– Jo – mruknął Ryszard Pietrzak beznamiętnie.

Popatrzyła na jego spracowane dłonie. Trzymał w nich siekierę i rąbał tę dziewczynę? Czy faktycznie był niewinny, jak twierdziła przed chwilą jego rodzina? Czy Zjawa celowo chciał zamknąć tę sprawę szybciej niż trzeba? Czy po prostu goniły go terminy, jak to zwykle bywało? Po której stronie leżała prawda?

– Zabił pan Julię Szymańską? – zapytała Emilia.

Czuła, że wymyślne wstępy nic nie przyniosą. Proste pytania były najlepsze na początek.

– Nie wiem – odpowiedział Ryszard. Jego głos był nieoczekiwanie niski. Jak u artysty operowego, który śpiewał basem. Nie pasował do wychudzonego, wyniszczonego ciała.

Nie wiem. Takiej odpowiedzi Strzałkowska się nie spodziewała. Z protokołu spisanego przez naczelnika Urbańskiego wynikało, że podejrzany od początku zaprzeczał swojej winie. Teraz nagle zmienił zdanie? Wyglądało na to, że dobrze zrobiła, że jednak zdecydowała się tu przyjechać. Sprawdzi, w ilu kwestiach jeszcze podejrzany zmienił zdanie w porównaniu z tym, co zeznał Urbańskiemu.

– Nie wie pan? – upewniła się.

– Nie wiem, kierowniczko – odparł Ryszard Pietrzak, jakby się rozluźniając. – No bo ja trochę wypiłem. Różne rzeczy mogą wtedy się człowiekowi przydarzyć. Ale raczej to chyba nie zabiłem. W sumie mało pamiętam.

– Proszę opowiedzieć to, co pan pamięta.

– Szedłem narąbać trochę drewna. No bo ja tam czasem rąbię w zagajniku na Beskidzkiej. Niby nie wolno, ale do kominka się szefowi przydaje. No to czasem rąbię. Tam sobie zostawiam siekierę, żeby nie nosić, i tylko ciach-ciach. Kilka polan. No i szedłem, żeby rąbać, i się o nią potknąłem. Bo... No bo ciemniało już. A ja popiłem. To nie zauważyłem, że ktoś tam leży.

Jak na razie opowieść się zgadzała. Ryszard potknął się o ciało Julii Szymańskiej. W ten sposób podejrzany tłumaczył Urbańskiemu, dlaczego cały był we krwi ofiary.

– No to się przeraziłem – podjął. – Ale miałem komórkę. Bo szef mi kupił. No i zadzwoniłem na psy.

W jego głosie pobrzmiewała teraz duma. Jakby telefon na policję to było niesamowite osiągnięcie. Faktycznie Pietrzak zadzwonił pod dziewięć dziewięć siedem z informacją o trupie. Dyżurny natychmiast wysłał na miejsce patrol.

Z tego, co Emilia wiedziała, Urbański podejrzewał, że telefon na policję był manewrem, który w założeniu miał Pietrzaka wyłączyć z kręgu podejrzanych. Nikogo nie zabił, tylko znalazł ciało i zadzwonił po policję. Jak wzorowy obywatel. Kto by podejrzewał tego, kto dzwoni i zgłasza morderstwo?

Emilia spojrzała na Ryszarda Pietrzaka. Mężczyzna nieoczekiwanie odpowiedział tym samym. Głęboko osadzone oczy zdawały się przewiercać ją na wylot. Jednocześnie była w nich jakby pustka. Strzałkowska nie była pewna, czy ten człowiek mógłby wymyślić jakikolwiek plan. Mógł działać i atakować pod wpływem emocji. Ale nie wydawało jej się, że potrafiłby potem jakkolwiek maskować swoją zbrodnię. Gdyby to zrobił, chyba raczej by po prostu uciekł. Takie sprawiał na niej wrażenie.

– Co się stało z dłońmi i stopami? – zapytała.

Mimo wszystko uznała, że nie będzie ulegać domysłom i wypyta o wszystko. Bądź co bądź Ryszard Pietrzak był pierwszy na miejscu zbrodni. Całe ubranie miał we krwi ofiary. Na siekierze znajdowały się odciski jego palców. Czego chcieć więcej? Naprawdę był idealnym podejrzanym.

Mężczyzna poruszył się niespokojnie. Śruba, którą przykręcone było do podłogi jego krzesło, stęknęła głośno. Mimo to z jakiegoś powodu Emilia nadal nie czuła strachu, że Pietrzak mógłby spróbować ją zaatakować. I na pewno nie chodziło o pogrążonego w zabawie telefonem klawisza w rogu pomieszczenia. Nie on zapewniał jej poczucie bezpieczeństwa. Ryszard Pietrzak po prostu naprawdę wydawał się niegroźny.

– Nie wiem – odpowiedział podejrzany. – Nie wiem, gdzie one są.

Teren wokół miejsca zbrodni został dokładnie przeczesany i nie znaleziono brakujących części ciała dziewczyny. Sprawdzono też pokój Pietrzaka w zajeździe oraz resztę budynku. Ale to było szukanie igły w stogu siana. Jeżeli faktycznie był winny, mógł ukryć dłonie i stopy Julii w dowolnym miejscu w zakładzie produkcyjnym albo gdziekolwiek indziej, a dopiero potem zadzwonić na policję.

Przynajmniej teoretycznie. Bo z tego, co Emilia przeczytała, Urbańskiemu nie udało się znaleźć żadnych świadków, którzy widzieliby Pietrzaka biegającego po okolicy w zakrwawionym ubraniu i próbującego chować odrąbane stopy i dłonie. To oczywiście nic nie znaczyło. Beskidzka była dość odludna. Niedaleko co prawda znajdowały się bloki. W tym jeden ze służbowymi mieszkaniami policyjnymi. Ale zimą polną drogą nikt nie chodził.

– Siekierę przyniósł pan ze sobą? – zapytała.

– Nie, kierowniczko. Już mówiłem, że ją sobie tam zostawiam. W lasku. Obok drzewa z dziuplą, żebym nie zapomniał. Przecie nikt mi nie ukradnie.

Siekierę policjanci z patrolu znaleźli kawałek dalej. Leżała na topniejącej zaspie śniegu. Ktokolwiek zrobił to tej dziewczynie, nawet nie próbował ukryć narzędzia zbrodni. Technicy znaleźli na siekierze paluchy* Ryszarda Pietrzaka. Oprócz tego krew zgodną z grupą krwi ofiary. A doktor Koterski po dokonaniu sekcji zwłok uznał, że to najprawdopodobniej mogło być narzędzie zbrodni.

Emilia oparła się łokciami o metalowy stół, zapominając na chwilę, że pewnie nie był czysty. Nic tu nie było czyste. Spojrzała na Ryszarda Pietrzaka. Jeżeli siekiera faktycznie leżała w zagajniku, to każdy mógł ją wziąć i zabić dziewczynę.

– Kto wiedział, że siekiera zawsze tam leży?

– A ja wiem? – wzruszył ramionami Pietrzak. – Nie wiem, kierowniczko. Czasem znajdowałem ją kawałek dalej. Może kto brał. A może ja nie pamiętałem, gdzie rzuciłem. Czasem to ja sam nie wiem, co robię.

Westchnęła. Pietrzak może był podejrzanym idealnym, ale zdecydowanie nie był najlepszym świadkiem. Ani tym

---

* Slangowe określenie na odbitki linii papilarnych.

bardziej swoim najlepszym adwokatem. W każdym razie jeżeli nie on zabił, to powstawało pytanie, czy prawdziwy sprawca wiedział, że znajdzie w zagajniku siekierę i będzie mógł jej użyć? A jeżeli tak, to skąd wiedział?

No i kolejne pytanie. Co robiła tam ofiara? Odludna polna droga o zmierzchu zimowego dnia. Po co Julia Szymańska tam poszła? Może miała się spotkać z człowiekiem, który ją zabił, pomyślała Emilia.

– Znał pan Julię? – zapytała.

– Nie. Znaczy kojarzę trochę, bo to wszyscy w domach drewnianych się znają, a ona od Dąbrowskich jest. No i z moją Kaliną się trochę znały. No i takie tam... No i tam był samochód.

– Co? – wyrwało się Strzałkowskiej. To stwierdzenie było zupełnie nieoczekiwane. – Jaki samochód?

– Teraz sobie przypomniałem – wyjaśnił Ryszard Pietrzak. – Że jak się o nią potknąłem... to znaczy wtedy nie wiedziałem, że to ona... Ale chyba słyszałem tam samochód, kierowniczko.

Emilia zmarszczyła brwi.

– No chyba słyszałem silnik, kierowniczko – powtórzył. – Tam na Beskidzkiej.

– Tak nagle sobie o tym teraz przypomniałeś?

Starała się, żeby podejrzliwość w jej głosie go nie przestraszyła, ale widziała już po Pietrzaku, że powinna była ugryźć się w język. Podejrzany wyraźnie się wycofał. Zagryzł wargi jak małe dziecko, które nie chce nic powiedzieć. O jakim samochodzie mówił? Wcześniej nie wspomniał o tym ani słowem. W protokole nie było o tym mowy.

ROZDZIAŁ 10

Aleja Józefa Piłsudskiego w Brodnicy.
Środa, 14 lutego 2018. Godzina 10.50.
Oliwier Pietrzak

Hej, może trochę uważaj – warknęła Kalina. – Bo w końcu nas zabijesz.

Oliwier przycisnął gaz do dechy. Nie zamierzał się cackać. Nigdy nie jeździł wolno i nie zamierzał robić tego teraz. Jego biały golf sprawował się doskonale mimo kilkunastu lat na karku. Oliwier lubił wykorzystywać jego pełną moc.

Poza tym chciał jak najszybciej odwieźć ciotkę i kuzynkę do Brodnicy. Spieszno było mu wracać do siebie do Rypina i zdjąć to ubranie. Zerknął z odrazą na czarny sweter. Dla wielu byłby pewnie elegancki. Dla Oliwiera to było tylko przebranie. Chciał je z siebie zrzucić.

Dobrze, że byli już prawie pod zajazdem. Kawałek dalej minie zakład produkcyjny Kwiatkowskich, skręci na krajową piętnastkę, która w tym miejscu nazywała się jeszcze Sądową, i już zaraz będą na miejscu. Zostawi ciotkę. Potem odwiezie Kalinę na Matejki i pojedzie

do siebie. Może nawet inną drogą niż zazwyczaj. Prze-
jedzie z Matejki na Lidzbarską, potem przez Cielęta. To
była dłuższa trasa, ale trochę się rozpędzi i odstresuje.
To zawsze coś.

– Coś ty taki skwaszony? – zapytała ciotka.

Izabela zdążyła już łyknąć z piersiówki, więc była nie-
spotykanie spokojna. Krzykliwość, która tak go zirytowała
w więzieniu, gdzieś zniknęła

– Nie podoba mi się ta policjantka – wyjaśnił.

Ani Kalina, ani Izabela nie odpowiedziały. Nie był
nawet pewien, czy w ogóle go usłyszały.

– Zabijesz się kiedyś w tym samochodzie – oznajmiła
Kalina po chwili. – Zwolnijże trochę.

Zabrzmiało to, jakby była jakąś wieszczką. Zrobiło mu
się nieprzyjemnie.

– Może. Ale na razie to ja jestem twoim szefem, więc
mi nie rozkazuj – powiedział podniesionym głosem.

Nie od dziś wiadomo, że najlepszą obroną jest atak.
Kuzynka zerknęła na niego spod oka. To znaczy zgadywał,
bo celowo nie odwracał się w jej stronę. Nie odezwała
się, bo co niby mogła powiedzieć? To on był właścicielem
agencji aktorek i hostess Malinka.

Z jej nazwy był szczególnie dumny. Chociaż Kalinę
zawsze ta Malinka irytowała. Mogła się irytować, i tak nie
miała nic do gadania. Fakt, przyprowadziła do niego trochę
dziewczyn. W tym Julię Szymańską, ale to nie znaczyło,
że mogła o czymś decydować. Szefem był on.

Julia.

Julia.

Julia.

Oliwier musiał przyznać, że ta dziewczyna od początku go fascynowała. Kalinę musiało to denerwować. Kuzynka miała już trzydzieści cztery lata i było to widać na jej twarzy. Mimo grubej warstwy makijażu.

Tymczasem osiemnastoletnia Julia była świeża jak skowronek. Żadnych ingerencji chirurgicznych. Po prostu naturalne piękno. Czasem niszczyła je makijażem i wyzywającym strojem, ale to było do zaakceptowania przy tak ładnej buzi.

Tak, Julia fascynowała Oliwiera. Do tego stopnia, że być może zrobił coś, czego nie powinien. Nawet kilkakrotnie. Ale o tym ta policjantka na pewno się nie dowie.

Na pewno? Pytanic kołatało mu w głowie, kiedy podjeżdżał pod zajazd. Czy na pewno się nie dowie? Są przecież ślady. Ale może nie będzie szukała tam, gdzie nie trzeba, pocieszył się Oliwier.

A już na pewno nie w przeszłości. Przeszłości, której wolałby nie ujawniać. Nie tylko Julia go fascynowała. Kiedyś zrobiłby wszystko dla zupełnie innej osoby.

Wszystko.

ROZDZIAŁ 11

W drodze do Brodnicy. Środa, 14 lutego 2018.
Godzina 10.50.
Młodszy aspirant Emilia Strzałkowska

Emilia uchyliła szybę samochodu. Okno skrzypnęło. Jechała swoim prywatnym autem. Mogła oczywiście wziąć nieoznakowany radiowóz, ale wolała swojego mini coopera. Trasa do i ze Starych Świątek nie była co prawda daleka, ale i tak czuła się lepiej w swoim aucie. Może i czasem było zawodne ze starości, ale czuła się w nim znajomo i bezpiecznie.

Zjechała z ronda w Rypinie i po chwili minęła tamtejszą komendę powiatową. Koledzy dysponowali zdecydowanie mniejszym budynkiem niż jej jednostka w Brodnicy. Przynajmniej patrząc z zewnątrz, bo Strzałkowska nigdy nie miała jeszcze okazji być w środku.

– Halo? – rozległo się w telefonie.

Położyła sobie komórkę między nogami. Ten zwyczaj podpatrzyła u Podgórskiego. Zawsze ją bawiło, jak to robił, ale okazało się, że to całkiem wygodne, kiedy nie miało się zestawu głośnomówiącego, a nie chciało się trzymać telefonu w ręce podczas rozmowy.

– Dzień dobry, doktorze. Tu Strzałkowska – przedstawiła się na wszelki wypadek, chociaż była pewna, że medyk sądowy miał zapisany jej numer. Znali się dość dobrze.

Drogę powrotną z zakładu karnego postanowiła wykorzystać konstruktywnie. Najpierw zadzwoniła do Ziółkowskiego. Chciała wypytać szefa techników, czy na miejscu zbrodni znalazł jakiekolwiek ślady ewentualnego samochodu. Ziółek nie wykluczał możliwości, że jakieś auto faktycznie tam było. Beskidzka była słabo uczęszczana, ale czasem kierowcy skracali sobie tamtędy drogę pomiędzy Piłsudskiego, Świętokrzyską a zajazdem. Zima była lekka. Odwilż sprawiła, że miejscami zrobiło się błoto. Dzięki temu samochody zostawiły sporo śladów. Tylko co z tego? To było jak szukanie igły w stogu siana. Każdy z samochodów mógł być tym, o którym mówił Ryszard Pietrzak. Tak samo jak żaden. Bo Pietrzak mógł równie dobrze kłamać, upomniała się w duchu policjantka. To, że Zjawa ją zdenerwował, nie oznaczało, że trzeba było wywracać całą robotę Urbańskiego do góry nogami.

Zakończyła rozmowę z technikiem nieco rozczarowana, postanowiła więc zadzwonić do doktora Koterskiego. Protokół z sekcji zwłok Julii Szymańskiej znalazła oczywiście w dokumentacji, ale Emilia miała nadzieję, że medyk zechce go z nią omówić. Uważała, że to lepsze niż suche fakty na papierze okraszone medycznym żargonem. Lubiła z Koterskim rozmawiać. To była jedna z bardziej pozytywnych osób, jakie znała.

– Witam, Emilio – zawołał Koterski.

Nawet przez telefon czuła, że medyk się uśmiecha. Z pełnymi policzkami i burzą kasztanowych loków nie

95

wyglądał ani trochę jak stereotypowy lekarz medycyny sądowej. Niektórzy żartowali, że wyglądem bardziej pasowałby na wychowawcę przedszkolnego.

– Tydzień temu robiłeś sekcję dziewczyny z Beskidzkiej – zagaiła. – Pamiętasz?

– Jasne. Myślisz, że mógłbym zapomnieć coś takiego?

Telefon zawibrował. I kolejny raz. Chyba przyszła wiadomość od Podgórskiego. Nie mieli zbyt wiele możliwości, żeby się widzieć, ale dużo do siebie pisali. Z miejsca poczuła, że kąciki jej ust unoszą się do góry. Tak było zawsze, kiedy myślała o Danielu. Miała motyle w brzuchu, niczym nastolatka. Mimo całej historii ich skomplikowanej znajomości. Mimo nastoletniego syna, którego razem mieli. Mimo że Daniel obecnie był mężem innej kobiety. Mimo tego wszystkiego ona zawsze tak się czuła przy nim. Był jej.

Może napisał coś o ich dzisiejszym walentynkowym spotkaniu? Tak bardzo chciała go zobaczyć. Zdusiła chęć zjechania na pobocze i przeczytania, co napisał. Musi skupić się na rozmowie z Koterskim, upomniała się w duchu.

– Nie wiem – zaśmiała się. Było jej teraz lekko na duszy. – Może i zapomniałeś. Masz tego sporo. I czasem odnoszę wrażenie, że mógłbyś jeść kanapkę podczas sekcji.

– Nie mógłbym, bobym ryzykował, że zanieczyszczę klienta – odparł medyk z godnością.

– Wiesz, o co mi chodzi, doktorze – zaśmiała się znów policjantka. – Komisarz Urbański przekazał mi do dokończenia sprawę śmierci Szymańskiej. Przeglądałam twój protokół. Ale chciałam cię prosić, żebyś mi powiedział w kilku słowach co i jak. Jestem właśnie w drodze do jej rodziców.

Skoro spotkała się z głównym podejrzanym, postanowiła spotkać się też z rodzicami ofiary. Zidentyfikowali już ciało, choć to wcale nie było łatwe. I było możliwe dopiero wczoraj.

– Sama wiesz, jak to wyglądało – powiedział Koterski, wyrywając ją z zamyślenia.

Emilia słyszała, że upił łyk jakiegoś napoju. Pewnie grzał się herbatą albo kawą. Ta myśl sprawiła, że jej też zrobiło się zimno. Zamknęła okno i podkręciła ogrzewanie. Dobrze, że śnieg już prawie stopniał, droga była przejezdna i Emilia nie traciła czasu w zaspach.

– Zastanawiam się na tymi odrąbanymi stopami i dłońmi. No i nad zniszczoną twarzą – powiedziała. – Myślisz, że chodziło o utrudnienie identyfikacji ofiary?

Najlepszą robotę wykonał naczelnik Urbański. Zadzwonił do jakiegoś znajomego z Warszawy, antropologa sądowego. Dokonał on rekonstrukcji twarzy ofiary. Zajęło to znacznie mniej czasu, niż gdyby czekali na to normalnie w kolejce.

Dzięki temu mogli wykonać portret pamięciowy, który trafił do lokalnych mediów. Wczoraj zgłosili się rodzice Szymańskiej, bo podejrzewali, że to może być Julia. A właściwie jej matka i ojczym dziewczyny. Zofia i Jakub Dąbrowscy. Też właściciele firmy zajmującej się budową domów drewnianych.

– Wiesz przecież, że bez rekonstrukcji twarzy i przy braku dłoni i stóp byłoby nam ciężko – powiedział Koterski. – Jest cały arsenał technik, których można użyć w takiej sytuacji. DNA, zęby… sama wiesz. Cała lista rzeczy, które można posprawdzać. I jak ją znaleziono, zrobiłem, co mogłem. I stwierdziłem, że na przykład nasada górna kości ramieniowej nie była jeszcze połączona z trzonem kości. To wskazuje na wiek poniżej dwudziestu lat. Ale nasady kości udowej, piszczelowej i strzałkowej były już w trakcie łączenia. To z kolei wskazuje na wiek pomiędzy siedemnaście a osiemnaście lat. Ale nie poniżej, bo jeszcze nie byłyby połączone. Nasada górna kości ramieniowej nie była połączona z trzonem kości, grzebień biodrowy i blaszki kręgów nie były połączone z pozostałą częścią kości. Szczeliny między wszystkimi trzonami kręgów krzyżowych, nasada przymostkowa obojczyka nie były połączone z trzonem kości. To oznacza wiek poniżej dwudziestki. Guzowatość kulszowa nie była połączona z pozostałą częścią kości. To z kolei sugeruje, że nie przekroczyła dziewiętnastu lat. Kość łonowa też wskazuje na wiek poniżej dwudziestu lat. Kolejna rzecz, która może pomóc ustalić wiek ofiary, to zrastanie chrząstek wzrostowych kości długich. Oprócz tego wysokość jam szpikowych kości ramiennych i udowych. Takie rzeczy mogłem stwierdzić. To na pewno wiesz z mojego protokołu. Tylko że to niewiele dało, bo poznaliśmy tylko wiek. Z zębami jest w Polsce problem, bo wszyscy często zmieniają dentystę. Nie ma takich baz danych, jak to jest na przykład w Stanach. W badaniu zębów przydatna jest metoda Gustafsona. Ale co ja ci będę mówił. Wszystko wiesz. Rekonstrukcja twarzy naprawdę pomogła. Myślę, że rzeczywiście mogło chodzić o utrudnienie identyfikacji Julii.

Emilia pokiwała głową. Nie miała na razie pomysłu, dlaczego sprawcy – o ile nie był to Ryszard Pietrzak – miałoby zależeć na tym, żeby nie rozpoznali Julii. Chyba że z jakiegoś powodu chciał, żeby jej zniknięcie było jak najdłużej tajemnicą. Dlaczego? Czy zależało mu na podtrzymywaniu iluzji, że dziewczyna żyje?

Policja wykorzystała wszystkie dane, które zebrał dla nich Koterski podczas sekcji. Porównano też nieznaną dziewczynę ze zgłoszeniami z listy osób zaginionych. Nikt nie odpowiadał opisowi. Ofiara była bezimienna do czasu zrobienia ekspresowej rekonstrukcji twarzy. Gdyby nie znajomości naczelnika, czekaliby pewnie miesiącami, a nie tydzień.

Jak dotąd nie udało się znaleźć świadków zdarzenia. Jak nikt nie widział biegającego w zakrwawionym ubraniu Pietrzaka, tak nikt nie widział też dziewczyny. Wyglądało na to, że trzeciej osoby na miejscu zbrodni nie było. Tylko ona i sprawca oczywiście.

Strzałkowska włączyła kierunkowskaz i wyprzedziła ciężarówkę. Nie lubiła tego manewru, ale furgon jechał tak wolno, że toczyłaby się do Brodnicy ze sto lat. Odetchnęła dopiero, kiedy znów znalazła się na swoim pasie.

– No i zdaje się, że się nie pomyliłem co do wieku?

– Nie. Miałeś rację. Dziewczyna miała osiemnaście lat.

Julia Szymańska urodziła się pierwszego stycznia dwutysięcznego roku. Czyli była prawie dokładnie w wieku Łukasza. Strzałkowska urodziła syna piętnastego stycznia dwutysięcznego roku. Niedawno miał osiemnaste urodziny. Jej malutki syn był już właściwie dorosłym mężczyzną. I z każdym dniem stawał się coraz bardziej podobny do Daniela.

– Taka młoda – powiedział z lekkim rozrzewnieniem Koterski.

Strzałkowska wzdrygnęła się. Kiedy zajmowała się sprawami śmierci dzieci lub młodych ludzi, pojawiało się nieprzyjemne porównanie z własnym potomstwem. Zwłaszcza jeżeli ofiara była w podobnym wieku, tak jak w tym przypadku. Nawet jeśli człowiek starał się je od siebie odsunąć, to gdzieś na obrzeżach świadomości cały czas majaczyło palące pytanie: „A co, jeśli to moje dziecko leżałoby martwe na stole u Koterskiego?". Zbrodnie na dzieciach rozwalały nawet największych twardzieli.

Pomyślała o Urbańskim i jego nastoletniej córce, która też kończyła osiemnaście lat. Może naczelnik tylko szukał wymówki, żeby komuś przekazać robotę, bo też męczyły go podświadome porównania.

– I Julia zginęła niedługo przed zgłoszeniem jej śmierci na policji, prawda? – upewniła się Strzałkowska.

Patrol był całkiem blisko Beskidzkiej, kiedy Ryszard Pietrzak zadzwonił pod numer alarmowy. Policjanci OPI* zabezpieczyli miejsce zdarzenia do czasu przyjazdu grupy z wydziału kryminalnego oraz doktora Koterskiego. Odbyło się to bardzo sprawnie, bo medyk też był tamtego dnia na miejscu. Zobaczył więc ciało prawie od razu.

– Jo.

Jo. Krótkie lokalne słówko, które oznaczało mniej więcej „tak". Emilia znów się uśmiechnęła. Daniel często go używał. Ona jakoś nie umiała się nauczyć. Zawsze brzmiało w jej ustach obco, co zresztą Podgórski często jej wypominał półżartem.

– Dziewczyna mogła zginąć dosłownie kilka minut przed telefonem Pietrzaka na policję – potwierdził Koterski. – Oceniłbym, że koło siedemnastej.

* Ogniwo patrolowo-interwencyjne.

– Uważasz, że on to zrobił? Ten Pietrzak.

Nie było to zbyt profesjonalne pytanie, ale Strzałkowska nie mogła się powstrzymać. Chciała poznać czyjąś opinię. Fijałkowskiej pytać nie zamierzała, a z Danielem jeszcze o sprawie nie rozmawiała. Chętnie zapytałaby go o zdanie, ale pewnie nie będzie na to czasu. Jak się wreszcie spotkają, nie będzie traciła cennych minut na rozmowę o pracy. Będą mieli co innego do roboty. Zarumieniła się.

– A co? Są jakieś wątpliwości? – zapytał Koterski.

– Myślałem, że właściwie wina jest przesądzona. Nawet dziś rozmawiałem o innej sprawie z prokuratorem i napomknął mi, że to kończycie.

– Pewnie kończymy...

– Nie brzmisz jak osoba, która jest pewna.

– Po prostu rozważam różne możliwości.

– To wasza robota. Ja tylko słucham, co powie mi trup – odparł Koterski sentencjonalnie. – Ale nie wiem, dlaczego ten Pietrzak nie mógłby tego zrobić.

– Ale dlaczego by mógł? – zastanawiała się głośno Strzałkowska.

Ona nie znalazła motywu. Bo to, że Ryszard Pietrzak bywał agresywny, nie dowodziło jego winy. Zwłaszcza że brał leki. Nie wyglądał na człowieka, który nagle mógłby na kogoś skoczyć z siekierą. Ale jeżeli on to zrobił, to musiał mieć jakiś powód.

Koterski nie odpowiedział. Policjantka przyhamowała trochę. Jechała teraz przez miejscowość Strzygi. Obowiązywał tam nakaz ograniczenia prędkości, bo droga była pełna ostrych zakrętów. Cieszyła się, że nie ma śniegu. Wtedy robiło się tu naprawdę niebezpiecznie.

– I gdzie podziały się dłonie i stopy. Ziółkowski z ekipą przeczesali cały teren wokół miejsca zbrodni. Tam ich nie było. Ty mówisz, że dziewczyna zginęła niedługo przed zgłoszeniem, więc Pietrzak nie miałby czasu na ich ukrycie.

Albo Ryszard Pietrzak działał szybko i precyzyjnie, albo naprawdę jego nieco trudna do uwierzenia historia o potknięciu się o trupa była prawdziwa. A to z kolei oznaczało, że faktycznie mógł tam być ktoś jeszcze. I całkiem możliwe, że rzeczywiście odjechał samochodem, zanim nadjechał radiowóz. To z kolei mogło wyjaśnić zniknięcie dłoni i stóp. Po prostu zostały zabrane przez prawdziwego sprawcę.

A to oznaczało, że sprawa może być bardziej skomplikowana, niż się wydawało. To na pewno nie ucieszy Zjawy. Naczelnika też nie, przebiegło Strzałkowskiej przez myśl. Może będzie chciał przydzielić jej Fijałkowską. Westchnęła. Postanowiła nie sugerować Urbańskiemu, że Ryszard Pietrzak może być niewinny, póki nie znajdzie dowodów. I wtedy nadal będzie pracowała sama.

– Ale była jeszcze jedna interesująca rzecz – kontynuował tymczasem Koterski. – Nie wiem, czy zwróciłaś na to uwagę, czytając mój protokół?

Emilia skinęła głową, mimo że medyk sądowy nie mógł jej widzieć. Tak, podejrzewała, że wie, co Koterski ma na myśli. Chodziło o coś, czego w ciele Julii Szymańskiej zdecydowanie nie powinno być.

– Chodzi ci o to, co połknęła, prawda? – zapytała policjantka.

ROZDZIAŁ 12

Mieszkanie Kaliny Pietrzak przy ulicy Matejki.
Środa, 14 lutego 2018. Godzina 11.25.
Kalina Pietrzak

Oliwier podwiózł Kalinę na Matejki. Miała tu skromne mieszkanie w jednym z bloków. Nienawidziła jeździć z kuzynem. Minęło chyba ponad dziesięć minut, odkąd weszła do domu, a nadal miała wrażenie, jakby dopiero wysiadła z samochodu. Było jej niedobrze. Oliwier prowadził zdecydowanie za szybko jak na jej gust. Po wejściu do mieszkania po prostu usiadła na kanapie, żeby odetchnąć. Wreszcie dochodziła do siebie.

Może teraz tak ją wszystko irytowało z jeszcze innego powodu. Westchnęła. Zmusiła się, żeby wstać z kanapy. Nie mogła przecież siedzieć w kurtce w gorącym mieszkaniu. Poszła do przedpokoju. Z ulgą zdjęła puchową kurteczkę i obciągnęła obcisły sweterek. Spojrzała na siebie w lustrze wiszącym na ścianie przy drzwiach.

Nauczyła się już akceptować swój nienaturalny, przejaskrawiony wygląd. Zapewniał jej dochody. Ale naprawdę nienawidziła wielkich piersi i doczepionych blond pasem.

Czasem korciło ją, żeby wziąć maszynkę i ogolić się na łyso. Tak bardzo jej ta przesada ciążyła. Zwłaszcza po tym, co wydarzyło się w niedzielę. Czwartego lutego. Zapamięta chyba tę datę na zawsze…

Znów spojrzała na swoje odbicie. Starała się nie odwrócić oczu. Tak, miała ochotę ogolić tę swoją głowę na łyso. Może wtedy te pieprzone myśli by czmychnęły. Tylko kto by ją wtedy chciał? Straciłaby źródło dochodu.

Miała trzydzieści cztery lata. A w tym biznesie to było jak sto. Boleśnie się o tym przekonała. Oliwier w styczniu dobitnie jej to uświadomił. Malwina Górska też nie przebierała w słowach. Woleli Julię. No i proszę, Julia nie żyje. Ciekawe, czy są teraz zadowoleni. Bardzo ciekawe.

Kalina czuła się zdradzona. Myślała, że chociaż kuzyna ma po swojej stronie. Tymczasem guzik prawda. Nie miała nigdy nikogo, kto by ją wspierał. Tak to czuła.

ROZDZIAŁ 13

Zakład produkcyjny Dąbrowskich.
Środa, 14 lutego 2018. Godzina 11.25.
Młodszy aspirant Emilia Strzałkowska

Emilia zwolniła nieco na wąskiej Targowej. Była już niedaleko zakładu produkcyjnego rodziny zamordowanej dziewczyny. Przez całą drogę myślała o rozmowie z doktorem Koterskim. A właściwie o jej końcówce. O monecie.

Koterski odkrył podczas sekcji zwłok, że Julia Szymańska połknęła monetę. Strzałkowska już o tym trochę myślała, kiedy rano przeczytała protokół medyka sądowego. Podczas rozmowy Koterski potwierdził, że jego zdaniem stało się to niedługo przed śmiercią dziewczyny, ale na pewno nie tuż przed. Moneta odbyła już pewną trasę, jak określił ze śmiechem Koterski. Strzałkowska wolała nie pytać o szczegóły podróży monety przez ciało dziewczyny i uwierzyć mu na słowo.

Nie dało się stwierdzić, czy połknięcie pieniążka jest związane z jej śmiercią. Z drugiej strony nikt nie połyka monet ot tak sobie, prawda? Tylko co to mogło być? Podpis sprawcy? Czy wystarczającym podpisem nie było już odrąbanie dłoni i stóp?

To nie była wartościowa moneta. Zwykła jednogroszówka z dwa tysiące dwunastego roku. To wszystko. Doktor
Koterski powiedział Emilii, że pobawił się trochę w detek-
tywa i znalazł informację, że taka moneta została wpro-
wadzona do obiegu w dziewięćdziesiątym piątym roku,
kiedy nastąpiła denominacja. W dwa tysiące trzynastym
jej wygląd został nieco zmodyfikowany. Awers był inny.
W samym tylko dwa tysiące dwunastym roku wybito trzysta sześćdziesiąt pięć milionów takich groszówek. Raczej
trudno byłoby ustalić, skąd pochodzi ta, którą doktor
znalazł w ciele ofiary.

Emilia łamała sobie głowę, co to może znaczyć. Czy
chodziło o ten rok? Coś się zdarzyło w dwa tysiące dwunastym? Czy może o to, że to był jeden grosz? Czy nominał
nie miał znaczenia, a jedynie fakt, że była to po prostu
moneta?

Policjantka jechała pogrążona w myślach. W końcu zobaczyła spory szyld głoszący: *Dąbrowscy. Domy drewniane*.
Kiedy podjechała bliżej, zauważyła, że pod spodem widać
było jeszcze wyblakły napis *Szymańscy*, na którym potem
wymalowano nowe nazwisko. Strzałkowska wiedziała już,
że zakład produkcyjny pierwotnie należał do biologicznego ojca Julii Szymańskiej, potem został przejęty przez
jej ojczyma, Jakuba. Wtedy pewnie zmieniono nazwę.

Emilia zaparkowała samochód na wybrukowanym
miejscu obok bramy. Drewniany płot, drewniane rzeź-
by, drewniany budynek biura to było kawałek dalej.
Wszystko drewniane i dopracowane w najdrobniejszym
szczególe.

Wysiadła z samochodu.

– Dzień dobry! – usłyszała, kiedy wyciągała właśnie telefon, żeby przeczytać, co jej napisał Daniel. Z westchnieniem schowała komórkę do kieszeni kurtki. Tak bardzo liczyła na dzisiejszy wieczór. Ciekawe, co Podgórski planował na ich wyczekiwaną walentynkową randkę.

Odwróciła się w stronę, skąd dobiegło powitanie. Nieopodal ujrzała niewysokiego mężczyznę. Zdawał się szerszy niż wyższy. Miał posturę krasnoluda z filmu fantasy. Szeroki tors i ramiona zdawały się stworzone do trzymania topora. I miał teraz w dłoniach siekierę. Rozdrobnione kawałki drewna sugerowały, że przed jej przyjazdem właśnie rąbaniem był zajęty. Strzałkowska pomyślała, że to narzędzie nie kojarzy jej się dobrze. Za dużo zdjęć ofiary zobaczyła rano.

– Mogę w czymś pomóc? – zapytał mężczyzna z uśmiechem.

Ubrany był w spraną czarną bluzę. Emilia zadrżała. Zima nie była mroźna, ale zrobiło jej się zimno na ten widok. Opatuliła się szczelniej kurtką.

– Przyjechałam do państwa Dąbrowskich. Jestem z komendy powiatowej. Prowadzę dochodzenie w sprawie śmierci Julii Szymańskiej.

Mężczyzna odłożył siekierę. Z bliska zobaczyła, że jest młodszy, niż jej się początkowo zdawało. Mógł być koło dwudziestki albo niewiele starszy.

– Paweł Krupa. Jestem tu kierownikiem produkcji – przedstawił się. Wytarł ręce o bluzę i podał Emilii wielką dłoń. – Zaprowadzę panią do szefa. Straszna historia, powiem pani. Państwo to nie wiem, czy się pozbierają po tej tragedii. Kochali Julkę bardzo. Tyle nieszczęść musiała przejść ta rodzina. Dokładnie tu zginął pierwszy mąż pani Zośki, pan Tomasz Szymański. Dawne dzieje. To było dwanaście lat temu czy coś koło tego.

Paweł Krupa wskazał miejsce obok drewnianego budynku. Stał tam niewielki brzozowy krzyż. Pod nim płonął dyskretny znicz.

– Co dokładnie się stało? – zainteresowała się Emilia.

– Spadł z rusztowania, jak remontowali biuro – wyjaśnił Paweł Krupa.

Chłopak sprawiał wrażenie rozmownego, Strzałkowska uznała więc, że wykorzysta nadarzającą się okazję, żeby zdobyć jakiekolwiek informacje o relacjach w tej rodzinie. Będzie mogła porównać je potem z ich własnym opisem sytuacji.

– No właśnie. Julia nie jest córką pana Jakuba. Jak się dogadywali?

– Bardzo dobrze. Szef był dla Julki jak ojciec. Mimo że w sumie jest niewiele starszy – zaśmiał się Krupa.

– O ile?

– Szef jest dwanaście lat starszy niż ja, czyli ma trzydzieści cztery. A Julka ma… To znaczy miała – poprawił się zmieszany – osiemnaście. Ostatnio się wyprowadziła, bo już była pełnoletnia. Szefowa z kolei jest starsza, bo ma pięćdziesiąt siedem.

To była interesująca informacja. Matka Julii dobiegała sześćdziesiątki. Tymczasem jej mąż ledwo przekroczył trzydziestkę, a córka dopiero co skończyła osiemnaście lat. Naprawdę dogadywali się wszyscy tak dobrze, jak twierdził ich pracownik? A może jednak pojawiały się jakieś zgrzyty?

– Jak się poznali pana szef i jego żona? – zapytała policjantka tonem pogawędki. Nie chciała spłoszyć Krupy.

– Szef tu pracował. Coś tak jak ja. A jak zginął pan Tomek Szymański, to chyba pani Zośka szukała jakiegoś męskiego ramienia. Smutno być samemu. Każdemu. Szef pewnie też tego potrzebował, bo nie miał łatwego życia.

Strzałkowska spojrzała na niego zdziwiona. Paweł Krupa powiedział to wszystko takim tonem, jakby to była najzwyklejsza rzecz na świecie. Emilia zerknęła raz jeszcze na jego potężne ręce i szerokie barki. Tego typu mężczyźni rzadko pozwalali sobie na okazywanie uczyć. Może dlatego tak ją to zaskoczyło.

– Zna pan Ryszarda Pietrzaka? – zapytała nieco zbita z pantałyku.

– No trochę. Robi u Sadowskiego. My wszyscy się znamy, bo to jedno środowisko. Domy drewniane i tak dalej. No ale niezbyt dobrze go znam. Straszne, że zabił Julkę.

– Zastanawiam się, dlaczego to zrobił – powiedziała. Na razie nie zamierzała mówić, że ma wątpliwości co do winy Pietrzaka. – Julia go znała?

Paweł Krupa zatrzymał się i wzruszył potężnymi ramionami.

– Nie wiem. Może. Jak mówiłem, niedawno wyprowadziła się z domu i zaczęła pracować jako fotomodelka w agencji, gdzie robi też Kalina Pietrzak. To moja dawna dziewczyna, więc wiem, że były zaprzyjaźnione. Właśnie tu się poznały, jak Kalina przychodziła do mnie. A ten pojeb jest ojcem Kaliny. Znaczy przepraszam – zmitygował się mężczyzna. – Powiedziałem, że to pojeb, bo co innego mam powiedzieć o kimś takim? Szef mi opowiadał, jak wyglądało ciało, jak pojechali wczoraj na identyfikację… Masakra jakaś.

Strzałkowska skinęła głową, ale myślami była gdzie indziej. Kalina Pietrzak i Julia się przyjaźniły. Trzeba będzie porozmawiać z blondynką. W Starych Świątkach nie wydawała się zbyt przyjaźnie nastawiona, więc to może być trudna przeprawa, ale kto może wiedzieć więcej o ofierze niż jej przyjaciółka.

– Ja mam taki pomysł – powiedział Krupa. – Znaczy się, bo pani pytała, dlaczego ten Rysiek Pietrzak mógł to zrobić. Tak mi teraz przyszło do głowy. Powiem pani, ale nie będzie, że ja powiedziałem? Wolałbym tak w tajemnicy.

Emilia wykonała jakiś niedbały gest, który mógł zostać odczytany jako potwierdzenie. Nie chciała mu niczego obiecać wprost. Przecież wszystko zależało od tego, co ma do powiedzenia.

Paweł Krupa najwyraźniej uznał to za wystarczające, bo pochylił się w jej stronę i szepnął:

– Bo ja myślę, że Rysiek Pietrzak mógł to zrobić na zlecenie.

ROZDZIAŁ 14

Dom Malwiny Górskiej w Warszawie.
Środa, 14 lutego 2018. Godzina 11.45.
Malwina Górska

Malwina Górska roztrzepała różowe włosy palcami.
Kolczyki i bransoletki zabrzęczały, ale fryzura wcale nie
wyglądała lepiej. Jej włosy zawsze uparcie trzymały się
tego samego kształtu, choćby nie wiadomo co robiła.

Wzięła z powrotem tablet i przejechała palcem po
ekranie, żeby go odblokować. Mężczyzna, który mógł jej
o tym wszystkim powiedzieć, teraz się nie odzywał. Była
tak zła, że nawet nie miała ochoty wymieniać jego imienia.
A na pewno wiedział, co się stało. Mógł chociaż napo-
mknąć, że Julia Szymańska nie żyje. Wiedział przecież,
że Malwina znała tę dziewczynę. Ale jak zwykle chował
głowę w piasek. Ile razy już to przechodzili? Odzywanie
się i nieodzywanie? Dał jej prezent, żeby ją zabezpieczyć.
Obiecał, że ma więcej… Co z tego? Przecież nie o to jej
chodziło.

O śmierci Julii dowiedziała się z porannej prasówki.
Przeglądała też lokalne portale z Brodnicy. Tam zobaczyła

111

jej zdjęcie. Było pozowane i dość artystyczne. Górska widziała je wcześniej na stronie agencji hostess i aktorek Oliwiera Pietrzaka, kiedy szukali z producentami statystek do programu. Zapamiętała Julię. Dziewczyna miała w sobie coś, co sprawiało, że nie można było przejść obok niej obojętnie. Może chodziło o burzę blond włosów, może o wielkie oczy, a może o wydatne kości policzkowe, które nadawały jej twarzy drapieżności.

Malwina przejechała znów palcem po ekranie, żeby obejrzeć resztę materiału. Obok pozowanego zdjęcia Julii zamieszczono policyjny portret pamięciowy. Wyjaśniono, że to rekonstrukcja twarzy wykonana na podstawie ekspertyzy antropologa sądowego. Właśnie dzięki tej podobiźnie rodzice ofiary rozpoznali, że to ich córka. Malwina musiała przyznać, że antropolog spisał się nadzwyczaj dobrze. Szkic wyglądał prawie jak zdjęcie dziewczyny. Nie zawsze udawało się uzyskać takie podobieństwo. Nic dziwnego, że Dąbrowscy od razu zgłosili się na policję.

Zablokowała ekran tabletu. Wystarczy. Czuła, że łzy napływają jej do oczu. Uniosła wzrok i napotkała przerażone spojrzenie człowieka z reprodukcji *Krzyku* Muncha. Czuła się teraz trochę jak na tym obrazie. To chyba było nagromadzenie emocji. Nie może ciągle tego zdarzenia roztrząsać. Tak jak i kłótni. Chociaż była prawie pewna, że Oliwier Pietrzak i Kalina też o tym teraz myślą. O ostrych słowach, które padły. A Kalina również o tym, co się stało potem.

Pisarka odłożyła tablet na półkę. Spojrzała na świeży tatuaż na swojej dłoni. Zrobienie tego drobnego symbolu dodało jej trochę siły. Musi się teraz skupić na pracy.

W piątek czeka ją spotkanie autorskie w brodnickim empiku, wtedy może rozezna się w sytuacji. Miała też nadzieję, że spotka się z tym, którego imienia obecnie nie zamierzała wymieniać. Może pójdzie po rozum do głowy i odwoła to, co zapowiedział.

– Nie – powiedziała do siebie. To trzeba było przerwać.

Z takim postanowieniem usiadła przy komputerze. Włączyła dyktafon. Miała sporo wywiadów do przepisania. Nie będzie teraz myślała o niczym innym, tylko o pracy.

ROZDZIAŁ 15

Zakład produkcyjny Dąbrowskich.
Środa, 14 lutego 2018. Godzina 11.35.
Młodszy aspirant Emilia Strzałkowska

Na czyje zlecenie miałby to zrobić? – zapytała Emilia natychmiast.

To był dobry pomysł, że zaczęła rozmawiać z Pawłem Krupą. Czasem przypadkowe spotkania wnosiły do sprawy więcej niż zaplanowane akcje. Już w więzieniu wydawało jej się, że Ryszard Pietrzak nie byłby zdolny do wymyślenia żadnego bardziej skomplikowanego planu. Co, jeśli ktoś ten plan wymyślił za niego? Mógł być tylko wykonawcą? Może nawet wystawionym na odstrzał? Może prawdziwy zbrodniarz cieszył się, że to Pietrzak odsiedzi karę. Ale, myślała dalej Strzałkowska, czy ktoś powierzyłby wykonanie takiego zadania osobie uzależnionej? I do tego być może mającej kłopoty psychiczne…

– Wiem, że to głupio zabrzmiało – spróbował wycofać się Paweł Krupa. Jakby wyczuł narastające w niej wątpliwości.

– Na czyje zlecenie? – powtórzyła policjantka. Starała się, żeby w jej głosie nie było słychać żadnego wahania.

– Nic nie brzmi głupio, jeśli chodzi o sprawę morderstwa. Chcę mieć pełny obraz sytuacji. Dlatego to może być bardzo ważne.

– No bo wie pani… Ja myślę, że to Franciszek Sadowski mógł Ryśkowi kazać ją zabić.

– Właściciel zajazdu i tej drugiej firmy domów drewnianych?

Kiedy przyjechali z Danielem do zajazdu, rozpaleni z trudem tłumionym pożądaniem stęsknionych kochanków, niezbyt się interesowała niziutkim mężczyzną, który siedział wtedy za kontuarem w recepcji. Pamiętała tylko, że przyglądał im się z nieco złośliwym uśmieszkiem. Podał im pulchną dłonią klucz od pokoju. To było wszystko, co Emilia pamiętała. Ale słyszała o Sadowskim. Podobno pomagał młodzieży z trudnych środowisk. Pisywano o tym w lokalnej prasie.

– Jo. Ten sam.

– Ten filantrop? – upewniła się jeszcze Strzałkowska.

– Ten sam – powtórzył Paweł Krupa. – Tylko taki z niego filantrop jak ze mnie baletnica.

Teraz w głosie młodego mężczyzny pojawiła się wyjątkowo gorzka nuta. Emilia zerknęła na niego z zaciekawieniem. Zaczął nerwowo wyłamywać kostki wielkich dłoni. Czekała.

– Zanim zacząłem pracę tu u szefa, robiłem trochę u Sadowskiego – wyjaśnił w końcu Krupa. – Byłem jednym z jego chłopców.

Emilia spojrzała na niego uważniej, bo zabrzmiało to dość dwuznacznie. A może lepiej powiedzieć j e d - n o z n a c z n i e. Czekała, co Krupa powie więcej, ale tym razem milczał wpatrzony we własne dłonie.

– Robił coś więcej, niż tylko pomagał? – zapytała delikatnie. Podjęcie takiego tematu nie było łatwe dla nikogo. Nawet jeżeli jej rozmówca przypominał bardziej ogra niż bezbronnego młodzieńca.

– Żeby pani wiedziała – szepnął Paweł Krupa.

Zapadła cisza. Strzałkowska zauważyła poruszenie w oknie biura. Być może ojczym albo matka Julii Szymańskiej. Musieli już wiedzieć, że Emilia tu jest.

– Julka pracowała u tego Oliwiera w firmie – podjął nagle Krupa. Chyba nie chciał kontynuować poprzedniego tematu. – Hostessowanie, fotomodeling, statystowanie w jakichś małych produkcjach telewizyjnych. Takie rzeczy. W każdym razie niedawno była spora impreza. Targi budowlane w Bydgoszczy. No i każda z naszych firm miała tam swoje stoisko. A na stanowisku u Sadowskiego były hostessy. Między innymi właśnie Julka.

– Julia była hostessą u konkurenta jej rodziny? – podchwyciła Emilia.

Wydawało jej się to dziwne. Zwłaszcza jeżeli stosunki Julii i Jakuba Dąbrowskiego miały być takie dobre, jak twierdził przed chwilą Paweł Krupa. Czy w takim razie dziewczyna tak po prostu poszłaby pracować do konkurencji?

– No tak. Jednorazowa robota – uściślił Krupa. – Wszystkie dziewczyny od Oliwiera tam pracowały. Może Julka nie mogła odmówić. No i zastanawiam się, czy Sadowski tam… No czy on za bardzo się z Julką nie zbliżył… Tak jak to było kiedyś ze mną.

Ostatnie zdanie wypowiedział bardzo cicho, ale zdawało się bardziej wymowne niż krzyk. Najwyraźniej Franciszek Sadowski wykorzystał go seksualnie.

– Mówiła coś panu na ten temat? Zwierzyła się?

– Nie. Po prostu teraz pomyślałem, że może... Bo Sadowski nigdy nie umiał trzymać rąk przy sobie.

Zanim Emilia zdążyła zapytać o coś więcej, drzwi drewnianego budynku otworzyły się. Stał w nich mężczyzna w kwadratowych okularach. Tuż za nim widać było szczupłą, czarnowłosą kobietę. Najpewniej byli to ojczym i matka ofiary.

– Przepraszam – mruknął Krupa i ruszył do sterty drewna, którą był zajęty, kiedy Emilia tu przyjechała. Mimo swojej postury wyglądał teraz jak mały zraniony chłopiec.

ROZDZIAŁ 16

Zajazd Franciszka Sadowskiego.
Środa, 14 lutego 2018. Godzina 11.35.
Izabela Pietrzak

Panie Franiu – powiedziała Izabela Pietrzak. – Oj, panie Franiu. Pan się nie gniewa na mnie. Byłam u starego. No smutno mi było. Panie Franiu. Niewiele się spóźniłam.

Widziała w oczach Franciszka Sadowskiego, że skłonny jest jej wybaczyć spóźnienie. Gorzej, że znów kręcił się wokół niego ten szczyl z blizną. Nie miała siły użerać się jeszcze z Robercikiem. Wystarczyło jej humorów Kaliny i Oliwiera.

– Panie Franciszku – wtrącił się gówniarz. – Mamy określone pory dnia, kiedy powinniśmy dyżurować w recepcji. Sam pan mówił. A jej nie było. Siedziałem za nią.

– Nie pyskuj starszym – mruknęła Izabela.

Franciszek Sadowski patrzył na nich uważnie. Jak zwykle stanął na piątym stopniu schodów, żeby dodać sobie wzrostu. Inaczej musiał zadzierać głowę. Chyba tego nie lubił. Był niski i miał z tego powodu kompleksy. Izabela nie zamierzała mu tego wytykać. Miała inne plany w związku z tym, że Rysiek może długo posiedzieć. Trzeba jakoś sobie zapewnić byt.

– Powinnaś być o określonej porze w recepcji – oznajmił w końcu szef. – Ostatnio też za ciebie siedziałem. Pomagam wam, ale wy też musicie być w porządku wobec mnie.

Szczyl z blizną zrobił minę zbitego psa. Izabela widziała w oczach Sadowskiego, że to działa. Musiała interweniować, żeby Robert nie przejął kontroli.

– Teraz sprawę mojego starego przejęła inna policjantka – oznajmiła.

Sadowski spojrzał na nią zainteresowany. Wydawał się teraz skupiony tylko na niej. Tego się nie spodziewała.

– Jo – dodała szybko zachęcona sukcesem. Chciała, żeby zapomniał o Robercie Janiku. – Panie Franiu, ja panu mówię. Ona mi wygląda na taką, co będzie węszyć, aż wywęszy. Niech się boi ten, kto to zrobił. Mówię panu, panie Franiu, ta babka to wyciągnie mojego Rycha z pierdla w mgnieniu oka.

ROZDZIAŁ 17

Zakład produkcyjny Dąbrowskich.
Środa, 14 lutego 2018. Godzina 11.45.
Młodszy aspirant Emilia Strzałkowska

Usiedli przy drewnianym, a jakże, stole w biurze firmy Dąbrowskich. Zofia Dąbrowska raz po raz pociągała nosem i wycierała oczy chusteczką. Makijaż nieco jej się rozmazał, ale i tak była piękna. Emilia nigdy by nie pomyślała, że matka ofiary dobiega sześćdziesiątki. Wyglądała na co najmniej dwadzieścia lat mniej. Choć widać oczywiście było, że jest starsza od swojego męża. Jakub Dąbrowski nosił duże kwadratowe okulary. Niewykluczone, że w ten sposób on z kolei chciał dodać sobie lat. Być może nie chciał, żeby żona źle się czuła z dzielącą ich różnicą wieku.

– Pojechaliśmy wczoraj na komendę od razu, jak tylko zobaczyliśmy tę rekonstrukcję twarzy w Internecie – tłumaczył właśnie Dąbrowski.

W naturalny sposób przejął inicjatywę w rozmowie, mimo że Julia nie była jego biologiczną córką. Emilia czuła z tego powodu ulgę. Kiedy witali się przed chwilą, głos Zofii drżał tak bardzo, że policjantka sama o mało się nie rozpłakała.

Ból matki zamordowanej dziewczyny sprawiał, że Strzałkowska znów myślała o tym, co by zrobiła, gdyby to ona dowiedziała się, że Łukasz nie żyje. Syn był już prawie dorosły, a z postury i wzrostu przypominał Daniela, ale dla niej na zawsze pozostanie małym chłopcem. Nic tego nie zmieni. Pomyślała też o maleńkiej córeczce, którą pochowali z Podgórskim. Z tym chyba nigdy nie będzie mogła się pogodzić.

– To było straszne – dodał Jakub Dąbrowski, wyrywając Strzałkowską z ponurych rozważań. – No ale wiemy, że konieczne. Słyszeliśmy oczywiście wcześniej o zamordowanej dziewczynie. I to tak bestialsko zamordowanej. Przecież o niczym innym się ostatnio nie mówiło. Ale nie przyszło nam do głowy, że to może być Julka. No ale ta identyfikacja ciała. To na pewno ona...

Policjantka odetchnęła głębiej i upiła łyk herbaty, którą podał jej gospodarz. Musi się wziąć w garść, skupić na sprawie, a przede wszystkim myśleć pozytywnie. Jak skończy rozmowę z nimi, przeczyta sobie wiadomości od Daniela. Spędzą razem walentynki. A wkrótce przestaną się ukrywać. Wszystko się ułoży. Byle ta cholerna Weronika nie była w ciąży. Będzie tak, jak od początku miało być. Daniel powie Weronice, że odchodzi. Będą mieszkali we trójkę z Łukaszem. Przynajmniej póki syn nie stwierdzi, że ma ich dosyć, i się nie wyprowadzi, uśmiechnęła się. Będzie dobrze. Wszystko będzie dobrze.

Spojrzała na Dąbrowskiego. No właśnie.

– Państwa córka niedawno się wyprowadziła, prawda?

Nie zamierzała mówić, że zdradził jej to przed chwilą Paweł Krupa. Może Dąbrowscy nie byliby zadowoleni, że ich pracownik rozmawiał z nią tak otwarcie. A nie chciała tracić ewentualnego świadka.

– Tak. Julka zamieszkała w Rypinie – wyjaśnił Jakub Dąbrowski, poprawiając kwadratowe okulary. – Mieszkanie wynajmowała od swojego szefa, Oliwiera Pietrzaka. Z tego, co wiem, Pietrzak ma tam dwa mieszkania obok siebie. Po jakiejś babce czy ciotce. Julka poznała go przez koleżankę, która też dla niego pracuje. Dawną dziewczynę naszego Pawła.

Emilia skinęła głową. Na razie wszystko zgadzało się z tym, co mówił przed chwilą Krupa. Uznała, że czas sprawdzić jej wcześniejsze wątpliwości. To była szczęśliwa rodzinka czy jednak były tu jakieś zgrzyty?

– Zgłosili się państwo na komendę wczoraj po zobaczeniu rekonstrukcji twarzy. Wspomniał pan, że nie przyszło państwu do głowy, że zamordowana dziewczyna to może być Julia. Nie martwili się państwo wcześniej, że córka się nie odzywa? Zabito ją szóstego lutego. Wczoraj był trzynasty. To jest tydzień bez kontaktu.

Zofia Dąbrowska zaszlochała. Jakub pogładził żonę delikatnie po ramieniu. Odwrócił się w stronę Emilii i spojrzał na nią znad okularów, jakby chciał powiedzieć, że przesadziła. Wyglądał teraz jak profesor strofujący niesfornego studenta. Albo nauczyciel rozmawiający z niegrzecznym uczniem. Strzałkowska czekała spokojnie. Poranek spędziła w Starych Świątkach, więc taki wyraz oczu nie robił na niej szczególnego wrażenia.

– Pokłóciliśmy się trochę – przyznał w końcu gospodarz.

Czyli bingo.

– O co? – zapytała spokojnie.

– Nie wiem, co w nią ostatnio wstąpiło – odezwała się tym razem Zofia Dąbrowska. Miała dość niski, zachrypnięty głos. Trochę w stylu Demi Moore. – Julia miała właściwie o wszystko pretensje.

– Chyba weszła w taki nastoletni bunt – włączył się znów do rozmowy Jakub Dąbrowski. – Była zła, że zająłem miejsce jej ojca. Starałem się traktować ją z wyrozumiałością.

Ostatnie zdanie powiedział z wyraźną czułością. Emilia miała wrażenie, że jego uczucia w stosunku do pasierbicy były prawdziwe.

– Pierwszy mąż mojej żony zmarł w dwa tysiące szóstym roku – kontynuował Dąbrowski. – Minęło sporo czasu, ale Julka nigdy tego do końca nie zaakceptowała. I to teraz jakoś wybuchło. Ja nigdy nie starałem się zastąpić jej ojca ani twierdzić, że nim jestem. No ale skojarzenia nasuwały się same. Ożeniłem się z jej matką. Zacząłem prowadzić firmę jej ojca. Nie wiem, może teraz zaczęło jej to przeszkadzać. To powodowało napięcie. Tak więc kiedy postanowiła się wyprowadzić, to jej na to pozwoliliśmy. Ma pani dzieci?

– Tak, syna.

– W jakim wieku?

– Równolatek Julii – przyznała Emilia.

– No właśnie. To pewnie pani wie, jak trudne potrafią być nastolatki. Nawet nie przyszło mi do głowy, żeby się z Julią spierać. I tak by odeszła. Czasem lepiej odpuścić i zachować twarz. – Jakub Dąbrowski zaśmiał się smętnie.

– Tak jest lepiej. I dać trochę wolności. A czekać w gotowości, gdy potrzebna będzie pomoc.

Strzałkowska mimowolnie skinęła głową. Sporo problemów przeżyła z Łukaszem, ale tłumaczyła to sobie tym, że syn nie miał łatwo. Powiedzieć, że całe ich życie było skomplikowane, to chyba za mało. I to była jej wina. Potrafiła zapomnieć o wyrzutach sumienia, ale one wracały.

Najpierw wychowywała syna sama. Nie powiedziała Danielowi, że zaszła w ciążę. Kończyli wtedy szkołę policyjną. On wrócił do Brodnicy, ona żyła w Warszawie. Chyba za bardzo bała się odrzucenia, żeby sprostać sytuacji.

Potem swoje postępowanie uznała za błąd i przyjechała do Lipowa, żeby wszystko naprawić. Chciała, żeby ojciec i syn się poznali. Tak to sobie tłumaczyła. Ale miłość chyba nigdy nie wygasła. Może nie powinna była wracać, bo Daniel związany był z Weroniką, a Emilia wchodziła z butami pomiędzy nich. Na tę myśl cały dobry nastrój prysł.

– Nasz dom stał przed nią otworem – szepnęła Zofia Dąbrowska. – Julia mogła wrócić, kiedy chciała.

– Ale nie chciała – powiedziała Emilia.

Zabrzmiało to ostrzej, niż planowała. Chyba powinna była ugryźć się w język. Nie mogła pozwolić, żeby własne wahania nastroju wpływały na jej pracę.

Zofia Dąbrowska znów zapłakała.

– No cóż, faktycznie Julka mało się z nami kontaktowała – przyznał Jakub Dąbrowski. – Chyba odnalazła się w pracy u tego Oliwiera. Robili jakiś serial czy może program telewizyjny. Fotografowali Julkę do jakichś reklam. Miała sporo zajęć. Młodym inaczej czas płynie niż starszym.

Emilia ledwie się powstrzymała, by nie przewrócić oczami. Jakub był młodszy od niej, a kreował się na starego mężczyznę. Momentami wydawało się to sztuczne. Nawet jeżeli robił to dla żony.

– Julia była też hostessą na targach budowlanych w Bydgoszczy – powiedziała policjantka, czekając na jego reakcję. Była ciekawa, jak odebrał fakt, że pasierbica pracowała u konkurencji.

– Faktycznie – bąknął tylko Dąbrowski.

Nie wyglądało na to, żeby zamierzał kontynuować temat. Trudno było stwierdzić, jaki jest jego stosunek do tego faktu.

– Nie przeszkadzało to panu? – zapytała więc wprost.

– Trochę. Ale chyba nie w takim kontekście, o jakim pani myśli. Wydaje mi się, że to nie jest zajęcie dla porządnej młodej dziewczyny – powiedział Jakub Dąbrowski. Znów tonem wiekowej osoby. – Chodzenie w minispódniczkach i kręcenie tyłkiem przed klientami. No ale nie mogliśmy nic zrobić. Oliwier Pietrzak też nie wzbudza mojego zaufania. Znam go jeszcze ze szkoły. Potem nasze drogi też się kilka razy krzyżowały. Zawsze był specyficzny.

Emilia pomyślała o wysokim mężczyźnie z ogoloną na łyso głową i brwiami, który towarzyszył Kalinie Pietrzak i jej matce w Starych Świątkach. Nie wyrobiła sobie jeszcze opinii na jego temat. Będzie musiała z nim porozmawiać. Tak jak z Kaliną. Zjawa mógł sobie mówić, co chce. Ona nie zamierzała porzucać tej sprawy bez sprawdzenia chociaż kilku tropów.

– Dlaczego specyficzny? – zapytała.

– Powiedzmy, że on zadaje się z nieodpowiednimi osobami.

– To znaczy? – nie ustępowała.

– Na przykład z Franciszkiem Sadowskim – odpowiedział Jakub Dąbrowski.

Niechęć w jego głosie była wyraźnie słyszalna. Być może znał historię swojego pracownika. Skoro Paweł Krupa otworzył się przed nią, być może zrobił to też przed swoim pracodawcą.

– Pańskim zdaniem Sadowski mógł mieć jakiś związek ze śmiercią Julii? – zapytała oględnie.

– Sadowski, Pietrzakowie… to wszystko jedna hołota – mruknął Jakub Dąbrowski. – Wcale bym się nie zdziwił.

Zapadło milczenie. Emilia sięgnęła po filiżankę. Zupełnie o niej zapomniała i napój prawie całkowicie wystygł. Doszła do wniosku, że nadszedł moment, kiedy musi zapytać ich o alibi. To zapewne ich zdenerwuje. Rodzice nigdy nie przyjmowali ze spokojem takich pytań. Nawet jeżeli byli niewinni.

Odstawiła filiżankę na stolik.

– A gdzie państwo byli szóstego lutego bieżącego roku?

– Tu w domu – odparła z nieoczekiwanym spokojem Zofia Dąbrowska. – Ja… Musi pani wiedzieć, że my zupełnie nie pomyśleliśmy, że zamordowana dziewczyna to może być Julka. Zanim pokazali rekonstrukcję twarzy, mówili w mediach, że zamordowana ma rude włosy. A nasza Julka była blondynką. Nawet to. Nie wiem… Musiała się niedawno przefarbować… I mówili, że była ubrana w jakiś płaszcz… Julka takich rzeczy nie nosiła. Raczej krótkie kurteczki. Płaszcz nie był w jej stylu. Sama niech pani spojrzy.

Zofia sięgnęła po telefon i otworzyła galerię zdjęć. Pokazała Strzałkowskiej fotografię uśmiechniętej blondynki w puchowej kurteczce z cekinami, dopasowanych dżinsach i białych adidasach. W chwili śmierci ofiara miała na sobie ciemnozieloną spódnicę do kolan, obcisły żółty golf, brązowy skórzany płaszcz z futrzanym kołnierzem. W pobliżu leżał czarny beret i przeciwsłoneczne okulary muchy. Musiały spaść podczas ataku. Była tam też torebka w kształcie podkowy. Do tego kozaki i długie rękawiczki, które sprawca pewnie ściągnął dziewczynie, zanim zajął się usuwaniem jej dłoni i stóp. Chyba że sama zdjęła je wcześniej. Choć w zimową porę trudno było sobie wyobrazić, dlaczego miałaby to robić.

W każdym razie styl ubrania drastycznie się różnił od tego, co pokazywała Emilii Zofia Dąbrowska. Julka najwyraźniej lubiła błysk i szelest. W ostatnich chwilach życia nie dość, że zmieniła kolor włosów, to ubrała się zupełnie inaczej niż zawsze.

– No i mąż nie wspomniał jeszcze o tym, że Julka była aktywna na Facebooku. Dlatego zupełnie nie obawialiśmy się, że coś mogło się stać.

Jakub Dąbrowski skinął głową.

– No właśnie.

– Była aktywna na Facebooku? Po szóstym lutego? – upewniła się policjantka, podkreślając znów datę śmierci Julii Szymańskiej. To była zupełnie nowa informacja.

Zofia Dąbrowska znów odblokowała ekran swojego telefonu.

– No niech pani sama zobaczy.

ROZDZIAŁ 18

Zagajnik przy ulicy Beskidzkiej. Środa, 14 lutego 2018.
Godzina 12.10.
Franciszek Sadowski

Franciszek Sadowski nienawidził, kiedy jego podopieczni się kłócili. Irytowało go to, wręcz wprawiało w furię. Dlatego wziął siekierę z zakładu i ruszył trochę się wyżyć. Policja zabrała tamtą, która zawsze leżała w zagajniku, więc nie było innego wyjścia.

Ekipa dochodzeniowa dawno już się zwinęła z Beskidzkiej, mógł więc bez przeszkód dokończyć rąbania tego kawałka drzewa, które wycinał wcześniej nieszczęsny Rysiek. Sadowski westchnął. Szkoda mu było pracownika, ale zdecydowanie wolał, żeby to Pietrzak siedział w więzieniu. To było jasne.

Sadowski zamachnął się siekierą. Niektórzy myśleli, że skoro jest taki malutki i pulchny, to nie umie rąbać. Śmieszne. Tu nie chodziło o wzrost czy tężyznę fizyczną, ale o technikę. Nawet kobieta mogła to robić, jeżeli wiedziała jak.

Sadowski rąbał przez chwilę zapamiętale. O tak. Czy było cokolwiek przyjemniejszego niż to? I co dawało więcej satysfakcji?

ROZDZIAŁ 19

Zakład produkcyjny Dąbrowskich.
Środa, 14 lutego 2018. Godzina 12.10.
Młodszy aspirant Emilia Strzałkowska

Niech pani sama zobaczy – powiedziała Zofia Dąbrowska, odblokowując znów ekran swojego telefonu. Emilia pochyliła się w jej stronę. Jakub Dąbrowski też. Zawiśli tak we trójkę głowa przy głowie. Dłoń Zofii lekko drżała, kiedy wybierała ikonę aplikacji Facebooka.

– W zeszłą środę, czyli siódmego, poszliśmy z mężem na kolację – wyjaśniła. – Zawsze chodzimy tydzień przed walentynkami. Taki mamy zwyczaj. Żeby potem nie pchać się w tłum, jak wszyscy idą. No i wtedy zrobiliśmy sobie to zdjęcie.

Dąbrowska przejechała palcem po ekranie, przewijając w dół na swoim profilu. W końcu powiększyła selfie zrobione w jakiejś restauracji. Zofia i Jakub uśmiechali się szeroko ze zdjęcia. Na stoliku stały świece, a za plecami małżonków widać było sznur światełek. Emilia nie rozpoznawała tego miejsca. Może to nie było w Brodnicy.

– Pojechaliśmy do Bydgoszczy – poinformował Jakub, jakby odgadł myśli policjantki.

– No i Julka polubiła to zdjęcie – dodała Zofia Dąbrowska, poprawiając włosy nerwowym ruchem. Wyglądała, jakby miała znów się rozpłakać. – Nie skomentowała, ale polubiła. Niech pani sama zobaczy.

Kobieta kliknęła w listę osób, które zareagowały na romantyczne zdjęcie. Faktycznie wśród osób, które polubiły fotografię, była Julia Szymańska.

– I to było w środę? – upewniła się Strzałkowska.

Przecież w środę, siódmego lutego, dziewczyna o nieznanej wtedy jeszcze tożsamości leżała na stole sekcyjnym doktora Koterskiego. Na pewno nie klikała wtedy na Facebooku. Strzałkowska poczuła, że serce bije jej szybciej. To oznaczało, że ktoś miał dostęp do profilu dziewczyny. Najpierw zmasakrował twarz ofiary i usunął dłonie oraz stopy. Być może po to, żeby uniemożliwić albo utrudnić identyfikację. Lajk pod zdjęciem zamieszczonym przez matkę ofiary być może był kolejną sztuczką, dzięki której sprawca chciał ukryć fakt, że Julia nie żyje. Dlaczego tak bardzo mu na tym zależało?

To pytanie Emilia zadawała sobie już wcześniej. Jasne, utrudnienie identyfikacji ofiary mogło utrudnić odkrycie sprawcy. Ale przecież i tak uciekł z miejsca zbrodni, pomyślała policjantka. Oczywiście gdyby założyć, że Ryszard Pietrzak był niewinny.

No dobrze, ale w jaki sposób dostał się na profil dziewczyny, żeby kliknąć polubienie pod zdjęciem jej matki? Najprostszym rozwiązaniem było uzyskanie dostępu do czyjegoś telefonu. Strzałkowska sama korzystała z aplikacji Facebooka na komórce.

W dokumentacji, którą rano dostała od Urbańskiego, znalazła informację, że telefonu ofiary nie było przy ciele denatki. Oprócz ubrania dziewczyna miała torebkę w kształcie podkowy. Jej zawartość była dość dziwna, a telefonu w środku nie było. Być może sprawca zabrał go razem z dłońmi i stopami. Policjantka będzie musiała doczytać, jak to było z logowaniem się telefonu i billingami. O ile szef zdążył to zlecić, bo przecież dopiero od wczoraj wiedzieli, że mają szukać telefonu Szymańskiej. Jeżeli tego nie zarządził, to ona to zrobi. Poza tym Emilia była już umówiona z technikami, że pojadą do mieszkania dziewczyny. Może komórka znajdowała się właśnie tam. Ziółkowskiemu nie wspomniała oczywiście, jak bardzo niechętny wszystkim działaniom był prokurator.

– Tak, to było w środę – potwierdziła Zofia Dąbrowska, przerywając rozważania policjantki. – Pamiętam, że na kolacji nawet rozmawialiśmy o tej zabitej dziewczynie. Że ktoś tak zbezcześcił jej ciało. A to była…

Kobieta zamilkła w pół zdania. Znów zaczęła przecierać chusteczką oczy. Przez chwilę nikt nic nie mówił. Ciszę przerywał tylko odgłos rąbania drewna na zewnątrz. Najwyraźniej Paweł Krupa powrócił do swojego zajęcia.

Nagle rozdzwonił się telefon. Strzałkowska sięgnęła do kieszeni, ale ekran był ciemny.

– Przepraszam, to mój – powiedział Jakub. – Muszę odebrać. To ważny klient. Poradzisz sobie, kochanie?

Zofia potwierdziła. Jakub uśmiechnął się przepraszająco i wyszedł z biura na dwór. Policjantka przyglądała się, jak przechadza się w tę i z powrotem po parkingu, rozmawiając przez telefon. Czekała, aż Zofia się odezwie, ale matka zamordowanej dziewczyny siedziała w milczeniu wpatrzona w swoje dłonie.

131

– Możemy zajrzeć na profil pani córki? – zapytała więc policjantka. – Czasem to może być źródło ważnych informacji. Na przykład na temat znajomych osoby poszkodowanej. Albo tego, co robiła ostatnio. Może to rzuci trochę światła na okoliczności.

Emilia wolała nie używać słowa o f i a r a. Bała się, że to poruszy emocje Zofii. O s o b a p o s z k o d o w a n a wydawało się określeniem delikatniejszym.

– Ja rzadko oglądam, co kto wrzuca. Nawet nie wiem, czy Julia coś ostatnio zamieszczała – przyznała Zofia Dąbrowska. – Raczej tylko wstawiam swoje. Niezbyt ogarniam, jak działają te aktualności i tak dalej. Niech pani zajrzy tam, gdzie pani chce.

Podała swój telefon Strzałkowskiej. Emilia kliknęła w podświetlone nazwisko Julii Szymańskiej, żeby wejść na jej profil. Zaczęła przeglądać posty wrzucane przez ofiarę w ostatnim czasie.

Ostatnie zdjęcie, jakie Julia zamieściła przed swoją nagłą śmiercią, przedstawiało plastikową siatkę z logo popularnej drogerii. Dziewczyna podpisała zdjęcie: *Zakupy… #robota*. Emilia była bardzo ciekawa, co znajduje się w torebce. To była jedna z tych większych. Nic nie prześwitywało.

– To zdjęcie zrobiono w jej mieszkaniu? – zapytała Dąbrowską.

– Chyba tak… Nie wiem. Nigdy tam nie byłam.

– A ma pani może zapasowy klucz? – drążyła dalej Strzałkowska. – Wybieram się tam razem z ekipą techników. Musimy sprawdzić to mieszkanie.

Emilia wiedziała, że i bez klucza poradzą sobie z dostaniem się do mieszkania w Rypinie, ale byłoby łatwiej, gdyby po prostu go dostali. Kluczy w dziwnej torebce nie było. Być może sprawca również je zabrał.

To r e b k a. No właśnie. To był kolejny zaskakujący element. Leżała porzucona kilka metrów od ciała. Tak jak buty i rękawiczki. Pasowała do stroju, w który ubrana była tamtego dnia ofiara. Można więc chyba było założyć, że należała do Julii.

A jednak nie było w niej nic, czego policjantka spodziewałaby się po damskiej torebce. Brakowało nie tylko kluczy czy telefonu, które być może leżały w kręgu zainteresowań mordercy. Nie było tam takich rzeczy jak chusteczki, podpaska albo tampon, artykuły do makijażu i stosu innych absolutnie potrzebnych przedmiotów, które z reguły sprawiały, że damska torebka ważyła tonę. Strzałkowska nie nosiła torebki do pracy. Ale kiedy wychodziła prywatnie, zawsze dziwiła się, że może jeszcze cokolwiek znaleźć w swojej wypchanej po brzegi torbie. Nie zaskoczyłoby jej, gdyby na samym dole była jeszcze zaschnięta kanapka z zeszłego roku albo jakieś inne archeologiczne znalezisko.

W torebce Julii niczego takiego nie było. Była właściwie pusta, jeśli nie liczyć garści bilonu i dziwnego kamienia z dziurką. Kamień być może był elementem jakiegoś naszyjnika. Może łańcuszek się urwał. Monety z kolei były jeszcze dziwniejsze. To były jednozłotówki z lat siedemdziesiątych. Po co Julia nosiła takie rzeczy ze sobą? Czy to miało jakiś związek z połkniętą przez dziewczynę jednogroszówką? Ale przecież moneta w jej ciele była współczesna.

– Nie mam jej kluczy – powiedziała cicho matka ofiary.
– Julka naprawdę chciała się od nas odciąć. Nie dała mi.

Ale jak mówiliśmy, jej sąsiadem jest Oliwier Pietrzak. Od niego wynajmowała to mieszkanie. To on pewnie będzie mógł państwa wpuścić.

– Poradzimy sobie – zapewniła Strzałkowska, żeby dodatkowo nie denerwować Zofii Dąbrowskiej.

Emilia już by chciała pojechać do Rypina i przeszukać to mieszkanie. Może tam znajdzie jakieś odpowiedzi. Nie liczyła na to, że będzie tam telefon. To chyba byłoby za wiele szczęścia. Ale może została tam plastikowa siatka ze zdjęcia, które policjantka przed chwilą zobaczyła na profilu zamordowanej dziewczyny. Hashtag Robota. To brzmiało obiecująco. Tym bardziej że im więcej teraz Strzałkowska o tym myślała, tym bardziej była przekonana, że ubranie, które Julia Szymańska miała na sobie, było przebraniem. Zupełnie nie pasowało do tego, w co ubierała się na co dzień dziewczyna. Torebka z dziwną zawartością wydawała się raczej dodatkiem, a nie czymś użytkowym. No i zmiana koloru włosów. Czyżby to była stylizacja do jakiejś sesji zdjęciowej? Może więcej powie na ten temat Oliwier Pietrzak albo Kalina Pietrzak?

– Mogę zobaczyć dalej? – zapytała Emilia matkę ofiary delikatnie. Przecież dopiero zaczęły przeglądać profil Julii.

– Oczywiście.

Policjantka przewinęła ekran kawałek w dół. W poniedziałek, piątego lutego, Julia zmieniła swoje zdjęcie profilowe. Emilia spojrzała na uśmiechnięte, nieco zawadiackie spojrzenie przyszłej ofiary. Zupełnie inne niż makabryczne zdjęcia z sekcji, które policjantka dostała od naczelnika Urbańskiego. Twarz zniszczona ciosami siekiery nie przypominała roześmianej Julii.

Strzałkowska przeglądała profil dziewczyny. Nie było tego wiele. Przynajmniej z rzeczy, które można było zobaczyć z poziomu profilu jej matki. Przecież Julia mogła zablokować niektóre treści, tak żeby Zofia ich nie widziała. Strzałkowska miała wrażenie, że jej syn tak robi i niektóre rzeczy, które wstawia, widzą tylko jego znajomi. Może tu było podobnie.

Znalazła kilka fotografii Julii w towarzystwie Kaliny Pietrzak. Obie dziewczyny robiły dzióbki. Na jednym zdjęciu Julia stała w towarzystwie kobiety z różowymi włosami, której twarz wydawała się policjantce znajoma, ale nie mogła skojarzyć skąd.

– Zna ją pani? – zapytała Zofię. – To jakaś koleżanka pani córki?

– Nie wiem.

Emilia przeglądała dalej profil. Niewiele to dało. Gdyby tylko mogli dostać się na Facebook dziewczyny przez jej login. Wtedy można by zobaczyć więcej. Chociażby jej korespondencję ze znajomymi. Może więcej postów. Jeżeli telefonu nie będzie w mieszkaniu ofiary, Strzałkowska porozmawia z informatykiem z komendy. Być może istnieje sposób, żeby włamać się na konto Szymańskiej.

Oddała telefon Zofii Dąbrowskiej. Zastanawiała się, o co może jeszcze spytać matkę ofiary. Zanim zdążyła zebrać myśli, do biura wrócił Jakub Dąbrowski.

– Wszystko w porządku? – zapytał.

Zofia kiwnęła głową.

– Będę już szła – powiedziała Emilia. – Gdyby państwo sobie coś przypomnieli, to proszę o wiadomość.

Podyktowała im numer swojego telefonu. Pożegnała się i wyszła na dwór. Zimowe powietrze szczypało w twarz.

Wydawało się, że temperatura spadła o kilka stopni. Może dlatego, że w biurze było dość ciepło.

Rozejrzała się, ale Pawła Krupy nigdzie nie było. Szkoda. Zamieniłaby z nim jeszcze kilka słów. Ruszyła szybkim krokiem do samochodu. Wsiadła i od razu sięgnęła po telefon. Pora wreszcie przeczytać, co Daniel zaplanował dla nich na walentynki. Otworzyła z uśmiechem wiadomość od Podgórskiego.

– *Nie dam rady się wyrwać* – przeczytała.

Jej własny głos zabrzmiał obco i głucho. Daniel odwołał ich spotkanie. Strzałkowska poczuła, że łzy napływają jej do oczu. Tak bardzo się nastawiła, że spędzą te walentynki razem. Ależ była głupia. Przecież od początku było jasne, że Podgórski będzie siedział w domu z Weroniką. A może nie w domu. Może pójdą na romantyczną kolację. Co z tego, że tylko udawał miłość do Weroniki w oczekiwaniu na odejście, jak to Emilia będzie dziś siedziała sama. Z n o w u.

Nagle telefon zawibrował jej w dłoni. Dzwonił naczelnik Urbański. Miała ochotę odrzucić połączenie i po prostu się rozpłakać. Potem pomyślała o Fijałkowskiej, która tylko czyhała na jej miejsce w wydziale. Trzeba było się wziąć w garść.

– Halo? – powiedziała, siląc się na lekki ton.

– Emilio, zgłosił się ktoś, kto może mieć jakieś informacje o sprawie – powiedział bez żadnych wstępów Urbański. – Odesłałem ich do domu, żeby nam tu nie wisieli nad głową. Wysyłam ci adres esemesem. Pojedziesz tam.

Strzałkowska zmarszczyła brwi. Naczelnik odesłał potencjalnych świadków do domu, „żeby nie wisieli im nad głową"? Zabrzmiało to co najmniej dziwnie. Policjantka nie wiedziała, czego się w związku z tym spodziewać.

ROZDZIAŁ 20

Zakład produkcyjny Dąbrowskich.
Środa, 14 lutego 2018. Godzina 12.40.
Jakub Dąbrowski

O czym rozmawiałyście, jak wyszedłem? – zapytał Jakub, jak tylko zobaczył przez okno, że policjantka wsiada do samochodu. Nie silił się nawet na spokój w głosie. Chciał, żeby żona czuła jego irytację.

– Mogłeś nie wychodzić, tobyś wiedział – ucięła Zofia.

Poprawiła długie czarne włosy. Lubił patrzeć, jakie są gęste i lśniące, mimo że nie były prawdziwe. Wiedział, że fryzjer doczepia żonie pasma. Nie był to tani zabieg. O tym Jakub też wiedział. W końcu za to płacił. Trudno. Żona cieszyła się z tego i to było najważniejsze. Zwykle uległością odpłacała mu za jego hojność. Dlatego zdziwił go trochę jej ostry ton.

– Masz pretensje, że wyszedłem? – spytał z pozornym spokojem. – Niektórych klientów nie mogę olewać. Wiesz, że konkurencja jest ostra. Po tym, jak ostatnio Sadowski zgarnął spory kontrakt, musimy się bardziej starać.

– Nie, jasne, że nie mam pretensji – poprawiła się szybko Zofia. – Oczywiście, że nie.

Podeszła do niego i objęła dłońmi jego twarz. Pocałowała go delikatnie w usta. Potem spróbowała zdjąć mu okulary. Z reguły to prowadziło do konkretnych dalszych czynności. Teraz Jakub nie miał czasu. Był naprawdę wściekły, że Sadowski podpisał umowę na budowę domu tej pisarki. Był pewien, że Sławomir Kwiatkowski też przeklina konkurenta. Każdy z nich trzech liczył na tę umowę z Malwiną Górską.

– Jak poszła rozmowa? – zapytał, żeby zmienić temat.

Spojrzał za okno. Policjantka właśnie wycofywała czerwone mini z podjazdu.

– Powiedziałam jej, że nie mamy zapasowego klucza od mieszkania Julki.

Jakub poczuł rosnącą irytację. Odetchnął, żeby się uspokoić.

– Miałaś mówić policji prawdę. Przynajmniej w granicach rozsądku.

Jak człowiek zapętli się w kłamstwach, to potem trudno jest się z tego wyplątać. Należało zawsze trzymać się najbliżej prawdy, jak się dało. To była podstawowa zasada w biznesie i w życiu. Wielopoziomowymi kłamstwami mogli posługiwać się tylko wytrawni gracze. Żonie nie ufał w tej kwestii. Jej kłamstwa mogły być co najwyżej dziecinne i grubymi nićmi szyte. Mimo że była od niego starsza, on lepiej potrafił żonglować nieprawdą. Do tego trzeba było spokoju i jeszcze raz spokoju. A z tym trzeba się było urodzić. To nie zależało od wieku.

– Przepraszam – powiedziała Zofia.

Wydawała się autentycznie skruszona. I nic dziwnego. Zupełnie spokojny głos Jakuba był ostrzejszy niż krzyk jakiegoś innego mężczyzny. Dąbrowski umiał nadać swoim słowom odpowiednią siłę.

– Wiesz, że musimy teraz postępować ostrożnie. Pamiętaj o tym.

ROZDZIAŁ 21

Zakład produkcyjny Kwiatkowskich.
Środa, 14 lutego 2018. Godzina 13.05.
Młodszy aspirant Emilia Strzałkowska

Emilia zatrzymała swoje mini za SUV-em Toyoty i większym terenowym mercedesem. Przy autach gospodarzy jej czerwony samochodzik wyglądał na jeszcze mniejszy. Zerknęła do esemesa od Urbańskiego. Tak, to był ten adres. Trzecia z firm produkujących domy drewniane w ich mieście.

Policjantka wysiadła z samochodu i otuliła się szczelniej kurtką. Śniegu prawie już nie było, ale zaczynał wiać przejmujący wiatr. To on sprawiał, że wydawało się zimniej. Oby tylko ziemia na powrót nie zmarzła.

Rozejrzała się. Zakład produkcyjny mieścił się chyba z tyłu. Teraz stała przed biurem przylegającym do domu Kwiatkowskich. Był zbudowany w zupełnie innym stylu niż zadbane obejście Dąbrowskich. Budynek przypominał jej dom z amerykańskiego horroru. Coś w rodzaju tego, w którym mieszkał Johnny Depp w *Sekretnym oknie* na podstawie tekstu Stephena Kinga. Domostwo zdawało się trzeszczeć i mruczeć, jakby żyło własnym życiem.

Weszła po skrzypiących schodach na ganek i zadzwoniła do drzwi.

– Młodszy aspirant… – zaczęła się przedstawiać, kiedy się otworzyły.

– Dobrze, że pani jest! – przerwała jej stojąca na progu kobieta. Kasztanowe włosy układały się w idealne fale, ale była przeciwieństwem zadbanej Zofii Dąbrowskiej. Twarz pokryła się siecią zmarszczek, zwłaszcza wokół ust. Musiała dużo palić.

– Pan naczelnik mówił, że kogoś przyśle – ciągnęła gospodyni. – Znam jego żonę. Pewnie dlatego nas puścił do domu, żebyśmy nie czekali na panią na komendzie. Daria bierze udział w moim charytatywnym projekcie Słodka Pomoc. To było strasznie miłe, że nie musieliśmy czekać na komendzie z tymi wszystkimi złoczyńcami. Niech pani mu przekaże podziękowania.

– Oczywiście – zapewniła Strzałkowska.

Wciąż miała w uszach słowa Urbańskiego. *Odesłałem ich do domu, żeby nie wisieli nam nad głową.* Nie brzmiało to jak przysługa. Raczej jakby naczelnik chciał się pozbyć Kwiatkowskich z komendy.

– Ja jestem Hanna – przedstawiła się kobieta, wprowadzając Emilię do domu. – Zaraz pani pozna mojego męża i pasierba.

Wnętrze domu składało się z wielu maleńkich pomieszczeń. Tworzyły labirynt niekończących się korytarzyków i pokoi. Strzałkowska poczuła, że po czole spływa jej strużka potu. Otarła ją ukradkiem. W małych przestrzeniach zdecydowanie nie czuła się dobrze. Miała nadzieję, że zaraz przejdą do jakiegoś większego pokoju. Ku jej uldze w końcu znalazły się

141

w nieco przestronniejszym saloniku. Przez okno zobaczyła swój zaparkowany przed domem samochód. Wyglądało więc na to, że obeszły cały budynek, żeby znaleźć się w punkcie wyjścia. Dość dziwne rozwiązanie architektoniczne.

W pokoju czekał pan domu z synem. Starszy mężczyzna przypominał trochę Donalda Trumpa. Opalenizna i pomarańczowe włosy zaczesane na środek głowy. Całości dopełniał krzykliwy krawat. Młodszy mężczyzna z kolei składał się z czerni. Długie farbowane na czarno włosy, czarna koszulka z logo jakiegoś metalowego zespołu. Nie potrafiła odczytać zawiłych liter. Daniel pewnie by wiedział. Do tego czarne spodnie i równie czarne buty. Młody Kwiatkowski nawet paznokcie pomalował na czarno.

– Dzień dobry, Sławomir Kwiatkowski się kłania – zawołał jowialnie starszy. – Beniamin, co się mówi?

Zabrzmiało to, jakby mężczyzna strofował małe dziecko. Ubrany na czarno nastolatek zrobił jeszcze bardziej ponurą minę.

– Dzień dobry – mruknął z niechęcią.

– Witamy w naszych skromnych progach! – powiedziała Hanna z takim samym entuzjazmem jak wcześniej. – Proszę się rozgościć.

Emilia rozejrzała się po pomieszczeniu. Było większe niż pokoiki, które minęły, żeby tu dotrzeć, ale całą przestrzeń zajmowały antyki. Ruszyła w stronę kanapy, omijając dawne narzędzia rzemieślnicze. Przy siedzisku stał drewniany kołowrotek z wrzecionem. Policjantka musiała usiąść bokiem, żeby zmieścić się z nogami.

– Skromnie tu. Wiemy. Kiedyś mieliśmy jeszcze filię firmy w Warszawie, ale postanowiliśmy, że teraz skupiamy

się na tutejszym rynku. W stolicy został nam tylko telefon
– Sławomir Kwiatkowski zaśmiał się. – Napije się pani
czegoś? Herbata? Kawa?

Emilia miała ochotę odmówić, ale z doświadczenia wiedziała, że świadkowie są rozmowniejsi, jeśli przyjmie się ich
gościnność. Nie wiedziała jeszcze co prawda, na jaką minę
wrzucił ją Urbański. Skoro pozbył się Kwiatkowskich z komendy, to musiało być z nimi coś nie tak. Emilia postanowiła
zdobyć ich zaufanie, pokazać się od dobrej strony. Może nie
miała szczęścia w miłości, ale pracy zaniedbać nie zamierzała.
Za długo walczyła, żeby być w wydziale, żeby teraz Fijałkowska
słodkimi oczami utorowała sobie drogę na jej miejsce.

– Poproszę o małą kawę – powiedziała więc.

– Beniamin, idź no przygotować kawę – zarządził Sławomir, kiwając na syna.

Policjantka uśmiechnęła się pod nosem, widząc wyraz
absolutnej dezaprobaty na twarzy młodego człowieka.
Należał chyba do tych nastolatków, którym wydaje się, że
nienawidzą wszystkich i lepiej rozumieją świat niż prze-
ciętny starszy człowiek.

– No leć – ponaglił syna Kwiatkowski.

Chłopak wyszedł z salonu, trzaskając drzwiami. Nie
za głośno, ale wystarczająco wymownie.

– Beniamin kończy zaraz osiemnaście lat – poinformowała Hanna Kwiatkowska, jakby to wyjaśniało wszystko.
– Jest może trochę nieokrzesany, ale ma artystyczną duszę. Robi piękne zdjęcia. Bardzo subtelne. No i bryluje
w szkole.

– Wzorowy uczeń – pochwalił syna Kwiatkowski.
– Świetnie pamięta daty. Nauczycielka historii pomaga im

zapamiętywać je jakimiś tam technikami. On to ma w małym palcu. Matematyka to samo. Informatyka też. Polski. Naprawdę nie ma przedmiotu, gdzie by nie był w czołówce.

– No ale przepraszamy za jego zachowanie – dodała Hanna.

– Nic nie szkodzi – zapewniła Emilia. Poprawiła się na kanapie. Siedzisko pełne było nieoczekiwanych zagłębień, być może wysiedzianych przez lata. – Mam syna w tym samym wieku. Proszę mi wyjaśnić, dlaczego dziś państwo odwiedzili komendę?

– No właśnie! – zapaliła się Hanna Kwiatkowska. – Chodzi o tę martwą dziewczynę. Wczoraj zobaczyłam jej zdjęcie w Internecie. To znaczy rekonstrukcję jej twarzy. No i sama pani rozumie! Musieliśmy się zgłosić.

Kobieta wskazała palcem na siebie. Wyglądało na to, że mówi o czymś zupełnie oczywistym, jednak policjantka nie wiedziała, o co jej chodzi.

– Dlaczego?

– Dlaczego? Niech pani tylko zobaczy moje zdjęcie!

Kwiatkowska wstała i podeszła do sekretarzyka stojącego pomiędzy wielkim kufrem a czymś, czego przeznaczenia Emilia wolała nawet nie odgadywać. Kobieta otworzyła drzwiczki mebla. W środku było mnóstwo rupieci. Albumy, jakieś książki, szkatułki... Zaraz. Emilia zobaczyła spory słój wypełniony monetami. Miała ochotę zerwać się z kanapy i sprawdzić, czy nie były to stare złotówki z lat siedemdziesiątych. Takie jakie znaleźli w torebce ofiary.

– Niech no pani patrzy!

Gospodyni niemal wetknęła policjantce w twarz otwartą stronę albumu. Było tam zdjęcie młodej kobiety

144

ubranej w skórzany płaszcz z futrzanym kołnierzem, kozaki na słupku i spódnicę do kolan. Na głowie miała beret, a w ręce trzymała torebkę w kształcie podkowy. Sądząc po samochodach na ulicy, fotografia musiała być zrobiona w latach siedemdziesiątych.

– To ja. W młodości.

Emilia wzięła album od Kwiatkowskiej. Miała wrażenie, jakby patrzyła na Julię Szymańską leżącą na stole sekcyjnym, zanim została rozebrana do sekcji zwłok.

– Wiem, kim jest ofiara! – poinformowała z dumą Hanna Kwiatkowska.

Strzałkowska nie odezwała się. Tożsamość zakatowanej siekierą młodej dziewczyny została już potwierdzona przez rodziców, więc zastanawiała się, po co naczelnik ją tu przysłał. Chyba tylko ze względu na znajomość jego żony z Kwiatkowską.

– To ja – zawołała triumfalnie gospodyni. – Przybyłam z przeszłości.

Gdyby obrażony na świat Beniamin Kwiatkowski zdążył przynieść kawę, której tak bardzo nie chciał robić, Strzałkowska pewnie zakrztusiłaby się napojem. Zdecydowanie nie spodziewała się czegoś takiego. Hanna chyba zauważyła jej minę.

– Wiem, jak to brzmi – dodała szybko kobieta. – Ale mówię prawdę! Ofiarą jestem ja.

Emilia zerknęła na Sławomira Kwiatkowskiego. Mężczyzna przybrał minę męża, który nie zamierza ingerować w to, co mówi żona. Na jego twarzy dało się jednak wyczuć napięcie. Jowialność gdzieś zniknęła.

– Nie wiem, czy dobrze zrozumiałam – powiedziała Strzałkowska powoli.

Chyba wiedziała już, dlaczego naczelnik odesłał tę dwójkę z komendy. Każdy policjant wcześniej czy później zetknął się z obywatelem, który miał trochę nierówno pod sufitem. I to było określenie, którego Strzałkowska nie bała się użyć. To, co zdarzało jej się słyszeć, nie raz sprawiało, że przewrócenie oczami wydawało się zdecydowanie niewystarczające. Czasem trudno było zachować powagę i w profesjonalny sposób przesłuchać osobę, która zgłaszała na przykład, że grupa kosmitów włącza i wyłącza światło wieczorami.

Tak więc w sumie nie było to nic szczególnie nowego. Emilia nie spodziewała się jednak, że usłyszy dziś coś takiego. Była zła na naczelnika, że ją tu wysłał. To była strata czasu. No ale cóż, nie miała wyjścia. Trzeba było załatwić to jak najszybciej. Zerknęła w stronę sekretarzyka. Jedyne, co wydawało się godne uwagi, to słój z monetami. Może uda się wymyślić jakiś pretekst, żeby tam podejść i obejrzeć go z bliska.

– Sugeruje pani, że przybyła tu z przeszłości? – zapytała powoli. Starała się zachować kamienną twarz i stoicki spokój.

– Nie ja, ona – uściśliła Kwiatkowska. – Ale można też powiedzieć, że ja. Bo to ja jestem. Ja, ale z przeszłości. Moja młodsza wersja. Przybyłam tu stamtąd i ktoś mnie zabił.

– Aha.

To była jedyna odpowiedź, którą Emilia potrafiła wydusić.

– W mojej rodzinie kobiety zawsze miały moc – powiedziała Hanna Kwiatkowska z godnością. – Wiem, że pani uważa, że oszalałam. Nie jestem głupia. Wiem, jak to brzmi. I niech mi pani wierzy, że nie opowiadam o tym na prawo i lewo. Trzymam to dla siebie, żeby ludzie się ze mnie nie śmiali. Ale chciałam pomóc. Bo w Internecie napisano, że ktokolwiek dysponuje jakimiś informacjami, powinien się zgłosić. Myślałam, że robię dobrze.

Teraz w jej głosie zabrzmiał wyrzut.

– Proszę wybaczyć, ale… Sama pani powiedziała, że w coś takiego trudno uwierzyć – odparła Emilia ugodowo. Nie chciała komplikować sobie życia, tylko wyjść stąd jak najszybciej po sprawdzeniu słoja.

– Oczywiście, że trudno uwierzyć. Ale magia istnieje. Czy chcecie w to wierzyć, czy nie. Moja rodzina, a właściwie kobiety z mojej rodziny prowadziły zawsze restaurację. Nazywała się U Hanny, bo wszystkie tak się nazywamy. To imię przechodzi z pokolenia na pokolenie. Teraz miejsce zmarniało. Jest pusta działka i stary budynek. Żałuję trochę, że się tym nie zajęłam. No ale mąż zajmuje się domami, więc skupiłam się na tym. W każdym razie tamten budynek też ma moc. Zabrałam stamtąd część sprzętów, żeby się nią otoczyć. Zmieściły się tu idealnie.

Emilia wolała milczeć. Bała się, że ton głosu może zdradzić, co myśli o tym przeładowanym pomieszczeniu.

– Restauracja była zupełnie nierentowna, kochanie – powiedział Sławomir Kwiatkowski. – Beniamin! Gdzie ta kawa!

Drzwi salonu otworzyły się, jakby chłopak cały czas za nimi czekał. W chudych bladych dłoniach trzymał tacę. Stała na niej samotna filiżanka kawy. Pokój wypełnił zapach spalonych ziaren.

– A dla nas nie zrobiłeś? – zdziwił się ojciec.

– Nie mówiłeś, że mam zrobić – odparł chłopak z wyraźną satysfakcją.

– Niech pan wypije – powiedziała szybko Emilia. Już nie dbała o pozory. Nie chciała tracić czasu na opowieści z pogranicza fantasy, tylko zająć się całkiem realnym morderstwem.

– Ależ nie! – zaśmiał się Sławomir Kwiatkowski. – To pani jest gościem. Niech pani wypije! Beniamin, dawaj no tę kawę.

Beniamin postawił tacę na stoliku przed Emilią. Filiżanka brzęknęła głośno. Część napoju rozlała się na boki.

– Cukru i mleka nie dawałem – poinformował chłopak ze źle skrywaną złośliwością. – Nikt nie mówił, że mam to zrobić.

– Świetnie – powiedziała Strzałkowska. Nie mogła się powstrzymać. – Uwielbiam czarną kawę.

Beniamin myślał chyba, że zrobił jej na przekór. Teraz wyglądał na zawiedzionego. Na jego twarzy pojawił się dziecinny grymas zawodu. Policjantka przełknęła kilka łyków kawy, żeby podkreślić prawdziwość swoich słów. Starała się nie krzywić, żeby nie zrobić mu satysfakcji. Tak naprawdę nienawidziła czarnej kawy. Upiła jeszcze jeden łyk. Była prawie pewna, że Beniamin napluł do środka. Zdziwiłaby się, gdyby tego nie zrobił. Spojrzenia trójki Kwiatkowskich podążały za każdym jej ruchem. Odstawiła szklankę z powrotem na stół.

– Bardzo dziękuję pani za pomoc – powiedziała do Hanny. – Ale znamy już tożsamość ofiary. To Julia Szymańska.

Policjantka nie zamierzała ukrywać nazwiska zamordowanej dziewczyny. Zaraz wszyscy i tak się dowiedzą. O ile to jeszcze nie wyciekło do lokalnych mediów.

– To córka Zośki Dąbrowskiej została zamordowana? – krzyknął niemal Sławomir Kwiatkowski. – Co za tragedia!

– Znają ją państwo? – zapytała Emilia.

– Trochę – zaczął Sławomir. – Spotykamy się czasem wszyscy, żeby dyskutować o interesach. Nie da się inaczej, skoro trzy firmy z tej samej branży muszą egzystować w jednym mieście. To nie jest olbrzymi rynek.

– To nie jest Julia Szymańska – upierała się Hanna Kwiatkowska. Włosy miała teraz rozwiane. – To ja! I zostałam zamordowana!

Ostatnie stwierdzenie wypowiedziała z taką mocą, że Emilia poczuła, że zaraz parsknie śmiechem. Jej dłoń powędrowała do kołowrotka z wrzecionem, który stał obok kanapy. Zmusiła się, żeby skupić uwagę na staromodnej maszynie. Co się z tym robiło? Cała wiedza Strzałkowskiej o wrzecionach pochodziła z bajki o Śpiącej Królewnie. Królewna ukłuła się w palec i zasnęła na sto lat. W końcu przybył książę i obudził ją pocałunkiem. Chyba gdzieś był jakiś pedał, żeby to uruchomić. Ale żeby go nacisnąć, musiałaby wstać. Policjantka poruszyła więc tylko kołem. Przekręciło się z delikatnym szumem i stukotem.

– STOP! – zawołała z mocą Hanna Kwiatkowska. – Biada! Furkot wrzeciona przynosi nieszczęście! Nie słyszała pani o kikimorze?!

Emilia odwróciła się w stronę gospodyni. Jej mąż i pasierb wbijali teraz oczy w podłogę. Obaj wyraźnie zawstydzeni.

– Nie – przyznała policjantka. – Kikimora?

– To zły duch domowy. Z reguły przybiera postać niewysokiej kobiety, ale może być też zupełnie niewidzialny.

Zamiast nóg ma kurze łapki – tłumaczyła Hanna, poprawiając włosy. – Często zajmuje się przędzeniem. Trzeba pamiętać, że furkot wrzeciona kikimory zwiastuje nieszczęście. Wie pani, jak musiałam uważać, kiedy wiozłam to z restauracji? To zły znak, że pani tym zakręciła. Zły znak!

Zły znak. Emilia nie mogła oprzeć się wrażeniu, że zabrzmiało to jak ostrzeżenie.

– A teraz wszyscy go usłyszeliśmy – dodała Hanna Kwiatkowska. – Ale to pani uruchomiła wrzeciono. To pani wina! To pani umrze.

Emilia poczuła narastający gniew. Była zła na Urbańskiego, że kazał jej tu przyjechać. Była zła na Daniela, że odwołał ich dzisiejsze spotkanie. Była zła na siebie. Chciała po prostu stąd wyjść. A już na pewno nie zamierzała ulegać jakimś przesądom. Zakręciła jeszcze raz kołowrotkiem, jakby słowa Kwiatkowskiej nie zrobiły na niej najmniejszego wrażenia. Hanna otworzyła szerzej oczy.

– Pani umrze… – szepnęła.

– Wszyscy kiedyś umrzemy – odparła Emilia sarkastycznie. Jej cierpliwość naprawdę się kończyła.

– Pani sobie drwi – zagrzmiała Hanna Kwiatkowska. – Ale założę się, że ofiara miała przy sobie coś takiego.

Gospodyni wstała i znów podeszła do sekretarzyka. Otworzyła drzwiczki i Emilia ponownie zobaczyła słój z monetami. Zanim zdążyła o niego spytać, Kwiatkowska wyciągnęła skądś niewielki kamień. Kiedy go uniosła, policjantka zobaczyła, że w środku jest dziurka. Jakby był częścią naszyjnika. Zupełnie jak ten z torebki ofiary.

– Co to jest? – zapytała szybko.

W mediach na pewno nie podano informacji o zawartości torebki Julii. A jednak Hanna Kwiatkowska stała z kamieniem w dłoni i wyglądała jak nawiedzona.

– To wiedźmi kamień – oznajmiła z satysfakcją. – Po pani minie widzę, że mam rację, prawda? M i a ł a m wiedźmi kamień ze sobą, kiedy mnie zabito?

Znów mówiła, jakby to ona była ofiarą morderstwa. Emilia postanowiła to zignorować.

– Czym są te kamienie?

– To są kamienie z naturalnie powstałą dziurką. Tak jak pani tu widzi.

– Nie wywiercono jej? – zdziwiła się policjantka.

Przedtem myślała, że dziwny kamień, który znajdował się w torebce Julii Szymańskiej, był elementem jakiegoś naszyjnika.

– Zrobiła to sama natura – wyjaśniła gospodyni. Zaczynała się chyba uspokajać. Podała Emilii kamień, żeby policjantka go obejrzała. – Zwykle robi to woda. Dlatego można je znaleźć najczęściej w okolicach morza albo rzek. Głównie w Wielkiej Brytanii, ale u nas też jest tego trochę. A nawet w Egipcie.

– Trudno je zdobyć? – zapytała Emilia ostrożnie.

Trzeba było ustalić, skąd Julia miała kamień i monety w torebce. Policjantka widziała taki po raz pierwszy w życiu. Biorąc pod uwagę także słój z monetami, skłonna była przypuszczać, że pochodziły one z tego domu.

– Babcia mieszkała jakiś czas na Wyspach i chyba stamtąd je przywiozła. Myślę, że teraz można takie kupić online – wyjaśniła Hanna. – W każdym razie babcia czasem nazywała je kamieniami wróżek. Pamiętam, że powtarzała, że one mogą pomóc w podróżowaniu w czasie. Pani się może śmiać, ale przecież nawet fizycy zastanawiają się nad możliwością podróży w czasie. Mówię pani. Ta zamordowana dziewczyna to ja. Nie Julia Szymańska. Pani się myli.

Hanna mówiła tak pewnym siebie tonem, że Emilia poczuła irracjonalną chęć przytaknięcia.

– Gdybyś to była ty, macoszko – mruknął Beniamin nieoczekiwanie – to byłabyś martwa. Tu i teraz też.

Chłopak powiedział to tak beznamiętnie, że Emilia aż się wzdrygnęła. Tylko określenie m a c o s z k o zabrzmiało jadowicie. Reszta pozbawiona była jakichkolwiek emocji. Jak rozmowa o czymś zupełnie błahym, a nie o śmierci.

– Gdyby zabito młodszą wersję ciebie – kontynuował myśl – to starsza wersja ciebie nie miałaby możliwości przeżycia. Świat by się zmienił na stałe. Nie można sobie bezkarnie podróżować w czasie. Sama zawsze powtarzałaś.

Hanna Kwiatkowska wzdrygnęła się delikatnie. Strzałkowska zaczęła obracać wiedźmi kamień w zamyśleniu. Nie, podróże w czasie nie były możliwe. Ale wyraźnie rzucało się w oczy podobieństwo w ubraniu i nowym kolorze włosów Julii Szymańskiej. Ofiara była bez wątpienia ucharakteryzowana na Hannę Kwiatkowską. I miała ze sobą taki kamień. Prawie taki sam jak ten, który gospodyni pokazała Emilii. Poza tym były monety. Zapewne takie jak w słoju ukrytym w sekretarzyku.

– Skąd przyszło pani do głowy, że ofiara ma taki kamień? – zapytała Strzałkowska.

Tej informacji nie było w mediach, więc odpowiedź mogła być bardzo istotna.

– Po prostu musiało tak być, żebym mogła odbyć podróż w czasie – upierała się Hanna.

– A gdzie państwo byli we wtorek, szóstego lutego? – zapytała Strzałkowska.

Chyba więcej informacji na ten temat nie uzyska. Natomiast była ciekawa, czy mają jakieś alibi na czas śmierci Julii. Bo każde z tej trójki miało dostęp do sekretarzyka. Mogli wziąć stamtąd monety, kamienie i cokolwiek chcieli.

– Na imprezie urodzinowej żony. Tu w domu. Razem z wieloma osobami – podkreślił Sławomir Kwiatkowski.

– Bo jak rozumiem, pani nas pyta o alibi. Zaczęło się o dziewiętnastej. Ale przygotowywaliśmy się już od szesnastej. Cały czas byliśmy razem. Była też z nami pomoc domowa. I kilku znajomych. No a potem goście.

Emilia spojrzała na niego zamyślona. Julia zginęła koło siedemnastej. Wyglądało na to, że osoby, które wzbudziły jej największe podejrzenia, miały na ten czas alibi. Z wielką niechęcią, ale uznała, że na razie musi wykluczyć Kwiatkowskich z grona podejrzanych.

ROZDZIAŁ 22

Zajazd Sadowskiego. Środa, 14 lutego 2018.
Godzina 14.30.
Robert Janik

Dlaczego tak naskoczyłeś na Izabelę? – zapytał Franciszek Sadowski.

Robert Janik westchnął. Podrzucił monetę, jakby chciał sprawdzić, czy wypadł orzeł, czy reszka. Zwyczaj, którego nabrał jakiś czas temu. Taki rzut niekiedy pomagał mu podjąć trudniejszą decyzję. Z reguły bywało, że człowiek wahał się jedynie pozornie. Jeżeli wypadnie reszka, to pójdę w prawo. Jeżeli orzeł, to w lewo. Potem wypadała reszka i rzucało się jeszcze raz, bo tak naprawdę czekało się na orła, bo od początku chciało się iść w lewo. Chodziło tylko o to, żeby los potwierdził wybór. Dlatego nigdy nie interesowało go, co wypadnie. I tak wiedział swoje.

Na przykład że musi pójść na urodzinki do Kwiatkowskich tydzień temu. Ostrożnie. Po cichu. Tak żeby szef nie wiedział, boby się wściekł. Janik widział go w gniewie. Nie był już wtedy taki pocieszny.

Widział też pana Franciszka razem z Hanną. O, wtedy to był zupełnie innym człowiekiem.

– U ciebie w porządku, Robi? – zapytał Sadowski, odwracając się do chłopaka.

Robert nienawidził, kiedy tak go nazywano. Ale doskonale wiedział, skąd przyszedł, i nie zamierzał wracać do bloku na Kałasce. Tu w zajeździe czekało go lepsze życie. Tam najpewniej skończyłby marnie. A zwłaszcza gdyby teraz musiał wracać. Miejscowi jeszcze bardziej pocięliby mu twarz. Nawet dawni najbliżsi koledzy nie przyjęliby go z otwartymi ramionami. Nie gdyby stracił swoje wpływy.

Dlatego nie zamierzał się przejmować takimi głupotami jak idiotyczne zdrobnienia. Ani innymi rzeczami, które pan Franciszek mu robił. Kto jest bez winy, niech pierwszy rzuci kamień.

Robert nie uważał się za świętego. Mimo młodego wieku zdążył już przyczynić się do upadku niejednego człowieka. A przecież skończył dopiero osiemnaście lat. Dlatego świadomie zgadzał się na to, co tu się działo i co robił mu czasem Sadowski.

Nie był głupi. Widział, że Izabela Pietrzak ma plan. Nawet domyślał się jaki.

– Tak, jasne – zapewnił szefa. – U mnie świetnie.

Sadowski się rozpromienił. Robert był teraz jego ulubieńcem i chłopak zamierzał to dobrze wykorzystać. Widział, jak jego poprzednicy podążali drogą podlizu, taki chociażby Oliwier, albo drogą walki z dawnym darczyńcą, jak Krupa i Dąbrowski. Robert szedł swoją drogą. Był sprytny i zawsze sobie radził. Tego nauczyło go życie.

Kiedy patrzył w lustrze na swoją pociętą twarz, widział zwycięzcę. Wojownika i zwycięzcę. Nieważne, że czasem

musiał dać dupy. Człowiek był skłonny do większych po-
święceń dla osiągnięcia swoich celów, nieprawdaż? Wierzył,
że przyjdzie moment, kiedy to on ich wszystkich wychuja.

– Mam dla ciebie prezent, Robi – powiedział Franciszek
Sadowski z uśmiechem. – Znalazłem go, jak poszedłem
rąbać drewno. Pomyślałem, że ci się spodoba. Jest w kuchni.

Chłopak ruszył za Sadowskim.

– Tu warto by było zrobić palarnię – powiedział, kiedy
z szefem mijali schody. – Jest sporo niewykorzystanej
przestrzeni.

Zgłosił tę propozycję, bo oczyma wyobraźni widział to
miejsce takim, jakim by mogło być. On miał wielkie plany,
a szef chował się za ograniczeniami. Bywało to wkurwiające.

– Może kiedyś – zaśmiał się Sadowski.

Zachowywał się dobrotliwie, ale Robert miał świadomość, że szef stawia wyraźne granice. To on decydował,
co, gdzie i kiedy trzeba zrobić w tym zajeździe. Tak samo
jak w zakładzie produkcyjnym.

– Cieszę się, że podłapaliśmy tę nową klientkę. To
celebrytka – zmienił temat Robert, żeby udobruchać szefa. – Trzeba chyba zacząć od budowania domu dla niej.
Może porobi zdjęcia na *social media*. Zyskamy bezpłatną
reklamę. Przesuńmy ją na początek kolejki. Co szef na to?

– Radzimy sobie – zapewnił Franciszek.

Robert miał ochotę potrząsnąć małym pękatym czło-
wieczkiem. A nawet pchnąć go niczym kulę do kręgli.
Zabawne porównanie, bo Robert nigdy w życiu nie grał
w kręgle, natomiast dobrze wiedział, że Malwinę Górską
należało wykorzystać do granic możliwości. Skoro już
Julia Szymańska im ją naraiła. Dąbrowscy pluli sobie

w brodę i byli na Julkę wściekli za to, że tak obiecująca klientka trafiła do konkurencji. Kwiatkowscy na pewno też. A Franciszek nie umiał wykorzystać tej przewagi. To było strasznie, ale to strasznie wkurwiające.

– No i proszę – powiedział Franciszek Sadowski, otwierając drzwi do kuchni.

Robert rozejrzał się po pomieszczeniu. Wielki piec, który trzeba było czasem uruchamiać za pomocą młotka. Stół. Zlew. O co szefowi chodziło? Nagle usłyszał cichy pisk. Wtedy zobaczył małego pieska.

– Najpierw chciałem go dobić, ale potem pomyślałem, że może go zechcesz. Czy ukręcić mu łeb?

Chłopak zastygł bez ruchu. Wpatrywał się w psa, a pies w niego. Zwierzak zwinął się w kłębek i cały drżał. W poprzek jego pyska przebiegała czerwona pręga. Taka jak na twarzy Roberta. Widocznie ktoś już wcześniej poczynał sobie z nim okrutnie. Janik podszedł do psiaka i delikatnie wziął go w ramiona. Zwierzak przylgnął do niego, jakby byli dla siebie stworzeni. Robert nie mógł pozwolić, żeby temu maleństwu coś się stało.

– Oczywiście nie może spać w pokoju. Nie chcemy sierści – poinformował Franciszek. – Zrób mu budę na dworze.

Zarówno Pietrzakowie, jak i Robert mieszkali w zajeździe. Pietrzakowie pod trójką, a Robert pod szóstką. Własny pokój. W porównaniu z tym, do czego chłopak był przyzwyczajony, to była wielka odmiana. Choć tcraz czuł gniew, że nie może zabrać tam pieska, bo poczuł się tak, jakby ktoś dał mu cukierek, a potem go zabrał i pozwolił tylko na niego popatrzeć. Czasem wydawało mu się, że lepsze byłoby nie dostać nic.

Prawie mieć.

ROZDZIAŁ 23

Blok Julii Szymańskiej w Rypinie.
Środa, 14 lutego 2018. Godzina 14.40.
Młodszy aspirant Emilia Strzałkowska

Mieszkanie Julii Szymańskiej nie przypominało lokum
młodej dziewczyny. Raczej szacownej pani w średnim wieku.
Nastolatka wynajęła je być może od swojego nowego szefa
razem z meblami. Emilia nie wierzyła, żeby dziewczyna
sama wybrała taki wystrój. Meblościanki z czasów Peerelu,
zazdrostki w oknach, kryształy i serwetki nie pasowały
do gustu dzisiejszej młodzieży.

– No i co? Spisaliśmy się?

Policjant z Rypina był niewysoki, ale dobrze zbudowany.
Chyba przedstawił się jako Mikołaj. Strzałkowska nie była
pewna, bo kiedy tu dojechała i zobaczyła, że otworzyli drzwi
bez niej, ogarnęła ją irytacja. Być może za długo siedziała
u Kwiatkowskich. Choć nie był to do końca stracony czas.
Dziwna rodzina miała wprawdzie alibi, ale musiała być
w jakiś sposób związana z Julią. Podobieństwo dziewczyny do młodej Hanny było uderzające. No i te wiedźmie
kamienie i monety. Policjantka obiecała sobie, że jeszcze

to sobie na spokojnie przemyśli. Na razie musi się skupić na oględzinach mieszkania ofiary. Tu też może znajdą coś interesującego.

– To spisaliśmy się czy nie? – zażartował znów policjant z Rypina. Najwyraźniej oczekiwał pochwały za to, że wezwał ślusarza, który otworzył drzwi. – Tego Oliwiera Pietrzaka nie było w domu. Nie moglibyście tu wejść, gdybym tego nie załatwił. Nawet strażaków nie musieliśmy wzywać.

– Mogliście poczekać – mruknęła Strzałkowska.

Chciała być przy otwieraniu mieszkania. Lubiła pierwsza na wszystko spojrzeć. Chłonąć przez moment atmosferę panującą w danym miejscu. Rzucały się wtedy w oczy drobiazgi, które początkowo wydawały się błahe, a potem okazywały ważne.

Chociaż z drugiej strony miejsce już było w dobrych rękach. Zerknęła w stronę Ziółka. Szef techników dojechał tu przed nią, więc był przy otwieraniu drzwi. Trzeba mu było oddać, że zawsze prowadził oględziny z należytą starannością. Może to nawet on ponaglił ich do otwarcia. Jeszcze nie miała szansy go spytać. Znał kolegów z tej jednostki, bo kiedy brakowało ludzi, pracował na dwa powiaty.

– Antkami się nie przejmuj – mruknął Ziółkowski, wyczuwając chyba jej spojrzenie. Uśmiechnął się przy tym z wyraźną złośliwością.

Brodniczanie nazywali rypinian Antkami. Nie wiedziała dlaczego. Mieszkała w tych stronach dobre kilka lat, ale kłótnie sąsiadów nadal pozostawały dla niej tajemnicą. Choć oczywiście była świadkiem szyderstw to z jednej, to z drugiej strony.

– Wiesz, dlaczego mieszkania na czwartym piętrze w Rypinie są droższe? – zapytał Ziółkowski.

– Nie – odparła.

Mieszkanie Julii znajdowało się właśnie na czwartym piętrze. Emilia nie była więc pewna, czy technik mówi teraz poważnie, czy szykuje się do kolejnego żartu na temat mieszkańców sąsiedniego miasta.

– Bo są z widokiem na Brodnicę – odparł nieco głośniej technik.

– Ha, ha, ha – zaśmiał się teatralnie policjant z Rypina.

– Może lepiej idź robić swoje, Ziółek. Nasz komendant i tak robi wam grzeczność.

Teraz z kolei Ziółkowski się zaśmiał.

– Robi grzeczność nam? Dobre sobie. A może to ja zapierdzielam tu u was, jak waszych nie starcza?

Strzałkowska miała wrażenie, że niewiele trzeba, a mężczyźni przejdą do rękoczynów.

– Sprawdź kuchnię – poprosiła więc Ziółkowskiego, wkładając rękawiczki. Nie chciała, żeby z powodu głupiego żartu doszło do poważnej kłótni. Nie na jej warcie.

– Ja się rozejrzę tutaj – dodała.

Poszła do pokoju, który najwyraźniej był sypialnią Julii. Urządzony był nieco nowocześniej niż pozostała część mieszkania. Łóżko, biurko, szafa, krzesło. Trochę porozrzucanych rzeczy, ale panował tu względny porządek. Nagle zobaczyła na podłodze siatkę z drogerii.

– No! – powiedziała z satysfakcją.

Policjant z Rypina wydawał się zaskoczony, kiedy uniosła z ziemi pustą reklamówkę. Nie wiedział przecież, że być może jest to istotny dowód. To mogła być ta, którą Strzałkowska widziała na zdjęciu w postach ofiary.

Policjantka podniosła torebkę i dojrzała brzeg paragonu. Zakupów już w środku nie było, ale i tak miała szansę dowiedzieć się, co kupiła Julia. Emilia wyjęła go ostrożnie. Przeleciała szybko wzrokiem listę produktów. Farba do włosów. Bingo. Julia była blondynką, ale przefarbowała włosy na rudo w poniedziałek, czyli na dzień przed śmiercią. Podobny odcień włosów miała Hanna Kwiatkowska. Zdjęcie torebki z drogerii podpisane było na Facebooku ofiary jako: *Zakupy... #robota*. Czyli upodobnienie się do Kwiatkowskiej było elementem pracy Julii. A o tym z kolei może opowie więcej Oliwier Pietrzak. Strzałkowska miała nadzieję, że szef dziewczyny zjawi się w domu, zanim skończą przeszukiwać mieszkanie. Mogłaby od razu z nim porozmawiać. Może coś by wyjaśnił.

– Tu jest komputer – powiedział usłużnie Mikołaj, policjant z Rypina. – Sprawdzić, czy działa?

– Znasz się na tym?

– Trochę.

Sądząc po jego tonie, miała wrażenie, że nawet całkiem dobrze. Postanowiła mu zaufać. Skinęła głową.

– Będę naprawdę zadowolona, jak znajdziemy telefon. Chciałabym zajrzeć na jej Facebooka.

– Patrz, mamy szczęście – powiedział Mikołaj. Jego twarz oświetlona była teraz blaskiem z monitora. – Dziewczyna nie ustawiła hasła. Mamy pełny dostęp do komputera. Wystarczyło nacisnąć guzik.

Emilia poczuła, że serce zaczyna jej szybciej bić. Prawie zapomniała, jak bardzo jest jej przykro, że Daniel

161

ją wystawił do wiatru. Dobrze, że w pracy działo się coś pozytywnego. Rzadko szło aż tak gładko.

– Zobacz. Może dziś jest mój szczęśliwy dzień i nie jest wylogowana też z Facebooka – poprosiła. – Chętnie przejrzałabym jej profil.

Strzałkowska ścisnęła kciuki, ale tak, żeby kolega z Rypina nie widział. Naprawdę potrzebowała dobrych wiadomości.

– No to jest twój dobry dzień – zaśmiał się Mikołaj. Otworzył właśnie przeglądarkę. Kiedy wpisał adres platformy, od razu pojawiła się strona z aktualnościami. – Dziewczyna chyba nie zajmowała sobie głowy zabezpieczaniem się w sieci. Nie wylogowywała się.

– Bingo! – rzuciła Strzałkowska.

Policjant uśmiechnął się szeroko. Musiała przyznać, że do twarzy było mu z uśmiechem.

– Dobrze, bo skoro chciałaś tam zajrzeć, to być może inaczej byłoby trudno – powiedział. – Wbrew pozorom nie jest wcale łatwo włamać się na czyjeś konto na Facebooku.

– Mamy dobrego informatyka.

– Nie przeczę, ale i tak.

– Zobaczmy.

Strzałkowska sama nie wiedziała, dlaczego tak bardzo uparła się, żeby sprawdzić media społecznościowe dziewczyny. Może dlatego, że podejrzewała, że Łukasz ukrywa przed nią niektóre posty. I wbiła sobie do głowy, że Julia robi to samo. Miała nadzieję, że obserwując konto Julii, zobaczy więcej, niż przeglądając posty dziewczyny na telefonie jej matki.

Weszła na profil Julii i zaczęła przeglądać posty. Wkrótce poczuła rozczarowanie. Było tam dokładnie to samo, co widziała wcześniej na telefonie Zofii Dąbrowskiej. Zdjęcie siatki z drogerii, zmienione zdjęcie profilowe, fotka z Kaliną Pietrzak, zdjęcie z różowowłosą kobietą. Julia faktycznie nie wrzucała za wiele postów. Nic nie ukrywała przed matką.

– O, to ta pisarka – rzucił kolega z Rypina.

– Słucham?

– Ta z różowymi włosami. Ta, co robi wywiady z policjantami. Mam kilka jej książek.

Teraz Emilia zrozumiała, dlaczego twarz różowowłoscj kobiety zdawała jej się znajoma. Malwina Górska. To może nie miało szczególnego znaczenia, ale Emilia cieszyła się, że przynajmniej jedna rzecz została wyjaśniona. Choć to mógł być fałszywy trop. Bo jaki związek z Julią mogłaby mieć znana pisarka.

– Znasz się na Facebooku? – zapytała Mikołaja.

– Trochę – powtórzył policjant z Rypina z uśmiechem.

– Da się jakoś stwierdzić, skąd kliknięto polubienie postu?

– W jakim sensie?

Emilia nie chciała mu tłumaczyć, że ktoś polubił zdjęcie matki i ojczyma ofiary, kiedy Julia już nie żyła. Początkowo Strzałkowska założyła, że mógł to zrobić sprawca, bo zabrał telefon ofiary. Ale skoro komputer był cały czas zalogowany, to można to było też zrobić stąd.

Wcześniej sprawdziła, jak było z logowaniem się telefonu Julii. Urbański zdążył zlecić triangulację. Telefon ofiary był ostatnio używany w okolicy strzelnicy wojskowej w Brodnicy. A więc całkiem niedaleko Beskidzkiej, gdzie Julię znaleziono martwą. Ostatnie logowanie odbyło się mniej więcej półtorej godziny przed jej śmiercią. Potem telefon zamilkł. Najwyraźniej nie korzystano z niego. Strzałkowska miała jeszcze do przejrzenia billingi, ale zdążyła już ustalić, że od tamtego czasu faktycznie nie wykonano żadnego połączenia. Czyli jeżeli nawet sprawca go zabrał, to go nie używał.

Emilia nie była asem techniki, ale rozważała, czy jest możliwe, żeby sprawca wyjął kartę i ją zniszczył, ale nadal używał Facebooka Julii. Ale może nie musiał. Policjantka spojrzała na komputer, który tak łatwo uruchomili. Mógł też zjawić się tu, pomyślała. Tylko wtedy ryzykowałby, że ktoś może go zobaczyć.

Chyba że jego obecność nie wydawałaby się nikomu dziwna, przebiegło jej przez myśl. Do tego pomysłu idealnie pasował Oliwier Pietrzak. Mieszkał obok. I do tego Zofia Dąbrowska wspomniała, że miał zapasowy klucz. Tylko on, bo Julia nie dała klucza rodzicom.

– Aż tak się nie znam – zaśmiał się znów policjant z Rypina. – Ale jest tu chyba coś takiego jak historia logowań. Może nie będzie tam konkretnych czynności, jak klikanie polubień, ale…

– Pokaż – przerwała mu Strzałkowska, odsuwając się od komputera, żeby mógł przejąć stery.

Mikołaj kliknął kilka razy.

– *Ustawienia*, zakładka *Bezpieczeństwo i logowanie* – powiedział. – Logowała się najczęściej z telefonu Huawei Mate. To zapewne jej komórka?

Emilia skinęła głową, chociaż dopiero musiała się upewnić, że taki właśnie telefon miała ofiara. Może zadzwoni do jej matki albo zapyta Oliwiera Pietrzaka, jeżeli szef agencji modelek raczy się zjawić.

164

– Ostatnie logowanie z telefonu było we wtorek szóstego – mówił dalej Mikołaj.

Emilia przytaknęła. To by się zgadzało. Wtedy dziewczyna została zamordowana. Ale to znaczy, że polubienie postu jej rodziców zostało zrobione z komputera. Znów pomyślała o Pietrzaku.

– Chcesz coś jeszcze sprawdzić? – zapytał kolega.

– A co jeszcze możemy zobaczyć?

– Nie wiem. Może na przykład jej ostatnie wyszukiwania?

Emilia patrzyła, jak policjant klika w pole lupy. Pod kursorem rozwinęło się menu, ukazując zapytania, jakie Julia wpisywała ostatnio na Facebooku. Julia albo ktoś, kto korzystał z jej komputera, poprawiła się w myślach Strzałkowska.

– Poczekaj! – zawołała.

– Co się stało?!

Na rozwiniętym pasku widać było znajome nazwisko. Hanna Kwiatkowska, Sławomir Kwiatkowski, Beniamin Kwiatkowski oraz *Buduj z Kwiatkowskimi*. Czyli Julia oglądała profile Kwiatkowskich i ich firmy.

Wszystko zdawało się skupiać wokół tych trzech firm. Julia była córką właścicieli pierwszej, Dąbrowskich. Na targach budowlanych pracowała na stoisku drugiej, Sadowskiego, a zginęła w pobliżu trzeciej, Kwiatkowskich. Najwyraźniej przebrana za żonę jej właściciela. Głównym podejrzanym był Ryszard Pietrzak, pracownik jednej z firm. Niemożliwe, że wszystko, co się stało, to był przypadek. Wszystko miało związek z przemysłem domów drewnianych w ich mieście.

– Słuchaj – zagadnął tymczasem kolega. Jego ton nieco się zmienił. – Masz ochotę gdzieś wyskoczyć? Wiem,
głupie pytanie. Taka piękna kobieta pewnie jest zajęta
w walentynki.

Piękna kobieta? Zajęta? Emilia ledwie powstrzymała
się od śmiechu. Otóż nie. Raczej spędzi wieczór sama,
jedząc pizzę, bo kocha nieodpowiedniego mężczyznę.
Uśmiechnęła się do kolegi. Był całkiem miły i bardzo
przystojny. Miała prawo z nim pójść, skoro Daniel spędzał
wieczór z żoną. Przez chwilę bawiła się myślą, że poszła
na randkę z nowo poznanym mężczyzną. Że miło spędzają
czas. Doskonale jednak wiedziała, że nic z tego. Kochała
cholernego Daniela. Nic nie mogła na to poradzić.

– Jestem zajęta – powiedziała delikatnie.

– Oczywiście. Nie ma problemu. Musiałem spróbować.

– A możemy przejrzeć jej wiadomości na Messengerze?
– zapytała Strzałkowska, żeby zmienić temat.

– Jasne. Już otwieram.

Przeglądali przez chwilę wiadomości, które zamordowana dziewczyna wymieniała ze swoimi znajomymi. Tu
również pojawiły się znajome nazwiska. Chociażby Kalina
Pietrzak. Zanim jednak Emilia zdążyła przeczytać, co
pisały do siebie koleżanki, z kuchni rozległo się wołanie.

– Emilia! – krzyknął Ziółkowski. – Nie uwierzysz, co
tu znalazłem.

ROZDZIAŁ 24

Zakład produkcyjny Kwiatkowskich.
Środa, 14 lutego 2018. Godzina 15.00.
Sławomir Kwiatkowski

Nie rozumiesz, że się wygłupiliśmy! – wrzasnął Sławomir.

Hanna rzuciła mu wściekłe spojrzenie, ale się nie odezwała.

– Wygłupiliśmy to mało powiedziane – rzucił Beniamin.

Kwiatkowska poprawiła włosy i zapaliła papierosa. Już dawno przestała się przejmować zmarszczkami, które powstały jej wokół ust jako typowy znak wielu lat nałogu. Patrzył na nie z niechęcią. Postarzały ją. Kiedyś mu się podobała. Teraz wyglądała jak wiedźma, którą tak bardzo chciała być. Udało jej się, pomyślał z przekąsem.

– A myślisz, że te twoje głupkowate krawaty nie robią z ciebie idioty? – rzuciła, wydmuchując dym w jego stronę.

Sławomir się postarał. Z okazji wizyty na komendzie założył jednokolorowy krawat. Neonowa zieleń była wprawdzie nieco krzykliwa, ale przynajmniej nie miał na sobie kropeczek, kreseczek, ciasteczek, kufli piwa i innych rzeczy. Hanna nie domyślała się, że to była maska. Chował się za jowialnością, głupimi krawatami i tak dalej. Wtedy nikt go o nic nie podejrzewał. Był swojski. Swój człowiek nic złego zrobić nie może. Swojemu człowiekowi się ufa. To była podstawa.

– Wyszłaś na pomyloną – poinformował ją Sławomir dobitnie. Nie zamierzał tracić czasu na tłumaczenie kwestii doboru krawatów. – A przez to my razem z tobą.

– Zrobiłam, co musiałam zrobić – odparła Hanna.

– Dobrze wiesz, że czasem tak trzeba.

– Nigdy nie będziesz moją matką – zaatakował ją Beniamin.

To był typowy element. Bez względu na to, czego aktualnie dotyczyła kłótnia, syn zawsze wyrzucał to z siebie. Sławomira niemiłosiernie to irytowało. Zwłaszcza teraz, kiedy mieli kłopoty, trzeba było trzymać się razem.

– Zdaję sobie sprawę – mruknęła Hanna.

Próbowała stłumić emocje, ale Sławomir widział, że broda drży jej lekko. Nienawidził w tym momencie swojego syna.

– Zabiłaś moją matkę!

O, to było jego ulubione powiedzonko. Beniamin wyskakiwał z tym, kiedy nie udało mu się wyprowadzić jej z równowagi twierdzeniem, że nigdy nie zastąpi mu matki. Sławomir poderwał się z kanapy, podszedł do syna i uderzył go mocno w twarz. Potem powtórzył to samo z drugiej strony. Chłopak niemal zawył.

– Sławek, przestań! – zawołała Hanna.

– Kingę zabił Michał – wyskandował Sławomir głośno i wyraźnie, nie zważając na krzyk żony. – A właściwie to był wypadek. Nie chcę o tym więcej słyszeć. Rozumiemy się?

Poznali się z żoną w najbardziej nieprawdopodobnych okolicznościach, jakie można sobie wyobrazić. Być może to one wpłynęły na to, jak bardzo Beniamin się buntował. Nie chodziło tylko o to, że Hanna jest jego macochą.

Trzynastego grudnia dwa tysiące dziesiątego roku jej pierwszy mąż spowodował wypadek. Stracił panowanie nad samochodem i wpadł w poślizg przy za dużej prędkości. Wjechał w auto pierwszej żony Sławomira i zabił ją na miejscu.

Na Sławomira i Hannę spadło załatwianie różnych formalności związanych z tym zdarzeniem. W tym liczne wizyty na komendzie, żeby wyjaśnić, kto kogo tak naprawdę potrącił i czyja to była wina. Kwiatkowski sam nie wiedział, jak to możliwe, ale właśnie to wydarzenie ich zbliżyło. Śmierć ich poprzednich partnerów. Potem się oświadczył i zostali małżeństwem. Wiedział, że będą ze sobą na dobre i na złe. Jako rodzina.

– Rodzina zawsze się wspiera. Zrozumiano? – zagrzmiał Sławomir. – Stanowimy jeden front. Zawsze. Rozumiesz?

To była naczelna zasada Sławomira. Nie tolerował, kiedy łamała ją Hanna. Nie tolerował też, kiedy łamał ją Beniamin. Stanowili jedność.

ROZDZIAŁ 25

Mieszkanie Julii Szymańskiej w Rypinie.
Środa, 14 lutego 2018. Godzina 15.00.
Młodszy aspirant Emilia Strzałkowska

Emilia weszła szybko do kuchni. Głos Ziółkowskiego był
na tyle naglący, że uznała, że może zostawić komputer Julii
w rękach kolegi z Rypina. Niech on przegląda wiadomości
na Messengerze. Ona zrobi to potem.

W pomieszczeniu unosił się lekko zatęchły zapach
niewyrzucanych od dawna śmieci. Może w koszu rozkła-
dały się jakieś resztki jedzenia, których Julia nie zdążyła
wynieść do śmietnika, zanim zginęła.

– Patrz – powiedział technik z wyraźną satysfakcją,
kiedy tylko policjantka przekroczyła próg.

W zabezpieczonych rękawiczkami dłoniach trzymał
otwartą torebkę mąki.

– Co tam jest?

– Jak wiesz, mam zwyczaj sprawdzać wszystko – mówił
Ziółkowski, ignorując jej pytanie. – Nie odpuszczam.

– Jo – odpowiedziała policjantka.

Nigdy nie umiała wypowiedzieć tego krótkiego słówka jak ludzie stąd. W jej ustach brzmiało obco. Mimo to czasem starała się wtrącić je do jakiejś wypowiedzi. Może dlatego, że kojarzyło jej się z Danielem.

Poczuła się głupio. Nawet sama przed sobą. Niekiedy myślała, że może za bardzo go kocha. Może ta miłość zaczynała przeradzać się w jakąś obsesję. Może powinna umówić się z tym Mikołajem i dobrze bawić. Ale wszystko się wkrótce wyjaśni, pocieszyła samą siebie w duchu. Oby tylko Weronika nie była w ciąży.

– Sama powąchaj.

Ziółkowski podszedł do niej i podsunął jej opakowanie mąki pod nos. Kichnęła, czując charakterystyczny chemiczny zapach. Przebijał się nawet ponad słodkawym zapachem rozkładu dochodzącym z kosza. Zawsze zdawał się Emilii nieco octowy. Chociaż kiedyś jeden kolega powiedział jej, że jemu przypomina fiołki. Nie była pewna, czy nie żartował. Ona tego w każdym razie zupełnie nie czuła.

– Białe[*]? – zapytała nieco zaskoczona, bo ten zapach właśnie poczuła. Amfetaminy zupełnie by się w tej kuchni nie spodziewała.

– Sprawdzimy na komendzie. Ale chyba nie ma wątpliwości.

– Sporo tego.

– Na oko będzie ponad pół kilograma, może nawet kilogram – ocenił szef techników. – To nie jest raczej ilość do użytku własnego.

* Potoczna nazwa amfetaminy.

Emilia skinęła głową. Kolejne pytania. Pół kilograma fety* albo nawet więcej. Strzałkowska nie była specjalistką od narkotyków. To nie była jej działka. Ale z tego, co wiedziała, ci, którzy ostro brali, mogli wziąć gram na raz. Ci mniej doświadczeni gram na dwa, trzy razy. Bardzo uzależnieni biorą z pięć gramów dziennie. Tak czy inaczej, pół kilograma to byłby spory zapas, gdyby Julia miała go tylko dla siebie. Koterski nie wspominał nic o tym, żeby podczas badań toksykologicznych znalazł w krwi zamordowanej dziewczyny narkotyki. Co w takim razie robiły tutaj? Czyżby Julia Szymańska była dilerem?

– Ile się płaci za sztukę**? – zapytała Strzałkowska.

Ziółek pewnie lepiej się orientował. Jako technik musiał mieć rozeznanie w wielu dziedzinach. Kolega uniósł opakowanie po mące, jakby chciał zilustrować wykład.

– Cena rynkowa to jakieś trzydzieści, czterdzieści złotych za gram. Jeżeli mamy tu pół kilo i policzymy krakowskim targiem po trzydzieści pięć złotych, to... – Ziółkowski liczył przez chwilę w pamięci. – To mamy tu jakieś siedemnaście i pół tysiąca złotych. Jeżeli okaże się, że jest tu więcej niż pół kilo, to suma nam się odpowiednio zwiększa. Za pełny kilogram byłoby trzydzieści pięć tysięcy.

– Całkiem sporo jak na osiemnastolatkę.

– Całkiem sporo? – zaśmiał się technik. – To jest kupa kasy. A ile ty wyciągasz, bogaczko?

– Mniej – zaśmiała się Emilia.

– Ciekawe, skąd dziewczyna miała tyle towaru? – zastanawiał się Ziółek. – Może zabili ją z tego powodu? Tylko

* Potoczna nazwa amfetaminy.
** Potoczna nazwa grama narkotyku.

dziwne, że zostawiliby to u niej w mieszkaniu. Może nie wiedzieli, że tu jest. Choć to dość oczywiste miejsce.

Strzałkowska milczała zaskoczona. Pomyślała, że ta sprawa śmierdzi co najmniej tak jak te stare śmieci ze śmietnika. Najpierw wydawało się, że to Ryszard Pietrzak jest zabójcą, a prokurator naciskał, żeby Emilia zakończyła sprawę jak najszybciej. A teraz wyglądało na to, że nim dzień się zakończy, będą dysponować całą grupą podejrzanych i coraz większą pewnością, że nie chodzi tylko o alkoholika, który w szale zabił przypadkową dziewczynę.

Jeżeli w akcji brało udział środowisko narkotykowe, to brutalność zbrodni Emilii nie zaskakiwała. Dilerzy i ich mocodawcy nie patyczkowali się, jeżeli chcieli kogoś ukarać. Zwłaszcza że być może Julia Szymańska podpadła jakiemuś większemu graczowi. Strzałkowska pamiętała opowieści starszych kolegów z czasów, kiedy pracowała jeszcze w Warszawie. Gangi obcinaczy palców i nie tylko. Może tu działo się teraz coś podobnego. Obcinają dłonie i stopy dla przykładu? Masakrują ciało siekierą dla odpowiedniego efektu?

Zastanawiała się, kogo może zapytać o ewentualne związki Julii ze światkiem narkotykowym. Kłopot w tym, że jeżeli ktoś coś na ten temat wiedział, to i tak nic nie powie. W takich sytuacjach z reguły wszyscy trzymali język za zębami. Między innymi dlatego tak trudno było rozbić takie grupy.

Emilia przejechała ręką po włosach w zamyśleniu. Radykalne rozjaśnianie trochę je zniszczyło, ale i tak nie zamierzała przestać. Białe włosy dodawały jej wyrazistości. Kiedy intensywnie nad czymś myślała, ręka sama do nich wędrowała.

– Chyba znalazłem coś ciekawego – rozległo się z głębi mieszkania. – Przyjdziesz na chwilę? – zapytał Mikołaj z Rypina.

– Zaraz wracam – rzuciła Emilia do Ziółkowskiego. Wróciła szybko do sypialni ofiary.

– Przeglądam rozmowy na Messengerze. Tak jak prosiłaś – wyjaśnił Mikołaj. – Zainteresowała mnie rozmowa z niejaką Kaliną Pietrzak.

No proszę, pomyślała policjantka. Pamela Anderson znów pojawiała się w sprawie. Zanim jednak Emilia zdążyła zajrzeć do otwartego okienka konwersacji, które pokazywał jej na ekranie kolega, za drzwiami wejściowymi dało się słyszeć jakieś zamieszanie.

– Co tu się dzieje?! – rozległo się wołanie.

To był bez wątpienia głos Oliwiera Pietrzaka. Czyli szef Julii Szymańskiej wrócił do domu. Doskonale się składało, bo Strzałkowska obiecała sobie z nim porozmawiać.

Wyszła na korytarz i zaniemówiła. Nie tego się spodziewała.

ROZDZIAŁ 26

Zakład produkcyjny Dąbrowskich.
Środa, 14 lutego 2018. Godzina 15.15.
Zofia Dąbrowska

Zofia Dąbrowska usiadła przy toaletce i przeczesała długie czarne włosy szczotką oprawioną w masę perłową. Mogła tak siedzieć godzinami i dbać, żeby doczepiane włosy zachowały miękkość i delikatność. Od lat je przedłużała, żeby uzyskać odpowiedni efekt. Przynajmniej po włosach nie widać było upływających lat. Dodawały jej seksapilu i kobiecości, a tego nigdy za wiele. Zarówno w kontaktach z kobietami, jak i mężczyznami.

Odłożyła szczotkę z głuchym stuknięciem. Nie mogła przestać myśleć o policjantce, która ich dziś odwiedziła. Emilia Strzałkowska. Zofia z jakiegoś powodu czuła, że z nią mogłaby pozwolić sobie na większą szczerość. Dlatego kłamstwo dotyczące zapasowych kluczy ją męczyło. Kiedy to wyjdzie na jaw, Strzałkowska zapewne w nic już jej nie uwierzy.

Jakub miał rację, że nie powinna była kłamać.

W jednym mąż nie miał racji. Uważał, że Zofia nie umie kłamać. Mylił się. I to bardzo. Przecież nikt nie wiedział, jak dobrze Zofia zna Franciszka Sadowskiego. Może nie dobrze, poprawiła się w duchu, ale wystarczająco dobrze, żeby łączyła ich wspólna tajemnica. I to od lat.

Miała nadzieję, że za tę wspólną tajemnicę nigdy nie przyjdzie im ponieść konsekwencji.

ROZDZIAŁ 27

Mieszkanie Oliwiera Pietrzaka w Rypinie.
Środa, 14 lutego 2018. Godzina 15.15.
Młodszy aspirant Emilia Strzałkowska

Mieszkanie Oliwiera Pietrzaka wystrojem nie przypominało ani trochę lokum, które wynajmował swojej pracownicy. U niego wszystko było aż nadto spersonalizowane i nowoczesne. Plakaty filmowe i modowe pokrywały wszystkie ściany. Zajmowały dosłownie każdą wolną powierzchnię. Kolorowe meble dopełniały całości.

Pokój tuż przy wejściu do mieszkania w całości przeznaczony był na pokaźną garderobę. Z tego, co Emilia widziała, kiedy przechodziła korytarzem, było tam wszystko. Szale boa z różowych piór, wielkie kapelusze, strojne suknie. Kiedy przed chwilą zobaczyła Oliwiera Pietrzaka, bogactwo tej garderoby wcale jej nie zaskoczyło.

Oliwier wkroczył do mieszkania Julii Szymańskiej ubrany zupełnie inaczej, niż kiedy Emilia widziała go rano w Starych Świątkach. W więzieniu miał na sobie elegancki, a przede wszystkim męski sweter. Teraz włożył obcisłą damską sukienkę z cekinami. Na głowie miał blond perukę, a na twarzy ostry makijaż. Gdyby nie był taki wysoki, Emilia uznałaby go z daleka za przesadnie wystylizowaną kobietę. *Drag queens* widziała wielokrotnie, kiedy służyła jeszcze w Warszawie, ale w tej okolicy pierwszy raz.

– Wszyscy mówią na mnie Oli, kiedy jestem w stroju *drag* – poinformował. – Ale co ja się będę tłumaczył. I tak pewnie ma mnie pani za zboczeńca. Ludzie mylnie nas postrzegają. A przecież to rodzaj przedstawienia. I to takiego, które daje do myślenia. To nie jest kwestia tożsamości płciowej. Chociaż tak, jestem gejem, skoro już pani chce wiedzieć.

Zabrzmiało to dość agresywnie. Być może nie miał zbyt dobrych doświadczeń w informowaniu otoczenia o swojej orientacji. Spodziewał się chyba najgorszego i dlatego był tak nastawiony, nie czekając nawet na jej reakcję.

Emilia uśmiechnęła się do niego uspokajająco.

– Nie przyszłam pytać pana o preferencje seksualne ani sprawdzać, w jakich ubraniach pan chodzi – wyjaśniła. – To nie moja sprawa. Mnie interesuje śmierć pana pracownicy. I jeżeli pan jest sprawcą, wtedy już taka miła nie będę.

Zaśmiała się jeszcze raz, żeby słowa nie zabrzmiały zbyt ostro.

– Gdzie pan był szóstego lutego? – spytała, żeby mieć już za sobą sprawdzanie alibi.

– Tu w domu. Raczej nikt tego nie potwierdzi, bo pewnie o to pani pyta. Ale oczywiście nie zabiłem Julii – zapewnił Oliwier. Wyglądał na trochę rozluźnionego. – Usiądźmy w salonie. Tylko że tam mam bałagan, bo przygotowuję stroje dla siebie i dla moich dziewczyn. Do sesji. Robię makijaż i tak dalej.

– Nie ma problemu. Bałagan mi nie przeszkadza.

– Julia pracowała u mnie od początku stycznia, ale zgadaliśmy się wcześniej – wyjaśnił Oliwier, kiedy usiedli w salonie. – W tym mieszkaniu obok zamieszkała w Wigilię. Dość długo nosiła się z zamiarem wyprowadzki od rodziców, więc nie miałem nic przeciwko temu, żeby jej wynająć. I to tanio. Tym bardziej że miała dla mnie pracować. Być może pani już wie, ale Julia trafiła do mnie poprzez Kalinę. Kalina to moja kuzynka. Zaprzyjaźniły się, kiedy Kalina chodziła z Pawłem Krupą. Ucieszyłem się, że Julia będzie dla mnie pracować, bo była naprawdę piękna. Kwintesencja kobiecości. Klientom też się podobała. Już miałem dla niej zabukowane sesje zdjęciowe. No ale teraz... wiadomo.

– No właśnie – podchwyciła Strzałkowska. – O to też chciałam zapytać. Julia miała chyba jakąś robotę we wtorek, szóstego lutego.

Policjantka celowo użyła tego samego słowa, którym zamordowana dziewczyna podpisała swoje zakupy z drogerii w poście na Facebooku.

Oliwier wstał i zdjął perukę. Powiesił ją na gumowej główce, która służyła mu chyba właśnie jako stojak na nakrycia głowy.

– Pozwoli pani, że zacznę to wszystko zdejmować. Potem będę musiał iść do sklepu. Raczej nie mogę się przechadzać po mieście tak ubrany. A rozebranie się z tego trochę trwa. Choć oczywiście, jeśli o mnie chodzi, to chciałbym zawsze się tak ubierać. Te niby normalne ubrania są dla mnie jedynie przebraniem. Ale pani tego nie zrozumie.

To, czy Oliwier był w damskim ubraniu, czy w męskim, zupełnie Strzałkowskiej nie obchodziło. Jedynie czy popełnił zbrodnię, czy nie.

– Wie pan co? – odparła. – Powiem panu coś. Jak pan będzie wszystkim sugerował, że są przeciwko panu, to być może faktycznie w końcu będą.

– Pani po prostu nigdy nie była non stop oceniana. Jak ja!

Czyżby?, przebiegło Emilii przez myśl. Tak naprawdę była oceniana ciągle. Po pierwsze za to, że nosiła mundur. Jednym to się podobało, innym przeciwnie. To się zmieniało w zależności od nastrojów społecznych i politycznych. A ona po prostu robiła swoje. Najpierw patrolowała ulice, żeby ludzie mogli bezpiecznie po nich chodzić. Teraz łapała tych, którzy dopuszczali się najgorszych zbrodni. Ale to było nieważne. Ludzie i tak oceniali ją przez pryzmat ewentualnych błędów innych funkcjonariuszy. Nie pytali nawet o to, co ona zrobiła i osiągnęła.

Po drugie była k o c h a n k ą. Właściwie prawie nikt o tym nie wiedział, ale Emilia była pewna, że gdyby ludzie wiedzieli, mieliby sporo do powiedzenia na ten temat. A już na pewno byliby pierwsi do ocenienia jej wyborów. Tymczasem póki nie przeżyło się tego samego, co dana osoba, trudno było zrozumieć, dlaczego ktoś podjął taką, a nie inną decyzję ani tym bardziej jak się z tym czuł. A przede wszystkim to, co było jasne tylko dla tych, którzy kiedyś kochali. Jak już cię dopadło, to z miłości człowiek nie był w stanie zrezygnować. To było niemożliwe. Kto twierdził inaczej, nigdy chyba nie poczuł jej słodko-gorzkiego smaku. Miłość to wieczna tęsknota, jak śpiewała Kora*.

---

* *Anioł* Maanamu (Olga Jackowska, Marek Jackowski). Utwór z płyty *Derwisz i anioł*.

– Julia miała jakieś szczególne zlecenie we wtorek? – zapytała Strzałkowska, wracając do tematu. – W chwili śmierci była ubrana inaczej niż zazwyczaj i przefarbowała włosy. Wie pan coś o tym?

– Przyznam, że nie wiem – odpowiedział Oliwier po krótkiej chwili.

– Jak to? Przecież był pan jej szefem. Wspomniał pan, że Julia miała już zarezerwowane sesje zdjęciowe i tak dalej. Jak może pan nie wiedzieć o jej planach?

– Nie podpisaliśmy kontraktu na wyłączność – odparł Oliwier, wzruszając ramionami. – Ostatnia rzecz, którą Julia robiła dla mojej firmy, to praca jako hostessa w weekend od drugiego do czwartego lutego. Na targach budowlanych w Bydgoszczy.

– Nie wspominała, że będzie coś robić we wtorek szóstego?

– Chyba sama coś sobie znalazła. Wiem tylko, że potrzebowała ubrań. Przyszła po nie do mnie, bo mam ich sporo. Właściwie już nie mam, bo gdzie to wszystko trzymać. Widziała pani chyba moją garderobę. Tu zresztą też jest jej za dużo.

Miał rację. W salonie również kłębiły się ubrania. Większość była teatralnie przesadna, ale policjantka widziała też sporo ładnych rzeczy. Była pewna, że znalazłaby coś dla siebie.

– Prosiła o konkretne rzeczy? – zapytała Strzałkowska.

Nie miała wątpliwości, że Julia chciała upodobnić się do Hanny Kwiatkowskiej. Wyglądała prawie identycznie jak Kwiatkowska na zdjęciu z lat siedemdziesiątych. Emilia szukała tylko potwierdzenia.

– Tak. Miała listę ubrań, których potrzebowała. Kozaki na słupku, płaszcz skórzany, długie rękawiczki, duże okulary – wyliczał Oliwier Pietrzak. – Miałem je. Choć nie wszystko miałem dokładnie takie, jak chciała. Na przykład buty były na nią za duże i ciężko jej się w nich chodziło, ale i tak je wzięła.

Strzałkowska pamiętała, że kozaki faktycznie zostały znalezione obok ciała. Nie mogli sprawdzić, czy pasowały rozmiarem do stóp dziewczyny, bo stóp nigdzie nie było. Emilia wzdrygnęła się.

– Może miała jakieś zdjęcie, żeby pokazać panu, o jakie ubrania chodzi?

– Nie. Jedynie listę spisaną na jakiejś ulotce z targów – dodał jeszcze Oliwier Pietrzak. – Ulotkę tu zostawiła, ale dawno ją wywaliłem. Bym pani pokazał. Nie mam pojęcia, po co jej to było.

– Nie zdziwiło pana, że od zeszłego wtorku Julia się nie pokazała? Minęło sporo czasu. Musiał pan zauważyć, że zniknęła.

– Zauważyłem, oczywiście – przyznał nieco nerwowo Oliwier. – Ale jak wspomniałem, nie musiała mi się spowiadać ze wszystkiego. Nie jestem jej rodzicami. A ponieważ powiedziała, że ma tę robotę, to założyłem, że tym się właśnie zajmuje. Skąd mogłem wiedzieć, jak długo to trwa. Równie dobrze mogło się to wiązać z wyjazdem. Nie byłem jej niańką. Była pełnoletnia.

Na chwilę zapadła cisza. Emilia przyglądała się, jak Oliwier z powrotem przeistacza się w mężczyznę. Zmywał gruby makijaż metodycznie. Zauważyła drogie kosmetyki i z przyjemnością wąchała ich zmysłową woń. Kojarzyła jej się z jakimiś dalekowschodnimi przyprawami. Sama używała najtańszych, choć tęskniła do odrobiny luksusu. Nigdy jednak sobie na niego nie pozwalała.

– Uważa pan, że pana wuj dokonał tego morderstwa? – zapytała w końcu. Przecież nie po to tu przyszła, żeby zachwycać się zapachami.

– Stryj – uściślił Pietrzak. – Ryszard Pietrzak to mój stryj. Brat ojca. A czy to zrobił? Izabela i Kalina są pewne, że nie. Ja nie wiem. Stryj jest uzależniony od alkoholu. Jest chory psychicznie. Mógł zrobić cokolwiek. Ja w sumic też bym wolał, żeby był niewinny. Sam poleciłem go Franciszkowi Sadowskiemu. To znaczy poprosiłem, żeby stryja przyjął do pracy. Znamy się, bo Franciszek postarał się, żebym miał lepszy start. Jestem jednym z beneficjentów jego życzliwości. Dlatego pozwoliłem sobie poprosić go o pomoc, kiedy za długi stryj z żoną stracili dach nad głową. No więc głupio by było, gdybym sprowadził panu Frankowi mordercę do domu. Nie uważa pani?

– Co pan może powiedzieć o Franciszku Sadowskim? – zapytała Emilia, ignorując jego pytanie.

Paweł Krupa zasugerował, że właściciel zajazdu i drugiej firmy produkującej drewniane domy, zamiast pomagać, wykorzystywał go seksualnie. Jakub Dąbrowski też nie miał najlepszej opinii o poprzednim szefie swojego pracownika. Strzałkowska ciekawa była, co powie Oliwier.

– Złoty człowiek – zapewnił gorąco mężczyzna. Popsikał się perfumami z okrągłej buteleczki. – Chce pani?

Zanim zdążyła odpowiedzieć, otoczyła ją mgiełka piżmowego zapachu.

– To uniseks. Niech się pani nie martwi. A jeśli chodzi o pana Frania, naprawdę lepszego człowieka nigdy nie spotkałem. Wyciągnął mnie z meliny. Zrobiłbym dla niego wszystko. Bo gdyby nie on, to pewnie by pani tu ze mną nie rozmawiała. Dzięki niemu jestem na tym świecie. Nawet jeśli ma coś na sumieniu, to ja złego słowa o nim nie powiem.

Ostatnie zdanie zabrzmiało wyjątkowo stanowczo. Nie wyglądało na to, żeby policjantka mogła coś więcej z Oliwiera w tej kwestii wyciągnąć. Przez chwilę żadne z nich nic nie mówiło. Ciszę przerywał tylko szmer zabiegów Oliwiera.

– A po co rozwalaliście drzwi do Julii? – odezwał się zaczepnie, mimo że ślusarz wykonał delikatnie zleconą mu robotę. – Kto mi zapłaci za szkody? Nie mogliście wziąć zapasowego klucza od Dąbrowskich?

Emilia spojrzała na niego zaskoczona. Zofia Dąbrowska zapewniła ją, że córka nie dała jej klucza.

– Powiedzieli, że pan go ma.

Teraz z kolei Oliwier zrobił duże oczy. Wyglądało to dość dziwnie, bo z jednej powieki zmył już tusz i cień, a druga nadal była kolorowa z kocią kreską. Wydawało się, jakby mężczyzna miał dwie twarze.

– Ja go nie mam – zapewnił stanowczo. – Z tego, co wiem, Julia dała go rodzicom.

– Mimo kłótni? – zapytała policjantka.

Zastanawiała się, kto ją oszukiwał: Dąbrowscy czy Oliwier Pietrzak.

– Mimo. Chyba jednak co rodzina, to rodzina. Tak Julia to widziała.

Strzałkowska pomyślała o komputerze w mieszkaniu ofiary. I o lajku, który ktoś kliknął pod zdjęciem zamieszczonym przez jej matkę dzień po morderstwie. Czy to możliwe, że rodzice przyjechali tu, by zatrzeć ślady? Czy oni ją zabili?

– Widział pan tu może ostatnio Dąbrowskich? – zapytała policjantka. – Wchodzili do mieszkania Julii, kiedy jej nie było?

– Nie wiem – przyznał Pietrzak po chwili namysłu. – Nie siedzę przecież przy wizjerze. Też zdarza mi się wyjść z domu. Nie mam stu lat, żeby siedzieć w oknie i wypatrywać.

W jego głosie znów pojawiło się zniecierpliwienie.

– A ktoś inny może wchodził do mieszkania?

– Nie wiem. Przecież mówię.

– A może wie pan, z kim jeszcze Julia była blisko?

– Z Kaliną. Już wspomniałem. Były ze sobą naprawdę zaprzyjaźnione, mimo że dzieliła je spora różnica wieku. Kalina to rocznik osiem cztery. Jest rok młodsza ode mnie. A Julka to było dziecko milenium. Rocznik dwa tysiące. Nigdy nie mogę uwierzyć, że ludzie, którzy rodzili się w tym roku, teraz są już dorośli, a pani? Czas tak szybko leci.

Oliwier mówił teraz jak starzec, mimo że miał trzydzieści pięć lat. Przypominał Emilii trochę Jakuba Dąbrowskiego w kwadratowych okularach. Mieli coś wspólnego, choć najwyraźniej się nie lubili.

– No i właśnie Kalina ją do mnie zwerbowała. Bo wiedziała, że Julka chce się wyprowadzić od rodziców, a nie chciała, żeby skończyła w jakimś złym towarzystwic.

Złe towarzystwo? Emilia poprawiła się na kanapie. Czyżby znów bingo? Przecież przed chwilą znaleźli w kuchni dziewczyny ponad pół kilo białego. Żeby zdobyć tyle amfetaminy, trzeba było mieć odpowiednie znajomości. Albo raczej: n i e o d p o w i e d n i e.

– Julia miała skłonności, żeby zadawać się ze złym towarzystwem? – zapytała policjantka ostrożnie.

Oliwier dokończył zmywanie drugiego oka i zajął się skórą twarzy. Coraz bardziej przypominał siebie w wersji z dzisiejszego poranka.

– Trudno mi powiedzieć. Nie znałem jej aż tak dobrze. Musiałaby pani zapytać Kalinę. Ale fakty są takie, że Julia była pyskata. Jak do nas dołączyła, to akurat trafiła nam się duża rzecz. Statystowanie w programie telewizyjnym. Nazywał się *Morderczy program*.

– *Morderczy program*? Nigdy o czymś takim nie słyszałam.

– Bo to jest nowość. Robiona dla mniejszej stacji telewizyjnej. Ale na kablówce będzie mogła pani obejrzeć. Nawet ja się przewinąłem w maleńkiej rólce – wyjaśnił z niejaką dumą Oliwier. – Program ten prowadzi znana autorka kryminałów i książek o policji. To jest taka nowość. Że nie jakaś dziennikarka, tylko celebrytka. Czy jak to tam nazwać.

– Pisarka? – podchwyciła natychmiast Emilia, myśląc o tym, że na Facebooku widziała zdjęcie Julii z Malwiną Górską. – Chodzi może o tę, co robi wywiady z policjantami? Malwina Górska?

– Zgadła pani. Ale to tajemnica jak na razie. Przynajmniej z tego, co wiem. Kręciliśmy w połowie stycznia. No w drugiej połowie, bo zdjęcia były od osiemnastego do dwudziestego. To znaczy tego odcinka, w którym występowały dziewczyny.

186

– Dziewczyny?

– No Julia i Kalina.

– Co tam robiły?

– Były statystkami. A właściwie trochę więcej. Bo to było tak, że Malwina Górska opowiada, jak dane morderstwo przebiegło i tak dalej. W każdym odcinku przedstawia inne. A ilustruje jej słowa jakaś scenka ze statystami. No i moje dziewczyny odgrywały w tym odcinku role sprawczyni i jej ofiary. Julka była morderczynią, a Kalina jej ofiarą. Zabójczyni pocięła swojej ofierze twarz nożem, a potem ją zadźgała.

Emilia skinęła głową. To mogło nie mieć żadnego związku z tym, co się stało z Julią, ale dało się też znaleźć wyraźne analogie. Z tą różnicą, że Szymańska została zaatakowana siekierą, nie nożem. Ale jej twarz też została zniszczona, a ciało pokryte ranami. Tylko że w programie to ona odgrywała rolę sprawczyni.

– Był jakiś szczególny powód, że to Julia dostała rolę morderczyni, a Kalina ofiary?

– Można powiedzieć, że chodziło o warunki fizyczne. Ale nie w tym sensie, o jakim pani pewnie teraz myśli. Nie że Julka była podobna do tej prawdziwej nożowniczki, a Kalina do jej ofiary. Chodziło o to, że zdaniem producentów i tej pisarki Julia była ładniejsza. A ponieważ ofiara miała zmasakrowaną twarz, więc uznali, że i tak nie będzie widać jej urody. Po prostu szkoda im było charakteryzować ładną buzię Julki na pokrytą ranami. Kalina poczuła się chyba tym urażona, bo powiedzieli to wprost. Ludzie w branży się nie cackają. Pisarka próbowała to potem załagodzić, ale średnio to wyszło. Spora awantura się zrobiła.

Ciekawe, czy na tyle duża, żeby doszło do zabójstwa, zastanawiała się policjantka.

– Wspomniał pan, że nie może wykluczyć, że pański stryj – Emilia podkreśliła teraz to słowo – mógł faktycznie zabić Julię. Przychodzi panu do głowy jeszcze ktoś, kto mógłby jej źle życzyć?

Wyglądało na to, że Oliwier się zastanawia. Strzałkowska powinna była zapytać o to rodziców zamordowanej dziewczyny. Skarciła się w duchu, że nie pomyślała o tak oczywistym pytaniu, kiedy była u Dąbrowskich.

– Jak tak myślę, to przychodzi mi do głowy jedna osoba.

– Kto?

– Myślę, że to mógł zrobić chłopak, z którym teraz kręciła.

2020
Plaża nad jeziorem Strażym.
Piątek, 21 lutego 2020. Godzina 10.55.
Beniamin Kwiatkowski

Beniamin Kwiatkowski z niechęcią patrzył na wjeżdżającego na polanę starego ciemnozielonego volkswagena. To było auto z rodzaju tych, którymi ludzie kiedyś jeździli i uważali się za kontestatorów. Głupie dzieciaki. Beniamin czuł się znacznie od nich dojrzalszy.

Pochylił się do obiektywu i zrobił jeszcze kilka zdjęć. Jezioro wyglądało pięknie. Nieco zamglone. Wstydził się trochę emocji, które w nim budziło. Nikomu ze znajomych nie zwierzał się, jakie ma hobby. Dopiero w tę gównianą sobotę mu się wymsknęło. I proszę, są tego efekty. Przedtem był sam, a teraz będą go nachodzić.

– Co tam? – zapytał.

Miał nadzieję, że ponura niechęć w jego głosie będzie wystarczająco odstraszająca.

– Przepraszam, że przeszkadzam.

Przeprosiny. Przynajmniej tyle, pomyślał Beniamin.

– O co chodzi? Robię zdjęcia. Potrzebuję skupienia.

– Pomożesz mi? Mam z tyłu kilka rzeczy, a sam widzisz, że nie jestem w formie. Jestem kontuzjowany.

– Jestem zajęty – odparł Beniamin, wzruszając ramionami.

– Mam kilka spraw do obgadania. Propozycję.

– Propozycję? – zapytał powoli Beniamin. Zaciekawiło go to, choć wolał się sam przed sobą do tego nie przyznawać.

– Tak. Ciekawą. Sam zobaczysz. Ale najpierw muszę ci coś tu pokazać. Wtedy zrozumiesz. Pomóż mi.

– Idę.

Beniamin ruszył wolnym krokiem. Nie chciał okazać, że zaintrygowały go te słowa. Jego stopy zapadały się w trawie. Była całkiem zielona. Tej zimy prawie nie padał śnieg, więc nie zżółkła. Cała polana była zarośnięta. Tylko przy brzegu jeziora leżała sterta kamieni otoczona piaskiem. Pozostałość po plażyczce, która zarosła. To miejsce było głównym celem jego obiektywu. Lubił fakturę tych kamieni na tle zmieniającego się w zależności od pór roku jeziora.

– Co to za propozycja?

– Choć sam zobaczyć.

Drzwi z tyłu volkswagena skrzypnęły. Auto miało już swoje lata. Beniamin nie zdecydowałby się czymś takim jeździć. Ale każdy robi to, co lubi. Poza tym w ogóle nie wolno tu było wjeżdżać samochodem. Trzeba było zostawić auto na leśnym parkingu koło głównej drogi. On tak zrobił i przeszedł pieszo ścieżką wzdłuż jeziora.

– No i co? – zapytał, zaglądając na tył, gdzie zapewne ładowano bagaże albo jakieś towary. Teraz było tam zupełnie pusto. Nie licząc siekiery, jakichś obleśnych ptasich nóżek i czarnego worka. – To jakiś żart? Kpisz sobie ze m…

Chciał powiedzieć więcej, ale wtedy poczuł przeszywający ból.

I kolejny.

Potem kolejny.

Świat zawirował mu przed oczami.

* * *

CZĘŚĆ 3
2018

ROZDZIAŁ 28

W zajeździe Sadowskiego. Czwartek, 15 lutego 2018.
Godzina 9.05.
Młodszy aspirant Emilia Strzałkowska

Emilia zaparkowała przed zajazdem Sadowskiego. Był
to budynek z bali w typie chat góralskich. Obsadzono
go iglastymi drzewami, więc nawet w zimie otoczony był
zielenią. Kilka drewnianych ławeczek malowniczo kom-
ponowało się z całością.

Policjantka wyłączyła silnik i sięgnęła po telefon. Daniel napisał do niej, kiedy tu jechała. Kilka miłych słów
i prawie zapomniała o wczorajszym spędzonym samotnie
wieczorze walentynkowym. Z cichym westchnieniem włożyła komórkę z powrotem do kieszeni. Była zmęczona
sytuacją. Najbardziej ciągłym ukrywaniem się. Bardzo
czekała na moment, kiedy wreszcie będzie mogła wyjść
z Podgórskim na ulicę i trzymać go za rękę. Nie zamierzała
się przejmować ewentualnymi niechętnymi spojrzeniami i ocenami. To będzie potem. Teraz musi skupić się
na pracy, upomniała się w duchu.

A miała dziś sporo do zrobienia: porozmawiać z kolejnymi świadkami, ale też z niektórymi, których spotkała wczoraj. Trzeba będzie zapytać Dąbrowskich o zapasowe klucze. Strzałkowska myślała, że złapała nić porozumienia z Zofią. Jeżeli ta ją oszukała, to policjantka jednak się myliła. Oprócz billingów do przejrzenia były też rozmowy Julii na Messengerze. Całe szczęście dysponowali komputerem znalezionym w mieszkaniu ofiary. To wiele ułatwiało.

Jedną z rozmów Emilia zdążyła przejrzeć już wczoraj. Mikołaj z Rypina zwrócił jej uwagę na konwersację Julii i Kaliny Pietrzak. Strzałkowska zajrzała do niej już po skończeniu rozmowy z Oliwierem Pietrzakiem. W rozmowach przyjaciółek powracał temat kłótni o program telewizyjny prowadzony przez tę różowowłosą pisarkę. Emilia zrobiła sobie nawet zrzuty z ekranu, żeby przygotować się na spotkanie z Kaliną Pietrzak.

No i narkotyki. Badanie na komendzie potwierdziło, że w torebce po mące znalezionej w kuchni Julii była amfetamina. A dokładniej s i e d e m s e t c z t e r d z i e ś c i d w a g r a m y amfetaminy. Czyli faktycznie więcej niż pół kilo. Ziółek ocenił to wczoraj całkiem trafnie. Towar wart pewnie pomiędzy dwadzieścia dwa a dwadzieścia dziewięć tysięcy złotych. W zależności od tego, jak obrotny był diler, który miał opchnąć narkotyki. Skąd Julia tyle zdobyła? Czyżby dilowała?

Strzałkowska wysiadła z samochodu. Te rozważania trzeba zostawić na potem. Na razie chciała sprawdzić inny trop. A dokładniej to, co powiedział jej wczoraj Oliwier Pietrzak. Nie był pewien, czy jego stryj mógł zamordować Szymańską, ale przyszedł mu do głowy obecny chłopak Julii.

Jeżeli ktoś nagle gwałtownie umierał, należało sprawdzić, z kim sypiał w ostatnim czasie. Zasada stara jak świat. Niestety od miłości do nienawiści bardzo bliska droga. Strzałkowska dobrze o tym wiedziała.

Według Oliwiera Pietrzaka chłopak Julii nazywał się Robert Janik i był pracownikiem Franciszka Sadowskiego. Emilia chciała z nim jak najszybciej porozmawiać. Wyglądało bowiem na to, że wiele elementów sprawy dotyczy również ludzi z zajazdu. Ryszard Pietrzak, nocny stróż, nadal był głównym podejrzanym. Julia pracowała podczas ostatnich targów budowlanych w stoisku firmy Sadowskiego jako hostessa i do tego prawdopodobnie sypiała z sekretarzem Sadowskiego. Czy był to przypadek? No i osoba Franciszka Sadowskiego. Przez jednych wielbiona, przez innych oceniana bardzo negatywnie. Z nim też trzeba porozmawiać, by wyrobić sobie opinię. Emilia uznała, że załatwi to teraz za jednym zamachem.

Wysiadła z samochodu i opatuliła się kurtką. Dziś było jej bardzo zimno. Wczorajszy wiatr co prawda ustał i temperatura była powyżej zera, ale Emilia i tak drżała. Może trochę się podziębiła.

Wdrapała się po schodach na szeroki ganek. Drzwi otworzyły się automatycznie. Element nowoczesności w tym dość staroświeckim otoczeniu. Wiedziała już, że tak będzie, ale jak byli tu ostatnio z Danielem, bardzo ich to zaskoczyło. Chichotali jak dwójka zakochanych nastolatków w nieco nerwowym oczekiwaniu tego, co nastąpiło potem w pokoju.

– Dzień dobry – przywitała się, wchodząc do środka.

Za ladą w recepcji siedziała Izabela Pietrzak. Chyba mocno skacowana. Oczy miała czerwone i opuchnięte, jakby płakała. Wyglądała gorzej niż wczoraj w więzieniu. Nie miała już na sobie czarnej eleganckiej sukienki, lecz pomięty żakiet i zaplamioną spódnicę. Komplet zdecydowanie pamiętał lepsze czasy. Szczerze mówiąc, Emilia dziwiła się, że Sadowski sadzał tę kobietę w recepcji. Gdyby Strzałkowska chciała się tu zatrzymać, pewnie od razu by zrezygnowała. Izabela nie była najlepszą wizytówką zajazdu.

– Dobry, dobry – mruknęła kobieta bez szczególnego entuzjazmu. – Pokój na dole czy na górze?

Myślała chyba, że Emilia jest klientką. Najwyraźniej jej nie poznała. Strzałkowska oparła się o drewniany kontuar z widoczną chropowatą fakturą starego drewna.

– Prowadzę śledztwo w sprawie śmierci Julii Szymańskiej – przypomniała. – Widziałyśmy się wczoraj w Starych Świątkach.

Oczy Izabeli rozjaśniły się w nagłym zrozumieniu.

– A to pani, szefowo! Ma już pani coś, żeby uniewinnili mojego starego? – zapytała z wyraźną nadzieją w przepitym głosie.

– Pracuję nad tym – zapewniła policjantka.

Chciała zyskać w niej sprzymierzeńca. Przynajmniej na razie. Nie była przecież pewna, czy Ryszard Pietrzak naprawdę zarąbał Julię Szymańską. Na szczęście Zjawa nie zajrzał dziś rano na komendę, więc nie musiała się tłumaczyć, że drąży temat. Wydawało się, że naczelnik Urbański z kolei nie ma nic przeciwko temu. Zaczynała go lubić. Z zaciekawieniem wysłuchał jej rewelacji. Zainteresował się zwłaszcza samochodem, o którym przypomniał sobie Ryszard Pietrzak. Był chyba zły, że nie wydobył tego od podejrzanego wcześniej. Nie pomyślał, że na miejscu zdarzenia mogło być jakieś auto. Prawdziwy sprawca mógł nim uciec, zabierając dłonie i stopy Julii.

– Dobrze, bardzo dobrze – odparła Izabela Pietrzak nieco nieobecnym tonem. – Ja liczę właśnie drobne.

Kiwnęła głową, pokazując kasetkę wypełnioną monetami, która leżała na blacie przed nią.

– Czy zastałam… – zaczęła mówić Emilia, kiedy nagle jedne z drzwi w końcu korytarza otworzyły się szeroko. Prowadziły chyba do kuchni. W progu stała Kalina Pietrzak. Trzymała dwa kubki z jakimś parującym napojem. Sądząc po zapachu, była to świeżo zaparzona kawa.

– Mamo, zrobiłam…

Kobieta też zamilkła w pół słowa. Patrzyły uważnie na siebie.

– A pani co tu robi? – zapytała w końcu córka Izabeli. Nie tylko jej ton, ale i postawa bez wątpienia wyrażały wrogość wobec Emilii.

– Przyszłam porozmawiać z Robertem Janikiem i Franciszkiem Sadowskim – wyjaśniła policjantka spokojnie. – Ale dobrze, że pani tu jest. I tak miałam się z panią umówić na rozmowę. Możemy teraz pomówić?

– Niby o czym? – zapytała Kalina defensywnie.

– Wspomniała mi pani wczoraj, że uważa ojca za niewinnego – zaczęła Emilia.

Uznała, że jakiekolwiek pytania choć trochę sugerujące winę Kaliny zniechęcą kobietę do rozmowy. Trzeba było działać ostrożnie i zacząć od tematu, który podjęła wcześniej. Udobruchanie jej, a dopiero potem wybadanie, czy sama nie maczała palców w zabójstwie.

Kalina Pietrzak przyglądała się Emilii.

– Dobrze, usiądźmy w kuchni – zdecydowała w końcu, cofając się przez próg. – Proszę.

Podała Emilii kubek z kawą. Zrobiła to tak naturalnie, jakby wcale nie przygotowała napoju dla matki, tylko właśnie dla Strzałkowskiej. Izabela Pietrzak nie wydawała się zbyt przejęta utratą porannej małej czarnej. Weszła za nimi do kuchni i skierowała się do szafki obok pieca. Wyjęła z niej niewielką buteleczkę. Nie zawracała sobie głowy częstowaniem Emilii i Kaliny, tylko pociągnęła długi łyk wódki z gwinta. Strzałkowska nie wiedziała, czy obecność Izabeli nie pomiesza jej szyków. Wolałaby być z Kaliną sama. Dlatego postanowiła, że nie będzie nic mówić, pozwoli, by sprawy potoczyły się swoim rytmem. Może Kalina bardziej się otworzy, kiedy będą z matką we dwójkę.

– Mój Rychu nie jest mordercą – powiedziała Izabela. Zaczęła nerwowo układać noże, które suszyły się na ścierce.

– Mamo, przestań tym walić – warknęła Kalina. – Denerwuje mnie to stukanie.

Tak to bywa, jeśli chodzi o kojącą obecność matki, pomyślała Emilia, przewracając oczami.

– Przepraszam – szepnęła Izabela i znów upiła łyk alkoholu.

– A pani o co chce mnie wypytywać? – zaatakowała Kalina, odwracając się do Strzałkowskiej. – Wydali już państwo przecież wyrok na mojego ojca. Był u mnie ten prokurator.

– Był u pani prokurator Bastian Krajewski? – zdziwiła się Emilia.

Tego zupełnie się nie spodziewała. Zjawa co prawda naciskał na zamknięcie śledztwa jak najszybciej, ale do nikogo nie miał w zwyczaju sam jeździć. Zostawiał to policji.

– Chyba tak się nazywa. Cały biały. Biała twarz, ale nie taka jak nasza. Tylko dosłownie biała. Białe włosy, różowe oczy. Grube okulary. Mówi to coś pani?

– Tak, to on – przytaknęła Emilia. – Kiedy u pani był?

– Wczoraj wieczorem. Trąbił cały czas o siekierze z odciskami palców mojego ojca. Jakby to mogło mnie do czegokolwiek przekonać. Ojciec ciągle zostawiał siekierę w zagajniku. Wszyscy tu w zajeździe o tym wiedzieli. Poza tym ktoś mógł tamtędy przechodzić i ją zauważyć i… No użyć. Wystarczy mieć jakie takie pojęcie, żeby włożyć rękawiczki. Nawet dziecko wie, że sprawdza się odciski palców. Też mi dowód. Już macie wydany wyrok. Nie chcecie znać prawdy. Chcecie skazać niewinnego. Może chronicie kogoś ze swoich, co?

– Spokojnie. Gdyby tak było, nie byłoby mnie tutaj – odpowiedziała Strzałkowska ugodowo. Nie chciała rozwścieczać Kaliny. Czuła, że ta rozmowa może przynieść jakieś ważne dane. – Badam obecnie kilka wątków.

– Niby jakich?

Emilia upiła łyk kawy. Musiała przyznać, że napój był wyśmienity. Stanowił jaskrawy kontrast z lurą, którą przygotował wczoraj Bastian Kwiatkowski. Policjantce wydawało się, że z każdym łykiem czuje inną nutę. Kalina dodała chyba do małej czarnej trochę imbiru i cynamonu. A może coś jeszcze? Strzałkowska nie była kawoszem, ale piła napar z wielką przyjemnością.

– Bardzo dobra kawa – pochwaliła.

Kalina uśmiechnęła się nieznacznie, ale policjantka czuła, że nieoczekiwanie zyskała w jej oczach. Pora była na powrót do tematu.

– Wie pani może, czy Julia brała narkotyki? – zapytała. Wyglądało na to, że Kalina się waha.

– Nie – odpowiedziała w końcu. – N i e.

Drugie zaprzeczenie było stanowcze i Strzałkowska poczuła, że ten temat jest już zamknięty. Pietrzak nic więcej o narkotykach nie powie. Choć wyglądało na to, że coś o tym wiedziała. Postanowiła więc przejść do tego, o czym mówił Oliwier Pietrzak i o czym rozmawiały Kalina i Julia na Messengerze.

– Słyszałam, że panie się przyjaźniły – zagaiła Strzałkowska powoli.

– Tak. A co?

– Ale podobno ostatnio wybuchła pomiędzy paniami kłótnia.

Kalina przyglądała się Emilii uważnie. Jej wzrok mówił wyraźnie, że chwilowy rozejm nad filiżanką kawy już się nie liczy.

– Oskarża pani m n i e? – zapytała bardzo powoli. – No nie mogę uwierzyć. To śmieszne. Zresztą wszystko, co robi policja, jest co najmniej komiczne. To, czego się nasłuchałam o tym, co się dzieje u was na komendzie. Wykradanie sobie dokumentów, broni i inne takie. Donoszenie na siebie. Jesteście tak naprawdę grupą bandziorów. Tylko poprzebieranych w mundury. A ta wasza policja w policji? To wasze Biuro Spraw Wewnętrznych? To bagno w bagnie. Sami powinniście pozamykać siebie.

Strzałkowska przełknęła kolejny łyk czarnego naparu. Teraz wydawało jej się, że czuje też wanilię.

– Bardzo mi przykro, że ma pani o nas takie zdanie.

Zapewniam, że nie jest tak źle – zaśmiała się Emilia. – Ja w każdym razie staram się robić, co do mnie należy.

– Bzdury.

Niezliczoną ilość razy Strzałkowska słyszała negatywne opinie o swoim zawodzie, ale z jakiegoś powodu w ustach Kaliny Pietrzak zabrzmiały wyjątkowo jadowicie. Policjantka nie zamierzała dać się ponieść emocjom. Ani tłumaczyć siebie bądź kolegów z tego typu oskarżeń. Chyba lepiej było po prostu milczeć.

Choć w sumie ciekawa była, skąd Kalina czerpała wiedzę. Niekiedy takie osądy były powtarzane bezmyślnie, bo ktoś coś gdzieś usłyszał albo przeczytał. Czasem wynikały z faktu, że dana osoba miała już do czynienia ze stróżami prawa. Najczęściej jako osoba aresztowana. Strzałkowska myślała o tym już wczoraj, kiedy po raz pierwszy spotkały się w więzieniu. Być może Kalina Pietrzak naprawdę wie coś więcej o tych narkotykach? Może sama diluje? Skoro wprowadziła Julię do firmy swojego kuzyna, to może też do biznesu narkotykowego? Może stąd to stanowcze nie?

– Proszę mi opowiedzieć o programie, w którym występowała pani z Julią – poprosiła łagodnie.

– A może to Julia występowała ze mną? – mruknęła. Chyba faktycznie była czuła na tym punkcie. – Co mam powiedzieć? Grałyśmy tam.

– Ale podobno pokłóciły się panie o rolę.

– To Oliwier pani nagadał? Taki z niego konfident?

Kalina wydawała się wściekła. Jej wydatne usta jeszcze bardziej się wydęły w grymasie urazy. Emilia nie zamierzała ani potwierdzać, ani zaprzeczać. Czekała, aż Kalina sama zacznie mówić.

– Tak. Pokłóciłyśmy się trochę – przyznała w końcu kobieta. – Ale potraktowali mnie naprawdę po chamsku. Oliwier, Julia i ta pisarka. Ja byłam w agencji kuzyna od lat. Julka dopiero przyszła i dostała lepszą robotę. Bo ja jestem za brzydka i za stara. Jak pani by się poczuła, gdyby ktoś o pani tak powiedział?

– Ty piękna jesteś, Kalinko – odezwała się Izabela Pietrzak.

Od dłuższego czasu stała tak cicho, że zdawała się wtapiać w otoczenie. Emilia niemal zapomniała, że żona Ryszarda nadal jest w kuchni. Kalina machnęła ręką, jakby chciała odpędzić od siebie słowa matki. Choć widać też było przelotny uśmiech. Chyba pochwała mimo wszystko sprawiła jej przyjemność.

Izabela odwróciła się i wyciągnęła skądś spory młotek. Uderzyła nim energicznie w piec. Emilia aż podskoczyła.

– Czasem nie działa – oznajmiła tonem wyjaśnienia. – Zagotuję wody, bo też bym się kawy napiła. Tak mnie naszło. Kawa z rumem to jest to. Zawsze powtarzam. Chociaż to moja córka umie parzyć najlepszą. Ja się nie znam. Nie wiem, po kim ona to ma.

– Po Internecie – zaśmiała się Kalina. Przez chwilę wrogość znów się ulotniła.

– A ta cała pisarka? Też mi piękność – ciągnęła Izabela. – Córa mi zdjęcia pokazywała, szefowo. Z tymi różowymi włosami wygląda jak dziwaczka.

W głosie Izabeli Pietrzak pojawiła się nieoczekiwanie ostra nuta. Widocznie naprawdę poruszyło ją to, co spotkało Kalinę. Emilia do pewnego stopnia ją rozumiała. Sama mogła narzekać na Łukasza, ale nigdy nie pozwoliłaby, żeby robił to ktoś z zewnątrz. A już na pewno nie pozwoliłaby, żeby krytykowano go za coś tak mało znaczącego jak wygląd.

– Rychu też był wściekły – dodała Izabela, zdejmując czajnik z palnika. – Bo Kalina jest córeczką tatusia.

Emilia spojrzała na kobietę uważniej. Czy możliwe, że jednak to Ryszard Pietrzak zabił Julię? Tylko motyw mógł być inny. Nie nagły nawrót choroby, jak uważał Urbański, ale chęć zemsty za obrazę córki. Czy to byłby wystarczający powód, żeby mordować? Wiedziała, że ludzie ginęli za mniej istotne rzeczy.

A może to Kalina chciała usunąć rywalkę, przyszło do głowy Strzałkowskiej. Paweł Krupa sugerował, że Ryszard Pietrzak być może zabił Julię na zlecenie Franciszka Sadowskiego. Co, jeśli namówiła go do tego córka? Kalina była zagniewana i wyraźnie urażona tym, co się wydarzyło podczas programu telewizyjnego. Ta złość pobrzmiewała w rozmowie na Messengerze.

– Dwudziestego pierwszego stycznia, czyli tuż po skończeniu zdjęć, pokłóciły się panie na komunikatorze – przypomniała Emilia, przejeżdżając palcem po ekranie swojego telefonu. – Pamięta pani tę kłótnię?

Kalina Pietrzak nie odpowiedziała. Teraz jej wielkie napompowane usta zmieniły się w niewyraźną kreseczkę.

– Pozwoli pani w takim razie, że odświeżę jej pamięć – dodała Emilia. Teraz pora było sięgnąć po zrzuty ekranu z rozmowy, żeby niczego nie pominąć. – *A ja ci przecież pomogłam wejść do agencji*, napisała pani do Julii. *A teraz ty spiskujesz z Olim za moimi plecami. Mam ochotę cię zabić, zdziro. Nic nie konspiruję*, zapewniła panią Julia

203

w odpowiedzi. *Po prostu mnie wybrali. Pogódź się z tym. Byłaś po prostu za stara na tę rolę. Wszystko jedno, co ci mówią te oblechy. Pierwszej młodości już nie jesteś. I zjechana do tego. Zdzira!*

Ta wymiana zdań miała miejsce w niedzielę, dwudziestego pierwszego stycznia. Kalina faktycznie miała motyw. Groziła zamordowanej dziewczynie. M a m o c h o t ę c i ę z a b i ć, z d z i r o. Brzmiało to dość klarownie.

– I co z tego? – zapytała Kalina defensywnie.

– Potem nastąpiła dłuższa przerwa w waszych kontaktach – odparła Emilia zamiast odpowiedzi. – Kolejna rozmowa między paniami odbyła się dopiero w piątek, drugiego lutego. Na dzień przed początkiem targów budowlanych, gdzie Julia Szymańska była hostessą. *Dzięki za dziś*, napisała wtedy Julia. Widziały się panie tamtego dnia przed targami?

Emilia uznała, że musiało tak być. Po kłótni nie byłoby nagłego podziękowania. Musiały spotkać się na żywo. Być może wtedy się pogodziły, Kalina odpisała emotikoną serduszka.

– Może. Nie pamiętam – mruknęła teraz.

– Potem Julia dopisała jeszcze: *Jesteś pewna, że chcesz to zrobić?* Odpowiedziała pani: *Jasne. Tylko nikomu nie mów*. A Julia na to: *Do zobaczenia w niedzielę*. Miały się panie spotkać na targach budowlanych w niedzielę?

– Nie pani sprawa.

– Powiedz jej – wtrąciła się Izabela Pietrzak.

Nadal trzymała czajnik w zniszczonych dłoniach. Jakby zapomniała, że miała zrobić kawę. Emilia wzdrygnęła się. Żona Ryszarda Pietrzaka miała w sobie coś z prokuratora

Zjawy. Wtapiała się w tło. Można było nie zauważyć, że jest obok i patrzy albo słucha.

– Niczego nie zamierzam jej mówić – warknęła Kalina, jakby teraz ona zapomniała, że Emilia siedzi obok. – Ona jest psem. I tak nie zrozumie.

– Ale to nie jest twoja wina, tylko Pawła.

– Pawła Krupy? – podchwyciła Emilia.

– Nie pani sprawa – powtórzyła Kalina.

– Spotykali się państwo, prawda?

– Co to ma do rzeczy?

– Chłopak jest młodszy od mojej córki, ale umie stawiać na swoim – wtrąciła się znów Izabela Pietrzak. Odłożyła czajnik na palnik. – Dlatego córka z nim zerwała. Poza tym...

– Mamo – przerwała jej Kalina stanowczo. – Zamknij się.

Emilia spojrzała na nią. Czego Kalina tak bardzo nie chciała powiedzieć? *Chłopak umie stawiać na swoim*. Co to mogło oznaczać? Paweł Krupa wydawał się Strzałkowskiej delikatnym człowiekiem mimo krępej, umięśnionej sylwetki.

– To nie pani sprawa – warknęła znów Kalina, zanim policjantka zdążyła zapytać o coś więcej.

Emilia nie zamierzała odpuścić.

– Wróćmy do pani rozmów z Julią – zaproponowała. – Już po targach, w poniedziałek, piątego lutego, Julia napisała do pani: *Jak się czujesz? Malwina Górska też się pyta.*

– Nie musi mi pani tego wszystkiego czytać – przerwała jej kobieta. – Pamiętam, co tam pisałyśmy.

205

Emilia skinęła głową, ale przeleciała jeszcze wzrokiem dalszą część wymiany zdań. *Jak się czujesz? Malwina Górska też się pytała*, napisała Julia. A potem dopisała jeszcze: *Widzisz, mówiłam ci, że ona jest w porządku. Ja jej nie ufam*, odpisała Kalina. *Ty nikomu nie ufasz*, odpowiedziała wtedy Julia i dodała kilka ikonek z uśmiechniętymi buźkami. Kalina Pietrzak nic na to nie odpisała. Po jakimś czasie Julia dopisała więc: *Czyli dobrze się czujesz? Całkiem dobrze. Ale mam zjazd emocjonalny. Nie myślałam, że tak będzie. To chyba normalne? Może*, odpowiedziała jej Julia.

Tak przebiegła rozmowa. Strzałkowska skończyła czytać i zablokowała ekran swojego telefonu.

– Dlaczego była pani w złym humorze po targowej niedzieli? – zapytała. – Stało się coś na tych targach budowlanych?

We wtorek, szóstego lutego, Julia Szymańska już nie żyła. To mogło być kolejne kluczowe pytanie.

– Powiedz jej – upierała się Izabela Pietrzak.

– Nie jej sprawa – burknęła Kalina. – A jeżeli ty jej powiesz…

Kobieta spojrzała na matkę trudnym do rozszyfrowania wzrokiem. Izabela sięgnęła znów po buteleczkę alkoholu i upiła kilka łyków. Strzałkowska czuła, że tego muru nie przebije. Ani jedna, ani druga nie powie, co wydarzyło się w niedzielę, czwartego lutego.

– Po tej poniedziałkowej rozmowie napisała pani do Julii dopiero w środę – przypomniała Emilia, chociaż miała ochotę na bardzo siarczyste przekleństwo. – Napisała pani wtedy, że wyjeżdża do…

– Wiem, co napisałam – przerwała jej Kalina. – Nie wiedziałam, że Julia już nie żyje.

Siódmego lutego Julia Szymańska leżała na stole sekcyjnym. Ale jeżeli Kalina bardzo dobrze o tym wiedziała, to mogła specjalnie napisać do ofiary, żeby później móc twierdzić, jak przed chwilą, że nie zdawała sobie sprawy, że koleżanka już nie żyje. W połączeniu z polubieniem kliknietym z konta Julii tworzyłoby to całkiem zgrabną całość, uznała policjantka. Skoro dziewczyny były ze sobą blisko, to może Kalina też miała klucz od mieszkania Szymańskiej. No właśnie. Kto ma zapasowy klucz, nadal przecież było zagadką.

– Nie zdziwiło pani, że Julia nie odpisała?

– Nie. Musiałam się wyzerować i odpocząć. Pojechałam w góry do sanatorium. Dałam jej o tym znać i potem nie zaglądałam już do telefonu. Miałam wrócić w środę za tydzień. No ale przyjechałam, jak tylko aresztowano ojca. Nie chciałam, żeby matka była z tym sama.

– Napisałam do niej od razu, jak mi Rycha zgarnęli – wtrąciła się Izabela.

– Czyli jednak sprawdzała pani telefon – bardziej stwierdziła niż zapytała Strzałkowska, odwracając się do Kaliny.

– Wiadomości od matki zawsze odbieram – odparła gładko blondynka.

– Ale skoro wróciła pani wcześniej, to czemu nie zdziwiło pani, że Julia się nie odzywa. Chyba już się panie pogodziły. Wtedy ciało nie było jeszcze zidentyfikowane. Nie było tylko odzewu ze strony przyjaciółki.

– Nawet nie pomyślałam, że to była ona. Opis w ogóle się nie zgadzał. Zresztą Julia chadzała własnymi ścieżkami.

207

Myślałam, że akurat nie ma ochoty gadać. No i nie miałam wtedy do tego głowy. Mój ojciec trafił do Starych Świątek zamknięty tam przez was. Chyba pani widziała, jak tam jest. Nikt nie chciałby tam trafić. A wy go tam wsadziliście, mimo że jest niewinny. Nikt nie chciałby tam trafić!!!

Z tym akurat Strzałkowska musiała się zgodzić. Nie mogła sobie wyobrazić, że jest zamknięta w tamtejszej celi. Przez dzień, miesiąc, rok… Nawet przez kilka minut, a co dopiero dłużej. Ciasne pomieszczenie celi doprowadziłoby ją chyba do szaleństwa. To po pierwsze. A jeżeli dodatkowo byłaby niewinna… Cóż, Strzałkowska wcale nie była pewna, czy zniosłaby taką sytuację. Ta myśl dodała jej motywacji, żeby upewnić się, czy Ryszard faktycznie jest winny. Kalina w to nie wierzyła, a Emilia naprawdę chciała rozwiązać tę sprawę. I jeżeli trafił tam w wyniku błędu, to jak najszybciej trzeba zwrócić mu wolność.

– Tak więc nie miałam głowy do zajmowania się kaprysami Julii – dodała jeszcze Kalina. – Naprawdę nie wiedziałam, że coś jej się stało. Dopiero kiedy to zdjęcie… Ta rekonstrukcja twarzy… Dopiero kiedy to zalało Internet, to się zorientowałam, że to może być ona. Zresztą Paweł do mnie zadzwonił, że Dąbrowscy zidentyfikowali Julkę.

– Utrzymują państwo kontakt mimo zakończenia związku?

– A co? To takie dziwne? Chyba normalne, że mi powiedział, że ona nie żyje? Poza tym co? Ludzie nie mogą pozostawać w normalnych stosunkach, mimo że nie są już razem?

– Julia pracowała w stoisku pana Sadowskiego podczas tych targów, prawda? – zagaiła Strzałkowska, żeby zmienić temat. Nie miała ochoty drążyć kwestii jakichkolwiek skomplikowanych związków. Za dużo miała tego we własnym życiu.

– Tak.

– Wie pani może, jak się układała ta współpraca?

– A jak się miała układać?

– Julia pochodzi przecież z rodziny, która konkuruje z firmą pana Sadowskiego.

– Niech pani mi uwierzy – zaśmiała się Kalina – jak się jest hostessą, to człowiek ma w dupie, w którym stoisku siedzi. Podaje się ulotki, uśmiecha, kręci tyłkiem albo cyckami i tak dalej. To wszystko.

– I tak dalej? – zapytała Strzałkowska powoli.

Kolejne słowa pełne sugestii. Chciała delikatnie naprowadzić rozmowę na to, co dawał wcześniej do zrozumienia Paweł Krupa. Być może Franciszek Sadowski wykorzystał Julię.

– I tak dalej – powtórzyła Kalina. Najwyraźniej znów nie zamierzała wchodzić w szczegóły.

– Pan Franek to taki dobry człowiek – zachwyciła się tymczasem Izabela Pietrzak. – Tak nam pomaga. I nie tylko nam. Naszemu Oliwierowi też kiedyś pomógł. Pawłowi właśnie. No i nawet Jakubowi Dąbrowskiemu też. No i teraz Robertowi Janikowi.

Emilia spojrzała na Izabelę zaskoczona.

– Jakub Dąbrowski też był podopiecznym Franciszka Sadowskiego? – upewniła się. Dąbrowski wypowiadał się o Sadowskim nieprzychylnie, ale Emilia założyła, że to ze względu na krzywdę swojego pracownika. Teraz okazywało się, że on też mógł zostać wykorzystany przez Sadowskiego.

– Jo. Potem poszedł pracować do Szymańskich. No i jak Tomasz Szymański spadł z rusztowania, to chajtnął się z Zośką i teraz firma jest jego. A potem podebrał panu Frankowi Pawła Krupę. Wtedy właśnie Robert Janik został sekretarzem pana Frania.

No proszę. I po raz kolejny osoba Sadowskiego została przedstawiona w dwóch różnych światłach. Od ekstremalnego chwalenia do negatywnego spojrzenia. Które było prawdziwe?

ROZDZIAŁ 29

Supermarket Kaufland w Brodnicy.
Czwartek, 15 lutego 2018. Godzina 9.05.
Sierżant sztabowy Radosław Trawiński

Trawiński patrzył na wyładowany wózek. Maja napakowała do środka tyle produktów, że prawie wypadały na zewnątrz. A dopiero dotarli do połowy sklepu. Zaraz przejdą do działu z kosmetykami i tam dopiero się zacznie.

Albo jeszcze inaczej. Żona pewnie zarządzi zaraz, żeby poszli do Rossmanna w Dekadzie. Zawsze czegoś jej brakowało. Siedemset złotych za zakupy? Proszę bardzo. Lekką ręką. Trawiński czasem nie mógł uwierzyć, jak Maja daje radę tyle wydać za jednym razem. A jednak zawsze jej się udawało.

– Lenka powinna pójść do prywatnego przedszkola – oznajmiła żona, wkładając do koszyka jakiś dodatkowy ser, którego na pewno nie potrzebowali. Trawiński był prostym człowiekiem. Nie musiał jadać wykwintnych kanapek, które żona mu przygotowywała. Maja najwyraźniej nie potrafiła inaczej.

– Myślałem raczej, żeby poszła do państwowego. Tam, gdzie ja chodziłem…

Maja spojrzała na niego z lekkim uśmiechem, który mówił: *To źle myślałeś*. Zazwyczaj Trawiński uśmiechnąłby się w odpowiedzi, ale zaczynał mieć już wszystkiego dosyć. Sprzedał się. Strasznie go to gnębiło. Nie chciał tak dalej żyć. W nocy podjął decyzję. Koniec z wydawaniem fortuny. Koniec ze sprzedawaniem informacji i innymi przysługami dla bossa.

Boss. Tak Trawiński nazywał go w myślach. Trochę prześmiewczo. Choć na głos nigdy by nie zaryzykował, bo jeszcze by się boss dowiedział. Policjant obiecał sobie, że ostatnia informacja, którą przekaże, to będzie sprawozdanie o tym, że Strzałkowska przejęła sprawę. Zresztą i tak boss na pewno o tym wiedział. Nie wydawał się zaskoczony, kiedy Trawiński mu o tym mówił. No i dobrze. Koniec.

– Nie podoba mi się ten krem, który kupiliśmy ostatnio – powiedziała Maja nieświadoma jego rozważań. – Muszę wziąć inny.

Nieświadoma? Coraz trudniej było mu w to uwierzyć. Musiała coś przecież zauważyć. Z pensji policjanta nie byłoby go stać na takie szastanie pieniędzmi. A ona przecież nie pracowała. Żyli tylko z tego, co on przyniósł.

– Ale musisz od razu brać dwa? – zapytał Trawiński.

Zerknął na ceny. Każdy z tych kremów kosztował dwadzieścia złotych. Razem czterdzieści. Wszystko byłoby dobrze, gdyby nie to, że produktów w podobnej cenie miał pełny wózek. Już sobie wyobrażał spojrzenia ludzi przy kasach.

– A skąd mogę wiedzieć, który będzie lepszy? – odparła żona w odpowiedzi. Na jej twarzy pojawił się rozbrajający uśmiech, który Trawiński tak kochał. – Jak poznam nową markę, to może się okazać, że źle na mnie działa. Wtedy na wszelki wypadek muszę mieć drugi, żeby zacząć go od razu używać zamiast tamtego złego.

– Nie jestem milionerem. Myślę, że państwowe przedszkole dla Lenki wystarczy – mruknął, żeby choć w tej sprawie postawić na swoim. – Karol chodzi do państwowej szkoły i żyje.

– Właśnie o tym musimy porozmawiać, jak wrócimy do domu – odparła Maja lekkim tonem. – Myślę, że powinniśmy zapewnić Karolkowi dodatkowe zajęcia. Tam niczego go nie nauczą. Chyba chcesz, żeby nasz syn miał dobry start. A Lenka? Wiesz, jak trudno jest kobietom w tych czasach?

Trawiński zaczął przeliczać w głowie, ile ten dobry start może kosztować. Czy jest szansa, by jakoś na to zarobić legalnymi metodami? Był w wydziale kryminalnym od niedawna. Może jak jeszcze trochę posiedzi, to będzie wyciągał cztery, cztery i pół tysiąca. Ale potrzebna była grupa*... Nieważne. Tak czy inaczej, kogo on oszukiwał. Z czterech tysięcy nie opłaci wszystkich rachunków, zakupów za siedemset złotych w każdym tygodniu, prywatnej szkoły i przedszkola, dodatkowych lekcji, wycieczek za granicę i tak dalej.

Może spróbuje poprosić naczelnika o wyrażenie zgody na podjęcie dodatkowej pracy. Mógłby jeździć taksówką. Lubił prowadzić samochód. Albo pójść na bramkę do jakiegoś lokalu. Chociaż nie. Tam byłoby za dużo pokus. Przecież ludzie bossa byli wszędzie i sprzedawali towar. Trawiński wolałby się już z nimi nie spotkać. Zwłaszcza po tym, jak w końcu oznajmi bossowi, że kolejnych przysług nie będzie. To mogłoby się różnie skończyć.

* Chodzi o grupę zaszeregowania, według której policjanci dostają wynagrodzenia.

ROZDZIAŁ 30

Zakład produkcyjny Franciszka Sadowskiego.
Czwartek, 15 lutego 2018. Godzina 9.55.
Młodszy aspirant Emilia Strzałkowska

Niech pani usiądzie – zaproponował młody mężczyzna.

Robert Janik był sekretarzem Franciszka Sadowskiego, ale workowate spodnie i bluza przywodziły Emilii na myśl raczej chłopaków przesiadujących pod blokami. Miała z takimi sporo do czynienia, kiedy zaczynała służbę w Warszawie. To były czasy, kiedy wielu z nich słuchało zbuntowanych raperów i wygrażało policji. Kiedy się ich zatrzymało, miny im rzedły.

Ubranie Roberta to jednak było nic. Największe wrażenie robiła blizna biegnąca przez całą szerokość twarzy Janika. A właściwie od lewej skroni do prawego ucha. Wyglądało to, jakby ktoś chciał narysować chłopakowi wielki znak X na twarzy, ale ostatecznie zadowolił się tylko jednym ramieniem. Lewe oko było półprzymknięte. Może został uszkodzony jakiś nerw.

– Życzy sobie pani kawę? – zapytał. Pełen uprzejmości głos nie pasował zupełnie ani do ubrania, ani do wyglądu.

– Przed chwilą piłam. Bardzo dziękuję.

– Ano tak. Skoro Kalina nas odwiedziła, to na pewno zaparzyła.

Strzałkowska przyszła do pokoju Roberta Janika zaraz po rozmowie z Kaliną i Izabelą Pietrzak. Chłopak z blizną mieszkał pod szóstką, niedaleko kuchni. Dlatego Strzałkowska postanowiła zajrzeć najpierw do niego, a potem pomówić z Sadowskim.

– Będzie miała pani coś przeciwko, jak wpuszczę psa? – zapytał Janik.

– Oczywiście nie.

Robert Janik podszedł do drzwi balkonowych. Malutki piesek wskoczył do środka, kiedy tylko się otworzyły.

– Franciszek podarował mi tego pieska, bo też ma bliznę – wyjaśnił Robert, wracając do środka. – Ale szef nie lubi, jak biorę go do biura. A mnie szkoda Filemona.

– Filemon to przecież był kot – zdziwiła się Strzałkowska.

Robert Janik spojrzał na nią, jakby nie zrozumiał. Chyba był za młody, żeby znać bajkę o przygodach białego kotka.

– Jak układają się panu relacje z szefem? – zapytała delikatnie. Przyszła tu w innym celu, ale była bardzo ciekawa, jak kolejna osoba przedstawi Sadowskiego.

– Świetnie. Pan Franciszek wyciągnął mnie z totalnej biedy. Pewnie zna pani Kałaskę?

Emilia skinęła głową. Osiedle przy Sikorskiego okryło się złą sławą. To były trzy czy cztery niskie bloki z mieszkaniami socjalnymi. Sama nie była tam nigdy na interwencji, ale koledzy z Brodnicy mówili, że to wylęgarnia złodziei i rozbojarzy.

– No właśnie – powiedział, widząc chyba jej minę.

– Stamtąd pochodzę. Tam się wychowałem. Z tatusiem, którego zazwyczaj nie było, i mamusią, która też średnio sobie radziła. Ale chyba nie dlatego pani tu przyszła? Nie po to, żeby rozmawiać o moich starych? A jeżeli o nich, to ja nie mam z nimi nic wspólnego. Nie wiem, co zmalowali.

– Nie chodzi o nich – zapewniła policjantka. – Chciałam z panem chwilę porozmawiać, bo dowiedziałam się, że spotykał się pan z Julią Szymańską.

Mówiła do niego w formie grzecznościowej, mimo że musiał być w wieku Łukasza. Blizna na twarzy dodawała mu trochę lat, ale Emilia nie sądziła, żeby miał więcej niż dziewiętnaście. Wąs ledwo mu się sypał.

Robert Janik usiadł na łóżku z psem Filemonem na kolanach. Wyjął z kieszeni monetę i zaczął ją podrzucać. Jakby chciał sprawdzić, czy spadnie orzeł, czy reszka. Kolejna moneta, przebiegło Emilii przez myśl. Jedna połknięta przez Julię. Grosik. I dziewiętnaście monet z lat siedemdziesiątych w torebce ofiary. Do tego słoik monet w sekretarzyku u rodziny Kwiatkowskich.

Robert Janik znów podrzucił monetę. Policjantka próbowała zobaczyć, czy to taka sama jak w torebce Julii. Niestety siedziała za daleko.

– Julia nie była moją dziewczyną – zaprzeczył szybko, nadal podrzucając monetę. – Kto pani tak powiedział?

Strzałkowska uśmiechnęła się. Informacja, że Oliwier Pietrzak, nie była Janikowi do niczego potrzebna.

– Przypuszczałem, że ona zacznie gadać wszystkim takie bzdury – mruknął chłopak, wobec braku odzewu ze strony Strzałkowskiej.

– W jakim sensie?

– No tak jak to czasem dziewczyny. Zawsze wyobrażają sobie za wiele.

Policjantka poczuła ukłucie niepokoju. Może ona też wyobrażała sobie za wiele, jeśli chodzi o Daniela. Odgoniła te myśli. Zostało naprawdę niewiele czasu. Jeżeli tylko Weronika nie jest w ciąży, wszystko będzie dobrze.

– A co Julia sobie wyobrażała? – zapytała policjantka.

– No właśnie że jest moją dziewczyną. Raz się przespaliśmy – uściślił chłopak. – To wszystko. To było w sobotę na targach. Nocowaliśmy tam i nie było za bardzo co robić. To poszliśmy do łóżka i tyle. Nic więcej z tego nie wynikło. Robiła u nas w stoisku, to się jakoś zgadaliśmy. Ja nie planowałem tego kontynuować. To był tylko seks.

Emilia miała wrażenie, że Robert Janik nie mówi jej wszystkiego.

– Tak po prostu?

– A niby czemu nie? Nie jesteśmy dziećmi. Ona skończyła osiemnaście w styczniu, a ja będę miał w marcu – poinformował, potwierdzając wcześniejsze przypuszczenia Strzałkowskiej co do jego wieku. – Wtedy też będę miał normalną umowę i tak dalej. Na razie pomagam tu za darmo. Znaczy…

Emilia miała wrażenie, że Robert trochę się w tym wszystkim zaplątał. Jakby bał się, że Strzałkowska zaraz zatrzyma go za jakieś oszustwa podatkowe. Dziwna obawa, skoro de facto przyszła przesłuchiwać go w sprawie morderstwa.

Nadal nie mogła oprzeć się wrażeniu, że nie powiedział wszystkiego na temat Julii. A fakty były takie, że spędził z dziewczyną noc z soboty na niedzielę. Ten fakt może okazać się istotny. Zwłaszcza wobec wcześniejszej małomówności Kaliny Pietrzak.

– Czy Julia wspominała coś o planach na niedzielę? – zapytała Emilia. – Może planowała coś robić z Kaliną?

Kalina Pietrzak nie chciała powiedzieć, o czym rozmawiały z Julią na Messengerze, ale można było łatwo wywnioskować, że coś się wydarzyło w niedzielę. Być może Szymańska powiedziała coś Robertowi w trakcie seksu. Przecież nie kochali się non stop. Musieli chociaż chwilę porozmawiać, pomyślała Strzałkowska z uśmiechem.

– Nie mam pojęcia. Wiem natomiast, że potem się okazało, że samochód jej się zepsuł. My już nie mieliśmy miejsca, żeby ją zabrać, więc Julia zadzwoniła po Oliwiera Pietrzaka, żeby po nią przyjechał w niedzielę po południu. To pewnie jemu naopowiadała, że jestem jej chłopakiem, tak? – zgadywał Robert Janik. Po raz kolejny podrzucił wysoko monetę. – A teraz niech pani spojrzy… Cyk i nie ma.

Moneta faktycznie zniknęła. Strzałkowska rozejrzała się, ale nigdzie jej nie widziała.

– Dobry jestem w te klocki – zaśmiał się chłopak. – A co? One miały we dwie jakieś plany na niedzielę? Nie wiedziałem, że Kalina w ogóle była na targach. U nas na stoisku w każdym razie nie pracowała. U konkurencji chyba też nie, bo poszedłem się przejść i pooglądać.

No proszę, pomyślała Emilia. Kalina nie chciała powiedzieć, czy była na targach. Ale była za to tamtego dnia w Bydgoszczy. Po co? Wiedziała coś na ten temat Julia, ale ona już nie żyła. Wiedziała chyba też pisarka, bo Julia napisała, że Malwina pytała o samopoczucie Kaliny. Emilia i z nią powinna pomówić. Może od niej się czegoś dowie. Zwłaszcza o tym programie.

– A gdzie pan był we wtorek, szóstego lutego? – zapytała.

Robert Janik spiął się wyraźnie na te słowa. Piesek na jego kolanach pisnął, jakby wyczuł zdenerwowanie pana.

– No tu.

– Ktoś może to potwierdzić?

Zastanawiał się przez chwilę. Może chciał skłamać?

– Nie – powiedział w końcu.

Kolejna osoba bez alibi, podsumowała w myślach Emilia.

– Uważa pan, że Julię mógł zabić Ryszard Pietrzak? – zapytała. Pora była chyba pójść do Franciszka Sadowskiego.

– Nie wiem. On jest dziwny. – Chłopak z blizną wzruszył ramionami. – Ale pytała pani, jakie Julia mogła mieć plany na niedzielę. No to nie wiem, jakie miała. Ale teraz sobie myślę, że może wiem z kim.

– Nie z Kaliną?

– Nie.

ROZDZIAŁ 31

Pod Komendą Powiatową Policji w Brodnicy.
Czwartek, 15 lutego 2018. Godzina 10.10.
Prokurator Bastian Krajewski

Prokurator Bastian Krajewski czyścił metodycznie okulary. Nie lubił, kiedy były brudne albo zaparowane. A o to zimą było nietrudno. Były zupełnie nowe z ładną modną oprawką. Odebrał je w niedzielę niespełna dwa tygodnie temu, kiedy był w Bydgoszczy. Optyk zgodził się otworzyć pracownię, żeby Bastian nie musiał jechać po raz kolejny ponad sto kilometrów. Był w mieście, bo przyjechał na targi budowlane. Specjalnie dla bardzo ważnej osoby. No i w ten sposób upiekł dwie pieczenie przy jednym ogniu. W Brodnicy byli oczywiście dobrzy optycy, ale Bastian miał swojego sprawdzonego. Właściwie od dzieciństwa. Bo zaczął tam przychodzić jeszcze z rodzicami. Kiedyś mieszkał w Bydgoszczy.

Ludziom wydawało się, że albinizm to tylko charakterystyczny wygląd. A tak naprawdę to był szereg trudności, z którymi Bastian musiał mierzyć się przez całe życie. Chociażby problemy z oczami. I tak cieszył się, że nie ma światłowstrętu, jak niektórzy jego znajomi. To był temat rzeka.

Prokurator westchnął cicho. Zastanawiał się, czy iść na komendę, czy nie. Niby był już na miejscu, ale nie miał ochoty opuszczać bezpiecznego samochodu. Kolejna rzecz, której trochę się wstydził. Nie lubił ludzi. Nie lubił tego ich wzroku pełnego zainteresowania. W najlepszym przypadku zainteresowania, a obrzydzenia w nieco gorszym.

Zerknął znów w stronę komendy. Jeżeli Strzałkowskiej nie było na miejscu, to po co miał wychodzić. Ale jeżeli nie pokaże się i nie ponaciska, to nadal będzie szperała. A on bardzo chciał już zakończyć tę sprawę. Bardzo.

Tak bardzo, że pojechał nawet do Kaliny Pietrzak. Poznali się w niedzielę w Bydgoszczy. Sam nie do końca wiedział, co chce uzyskać. Czuł się zagubiony. Położył dłoń na kaburze pistoletu. To dawało uspokojenie. Cieszył się, że wyrobił wreszcie pozwolenie na broń. Człowiek lepiej się czuł, kiedy miał mocny atut w ręce.

ROZDZIAŁ 32

W zakładzie produkcyjnym Franciszka Sadowskiego.
Czwartek, 15 lutego 2018. Godzina 10.10.
Młodszy aspirant Emilia Strzałkowska

Emilia przeszła przez pokryty wiórami dziedziniec. Robert Janik podążał dwa kroki za nią. Miał ją zaprowadzić do Franciszka Sadowskiego, tymczasem wyglądało to tak, jakby to ona go gdzieś prowadziła.

– Wróćmy do tej targowej niedzieli – zaproponowała Strzałkowska.

Przed chwilą pytała Roberta, czy ten wie, jakie plany na niedzielę miała Julia. Janik najpierw zaprzeczył. Potem jednak wpadło mu coś do głowy.

– Tak – powiedział. – No więc widziałem ją w niedzielę na targach w towarzystwie Sławomira Kwiatkowskiego. Pani się pytała, jakie Julia mogła mieć plany. No to nie wiem jakie. Ale mogę podejrzewać, że z nim, a nie z Kaliną.

– Dlaczego z nim?

– Bo widziałem, że Sławomir dawał jej pieniądze.

– Pieniądze? – podchwyciła Emilia.

– No tak. Pieniądze. Zwitek banknotów. Kasa. Hajs. Pieniądze.

Ostatnie słowo niemal przeliterował. Policjantka przez chwilę myślała, że będzie chodziło o dziwne monety, które dziewczyna miała w torebce. Sławomir mógł je z łatwością wyjąć ze słoja w sekretarzyku żony.

– A ponieważ one świadczyły czasem dodatkowe usługi, pomyślałem, że Julia takie właśnie miała plany – dodał Robert Janik, nieco przyspieszając kroku. Teraz się zrównali.

– Dodatkowe usługi? – zdziwiła się Strzałkowska.

Robert Janik wyglądał na zmieszanego. Jakby powiedział zbyt wiele.

– A takie tam – mruknął. – Ale Julia nie chciała tych pieniędzy. Widziałem, że próbowała mu je oddać, ale Sławomir Kwiatkowski jej je wciskał. Tak że… Potem widziałem ją jeszcze raz w okolicach stoiska Kwiatkowskich. Ale samą. No nic, już jesteśmy. Biuro mojego szefa. Tu panią zostawię.

To powiedziawszy, Robert Janik oddalił się szybko, zostawiając Emilię pod drzwiami mniejszego budynku za zajazdem. Stała nieco zdezorientowana. Czyżby chłopak z blizną zasugerował, że Sławomir Kwiatkowski chciał uprawiać seks z Julią? Oliwier Pietrzak był nie tylko właścicielem agencji modelek i hostess, ale też stręczycielem? Możliwe, że trzeba będzie porozmawiać z nim raz jeszcze. Tak samo ze Sławomirem. Kiedy wczoraj była u nich, Kwiatkowski nawet nie zająknął się, że miał jakikolwiek kontakt z Julią. Ale gdyby chodziło o seks, przy żonie raczej by o tym nie mówił.

Żona, przebiegło Emilii przez myśl. Przecież Julia Szymańska była ubrana jak młoda Hanna Kwiatkowska. Może Sławomir zapłacił dziewczynie, żeby udawała jego małżonkę w jakiejś seksualnej grze? Miała jej strój i atrybuty w postaci dziwnych wiedźmich kamieni i starych monet, do których Sławomir miał łatwy dostęp. Może potem ta gra wymknęła się spod kontroli? Trzeba sprawdzić ten wątek.

Na razie Emilię czekała przeprawa z Franciszkiem Sadowskim. Wreszcie miała przekonać się sama, czy jest dobrodusznym filantropem, czy może człowiekiem, który wykorzystuje młodzież, której miał pomagać. Zapukała do drzwi biura.

– Proszę – rozległo się ze środka.

Emilia weszła ostrożnie przez próg. Podczas przywitania rozglądała się po pomieszczeniu zaciekawiona. Ściany były dosłownie zapełnione zdjęciami. Większość wyglądała na pamiątki z obozów sportowych. Na wszystkich fotografiach Sadowski pozował z młodymi ludźmi. Góry. Morze. Las. Wypełniały każdą wolną przestrzeń. Jak plakaty filmowe w mieszkaniu Oliwiera Pietrzaka, przebiegło Strzałkowskiej przez myśl. Być może Oliwier podpatrzył to tutaj.

– Oprócz pomagania konkretnym osobom, jak na przykład Robertowi Janikowi, organizuję też obozy dla młodzieży – wyjaśnił dobrotliwym tonem Franciszek. – Dla dzieci, które są... No powiedzmy, że są w opłakanym położeniu. Staram się pokazać im wszystkim, że inne życie jest możliwe. Często mówi się, że ta młodzież jest trudna. A to nie młodzież jest trudna. To okoliczności są trudne. Nie mają dobrego startu w życiu. Najczęściej niestety przez rodziców. Wspieram taką młodzież. Daję stypendium, organizuję obozy. A niektórym pozwalam pracować i mieszkać tu u mnie. Jak Robertowi. Robię to, jeśli są w szczególnie trudnych sytuacjach. Jestem zdania, że jeżeli tylko da się człowiekowi szansę, to może zacząć od nowa. Niech pani spojrzy chociażby na Roberta. Wyszedł z jednego z gorszych środowisk, a został moim osobistym sekretarzem. I to w tak młodym wieku. Powiem szczerze, że obszedłbym się bez sekretarza, ale widzę, że chłopak cieszy się tym, że jest potrzebny.

– Chyba się tu odnajduje – przyznała Emilia ostrożnie.

Sadowski się rozpromienił. Jego krągła twarz wydawała się jednym wielkim dobrotliwym uśmiechem. Można by powiedzieć, że mężczyzna wręcz ocieka słodyczą. Strzałkowska miała teraz wrażenie, że ten lukier jest nieco na pokaz. Cały w uśmiechach ten człowiek wydawał się niegroźny, a jednak być może wykorzystywał młodych ludzi. A może i Julię Szymańską. Może nawet kazał ją Ryszardowi Pietrzakowi zabić.

– Bardzo cieszą mnie pani słowa – powiedział. – Ale nie tylko ja działam charytatywnie w naszym mieście. Nasze panie teraz rozkręciły charytatywne pieczenie pączków. Można kupować wypieki albo je licytować. Pieniądze idą na różne cele. Jak widać, można robić różne takie rzeczy, jeśli trzeba, nawet zakopać topór wojenny. Na przykład małżonki moich konkurentów jakoś się dogadały i razem robią te pączki. Nawet żona pani szefa, Daria. I trochę innych pań. Uważam, że to fajna rzecz. A co pani sądzi?

Franciszek Sadowski znów się rozpromienił. Przez swój niski wzrost i sporą nadwagę sam wyglądał jak pączek w maśle.

– Co pan robił we wtorek, szóstego lutego, w godzinach popołudniowych? – zapytała Emilia, choć pytanie o alibi wydawało jej się trochę zbędne.

Sadowski nie wyglądał na człowieka, który dokonałby morderstwa własnymi rękoma. Jeżeli więc nawet Julia faktycznie zginęła z jego inicjatywy, to na pewno zadbał o wyjaśnienie, gdzie sam w tym czasie przebywał.

– A tak się złożyło, że dwa dni z rzędu siedziałem tu w recepcji.

Sadowski puścił do Emilii oko. Porozumiewawczy uśmieszek sprawił, że była pewna, że mężczyzna pamięta o jej wizycie w zajeździe razem z Danielem. Byli tam w poniedziałek, piątego lutego, w przeddzień śmierci Julii. Sadowski najwyraźniej tego nie zapomniał.

– Robert jest tu, mimo że mieszkają już u mnie Ryszard i Izabela – podjął Sadowski. – Z reguły nie pomagam dorosłym, ale Oliwier bardzo mnie prosił. On też kiedyś był moim podopiecznym. Jednym z bardziej oddanych. No ale Pietrzakowie czasem mnie zawodzą. Na przykład Izabela powinna siedzieć w recepcji, a okazuje się, że wypiła i nikogo tam nie ma. Wtedy muszę dyżurować ja albo Robert. A teraz stało się to. Ciężko mi uwierzyć, że Ryszard jest zdolny do morderstwa. I to takiego. No ale jak przestawał brać leki…

– Tylko że on nie przestał.

– Naprawdę? No to już nie wiem… W każdym razie to straszne, co się stało. Naprawdę. Ale to nie może rzucać cienia na pracę filantropijną całego mojego życia. Że jeden podopieczny zbłądził, nie znaczy, że inni to zrobią.

Resocjalizacja to trudna dziedzina. Coś może się nie udać. Lubi pani samoloty z papieru?

– Słucham?

Sadowski sięgnął po kartkę i zaczął ją składać. Ruchy jego pulchnych palców były powolne i precyzyjne.

– Ja lubię je robić. To mnie uspokaja. Powtarzam też moim podopiecznym, żeby znaleźli coś, co ich uspokaja. Gniew można okiełznać. Jedni mają go w sobie więcej, inni mniej. Ale można sobie z nim poradzić. Naprawdę można. Pani też sobie z nim poradzi.

Strzałkowska poruszyła się nerwowo. Co wiedział, a czego się domyślił? Wynajęli z Danielem pokój na godziny. Weszli ukradkiem. Pewnie było to dość oczywiste. Ale co do gniewu Sadowski się mylił. Nie miała w sobie gniewu, raczej brak akceptacji dla sytuacji, w której się znalazła. A może to było faktycznie podszyte gniewem? Szczerze mówiąc, momentami nienawidziła Weroniki. Podgórska była personifikacją cierpienia, które Strzałkowska odczuwała każdego dnia.

– Pani gniew też da się uspokoić – powtórzył dobrodusznie Franciszek Sadowski.

Teraz naprawdę zaczęła narastać w niej złość. Nie lubiła, kiedy ktoś wchodził z butami w jej życie, a już na pewno nie mężczyzna, który być może pod płaszczykiem pomagania dzieciom zajmował się wykorzystywaniem tych młodych, pozbawionych perspektyw ludzi. I on będzie jej mówił, że gniew da się uspokoić?

– To znaczy nie chciałbym zbierać wszystkich laurów – podjął znów Sadowski. – Świętej pamięci Tomasz Szymański, ojciec tej zamordowanej dziewczyny, trochę mi pomagał swojego czasu. Kwiatkowscy też. Nie wiem, czy pani uwierzy, ale kiedyś umieliśmy współpracować. A potem wszystko przepadło. Kapitalizm ponad wszystko. Znaczy Kwiatkowscy doszli później. Oni też tacy niby biedni.

– Biedni? – powtórzyła za nim policjantka.

Dom Kwiatkowskich przypominał wprawdzie drewniany budynek z amerykańskiego horroru, ale na pewno nie dowodził, że jego właścicielom brakuje funduszy.

– Mówię o wypadku, w którym zginęli ich pierwsi małżonkowie. Kiedy Hanna i Sławomir się poznali. Z tego, co wiem, Sławomir tak mocno się przystawiał do Hanki, że się zgodziła na ślub. Może już wcześniej miał taki plan, a potrzebne mu było tylko usunięcie jej pierwszego męża…

Franciszek Sadowski pozwolił, żeby ostatnie zdanie zawisło w powietrzu.

– Sugeruje pan, że to nie był nieszczęśliwy wypadek?

Sadowski wzruszył ramionami, jakby chciał powiedzieć: ja tam nie wiem.

– Julia pracowała u pana w stoisku podczas targów budowlanych, prawda? – zapytała Emilia, wracając do głównego tematu. Uznała, że nie będzie na razie dopytywała o wypadek pierwszych partnerów Hanny i Sławomira. Może ten temat wypłynie, jak wróci do Kwiatkowskich.

– Jo.

– Jak się układała współpraca?

– Powiem szczerze, że tak średnio – wyznał nieoczekiwanie Sadowski.

Strzałkowska spodziewała się raczej kolejnych zaprzeczeń lub peanów zadowolenia okraszonych słodkim uśmiechem.

– Dlaczego?

ROZDZIAŁ 33

Dom Kwiatkowskich. Czwartek, 15 lutego 2018.
Godzina 10.45.
Sławomir Kwiatkowski

Sławomir przyjrzał się sobie w lustrze. Różowy krawat z lukrowanymi piernikami był jednym z jego ulubionych. Mieszanka nonszalancji i domowego ciepła. Idealny, jeżeli człowiek chciał sprawiać wrażenie niegroźnego i dobrodusznego. Ten sam założył podczas targów w niedzielę. Miał nadzieję, że spodoba się Julii, ale niestety nie wszystko poszło po jego myśli. Dziewczyna była twardsza, niż się spodziewał. Sławomir szybko zrozumiał, że żaden krawat tu nie pomoże.

Na samą myśl o niedzielnym upokorzeniu miał ochotę przekląć głośno. Powstrzymał się, bo Hanna i Beniamin siedzieli przy stole i przeglądali w ciszy gazety. Na pewno zapytaliby, o co chodzi. Przecież nie mógł powiedzieć im prawdy.

Poza tym miał inne sprawy na głowie.

– Co z nim zrobimy? – zapytał ostro, podchodząc do stołu. – Jest naszym wspólnym problemem.

Hanna i Beniamin spojrzeli na niego niechętnie. Nie szkodzi. Byli rodziną. Rodzina wspólnie sobie radzi. Nie ma wyjątków od tej zasady. Nieważne, kto nabroi. Konsekwencje ponoszą wszyscy. Dlatego wszyscy muszą starać się do nich nie dopuszczać. To była jego zasada.

ROZDZIAŁ 34

Komenda Powiatowa Policji w Brodnicy.
Czwartek, 15 lutego 2018. Godzina 10.45.
Młodszy aspirant Emilia Strzałkowska

Emilia stanęła na parkingu za komendą. Czasem trochę się bała zostawiać tu auto, bo niezadowoleni klienci doskonale wiedzieli, które samochody należą do policjantów. Daniel wspominał, że ktoś kiedyś porysował mu samochód. Innemu koledze auto obklejono naklejkami lokalnego klubu piłkarskiego. Ludzie wymyślali różne rzeczy, żeby okazać swoje rozgoryczenie za zatrzymanie, mandat czy inne niezasłużone, jak twierdzili, niedogodności. Jej jeszcze nigdy nie spotkała taka niemiła przygoda. Odpukać. Lepiej nie kusić losu.

Nie płaciło się tu za parkowanie, więc parking był dość popularny również wśród mieszkańców miasta. Nie tylko policjantów. Jeżeli przyjechało się późno, trudno było znaleźć wolne miejsce. Dziś Emilia miała szczęście. A jeszcze obok niej zostało trochę wolnego. Ktoś się zmieści, jak się postara.

Nie wysiadała. Pozwoliła sobie na chwilę odpoczynku. Zaraz wejdzie do jednostki i uporządkuje wszystkie informacje, które udało jej się do tej pory zebrać. Zanim na miejscu zjawi się prokurator Krajewski.

Potrzebowała chwili tylko dla siebie, bo rozmowa z Franciszkiem Sadowskim bardzo ją zmęczyła. Było we właścicielu zajazdu coś dziwnego. Jakby wysysał z człowieka energię. Ale czuło się to dopiero, kiedy nie było go już w pobliżu. Działało to tak, jakby swoją obecnością znieczulał, a efekty pojawiały się potem.

Ale i rozmowa z nim coś jej dała. Sadowski przyznał na przykład, że jego współpraca z Julią Szymańską podczas targów budowlanych nie była idealna. Zaskoczył tym Emilię, bo myślała, że Sadowski raczej będzie zapewniać, jak dobrze dogadywali się z Julią, żeby nie rzucać na siebie podejrzeń. Tymczasem przyznał się Strzałkowskiej, że pokłócił się ostro z dziewczyną, bo zamiast siedzieć w jego stoisku, wolała przechadzać się po targach. A w niedzielę miała pójść na krótką przerwę, a nie było jej dużo dłużej niż wypalenie jednego papierosa. Sadowski twierdził, że Julia zniknęła być może nawet na pół godziny albo czterdzieści minut. Jego gniew złagodziło jedynie to, że załatwiła mu bardzo dobrą klientkę, Malwinę Górską. Policjantka widziała, że z tego kontraktu na budowę domu Sadowski był wyraźnie zadowolony.

Zastanowiło ją natomiast jedno. Julia Szymańska miała jakieś plany na niedzielę. Były chyba związane z Kaliną Pietrzak, ale być może także ze Sławomirem Kwiatkowskim. Dziewczyna zrobiła sobie dłuższą przerwę od pracy w stoisku Sadowskiego. Pół godziny, a może nawet czterdzieści minut. Czy właśnie w tym czasie robiła to coś, czego nie chciała zdradzić Kalina?

Policjantka uznała, że to jest trop, któremu trzeba będzie się przyjrzeć. Tymczasem musi iść na górę i zająć się papierami: przejrzeć w końcu billingi z telefonu Julii oraz resztę rozmów na Messengerze. Może tam zajdzie jakieś odpowiedzi.

Wysiadła z samochodu i zaczęła zamykać drzwi. Nagle usłyszała za swoimi plecami głośny bulgot silnika. Nie musiała się odwracać, żeby wiedzieć, kto zaparkował na miejscu obok. Poczuła, że serce bije jej szybciej.

Odwróciła się powoli. Daniel uśmiechnął się do niej przez szybę błękitnego subaru. Skinęła mu głową jakby nigdy nic.

– Co za spotkanie – powiedział, wysiadając.

Sięgnął po papierosa, jak tylko zamknął drzwi. Przewróciła oczami.

– Nie powinieneś tyle palić – powiedziała. Serce waliło jej jeszcze szybciej niż wcześniej. Ciekawa była, czy jemu też.

– Jo, jo, jo – zażartował. Oczy mu się uśmiechały.

Miała ochotę wyjąć mu papierosa z ust, ale się powstrzymała. Nie wiedziała, na ile może sobie pozwolić. Ciągłe ukrywanie się mieszało jej już w głowie. Który gest jest jeszcze w porządku, a który to będzie za wiele?

– No i co tam? – zapytał Daniel lekko.

Poprawił kosmyk jej włosów swoją wielką dłonią. Zaskoczył ją ten intymny gest. Byli przecież na widoku. Na środku parkingu. Pod ich własną jednostką. Najwyraźniej Podgórski też nie mógł się powstrzymać.

– Ubieraj się cieplej – powiedziała cicho. Tylko to przyszło jej do głowy, żeby ukryć zakłopotanie i chęć przytulenia

233

się do niego. – Chodzisz rozpięty, a przecież jest środek zimy. Zaziębisz się.

– Tak, mamo – odparł Podgórski i uśmiechnął się zawadiacko.

Posłusznie zapiął kurtkę. Opinała się lekko na zaokrąglonym brzuchu. Cały czas mówił, że to mankament, z którym musi coś zrobić. Strzałkowskiej ten m a n k a m e n t wcale nie przeszkadzał. Daniel podobał się jej cały i tyle. Dla niej był idealny. Choć podobno coś takiego jak ideał nie istnieje. Ona była innego zdania. Każdy ma jakieś wady, ale czasem wady drugiej osoby są nieistotne. Nie chodzi o to, że się ich nie widzi. Po prostu one też tworzą osobę, którą się kocha. Taką, jaka jest. Tak właśnie było z Podgórskim.

– Dzień dobry, pani aspirant.

Odwrócili się oboje z Danielem. Wzdłuż parkingu szedł prokurator Bastian Krajewski. Ubrany był w czarną kurtkę, która podkreślała biel jego twarzy, włosów i czerwonawy odcień oczu. Zjawa po raz kolejny zasłużył na swój przydomek. Pojawił się znikąd.

– Prokuratorze – skinęła głową na przywitanie.

Daniel zrobił to samo.

– Byłem na górze, ale pani nie zastałem – powiedział Zjawa. – Już myślałem, że nie będziemy mieli przyjemności się dziś spotkać.

– A jednak się udało – odparła poważnym tonem.

Kątem oka widziała, że Daniel uśmiecha się nieznacznie. Nie miała okazji powiedzieć mu, że Zjawa chce zamknąć jej śledztwo, ale Podgórski wyczuł chyba ukryty w jej głosie sarkazm.

– Coś wolno pani idzie – skarcił ją prokurator. Głos miał dość wysoki. Prawie damski. – Mówiłem, że nie mamy czasu. Sprawa jest prosta i klarowna, a pani coś mąci.

Ona coś mąci? Strzałkowska poczuła irytację, a raczej gniew, o którym mówił Sadowski. Ale wcale nie miała ochoty sobie z nim w tym momencie radzić, jak sugerował właściciel zajazdu. Wręcz przeciwnie. Miała ochotę dać gniewowi ujście.

– Podobno był pan u Kaliny Pietrzak – palnęła. I z miejsca pożałowała. Nie wyszło gniewnie, jak chciała. Kojarzyło się raczej z urażonym dzieckiem.

Zjawa uśmiechnął się szeroko.

– Bądź co bądź to ja prowadzę sprawę, czyż nie? Pani wykonuje czynności na moje zlecenie – odparł zupełnie spokojnie. – Poradzi sobie pani z zadaniem czy powinniśmy zastanowić się nad zmianą? Wiem, że pani Fijałkowska chętnie to przejmie. Rozmawiałem z nią chwilę temu.

– Poradzę sobie – ucięła Emilia natychmiast.

– Wspaniale – powiedział prokurator i odszedł bez słowa do swojego samochodu.

– A temu o co chodziło? – zapytał Podgórski, przejeżdżając ręką po długiej brodzie. Przypominał teraz Emilii Leszka Lichotę z drugiego sezonu *Watahy*. Ta dzikość i nieuporządkowanie też jej odpowiadały.

– Nieważne – mruknęła. Nic chciała tracić czasu na opowiadanie o pracy. Chciała mu tylko powiedzieć, że go kocha.

– Jesteś zła za wczoraj?

– No coś ty – zapewniła, choć nadal było jej przykro, że spędziła walentynki sama.

235

– Przepraszam. Nie mogłem się wyrwać. Weronika chciała posiedzieć razem. Co miałem jej powiedzieć? Sama wiesz, że na razie…

– Wiem – ucięła ostrzej, niż chciała. Po prostu nie miała ochoty już wchodzić w ten temat.

Zerwał się wiatr i pociemniało, jakby zaraz miało padać. Ale deszcz, nie śnieg. Dziś pogoda nie była lutowa, ale raczej listopadowa. Gdzieniegdzie widać było jeszcze topniejący śnieg, ale pewnie zaraz zniknie, jeżeli się rozpada.

Ruszyli do komendy. Daniel otworzył przed Emilią drzwi. Potem wpisał kod przy drzwiach prowadzących sprzed dyżurki do środka. Na korytarzu stali akurat dwaj policjanci z drogówki. Wszyscy nazywali ich Flip i Flap.

– Właśnie mówiłem, że Waldek wyglądałby nieźle z burzą blond włosów – powiedział na ich widok ten niższy, chudy.

Obaj się zaśmiali.

– A skąd taki pomysł? – zaciekawiła się Emilia.

– Przed chwilą mieliśmy przyjemność z panem w stroju pani – wyjaśnił gruby. Strzałkowska nadstawiła uszu. – Miał szczęście. Dwa kilometry na godzinę szybciej i byśmy mu zabrali prawko. Myślał chyba, że obwodnica to tor wyścigowy.

– Jak on się nazywał? – zapytała szybko. Ile może być w okolicy mężczyzn, którzy otwarcie chodzą w stroju kobiety. Ona poznała tylko jednego. – Może Oliwier Pietrzak?

– Chyba jo. A co?

– Nic szczególnego – odparła Strzałkowska zamyślona.

Sama nie wiedziała, czy to ma jakiekolwiek znaczenie. Oliwier Pietrzak przyjechał dziś do Brodnicy. To mógł być zupełnie nieistotny szczegół. Może jechał odwiedzić ciotkę w zajeździe. Albo do Kaliny. Jeżeli był na obwodnicy, to chyba wybierał się do zajazdu. Obwodnicą nazywano tu aleję Piłsudskiego. Kawałek dalej był zajazd.

– Halo! Emilia? Tu ziemia. – Grubszy z kolegów zaśmiał się, wyrywając ją z zamyślenia.

– Ona dziś tak cały czas – odezwał się Podgórski.

– Te – zgromiła go żartem.

Ruszyli po schodach na górę. Tam mieściły się pokoje wydziału kryminalncgo.

– Wszystko okej? – zapytał Daniel cicho. Teraz był już poważniejszy.

– Tak. Tylko zajmuję się śmiercią Julii Szymańskiej. No i trochę jest roboty – przyznała Emilia. – Ale nieważne.

Dotarli na górę schodów. Pora się rozdzielić, bo pokój Strzałkowskiej mieścił się w skrzydle po lewej, a Podgórski szedł na prawo do centralnej części budynku. Stali przez moment niezdecydowani. W końcu uśmiechnęli się tylko i każde poszło w swoją stronę.

Strzałkowska zamknęła za sobą drzwi pokoju i od razu zajęła się przeglądaniem billingów z telefonu Julii Szymańskiej. Nie chciała rozmyślać o Podgórskim, tylko skupić się na pracy. Naczelnik Urbański zdobył billingi dosyć szybko, zapewne znów uruchamiając swoje wpływy. Przecież dopiero co dowiedzieli się, kim jest ofiara, mimo że dziewczyna nie żyła już dziewięć dni. Może szef miał wyrzuty sumienia, że oddał Emilii tę sprawę przedwcześnie, i w ten sposób chciał pomóc.

Policjantka przeglądała uważnie listę połączeń w poszukiwaniu czegoś, co zwróciłoby jej uwagę. Było to pracochłonne zajęcie, bo przy numerach nie było nazwisk, i Emilia powinna była wystąpić do komendy wojewódzkiej o pomoc w tej kwestii. Specjalna ekipa sprawdziłaby jej każdy numer. Ale nie chciała czekać. Była zdeterminowana, żeby zrobić to wszystko sama. Julia nie rozmawiała dużo, więc Strzałkowska uznała, że sobie poradzi, dzwoniąc po prostu pod numery z listy. Większość jej kolegów uznałaby pewnie, że takie działanie to amatorszczyzna. Już widziała minę Daniela, jak mówi, że co bardziej e l e k t r y c z n i ludzie z listy mogliby się spłoszyć. Może i racja. Ale z drugiej strony Emilia i tak była już u większości osób powiązanych z Julią Szymańską. Wiedzieli więc, że policjantka może ich podejrzewać.

Znalazła trochę połączeń z matką i ojczymem ofiary, ale faktycznie od grudnia niezbyt wiele. Czyli Dąbrowscy mówili prawdę, że nie mieli z córką stałego kontaktu. Emilia znalazła też trochę połączeń z Oliwierem Pietrzakiem i z Kaliną Pietrzak. To też zrozumiałe. Pracowała z nimi. Julia rozmawiała też z Sadowskim i Robertem Janikiem, ale to również dawało się wytłumaczyć faktem, że pracowała z nimi w stoisku na targach.

Większość połączeń zdawała się więc nieważna. Emilia czuła się trochę rozczarowana. Sama nie wiedziała, czego się spodziewać, ale bardzo liczyła na to, że te billingi będą jakimś zwrotem w sprawie.

Przekręciła ostatnią kartkę. Był tam spis połączeń z poniedziałku i wtorku, piątego i szóstego lutego. Ostatnie dni życia ofiary. Zaczęła analizować połączenia. Teraz szło już łatwiej, bo część numerów rozpoznawała i nie musiała po raz kolejny ich sprawdzać. Ostatnią rozmowę wychodzącą wykonano z telefonu Julii w niedzielę, czyli na dwa dni przed jej śmiercią. O szesnastej dwadzieścia trzy. W poniedziałek i wtorek dziewczyna już do nikogo nie dzwoniła.

Natomiast ostatnie połączenie przychodzące miało miejsce dzień przed jej śmiercią. W poniedziałek o dwunastej czterdzieści pięć. Co ciekawe, zarówno w niedzielę, jak i w poniedziałek to był ten sam numer. Emilia nie miała go jeszcze na swojej liście. Sięgnęła po telefon.

Pora dowiedzieć się, z kim Julia Szymańska rozmawiała w niedzielę i w przeddzień swojej śmierci.

ROZDZIAŁ 35

Zakład produkcyjny Kwiatkowskich.
Czwartek, 15 lutego 2018. Godzina 12.00.
Beniamin Kwiatkowski

Beniamin zamknął się w pokoju. Podszedł do sprzętu grającego i włączył płytę. To była piosenka Slayera *South of Heaven**. Pogłośnił i pozwolił zmysłom zatopić się w dźwiękach. Powolne ciężkie gitarowe riffy na początku utworu sprawiły, że jego ciało przeszedł dreszcz niemal seksualnej satysfakcji. Pozwolił głowie poruszać się rytmicznie w górę i w dół. Kiedy rozległy się pierwsze uderzenia perkusji, zaczął ruszać się mocniej. Czarne włosy tańczyły wokół jego twarzy.

Wokalista zaśpiewał, że zanim zobaczy się światło, trzeba umrzeć**. Beniamin się z tym zgadzał. Wolałby tylko, żeby śmierć dotyczyła kogoś innego niż on. A dziś miał wrażenie, że fatum ciąży nad nim bardziej niż kiedykolwiek.

* Autorzy utworu: Jeffrey John Hanneman, Kerry King, Tomás Enrique Araya.
** *Before you see the light you must die*.

Julia Szymańska nie żyła. Czuł, że wiele osób może uznać, że przez niego. On też tak myślał. Wiedział, że popełnił błąd. I nie chciał za niego płacić. Była to przecież głupota. Płacić za głupotę było gorzej niż za coś ważnego.

Popełnił serię błędów. Nawet to, że wpuścił Roberta Janika na imprezę macochy. Przysługa w imię dawnych czasów. Chyba rodzice tego nie zauważyli. Byli zajęci gośćmi. Gośćmi, którzy bawili się coraz lepiej.

Beniamin westchnął i wyłączył muzykę. Jakoś stracił ochotę na słuchanie czegokolwiek. Teraz chciał pogrążyć się w ciszy. Sięgnął po aparat i zrobił kilka ujęć pracujących na zewnątrz robotników. Była zima, ale już się uwijali. Klimat nie dawał im się we znaki i sezon budowlany zaczynał się co roku coraz wcześniej. A trzeba było produkować ściany domów albo sprowadzić bale. Na to potrzeba było wiele czasu, więc na tyłach ich domu wrzało niczym w ulu.

Pstryknął przez okno kilka całkiem niezłych fotografii. Ostatnio zajmował się nowym hobby. Robił zdjęcia nad jeziorem Strażym. Zawsze w przedostatni piątek miesiąca. To była fanaberia i głupota. Bo dlaczego niby przedostatni piątek? A bo tak i już. Decyzję podjął w przedostatni piątek stycznia i tak się zaczęło. Ciekawe, jak długo wytrwa.

A może w ogóle nie wytrwa? Może go zamkną? Może nie weźmie już nigdy aparatu do ręki? Może będzie już tylko obserwował świat zza krat? A może zginie jak Julia?

Beniamin miał nadzieję, że wtedy chociaż zobaczy światło. Bo tu na ziemi było tylko piekło. Przynajmniej on tak się czuł. A zwłaszcza teraz, kiedy ojciec zarządził, że trzeba rozwiązać problem. Beniamina dręczyły złe przeczucia.

Bardzo złe.

ROZDZIAŁ 36

Komenda Powiatowa Policji w Brodnicy.
Czwartek, 15 lutego 2018. Godzina 12.25.
Młodszy aspirant Emilia Strzałkowska

Halo?

Głos po drugiej stronie linii był z pewnością damski, choć niski i dość charakterystyczny. Strzałkowska na pewno by go zapamiętała. Skoro go nie kojarzyła, to znaczyło, że jeszcze z tą osobą nie rozmawiała.

– Mówi młodszy aspirant Emilia Strzałkowska z Komendy Powiatowej Policji w Brodnicy – przedstawiła się.

– Pewnie dzwoni pani w sprawie Julii? – odpowiedziała pytaniem nieznajoma kobieta.

Strzałkowska rozważała, jak to rozegrać. Przyznać się, że nie wie, z kim rozmawia, a telefon wzięła z billingów ofiary, czy może próbować zorientować się, z kim ma do czynienia, w trakcie rozmowy. Po krótkiej wewnętrznej walce zdecydowała się na to drugie.

– Tak. Rozmawiały panie w niedzielę i w poniedziałek. Może mi pani powiedzieć, jak te rozmowy przebiegły? Zacznijmy od niedzieli.

– Może zacznę od tego, że poznałyśmy się na planie programu telewizyjnego. Chodzi o *Morderczy program*. Ja go prowadziłam, a Julia była tam statystką.

Aha. Czyli wszystko jasne. Emilia wiedziała już, z kim rozmawia. To musiała być Malwina Górska, pisarka z różowymi włosami. No i proszę.

– Zgadałyśmy się oczywiście, że jej rodzina zajmuje się produkcją domów drewnianych – kontynuowała Górska. – A ja właśnie rozważam postawienie takiego domu. Akurat w państwa okolicy. Pod Brodnicą. Już nawet mam na oku kilka działek. Prawdopodobnie padnie na Lipowo.

No proszę, pomyślała Strzałkowska. Czyli w ich niewielkiej skromnej wsi będą mieli towarzystwo kogoś takiego. Policjantka nie była pewna: cieszyć się czy nie. Lubiła spokój Lipowa. To była miła odmiana po spędzeniu większości życia w Warszawie. No ale może razem z pisarką nie zjawi się tabun innych i wszystko pozostanie takie, jak było.

– W każdym razie byłam w niedzielę na targach, więc do niej zadzwoniłam – opowiadała Malwina Górska. – Julia skierowała mnie do stoiska innej firmy. Nie do rodziny. Nie zastałam jej tam. Ale dogadałam się z jej właścicielem, panem Sadowskim. Prawdopodobnie podpiszemy umowę.

– Czyli Julii nie było w stoisku? – upewniła się policjantka.

– Pan Sadowski powiedział mi, że wyszła akurat na przerwę.

To by się zgadzało z tym, co powiedział Emilii Franciszek. Strzałkowska zerknęła jeszcze raz do spisu połączeń.

– Rozmawiały panie prawie dziesięć minut. Tylko o tym?

Emilii zdawało się, że Górska zawahała się.

– Tak – odpowiedziała w końcu.

– No dobrze, ale z tego, co tu widzę, to ona zadzwoniła do pani w niedzielę – odparła lekko policjantka. Była ciekawa reakcji pisarki. – Nie pani do niej, jak przed chwilą pani twierdziła.

– No właśnie. Ma pani rację. Pomyliłam się. To ona do mnie zadzwoniła, ja miałam dzwonić. Bo właśnie dojechaliśmy. Byłam z kolegą. Wspominałam jej, że będę w niedzielę, i zanim zdążyłam wejść do domu, Julia akurat do mnie zadzwoniła. Bo mówiła, że wychodzi na przerwę i jej nie będzie. Tak to było. Teraz już jestem pewna.

Słowa Malwiny Górskiej brzmiały dość wiarygodnie, musiała przyznać w duchu Emilia. Ale była przecież jeszcze rozmowa Julii i Kaliny na Messengerze. Przyjaciółki wspomniały tam o pisarce, a Julia napisała w poniedziałek Kalinie, że Górska pytała nawet o jej samopoczucie. Być może zrobiła to podczas poniedziałkowej rozmowy telefonicznej. Jedno było pewne, Górska wiedziała więcej, niż dotychczas ujawniła.

– A telefon w poniedziałek? – zapytała policjantka.

– O ile się nie mylę, wtedy to ja zadzwoniłam do niej – zaśmiała się Malwina Górska nieco uszczypliwie.

– I o czym panie rozmawiały?

– Chciałam powiedzieć Julii, że umówiłam się z panem Sadowskim, i podziękować jej za skontaktowanie nas.

– Rozumiem. A dlaczego pytała pani o samopoczucie Kaliny Pietrzak?

Emilia starała się nadać rozmowie ton pogawędki. Była bardzo ciekawa reakcji Górskiej. Po drugiej stronie linii panowała przez chwilę cisza.

– To było tak, że Julia miała wracać z Bydgoszczy swoim samochodem, a Kalina miała się z nią zabrać. Ale Julii popsuł się samochód. Poprosiła mnie, żebym podwiozła Kalinę. Sama Julia miała wracać z kim innym, chyba z Oliwierem. Obiecał po nią specjalnie przyjechać. Dla Kaliny nie było miejsca. O tym też rozmawiałyśmy w niedzielę. Poprosiła mnie o podwózkę dla koleżanki. A ponieważ Kalina źle się czuła tamtego dnia, to następnego zapytałam, czy wszystko w porządku. I tyle. Cała tajemnica.

Strzałkowska rozważała to w ciszy. Kalina była w Bydgoszczy, ale nie pracowała na targach jako hostessa. To powiedział Strzałkowskiej Robert Janik. A może Oliwier Pietrzak? Nie była tego pewna. W każdym razie Kalina nie chciała powiedzieć, co tam robiła. Choć prawdę najwyraźniej znała jej matka, Izabela.

Teraz Emilia dowiadywała się, że Kalina miała stamtąd wrócić razem z Julią. A kiedy Julii popsuł się samochód, przyjechał po nią Oliwier. Mężczyzna o tym nie wspomniał. Może uznał to za informację nieważną, a może chciał coś ukryć. Tak więc Kalina wracała z pisarką. Droga z Bydgoszczy do Brodnicy trwała niecałe dwie godziny. Chyba musiały o czymś rozmawiać. Nie siedziały przecież cały czas w ciszy. Może Kalina wspomniała Malwinie cokolwiek. W rozmowie na Messengerze Kalina prosiła Julię o zachowanie tajemnicy i mówiła, że nie ufa Górskiej. Może w takim razie nie była zbyt rozmowna na temat celu swojego pobytu w mieście wojewódzkim. Mimo to Emilia postanowiła zapytać.

– Wie pani, co Kalina Pietrzak robiła w Bydgoszczy w niedzielę?

– Nie.

Tym razem odpowiedź padła szybko. Za szybko. Emilia była teraz pewna, że pisarka znała odpowiedź na to pytanie.

ROZDZIAŁ 37

Zakład produkcyjny Franciszka Sadowskiego.
Czwartek, 15 lutego 2018. Godzina 12.25.
Franciszek Sadowski

Sadowski przeczesał włosy palcami. Były rzadkie i kleiły się do czaszki. Nigdy nie grzeszył urodą. Wieloma rzeczami grzeszył, ale nie urodą. Mimo to ludzie do niego lgnęli. Lubił sobie schlebiać, że to nie tylko przez pieniądze. Umiał budzić zaufanie i potrafił to wykorzystać. Kiedy człowiek jest bardzo brzydki, uczy się tego wcześnie. Ci, którzy są piękni, mają łatwiej i się rozleniwiają. Wolał być brzydki.

Odłożył telefon niechętnie. Próbował dodzwonić się do Malwiny Górskiej, ale najwyraźniej było zajęte. Pewnie pisarka oddzwoni. Zdaje się też, że miała przyjechać tu jutro. Może zajrzy, żeby omówić warunki. Może znów z tym facetem, z którym była na targach. Sadowski wolałby, żeby była sama. Wtedy kobietę łatwiej urobić. Wielokrotnie się o tym przekonał.

To znaczy była jedna kobieta, nad którą Sadowski nigdy nie zdobył władzy. I chyba dlatego tak bardzo go fascynowała. Chyba dlatego całe życie jej pragnął. Aż to pragnienie stało się tak silne, że znajdowało ujście zupełnie nie tam, gdzie trzeba.

Spojrzał na nagie ciało Roberta Janika. Chłopak leżał na łóżku i oczekiwał. Nie wyglądał ani na przerażonego, ani na skrzywdzonego, pocieszył się w duchu Sadowski. Dobrze wiedział, że Janik jest inny. Poprzedni chłopcy wili się czasem z bólu, płakali, ale w końcu się poddawali. Janik nie płakał, nie okazywał bólu, uśmiechał się. Sadowski czasem się go bał.

Dlatego pod łóżkiem położył siekierę. Janik o niej nie wiedział. Bo niby skąd? W razie czego przyda się do obrony.

– Idę się trochę poruszać – oznajmił Sadowski. Nie miał na razie ochoty na więcej. Chciał odpocząć od Janika. Teraz chłopak z blizną wywoływał w nim niepokój. – Ty się zajmij firmą.

– Oczywiście.

Sadowski ubrał się naprędce. Miał zamiar trochę porąbać w zagajniku. To go zawsze uspokajało i dawało poczucie mocy. Nie wszyscy ludzie to rozumieli, ale siekiera kojarzyła mu się z władzą. Bo władza to siła, pomyślał, idąc szybkim krokiem opustoszałą Beskidzką.

W zagajniku było jeszcze trochę suchych drzew. Jedno bardzo stare. Chyba martwe. Wielka dziupla wyglądała jak uważne oko, kiedy obok niej przechodził. Sadowski poczuł irracjonalną potrzebę, żeby to oko już na niego nie patrzyło. Dlatego właśnie od tamtego drzewa zamierzał teraz zacząć.

Ostatnio zostawił tu siekierę. Tak jak wcześniej robił to Ryszard. Chwycił ją ochoczo. Nie mógł się doczekać, żeby stare drzewo upadło na ziemię. To była właśnie władza. Zamierzał się nią rozkoszować.

Sadowski przedzierał się pomiędzy mniejszymi drzewami i krzakami. Bezlistne gałązki uderzały go boleśnie po twarzy, jakby nie chciały go dopuścić do celu. Zaczął wymachiwać siekierą, żeby pokazać im, że się nie boi. Kiedy dotarł do grubego pnia, ręce bolały go niemiłosiernie, a po twarzy spływał pot, mimo iż było zimno.

Kopnął drzewo z wściekłością. Wtedy zobaczył, że w dziupli coś leży.

ROZDZIAŁ 38

Komenda Powiatowa Policji w Brodnicy.
Czwartek, 15 lutego 2018. Godzina 13.00.
Młodszy aspirant Emilia Strzałkowska

Naczelnik Urbański wszedł do jej pokoju bez pukania. Emilia odwróciła się zaskoczona. Szef najwyraźniej właśnie wychodził, bo miał na sobie swój charakterystyczny prochowiec.

– Radzisz sobie? – zapytał bez wstępów. – Prokurator naciska, żeby było szybciej. Był tu dziś.

– Wiem. Wpadliśmy na siebie na parkingu.

– Przydzielić ci jednak Fijałkowską?

– Nie, nie. Nie trzeba – zapewniła Strzałkowska gorąco. – Radzę sobie bez problemu. Właśnie przeglądałam wiadomości ofiary na Messengerze.

Po zakończeniu rozmowy z Malwiną Górską Emilia od razu zabrała się do przeglądania pozostałych rozmów na komunikatorze Julii Szymańskiej. Była pewna, że Malwina Górska nie powiedziała wszystkiego, ale może zachowała się jakaś rozmowa pomiędzy nią a zamordowaną

dziewczyną. Albo w którejś z innych konwersacji znajdzie
coś ciekawego. Jak na razie nie udało jej się to. Znalazła
za to trzy rozmowy, które ją zainteresowały.

– I co? – zapytał Urbański.

– Trzy wydały mi się ciekawe.

Naczelnik Urbański przysiadł na biurku Strzałkowskiej.
Rozpiął płaszcz gotowy chyba na dłuższą opowieść.

– Mów. Zaraz jadę załatwiać urodziny dla córy i kilka
innych rzeczy, ale chętnie posłucham. Może coś doradzę.

– Po pierwsze jest rozmowa z jej matką, Zofią
Dąbrowską – zaczęła Strzałkowska. – Zofia prosiła
Julię, żeby ta zaakceptowała wreszcie Jakuba. Podkreślała, że są rodziną. Julia odpisała, że nie są żadną
rodziną.

– Wiesz, jak to jest z dzieciakami – zaśmiał się Urbański. – Sama masz nastolatka. Moja córa też kończy
osiemnaście. To nie jest łatwy wiek.

– Fakt. Kiedy z nimi wczoraj rozmawiałam, przyznali,
że były konflikty. Nie ukrywali tego. Tylko że…

Strzałkowska zastygła, kiedy czytała ten fragment rozmowy. Otworzyła okienko konwersacji i przekręciła ekran
komputera tak, żeby Urbański sam mógł zobaczyć.

– Tylko że co? – zapytał szef, nie patrząc nawet w stronę ekranu. Najwyraźniej oczekiwał, że Emilia po prostu
wszystko mu streści.

– Tylko że Julia napisała do matki, że Jakub Dąbrowski
to morderca. Tu ma pan…

Emilia chciała wskazać ekran.

– Co? – przerwał jej szef. Wydawał się teraz trochę
poirytowany.

– Tak jak mówię. Zofia przekonywała Julię, że powinna go zaakceptować, że są rodziną i tak dalej. A dziewczyna odpisała, że nie są żadną rodziną, a Jakub to morderca.

– Jaka była reakcja Zofii?

– Odpisała, że to głupoty – powiedziała Strzałkowska. Mimo że matka ofiary zaprzeczyła, policjantka nie mogła przestać myśleć o mężczyźnie w dużych kwadratowych okularach. – Jakub Dąbrowski przejął firmę po Tomaszu Szymańskim, ojcu Julii. Dziewczyna twierdziła, że Jakub zabił jej tatę. To oczywiście mogą być wymysły nastolatki, ale może to też być prawda. A przynajmniej jakaś jej część. Jakub jest dużo młodszy od Zofii Dąbrowskiej.

Emilia skarciła się w duchu. Nie była pewna, dlaczego tak czepia się tej różnicy wieku. Mężczyźni mogli mieć młodsze żony. I to dużo młodsze. Dlaczego Zofia nie mogła mieć męża dwadzieścia kilka lat młodszego?

– Twierdziła, że wypadek, w którym zginął pierwszy mąż Zofii, to n i e b y ł wypadek – dodała jeszcze Strzałkowska.

– Sprawdziłaś tę historię?

– Jeszcze nie – przyznała policjantka. – Dopiero czytam te rozmowy i sprawdzam, czy coś w nich znajdę. Ale oczywiście to zrobię. Wyciągnę akta, jak już wszystko podsumuję. Wiem, że chodziło o to, że Szymański spadł z rusztowania. Nawiasem mówiąc, w tej sprawie, a właściwie wśród osób, które sprawdzam, były dwa takie dziwne wypadki. Jeden to właśnie ten, w którym zginął Tomasz Szymański. Ale jest jeszcze drugi. Śmierć pierwszych partnerów Kwiatkowskich. Tak się poznali. Sama nie wiem, czy to ważne, ale Franciszek Sadowski wyraźnie sugerował, że to mógł nie być wypadek.

Urbański westchnął głośno.

– Zostawmy sugestie i skupmy się na konkretach – powiedział. – Sama wiesz, jak ludzie lubią o bliźnich opowiadać. Czasem zupełnie niestworzone historie, byle tylko kogoś pogrążyć. Powiedziałaś, że trzy rozmowy cię zainteresowały. Jedną mamy. Co dalej?

Emilia przekręciła ekran z powrotem do siebie.

– Druga to rozmowa Julii z Robertem Janikiem. To jest sekretarz Franciszka Sadowskiego i być może chłopak ofiary. Chociaż on sam twierdzi, że to był tylko seks. A ona wyobraziła sobie za wiele.

– Życie – zaśmiał się naczelnik Urbański.

Emilii wcale nie spodobał się ten komentarz. Uznała jednak, że nie będzie reagować. Nie chciała irytować szefa. Myśl o przydzieleniu Fijałkowskiej do pomocy skutecznie temperowała wszelką irytację.

– Być może nie tylko seks łączył Julię i Roberta – powiedziała, siląc się na spokój.

– Miłość? – zażartował szef.

– Niekoniecznie – odparła policjantka chłodno. Otworzyła okienko kolejnej konwersacji. – Robert Janik napisał do Julii w środę, siódmego lutego, o godzinie dziesiątej dwadzieścia. O tym nie wspomniał mi podczas przesłuchania.

– Czyli to było już po jej śmierci?

– Tak. Następnego dnia.

– I co napisał?

– Cytuję: *To ty to kurwa zabrałaś? Przez ciebie o mało nie dostałem wpierdol* – przeczytała Strzałkowska. Wyobrażała sobie twarz chłopaka z blizną, kiedy pisał te ostre słowa.

253

Wykrzywiona gniewem. To były tylko słowa na ekranie, ale policjantka miała wrażenie, że aż buzują wściekłością. – A po jakichś trzech godzinach dopisał jeszcze: *Suka*. Oczywiście to pozostało bez odpowiedzi, bo Julia już nie żyła.

– Jedyną aktywnością na jej profilu był ten lajk, który ktoś kliknął pod zdjęciem jej matki i ojczyma też w środę, tak? – upewnił się naczelnik Urbański.

Emilia zdążyła rano trochę wprowadzić szefa w sprawę.

– Tak. Ziółek ma jej komputer, ja już się mogę logować z mojego, bo mamy dostęp do hasła dzięki temu, że nie była wylogowana. Liczę na to, że może są na nim jakieś paluchy. Telefonu oczywiście nadal nie mamy. Ale skoro wygląda na to, że był wyłączony, to być może sprawca użył właśnie komputera, żeby kliknąć lajka. Z trzeciej rozmowy wynika, kto może mieć zapasowy klucz. Zaraz do tego przejdę. W każdym razie najwyraźniej Robert oskarżał Julię o zabranie czegoś wartościowego.

– Dlaczego uważasz, że wartościowego?

– No skoro mógł dostać za to wpierdol, jak sam napisał? – Strzałkowska wzruszyła ramionami. – Oczywiście nic mi na ten temat nie mówił, kiedy z nim rozmawiałam. Więc być może będę musiała jeszcze do niego wrócić.

Kolejna, po Kalinie, osoba, która napisała do Julii po jej śmierci. Emilia nadal nie zamierzała jednak wykluczać ani Kaliny, ani Roberta Janika z grona podejrzanych. Nawet jeżeli któreś z nich zabiło Szymańską, to mogło do niej napisać, żeby potem twierdzić, że nie wiedziało o śmierci dziewczyny. Choć wiadomość od Janika byłaby dziwnym sposobem zapewniania sobie alibi. Przecież to były bardzo ostre słowa. Może to paradoksalnie znaczyło, że nie on to zrobił? Tak czy inaczej, warto by było dowiedzieć się, co i komu Julia zabrała, że miał na tym ucierpieć Robert. Może osoba, której to coś zginęło, zdenerwowała się na nich oboje. Albo dowiedziała się, że to Julia jest winna, i ją uśmierciła.

– Narkotyki! – krzyknęła Emilia.

– Uważasz, że to właśnie narkotyki zabrała Janikowi?

Dopiero kiedy Urbański zapytał, zorientowała się, że powiedziała to na głos. Przyszło jej to do głowy zupełnie nagle. Przecież nadal mieli nierozwiązaną kwestię dotyczącą amfetaminy znalezionej w kuchni ofiary.

– Nie wiem, ale myślę, że za zabranie komuś ponad siedmiuset gramów, tam chyba było siedemset czterdzieści dwa – uściśliła policjantka – można dostać wpierdol. Szkoda, że nie przeczytałam tego przed spotkaniem z Robertem Janikiem. Zapytałabym go o to.

– Myślisz, że by ci coś wyjaśnił? Oni zawsze są tacy rozmowni – zażartował znów szef. Zaczął zapinać płaszcz. Audiencja chyba zaczynała się kończyć.

– Pewnie nic by nie powiedział. Racja. Nie wiem też, jak Julia mogłaby zabrać te narkotyki. To tylko taki pomysł, który wpadł mi do głowy. No i jeszcze jest trzecia konwersacja – przypomniała Emilia. W sumie chciała to przedyskutować z szefem, zanim ten pójdzie zajmować się urodzinami córki. – Rozmowa z Oliwierem Pietrzakiem.

Zanim zdążyła powiedzieć coś więcej, w progu jej pokoju stanął Ziółkowski. Zastukał we framugę, mimo że drzwi były otwarte. Na twarzy technika malował się zwyczajowy grymas. Emilia mogła policzyć na palcach jednej ręki, kiedy widziała go w lepszym humorze, a znali się już kilka lat.

– Mam paluchy z komputera ofiary – oznajmił. – Oprócz niej ktoś jeszcze go dotykał. Dobrze, że wszystkiego nie zamazaliście, jak klikaliście tam w Rypinie z tym Antkiem.

– Mikołajem – poprawiła go Strzałkowska, zapominając, że brodniczanie nazywali wszystkich rypinian Antkami. – Mieliśmy rękawiczki.

Ziółkowski i tak rzucił jej piorunujące spojrzenie.

– No to czyje są te paluchy? – zapytał naczelnik, przerywając ich kłótnię. – Kto dotykał komputera ofiary?

ROZDZIAŁ 39

W drodze na cmentarz. Czwartek, 15 lutego 2018.
Godzina 13.00.
Paweł Krupa

Paweł Krupa jechał ostrożnie aleją Piłsudskiego. Obwodnica była dziś zatłoczona. Miał wrażenie, że nigdy nie dojadą do cmentarza. Szef i szefowa siedzieli na tylnej kanapie. Każde wyglądało przez swoje okno. Nikt nic nie mówił. Paweł westchnął. Chciał już być na miejscu, bo napięta atmosfera go dobijała.

Wreszcie dotarli do skrzyżowania Piłsudskiego, Podhalańskiej i Maczka. Gdyby pojechali w lewo, dotarliby do zakładów konkurencji. Kwiatkowscy mieli swoją firmę przy Podhalańskiej, niedaleko Sądowej. A gdyby skrócić sobie drogę przez Beskidzką, zaraz wyjechałoby się przy zajeździe Sadowskiego. Ale Paweł skręcił w prawo i zjechał na parking przy cmentarzu komunalnym. Tu będzie pochowana Julka.

– Jesteśmy – powiedział, choć przecież doskonale sami widzieli.

Ani Jakub, ani Zofia nie odpowiedzieli. W samochodzie panowała tak grobowa cisza, że Paweł miał wrażenie, że wiezie dwa trupy. Zganił się za te myśli. Jakub tyle dla niego zrobił. Był nie tylko szefem, ale też przyjacielem i wzorem. Paweł nie powinien nawet w żartach myśleć o nim jako o trupie. Żadne dwa trupy.

Zerknął na szefową. Nieoczekiwanie napotkał jej wzrok w lusterku. Zadrżał.

– Pozbyłaś się kluczy od mieszkania Julki? – zapytał Jakub nieoczekiwanie.

– Po co? – zdziwiła się Zofia. – Skąd mogą wiedzieć, że je mamy.

Jakub widział w lusterku, jak szef odwraca się do żony i uśmiecha.

– Kochanie, to nie jest ważne. Ważne, że mogą wiedzieć i mogą sprawdzać. Nie możemy ich mieć u siebie.

Zofia sięgnęła do torebki. Zapasowe klucze od mieszkania Julki brzęknęły metalicznie.

– No to co mam z nimi zrobić? – zapytała. – Mam je ze sobą. Chyba nie chcesz tak po prostu ich wyrzucić? To mieszkanie Julki. Nie wiem. Wydaje się nieodpowiednie, żeby tak po prostu je wyrzucić. Jakby…

– Po tym, co się stało, to chyba nie ma już takiego znaczenia, prawda? – zapytał Jakub powoli.

Przez chwilę w samochodzie panowało milczenie.

– Najpierw pozbędziemy się ewentualnych śladów, a potem samych kluczy. Kąpiel w wybielaczu powinna wystarczyć. Paweł, podjedźmy jeszcze pod Biedronkę. Potem po prostu schowamy je w jej grobie. Tak może być?

Paweł widział w lusterku, jak Zofia kiwa głową.

ROZDZIAŁ 40

Komenda Powiatowa Policji w Brodnicy,
Czwartek, 15 lutego 2018. Godzina 13.30.
Młodszy aspirant Emilia Strzałkowska

Na komputerze Julii Szymańskiej znalazłem odbitki linii
papilarnych Oliwiera Pietrzaka – oznajmił Ziółkowski.

Szef techników najwyraźniej czekał na efekt swoich
słów. Naczelnik nic nie powiedział.

– Szefa Julii – przypomniała więc Urbańskiemu Emilia. – A także bratanka Ryszarda Pietrzaka, czyli twojego
głównego podejrzanego.

Wyszło to trochę tak, jakby oskarżała szefa, że Ryszard
Pietrzak był tylko jego podejrzanym. Całe szczęście naczelnik nie zwrócił na to uwagi.

– Byłam prawie pewna, że to będzie Oliwier – powiedziała policjantka zadowolona. – Bo trzecia rozmowa
na Messengerze Julii była właśnie z nim. Julia napisała
do Oliwiera, że wie, że on wchodzi czasem do jej mieszkania i przebiera się w jej ubrania.

– Co? – zapytał Ziółkowski. – Wszystko rozumiem, ale
to akurat trochę chore!

– No dziwne – przyznała Emilia. – Ale nie możemy od razu na tej podstawie zakładać, że Oliwier ją zamordował. Tak czy inaczej, myślę, że jest to jeden z ważnych tropów. No i znaczy, że to on ma klucz. Czyli to on kłamał, a nie rodzice ofiary. Julia napisała to do niego o piętnastej dziewiętnaście w dzień swojej śmierci. Czyli tak naprawdę niedługo przedtem, zanim ktoś ją zamordował. Koterski oszacował czas jej zgonu na bliski godzinie siedemnastej.

– I paluchy tego Oliwiera są na komputerze? – upewnił się Urbański.

Ziółek skinął głową zadowolony z siebie. Widać to było mimo zwyczajowego grymasu na jego twarzy.

– Na koniec Julia napisała jeszcze: *Pogadamy o tym potem, bo zaczynam się ciebie bać* – dodała Emilia. – Oliwier nie odpisał, ale odczytał wiadomość. Może pojechał za nią. Twierdzi, że nie wie, jaką robotę miała do wykonania dziewczyna. Ale może kłamie. Nie mogę tego wykluczyć.

Przez chwilę nikt nic nie mówił.

– Paluchów Zofii albo Jakuba Dąbrowskich na komputerze nie było? – zapytała w końcu Strzałkowska. – Oliwier twierdził, że nie ma kluczy. Już wiemy, że to kłamstwo, bo jakoś wchodził. Ale upierał się też, że klucze zapasowe mają rodzice dziewczyny. Możemy to potwierdzić?

– Przecież ja nie pstrykam palcami i nie spływa na mnie tajemna wiedza, kto ma jakie odbitki linii papilarnych – zaśmiał się technik. – Muszę mieć materiał do porównania. W różnych miejscach w mieszkaniu znalazłem trochę różnych odbitek.

– Oni mogli tam po prostu u niej bywać. To rodzina – powiedział naczelnik Urbański. – Ten Oliwier Pietrzak też. Ale ta rozmowa na komunikatorze wydaje się istotna.

260

Nawiasem mówiąc, skąd w takim razie miałeś materiał, żeby porównać go z Oliwierem Pietrzakiem?

Ziółkowski znów pozwolił, żeby na jego ustach pojawił się charakterystyczny grymas.

– Nie zgadniecie.

– Nie mam czasu na zagadki – odparł naczelnik. – Córka czeka, zamawianie tortu czeka, zamawianie strzelnicy też. Wiecie, że żona mnie zabije, jak nie zrobię najlepszych urodzin dla córy? Więc po prostu mów.

– No więc paluchy Oliwiera Pietrzaka są w bazie – odparł technik.

– Tyle to się domyśliłem.

Szef może i nie docenił umiejętności budowania dramatyzmu przez Ziółka, ale technik nadal wyglądał na bardzo ukontentowanego. To słowo idealnie teraz do niego pasowało. Emilia uśmiechnęła się pod nosem.

– Powinniście mi podziękować, bo od razu trochę pogrzebałem, żeby wam oszczędzić czasu. Facet był sprawdzany podczas śledztwa w sprawie śmierci Tomasza Szymańskiego. Męża matki naszej ofiary.

– To znaczy p i e r w s z e g o męża – uściśliła Emilia coraz bardziej podekscytowana. Przecież przed chwilą mówiła szefowi o tym wypadku.

– W jaki sposób Oliwier był w to zamieszany? – zapytał naczelnik.

– Ten Szymański spadł z rusztowania. To uznano za wypadek na budowie. Ale nasi sprawdzali wtedy Oliwiera Pietrzaka, bo był jeden świadek, który go tam widział. Jakaś kobiecina, która zbierała grzyby w okolicy. No i sprawdzali rusztowanie. Tam były jego paluchy. Oliwier pracował wtedy w firmie Sadowskiego. Czyli u konkurencji. Raczej nie było powodu, żeby był na rusztowaniu u Szymańskich.

– Ale był? – zapytał powoli Urbański.

– Jo. To znaczy były jego paluchy – zaśmiał się technik.

– Ostatecznie nic mu nie udowodniono. Tłumaczył, że był tam przy innej okazji. Szymański pokazywał mu budynek, który u siebie budował, bo Oliwier zastanawiał się, czy nie przejść do konkurencji. Tak jak to zrobił, zdaje się, Jakub?

– Tak – potwierdziła Emilia. – I potem Paweł Krupa.

– Faktycznie podobno taka sytuacja miała miejsce – ciągnął Ziółkowski. – Potwierdziła to nawet Zofia Szymańska, teraz Dąbrowska. Oczywiście to nie wykluczało, że Oliwier Pietrzak mógł być tam drugi raz, żeby zabić Szymańskiego. Później to wykluczono. Okazało się, że był w tym czasie w firmie u szefa. Sadowski dał mu alibi. I ostatecznie nikt nie wyciągnął konsekwencji wobec Pietrzaka. Słowa kobieciny uznano za fałszywy trop. No ale teraz, skoro paluchy Oliwiera są na komputerze, może jednak jest zabójcą. I to podwójnym. Co myślicie?

Emilia przeczytała przed chwilą na Messengerze oskarżenia Julii wobec ojczyma. Dziewczyna pisała do matki, że to Jakub zamordował jej ojca. A wyglądało na to, że mógł to zrobić Oliwier Pietrzak. M ó g ł, podkreśliła Emilia w myślach. Bo przecież to były tylko poszlaki. Nadal mógł to być tylko zwykły wypadek, tak jak ostatecznie to zakwalifikowano.

Telefon Strzałkowskiej rozdzwonił się głośno, wybijając ją z zamyślenia. Dzwonił dyżurny z dołu.

– Halo?

– Siedzisz? – zapytał kolega. – Jeżeli nie, to usiądź. Chyba jest przełom w twojej sprawie. Właśnie dostaliśmy zgłoszenie.

* * *

2020
Zajazd Sadowskiego.
Czwartek, 20 lutego 2020. Godzina 20.50.
Franciszek Sadowski

Franciszek Sadowski rozejrzał się po pomieszczeniu. Sala na piętrze zajazdu stanowiła kiedyś jego dumę. Organizował tu minikonferencje. Klienci byli zachwyceni wystrojem. Teraz pomieszczenie przypominało obraz nędzy i rozpaczy. Bałagan. Resztki jedzenia. Puste butelki. Nawet te makabryczne smakołyki, ptasie r e s z t k i, których nienawidził… Leżały ostentacyjnie pod kanapą. Nic niesprzątnięte od soboty. Franciszek doprowadził to miejsce do upadku.

Usiadł ciężko na kanapie, kopiąc kurze łapki głębiej pod mebel. Nie chciał ich widzieć. Ciało odmawiało mu posłuszeństwa. Myślał tylko o kolejnej działce. Od pewnego czasu rozumiał, jak to się stało, ale to niewiele zmieniało. Stoczył się zupełnie. Ale zasłużył sobie na to. Tak powinno być. Dlatego brnął w to dalej.

I dalej.

I dalej.

Aż nie było już wyboru.

Sadowski spojrzał na strzykawkę w swojej prawej dłoni. Czuł, że ona przyniesie ulgę. Myśleli, że go przechytrzą. Że dadzą mu szemrany towar, a on się nie zorientuje. Wiedział, że to jest coś mocnego. Ale nie szkodzi. Zadrwi z nich. Choć oni nawet nie będą wiedzieli. Zażyje to i odejdzie. Będą myśleli, że go zabili tym swoim szajsem. Że go zamordowali

– tak jak chcieli. Ale nie, on popełni samobójstwo. Będzie ponad to.

Przez chwilę czuł strach, ale nic to. Zrobi, co trzeba. Podjęcie decyzji dodało mu sił. To wszystko się skończy. Nie będą wiedzieli, że wygrał. Ale to nie szkodzi. On będzie wiedział.

Położył się na kanapie i przygotował się na przyjęcie narkotyku.

Zaraz będzie spokój.

Wszystko się skończy.

* * *

CZĘŚĆ 4

2018

ROZDZIAŁ 41

Komenda Powiatowa Policji w Brodnicy.
Piątek, 16 lutego 2018. Godzina 15.00.
Młodszy aspirant Emilia Strzałkowska

Czy ktoś mi wytłumaczy, jak w ogóle mogło do czegoś takiego dojść?

Wściekłość w głosie naczelnika Urbańskiego aż wibrowała. Zdawała się emanować z całej jego postaci. Patrzył po wszystkich zgromadzonych w salce konferencyjnej spod zmarszczonych brwi. Oczy miał czujne. Jak drapieżnik szykujący się do ataku. Strzałkowska miała wrażenie, że Urbański szuka pośród nich winnego, na którego za chwilę się rzuci. Nie było to przyjemne, choć ją na szczęście ominął wzrokiem. Do niej nikt nie miał pretensji, bo ona się tą sprawą zajmowała dopiero od środy. Błąd popełnili ci, którzy robili to wcześniej.

– Sytuacja jest raczej nieciekawa – zgodził się z uśmieszkiem prokurator Bastian Krajewski.

Strzałkowska nie mogła się oprzeć wrażeniu, że Zjawa jakby się cieszył z ich porażki.

– Chyba powiedziałem, że macie wszystko kurwa jego mać przeczesać? – warknął naczelnik Urbański. – Czy to jest kurwa takie trudne?

Kiedy do Emilii zadzwonił wczoraj dyżurny, mówiąc, że chyba nastąpił przełom w śledztwie, nie mogła uwierzyć własnym uszom. Okazało się, że Franciszek Sadowski kontynuował proceder swojego pracownika i tak jak przedtem Ryszard Pietrzak, tak i on poszedł naciąć sobie trochę drzewa w zagajniku na Beskidzkiej. Chciał rozpalić w kominku w zajeździe. Kiedy ścinał stare uschnięte drzewo, zauważył, że w dziupli coś leży. To była puchowa kurtka, różowa bluza, dżinsy rurki i torebka nerka. Od razu zadzwonił na policję, bo rozpoznał, że w podobne rzeczy ubrana była w jego stanowisku na targach budowlanych Julia Szymańska, zanim się przebrała w mundurek hostessy.

Rzeczy zostały już pokazane Dąbrowskim. Oni potwierdzili, że należały do Julii. Nie musieli, bo w nerce znajdowały się dokumenty dziewczyny. Jej telefon także. Faktycznie był to Huawei Mate, jak było widać z logowania na Facebooku. Do tego karta kredytowa. Nikt z niej nie korzystał. Emilia zdążyła to ustalić przed odprawą. O pomyłce nie mogło być więc mowy. To były rzeczy zamordowanej dziewczyny. Tylko co robiły w dziupli niedaleko miejsca, gdzie znaleziono jej ciało.

– Kazałem przeczesać teren czy kurwa nie kazałem? – pieklił się dalej Urbański. – Media nas kurwa zjedzą. Będziemy pośmiewiskiem! To drzewo jest kurwa blisko ciała. No i rzuca się w oczy. I ktoś powinien był tam zajrzeć.

Nikt ze zgromadzonych w salce policjantów nie odpowiedział. Wszyscy wpatrywali się uparcie w podłogę. To była grupa, która zajmowała się sprawdzaniem terenu wokół miejsca zbrodni na polecenie Urbańskiego.

– Jak mogliście przeoczyć rzeczy ofiary? Ja pierdolę. Przecież do drzewa było może z dziesięć metrów od miejsca, gdzie leżało ciało. A nawet bliżej.

Emilia skinęła głową. Nie mogła się powstrzymać. Faktycznie, to było duże przeoczenie. Po wczorajszym zgłoszeniu Sadowskiego ekipa z komendy znów sprawdzała teren przy Beskidzkiej. Nic więcej nie znaleźli.

– Skoro przeoczyliście rzeczy Julii, to może gdzieś tam są też brakujące stopy i dłonie ofiary – odezwał się Zjawa. – Lepiej byłoby je znaleźć, zanim natknie się na nie jakiś spacerowicz z psem. Albo zje je jakieś zwierzę. Albo przestraszy się matka z dzieckiem, które będzie się tam bawiło. Nie uważacie?

Głos prokuratora ociekał sarkazmem.

– Nic nie zostanie przeoczone – powiedział ponuro Urbański. – Emilia, odpowiadasz za to. Jak będzie jakaś wpadka, to bez dyskusji zabieram ci sprawę.

Strzałkowska do tej pory czuła, że ją oszczędzono. Teraz szef chciał chyba wyżyć się na wszystkich po kolei. Emilia widziała w kącie sali Fijałkowską. Przysiadła sobie z boku, jakby chciała podkreślić, że jest tu tylko do pomocy i nie chce nikomu wadzić. Ale Strzałkowska wiedziała swoje. Fijałkowska tylko czekała, żeby przejąć śledztwo.

– Czy wy kurwa nic nigdy nie możecie zrobić dobrze? – zakończył swoje kazanie Urbański.

– Ale ja tam zaglądałem... – odezwał się nieśmiało jeden z młodych policjantów. – Tam do tej dziupli. Nic nie było w środku.

– To chyba źle zaglądałeś – odparł prokurator. Uśmiech nadal nie zniknął z jego białej jak papier twarzy albinosa.

Policjanci, którzy zajmowali się sprawdzaniem terenu, wyglądali na przybitych tyradą Urbańskiego i spokojnym prześmiewczym tonem Zjawy. Strzałkowska uznała, że skoro oficjalnie zrzucono na nią ciężar ewentualnego niepowodzenia, to powinna też wziąć na siebie czuwanie nad samopoczuciem kolegów. Przecież stanowili ekipę. Dobry lider nigdy o tym nie zapominał.

– Dlaczego te rzeczy tam były? – rzuciła pytanie. Do nikogo konkretnego.

– No ja też się kurwa zastanawiam – pieklił się dalej naczelnik Urbański.

Emilia nigdy wcześniej nie widziała, żeby aż tak puściły mu nerwy. Może dlatego że dopiero niedawno przeniósł się tu z Warszawy. A może to była pokazówka na potrzeby prokuratora.

– Julia ubrana była w ten strój à la lata siedemdziesiąte – kontynuowała Strzałkowska, starając się uspokoić nastroje. – Wydaje mi się, że zrobiła to po to, żeby upodobnić się do Hanny Kwiatkowskiej. Być może dla Sławomira Kwiatkowskiego, bo chciał jej za coś zapłacić. To jeszcze muszę sprawdzić. Zastanawiałam się, dlaczego poszła na Beskidzką. Może zamierzała się tam przebrać w swój strój. A rzeczy ukryła w dziupli…

– To i tak znaczy, że zjebaliście, bo cały czas były w dziupli – mruknął Urbański, teraz już włączając Emilię w krąg winowajców.

– Niekoniecznie. Bo może ktoś z nią tam był. Ktoś, kto potem zabrał te rzeczy. A teraz z jakiegoś powodu je tam podrzucił.

– Ma pani kogoś konkretnego na myśli? – zapytał Zjawa.

– Na przykład Oliwiera Pietrzaka – powiedziała policjantka. To było coś, co właśnie przyszło jej do głowy. – Wczoraj przypadkiem usłyszałam, że koledzy z ruchu drogowego złapali go w okolicach obwodnicy. Dostał mandat. To jest bardzo blisko miejsca zbrodni. Może pojechał podrzucić te rzeczy. Kiedy z nim rozmawiałam, oczywiście twierdził, że nie ma pojęcia, jakie plany zawodowe na ten dzień miała Julia. Mówił, że nie mają umowy na wyłączność i tak dalej. Ale przecież on jest jej szefem. Więc raczej wydawałoby się, że wie takie rzeczy. No i skłamał co do kluczy od mieszkania. Mówił mi, że ich nie ma. A raczej je ma, bo jego odciski palców są na komputerze. Oczywiście mogły się tam pojawić, kiedy był w mieszkaniu przy jakiejś niewinnej okazji, ale mamy też rozmowę Julii i Oliwiera na Messengerze, w której ona napisała do niego, że wie o tym, że wchodził do jej mieszkania.

– Ale po co pisałaby do niego na Messengerze, skoro za chwilę mieli razem jechać na Beskidzką? – zapytał Urbański z irytacją. – To się nie trzyma kupy.

– Nie wiem. Może nie pojechali tam razem. A on tylko pojechał za nią. A może pojechali. Ale nieco później, niż ona wysłała mu wiadomość przez telefon. On nie odpisał, więc może rozmawiali w samochodzie, jadąc do Brodnicy. To jego samochód mógł słyszeć Ryszard Pietrzak.

– Ryszard Pietrzak, który jak wiemy, jest mordercą – podkreślił prokurator. – Proszę nie szukać sposobów na to, żeby ukryć fakt, że popełniliście rażący błąd. Te rzeczy nie zostały podrzucone wczoraj przez Oliwiera Pietrzaka.

One tam były od wtorku, szóstego lutego, kiedy Ryszard Pietrzak zamordował Julię. Tylko wy ich nie znaleźliście.

– I co by robiły w dziupli? – zadrwiła Emilia. Nie mogła się powstrzymać.

– Nie wiem. Może dziewczyna się tam przebierała, jak sama pani zasugerowała przed chwilą. I sama schowała tam te rzeczy, a Ryszard Pietrzak zaatakował ją, kiedy była ubrana w strój z lat siedemdziesiątych.

– Może – nie odpuszczała Emilia. – Ale te fakty zaczynają się układać w sensowną całość. Zwłaszcza że jak wiemy, Oliwier miał dostęp do jej komputera. Kliknął lajka, żeby wyglądało na to, że dziewczyna żyje. Zniszczył jej twarz siekierą i zabrał dłonie i stopy, żeby utrudnić identyfikację. A sam udawał, że wierzy, że Julia jest na jakiejś niezidentyfikowanej robocie wyjazdowej.

– Tak, a Putin, czy ktoś tam inny, nas wszystkich podsłuchuje i Ziemia jest płaska – warknął Zjawa. – Czy pani słyszy, co pani mówi? To są jakieś brednie i banialuki, a nie poważne podejście do sprawy.

– A może Franciszek Sadowski podrzucił te rzeczy? – zastanawiała się głośno, ignorując przytyk prokuratora. – Przecież mamy tylko jego słowo na to, że je tam znalazł.

– To prawda – powiedział technik. – Ale do tej pory nie znalazłem na niczym jego paluchów. Chyba że miał rękawiczki, jak to tam wsadzał.

– Mamy już winnego – powiedział spokojnie prokurator Krajewski. – Siedzi w Starych Świątkach.

– I niech tam gnije – dodał naczelnik Urbański takim tonem, jakby mówił *Amen* na koniec modlitwy.

– Wcale nie jestem przekonana, że Ryszard Pietrzak to zrobił – upierała się Emilia, porzucając swoje wcześniejsze postanowienie, żeby się z tym nie wychylać. – Jeżeli nawet, to być może na czyjeś polecenie. Ale nie sam. Nie wydaje mi się typem...

– Nie wydaje się pani typem? – przerwał jej Zjawa prześmiewczo. – To nie są zgadywanki ani wydawanie się. Ryszard Pietrzak był cały we krwi ofiary. Na narzędziu zbrodni były jego odciski palców. Ma historię brutalności. A wy popełniliście błąd i nie znaleźliście w dziupli tych rzeczy. Policja schodzi na psy.

– Ale ich tam wtedy nie było – odważył się znów odezwać młody policjant, który już wcześniej zabrał głos. – Tych rzeczy...

Emilia spojrzała na niego. Nie znała go. Czuła jednak, że młody nie próbuje się tłumaczyć. Naprawdę zaglądał do dziupli i nie było w niej ubrań i torebki Julii Szymańskiej.

– Może przejdziemy do tego, co było w środku. Znaczy w tej nerce – zaproponował szef techników.

Emilia skinęła głową. Faktycznie to było najciekawsze. A konkretnie jedna rzecz. Oprócz dokumentów, karty kredytowej, telefonu i kilku innych drobiazgów w nerce było jeszcze coś. Coś, co musiało łączyć się ze sprawą.

– Ale chyba zgodzicie się ze mną, że ta ulotka jest znacznie ciekawsza? – powiedział technik.

ROZDZIAŁ 42

Duży Rynek w Brodnicy. Piątek, 16 lutego 2018.
Godzina 16.30.
Sierżant sztabowy Radosław Trawiński

Trawiński zaparkował na jednym z miejsc wzdłuż ulicy
przy Dużym Rynku. Chciał iść do księgarni w Galerii
Brodnica po jakieś książki dla dzieciaków. Uznał, że nie
będzie parkował pod samym budynkiem przy Kościelnej,
tylko przejdzie się kawałek. To było góra trzysta metrów.
Nic wielkiego, ale potrzebował choć odrobiny świeżego
powietrza. Bardzo potrzebował.

Zerknął na zdjęcie, które leżało na siedzeniu pasażera.
Wyjął je dziś zza wycieraczki swojego auta. Ktoś musiał podłożyć je w nocy. Trawiński wiedział, co z tym zrobić. Po prostu
wziął je stamtąd i położył na siedzeniu. Potem jakby nigdy
nic pojechał do pracy. Przez cały dzień myślał o tym, że leży
tam sobie na fotelu. Tak po prostu. Jakby je tam chciał mieć.
Skończył o czternastej, więc nie musiał brać udziału w durnej
odprawie, która teraz trwała. Chybaby tego nie zniósł.

Starał się patrzeć przed siebie. Stanął akurat naprzeciw-
ko salonu optyka. Jakaś kobieta schodziła po schodkach

274

rozpromieniona. Najpewniej kupiła nowe okulary i była zadowolona z wyboru. On tego o sobie nie mógł powiedzieć. Nie był zadowolony ze swoich wyborów. O nie. Dobrze wiedział, kto kazał włożyć zdjęcie za wycieraczkę. To było jasne jak słońce. Pierdolony boss.

– Kurwa – szepnął do siebie Trawiński.

Zabrzmiało to cicho i słabo. Bardzo słabo. Ale to zdjęcie… Grube czarne kreski markera przekreślały twarze jego żony i dwójki dzieci i skutecznie pozbawiały policjanta nie tylko umiejętności przeklinania. Wiedział, co boss chciał przekazać. Rodzina Trawińskiego zginie, jeżeli policjant nie będzie posłuszny.

Ostrzeżenie było oczywiście reakcją na ich wczorajszą rozmowę. Trawiński powiedział bossowi, że koniec tego dobrego i nie ma już siły na współpracę. Że to koniec i że on nie chce. Obiecał, że bossa nikomu nie wyda, ale nie chce już pieniędzy za informacje. Chce sobie spokojnie i zgodnie z prawem pracować.

Trawiński zaśmiał się smutno. Pomyśleć, że jak wychodził ze spotkania, to wydawało mu się, że dobrze to rozegrał. Boss go wysłuchał. Powiedział „aha". I to było tyle. Zdawało się, że nawet nie jest zły. Ależ Trawiński czuł się teraz głupi i naiwny, że sobie wyobrażał, że można tak łatwo wydostać się z tego szamba. Nie można. Raz człowiek się sprzedał, zawsze już będzie szmatą. A co gorsza, źli wiedzieli o tym tak samo dobrze.

Policjant znów westchnął. Pomyślał o sięgnięciu po narkotyki, które dostał jakiś czas temu od bossa, ale powstrzymał się. Wiedział, że ulga byłaby krótkotrwała. No i tak nisko jeszcze nie upadł, żeby zacząć ćpać. To by był prawdziwy koniec. Widział wielokrotnie, jak boss stosuje taktykę narkotykowych prezentów tylko po to, żeby kogoś pogrążyć. Potem ta osoba dosłownie błagała o więcej i stawała się całkowicie zależna. Trawiński nie chciał być zależny.

– Kurwa – szepnął znów do siebie.

Może i nie chciał, ale był. Zerknął znów na zdjęcie. To, że nie brał narkotyków od bossa, nic nie znaczyło. Miał rodzinę, na której mu zależało. A boss doskonale o tym wiedział. Tak jak Trawiński wiedział, że jego rodzina naprawdę ucierpi, jeżeli on spróbuje się przeciwstawić. Boss może i nie był grubą rybą na skalę całej Polski, ale tu był wystarczającą. No i współpracował z ludźmi z większej grupy. Miał swoje sposoby.

Nie! Trawiński nie mógł dopuścić, żeby cokolwiek się stało jego rodzinie. Maja może i była rozrzutna, ale nie chciał nawet myśleć o tym, że by jej nie było. A dzieci… Nie… ta myśl była zbyt okropna, żeby w ogóle sobie to wyobrażać.

Trawiński poczuł, że ręce mu drżą. Sięgnął po zdjęcie i znów spojrzał na poprzekreślane twarze swojej rodziny. Teraz chciał, żeby wbiły mu się w pamięć. Zrobi wszystko, żeby chronić rodzinę. Sam ich w to wpakował. Może dlatego, że jego żona nie umiała żyć oszczędnie, ale to przecież on zrobił. Nie Maja. On! On był winny i będzie ich musiał z tego wyciągnąć.

Bez względu na wszystko.

ROZDZIAŁ 43

Ulica Podhalańska w Brodnicy. Piątek, 16 lutego 2018.
Godzina 16.30.
Młodszy aspirant Emilia Strzałkowska

Emilia zjechała z obwodnicy w Podhalańską. Była już prawie pod domem i zakładem produkcyjnym Kwiatkowskich. Cały czas myślała o ulotce, którą znaleźli w torbie nerce należącej do Julii Szymańskiej. To była ulotka z targów budowlanych, które odbyły się tuż przed śmiercią dziewczyny. Ulotka pochodziła właśnie ze stoiska Kwiatkowskich. A przecież Julia pracowała jako hostessa u Sadowskiego, a jej rodzinna firma prowadzona była przez Dąbrowskich. Tymczasem w torebce miała ulotkę Kwiatkowskich. To z kolei pasowało do tego, że widziana była ze Sławomirem, który próbował jej za coś zapłacić.

Ulotka sama w sobie być może nie wydawałaby się tak ważna. Chodziło raczej o notatki, które dziewczyna na niej zrobiła. Oczywiście biegły będzie musiał potwierdzić, czy to było pismo odręczne Julii, ale Emilia uznała, że na razie założy, że tak. Przecież nawet Oliwier Pietrzak wspomniał, że kiedy Julia zjawiła się u niego po rzeczy w stylu lat siedemdziesiątych, miała notatki zrobione na ulotce. Najwyraźniej więc miała pod ręką co najmniej dwie ulotki Kwiatkowskich i na nich robiła zapiski.

Na ulotce, którą znaleźli w torebce dziewczyny, nie było listy ubrań. Było za to krótkie zestawienie faktów na temat Hanny Kwiatkowskiej. Imię Hanny podkreślono. Pod spodem była data i miejsce jej urodzenia, imiona rodziców i pierwszego męża. Emilia sprawdziła w systemie i wszystko się zgadzało. To były informacje o Hannie. Skoro Julia Szymańska miała na sobie strój, który najwyraźniej miał ją do Kwiatkowskiej upodobnić, wszystko zaczynało do siebie pasować. Przy założeniu, że Sławomir chciał, żeby dziewczyna udawała z jakiegoś powodu jego żonę, Julia musiała wiedzieć przynajmniej podstawowe rzeczy na jej temat.

Ale były jeszcze dwa zapiski, które z kolei zdawały się nie pasować do tej teorii. Po pierwsze imię i nazwisko Franciszka Sadowskiego. Podkreślono je dwa razy. Jakby było wyjątkowo istotne. Powstawało więc pytanie, jaki związek miał z tym wszystkim Sadowski. Julia pracowała w jego stoisku, więc nazwisko na pewno znała. Po co w takim razie zapisała je pod faktami na temat Hanny Kwiatkowskiej? Emilia uznała, że może to oznaczać tylko jedno. Sadowski był jakoś z Hanną powiązany. Strzałkowska pamiętała, że właściciel zajazdu sugerował, że wypadek samochodowy pierwszej żony Sławomira i pierwszego męża Hanny wcale wypadkiem nie był. Bez względu na to, czy była to prawda, czy nie, on zdawał się orientować w sprawach Kwiatkowskich. Czyli faktycznie mogli się z Hanną znać.

Widocznie sam zainteresowany nie wiedział, że w rzeczach, które znalazł w dziupli, jest jego nazwisko. To zadawałoby kłam pomysłowi, że sam tam te rzeczy włożył. Nie zostawiłby chyba ulotki, na której zapisano jego własne nazwisko. Choć kto wie?

Druga dziwna rzecz na ulotce to było zupełnie niepasujące do niczego zdanie. Wydawało się Emilii pozbawione sensu. *Oj, oj, oj. Bagnety stracisz i bagnety dasz zeru*. Policjantka nic z tego nie rozumiała. O jakie bagnety chodziło? Dom Kwiatkowskich pełen był jakichś rupieci. Może mieli też starą białą broń. Może część z egzemplarzy była cenna? *Bagnety stracisz*. To miało być ostrzeżenie? A *Bagnety dasz zeru*? *Zero* miało być określeniem jakiejś osoby, którą ktoś uważał za nieważną? Coś jak w określeniu: *Jesteś zerem!*

Emilia skręciła pod przypominający budynek z horroru dom Kwiatkowskich. Ciągle nie odrzuciła tezy, że winny może być Oliwier Pietrzak. Uznała jednak, że zanim pojedzie do niego, najpierw zajrzy do Kwiatkowskich. Ich dom był przecież tak niedaleko komendy. Może przynajmniej część zagadek z ulotki przestanie być tajemnicą. Potem Emilia wybierze się do Rypina i wyjaśni kilka kwestii z szefem Julii.

– Dzień dobry. Wybierają się państwo gdzieś? – zapytała, wysiadając z samochodu.

Sławomir i Hanna Kwiatkowscy właśnie wsiadali do czarnego terenowego mercedesa. Czarnowłosy Beniamin zamykał drzwi domu. Wyglądało na to, że chłopak jak zwykle pała niechęcią do wszystkiego i wszystkich. Minę miał w każdym razie zbolałą. Strzałkowska ucieszyła się w duchu, że jej własny syn przeżywa nastoletnie lata z pewnymi wybrykami i bagażem emocjonalnym, ale nie jest uosobieniem nihilizmu jak młody Kwiatkowski.

– Pani policjantka. – Sławomir Kwiatkowski uśmiechnął się jowialnie. Miał na sobie długi płaszcz. Spod rozpiętych pół wystawał jaskraworóżowy krawat w kropki. Zupełnie nie pasował do ubrania.

– Jedziemy do kina – wyjaśniła Hanna. Wyglądało na to, że nie jest dziś tak rozmowna jak ostatnio. Zniknęła gdzieś chęć opowiadania o przynoszących nieszczęście wrzecionach kikimory, wiedźmich kamieniach i podróżach w czasie.

– Musimy się spieszyć, bo seans się zacznie – zawtórował żonie Sławomir. – A musimy dojechać do Torunia.

W Brodnicy nie było kina. Mieszkańcy miasta niechętnie przyznawali, że w sąsiadującym z nimi prawie dwa razy mniejszym Rypinie było. Mimo że Rypin znajdował się dużo bliżej niż Toruń, mieszkańcy Brodnicy często wybierali się do miasta Kopernika, żeby pójść na najnowszy film. Emilia znów przypomniała sobie kłótnię pomiędzy Ziółkowskim a kolegami z Rypina w mieszkaniu Julii. Pewnie ta wzajemna niechęć pomiędzy miastami miała z tym coś wspólnego.

– Zajmę państwu dosłownie chwilę – obiecała Emilia.

– Spieszymy się – powtórzył Sławomir.

Emilia zauważyła, że dłoń Hanny powędrowała do naszyjnika. To był wiedźmi kamień. Kwiatkowska zaczęła nim obracać.

– To zajmie dosłownie chwilę – powtórzyła Emilia z naciskiem. Nie chciała teraz odpuścić.

– Pogadajmy z nią – nieoczekiwanie poparł ją Beniamin, zaraz jednak przybrał zrezygnowany wyraz twarzy.

– To o czym chce pani rozmawiać? – zapytał Sławomir.

– Właściwie to chciałabym porozmawiać właśnie z panem – uściśliła Strzałkowska. – Może usiądziemy w moim samochodzie.

– Nie mam przed żoną i synem tajemnic – zaśmiał się Sławomir. – Jesteśmy rodziną. Zawsze razem. Jeżeli chce pani rozmawiać, to proszę. Razem albo już jedziemy.

Emilia rozważała to przez chwilę. Mogłaby go teoretycznie zatrzymać. Choć nie była pewna, co powiedziałby na to Zjawa. Zapewne byłby przeciwny. Uznała więc, że pozwoli sobie na drobną kapitulację i porozmawia ze wszystkimi Kwiatkowskimi. Nie było to najbardziej profesjonalne podejście, ale wyjątek był możliwy. Jeżeli będzie próbowała ich zmusić, i tak niewiele na tym zyska.

– Dobrze. Zacznijmy więc od tego, że widziano, jak chciał pan wręczyć jakieś pieniądze Julii Szymańskiej podczas targów budowlanych w Bydgoszczy – oznajmiła Strzałkowska. – Może pan wyjaśnić, o co chodziło?

Zauważyła, że Hanna i Beniamin spojrzeli na Kwiatkowskiego zdziwieni. Albo dobrze grali, albo nic o tym nie wiedzieli. Sławomir odchrząknął.

– Chyba nie ma sensu zaprzeczać, skoro ktoś nas widział. Cóż, chciałem podkupić informacje handlowe – przyznał. – Dziewczyna pochodzi z Szymańskich, znaczy się teraz Dąbrowskich, pracowała natomiast u Franciszka Sadowskiego. No to mogła mi udzielić jakichś informacji zarówno o jednych, jak i o drugich. No i okazało się, że była sporo warta, bo załatwiła Sadowskiemu dobrą klientkę. Ale moich pieniędzy nie wzięła.

Emilia zastanawiała się, czy Sławomir wymyślił tę odpowiedź na poczekaniu, czy miał ją przygotowaną na wszelki wypadek, gdyby ktoś o to zapytał. Policjantka nadal nie chciała zrezygnować z pomysłu, że Kwiatkowski wynajął Julię do udawania Hanny. Szkoda, że jednak rozmawiali przy całej rodzinie. Może powiedziałby więcej, gdyby byli sam na sam.

– Sławek! – zawołała Hanna, kręcąc głową. Jej dłoń powędrowała do naszyjnika. – Jak mogłeś coś takiego zrobić?

– Wiem, że można to traktować jak brudną zagrywkę, ale w biznesie cały czas się robi takie rzeczy – mruknął Sławomir. Zwracał się do Strzałkowskiej, jakby to jej, a nie żonie odpowiadał. – Cały czas. Niech pani mi wierzy. Biznes to brudna gra. Non stop. Zwłaszcza jak człowiek wdrapie się wyżej i dalej. To duże obciążenie psychiczne. Więc to nie jest tak, że jak się jest szefem firmy, to od razu spoczywa się na laurach i człowiek pławi się w luksusie. Tak, mamy piękny dom. Ale to nie znaczy, że nic nie robię w mojej firmie.

Policjantka spojrzała na drewniany budynek. Nie mogła przestać myśleć o amerykańskich horrorach, w których z pola kukurydzy wyłania się jakiś człowiek z maczetą i rusza w stronę takiego właśnie domu. Tu nie było maczety. Była za to siekiera i martwa dziewczyna. Całkiem niedaleko.

– Czyli Julia odmówiła? – upewniła się Emilia.

Przyglądała się Kwiatkowskiemu, usiłując przejrzeć jego grę. Z jego twarzy nie dało się nic wyczytać.

– Tak – potwierdził tylko.

– Czyli nieprawdą jest, że wynajął pan Julię Szymańską, żeby udawała pańską żonę? – zapytała policjantka. Starała się, żeby zabrzmiało to, jakby i na to miała świadka. Cóż, czasem trzeba było blefować.

– Słucham?

Sławomir mówił powoli, ale Emilia czuła, że dotknęła czułego punktu.

– Dokładnie to, o co pytam. Czy zapłacił pan Julii za udawanie żony?

– Nie, oczywiście, że nie. Skąd w ogóle taki idiotyczny pomysł?

W głosie biznesmena pojawiła się nerwowa nuta. Próbował chyba ukryć ją za ostrym tonem, ale Emilia nie dała się zwieść. Postanowiła nie drążyć tematu i zostawić Sławomira z odrobiną niepewności. Uznała, że może zapytać o tajemnicze zdanie zanotowane na ulotce. Jeżeli to on wynajął Julię i kazał jej to zapisać, nie będzie mógł już mieć wątpliwości, że Emilia coś wie. Liczyła na to, że będzie się obawiał, że policjantka wie więcej. Chociaż de facto Strzałkowska nie wiedziała o tym układzie za wiele. A właściwie nic.

– Mówi coś panu zdanie: *Oj, oj, oj. Bagnety stracisz i bagnety dasz zeru*? – zapytała.

– Pani sobie ze mnie kpi?

Chłód w głosie Sławomira Kwiatkowskiego zdawał się przewyższać ten zimowego powietrza na zewnątrz. Strzałkowska poczuła, że zupełnie tracił cierpliwość. A musiała zadać jeszcze jedno pytanie. Odwróciła się do Hanny.

– Co łączy panią z Franciszkiem Sadowskim? – zapytała wprost.

– Musimy już jechać – wtrącił się natychmiast Kwiatkowski. – A moją żonę proszę zostawić w spokoju. Cokolwiek tam pani sobie wyobraża.

Chciał zatrzasnąć drzwi samochodu, ale Strzałkowska w porę je przytrzymała. To była podświadoma reakcja. O mało nie przytrzasnął jej palców.

– Chwileczkę – powiedziała.

– Powtórzę jeszcze tylko raz – warknął Sławomir. – Tak, próbowałem podkupić Julię. Nie, nie zabiłem jej. Ani tym bardziej nie wynająłem jej do udawania mojej żony. Nie słyszałem czegoś równie niedorzecznego! Natomiast mogę pani powiedzieć, dlaczego Julia nie chciała mi sprzedać informacji. Wcale nie dlatego, że była taka święta i niesprzedajna. Bała się.

ROZDZIAŁ 44

W drodze do Brodnicy. Piątek, 16 lutego 2018.
Godzina 17.00.
Oliwier Pietrzak

Oliwier wzdrygnął się. Czuł się tak, jakby miał krew
na dłoniach. Zacisnął je mocniej na kierownicy. Przyspie-
szył. Może szybka jazda pomoże. Golf zaryczał na wysokich obrotach, kiedy Pietrzak nieco za późno zmienił
bieg. Chciał zostawić za sobą to, co musiał przed chwilą
zrobić. To było wstrętne. Ohydne. To było… Nie wiedział
nawet, jak to opisać. Odrażające… Ale konieczne. Nie
mógł przecież trzymać tego w domu.

– Jak jedziesz, zawalidrogo – wrzasnął, wyprzedzając
jakiegoś malucha. Autko musiało pamiętać czasy Peerelu.
Nie powinno w ogóle jeździć. – Spieprzaj!

Kierowca nie mógł go oczywiście słyszeć, ale krzyk niósł
ulgę. Kierowca jadący z naprzeciwka mrugnął światłami.
Trudno było zgadnąć, czy dlatego że Pietrzak prawie za-
jechał mu drogę przy wyprzedzaniu, czy dlatego że gdzieś
stała drogówka. Na wszelki wypadek postanowił zwolnić.

Wystarczy już mandatów. I zainteresowania policji, przebiegło mu przez myśl.

Znów pomyślał o tym, co musiał przed chwilą zrobić.
Jakby było mało, że to było makabryczne, to jeszcze został
przyłapany. Ale tym zajmie się potem. Ze świadkiem coś
trzeba będzie zrobić. Ale potem. Na razie Oliwier musiał załatwić coś jeszcze. Coś trudniejszego, ale bardziej
opłacalnego.

Pietrzak dobrze wiedział, co Julia zaplanowała na wtorek
szóstego lutego i jaką miała r o b o t ę. Kiedy policjantka
o to zapytała, spróbował zyskać na czasie, twierdząc, że
musi zdjąć ubranie drag queen. A tak naprawdę chciał
zastanowić się, co powinien jej odpowiedzieć. Stwierdził,
że na pewno nie prawdę. Dlatego skłamał, że nic nie wie.
Czuł, że tę wiedzę może wykorzystać do swoich celów. To
właśnie zamierzał teraz zrobić.

Szkoda tylko, że cały czas miał przed oczami odcięte
dłonie i stopy Julii.

ROZDZIAŁ 45

Pod domem Kwiatkowskich. Piątek, 16 lutego 2018.
Godzina 17.00.
Młodszy aspirant Emilia Strzałkowska

Pani pewnie myśli, że Julia nie chciała sprzedać mi tych informacji, bo była taka przywiązana do rodziny – powiedział Sławomir Kwiatkowski. – Ale nie o to chodziło. Ona się ich bała. A przede wszystkim osiłka, który tam pracuje.

– Pawła Krupy? – upewniła się Emilia.

– Tak. Choć i Jakuba Dąbrowskiego. Na jedno wychodzi. Przecież ten Krupa zrobiłby dla szefa wszystko. Ślepo w niego wierzy.

Emilia pomyślała o rozmowie Julii i Zofii na Messengerze, w której dziewczyna twierdziła, że ojczym jest mordercą. Twierdziła, że zabił jej biologicznego ojca. Matka zaprzeczała. Strzałkowska nie miała pojęcia, co o tym myśleć, choć teraz wiedziała już nieco więcej o wypadku. Ziółkowski powiedział im przecież, że to Oliwier Pietrzak był ewentualnym podejrzanym w tamtej sprawie. Nie Jakub Dąbrowski. Ale teraz Sławomir mówił o strachu Julii.

Z drugiej strony to Jakub miał zdecydowanie więcej do zyskania niż Oliwier. Przejął firmę zmarłego szefa i ożenił się z wdową po nim. A dlaczego Oliwier miałby zabić Szymańskiego? Jak się nad tym zastanowić, chyba nic na tym nie zyskiwał.

Mimo wszystko Emilia cały czas czuła, że Oliwier wie więcej, niż jej powiedział. Może nawet zabił Julię. Zamierzała pojechać do niego do Rypina jeszcze dziś, chociaż było późno. Zresztą to i tak lepsze niż samotne oglądanie filmu. Łukasz na pewno był umówiony z kolegami na granie. No a Daniel… Wiadomo. Siedział z Weroniką.

– Dlaczego się ich bała? – zapytała policjantka. – Mówiła coś?

– To znaczy nie powiedziała wprost, że się boi – przyznał Kwiatkowski. – Ale powiedziała, że Paweł Krupa czasem ją śledzi. Natomiast my znamy tego Krupę. Prawda, kochanie?

Sławomir odwrócił się do żony. Hanna skinęła głową nieznacznie.

– W jakim sensie? – zapytała Emilia.

– Mój pierwszy mąż był ojcem Pawła Krupy – wyjaśniła Kwiatkowska. – To znaczy nie byliśmy formalnie po ślubie, ale zawsze mówiłam na niego mąż. Tak się utarło. Paweł był synem jego pierwszej żony. Można więc powiedzieć, że jakiś czas byłam jego nieformalną macochą.

Hanna była w takim razie podwójną macochą. Najpierw Pawła Krupy, a potem kolejnego chłopaka. Strzałkowska zerknęła na Beniamina. Przesuwał kamień czubkiem buta. Była w tym jakaś ponura nerwowość.

– Jak zginął mój pierwszy mąż, to oczywiście chciałam się Pawłem zająć – mówiła Hanna. – Ale on nie chciał. Wolał przenieść się do dziadka.

– Szczerze mówiąc, trochę się ucieszyliśmy – dodał Sławomir. – Bo to był czas, kiedy ja i Hania wiedzieliśmy, że weźmiemy ślub. A ucieszyliśmy się nie dlatego, że nie chcieliśmy go w rodzinie. Przecież byłoby to wspaniale dla Beniamina. Miałby brata.

Policjantka zerknęła na czarnowłosego chłopaka. On na zadowolonego na pewno nie wyglądał. Wcale by się nie zdziwiła, gdyby najbardziej oczekiwał, żeby Paweł Krupa się wyprowadził. Wyglądał Strzałkowskiej na egoistycznego jedynaka.

– Paweł był dziwny – powiedziała Hanna Kwiatkowska.

W jej ustach zabrzmiało to trochę niedorzecznie, przebiegło przez myśl Emilii. Zwłaszcza zważywszy na to, że niedawno opowiadała Strzałkowskiej o podróżach w czasie.

– Mały brutal – powiedział niechętnie Sławomir. – Wcale się nie zdziwiłem, że wyrósł na prawdziwe ziółko.

Emilia nie miała wyrobionego zdania na temat Pawła Krupy. Jego wygląd oczywiście budził pewien lęk. Ale czuła w nim jakąś delikatność. Może przez to, że zwierzył jej się, że był molestowany przez Franciszka Sadowskiego.

– I Julia powiedziała panu, że Krupa ją śledził? – upewniła się Emilia.

– Tak.

– A teraz naprawdę musimy już jechać, bo seans nam przepadnie – wtrąciła się Hanna.

Policjantka skinęła głową. Patrzyła, jak Kwiatkowscy wsiadają pospiesznie do samochodu i odjeżdżają. Robiło się późno, a ona jeszcze miała kilka rzeczy do zrobienia. Po pierwsze powinna pojechać do zajazdu i pomówić z Franciszkiem Sadowskim na temat ulotki i jego relacji z Hanną. Ciągle jednak nie wiedziała, jak do tego podejść. Jeżeli to była jakaś tajemnica, a z reakcji Kwiatkowskich można by tak przypuszczać, Sadowski na pewno zaprzeczy. A przecież z jakiegoś powodu jego imię i nazwisko zostały zapisane na ulotce. I podkreślone dwa razy, dodała w duchu policjantka. Postanowiła przeprowadzić rozmowę z Sadowskim jutro.

Miała też w planach wyjazd do Rypina, by pomówić z Oliwierem Pietrzakiem. Ale Targowa była prawie po drodze. Wystarczyło zjechać z obwodnicy. A skoro tak, to zajrzy na chwilę do zakładu produkcyjnego Dąbrowskich, żeby pomówić z Pawłem Krupą i sprawdzić, jak odniesie się do tego, co właśnie powiedział jej Sławomir.

ROZDZIAŁ 46

Aleja Piłsudskiego w Brodnicy.
Piątek, 16 lutego 2018. Godzina 17.10.
Beniamin Kwiatkowski

Dlaczego oszukałeś ją co do Pawła? – zapytał ojca Beniamin.

Właściwie powinien siedzieć cicho, ale nie mógł się powstrzymać. Nawet w takiej chwili.

– Nie oszukałem jej – mruknął Sławomir. – Szymańska naprawdę powiedziała mi, że za nią łazi.

– Dobrze wiesz, że nie o tym mówię – mruknął Beniamin.

– Dobrze wiesz, że to nie jest moment, żeby teraz o tym rozmawiać – warknął ojciec. Hanna kiwała głową jak najęta, żeby go poprzeć. – Mamy sprawę do załatwienia. I to, zdaje się, przez ciebie. Siedź więc cicho.

Beniamin przyznał, że to faktycznie nie jest dobry moment na dyskusje. Patrzył w milczeniu przez szybę samochodu na światła miasta. *Żeby zobaczyć światło, trzeba najpierw umrzeć*, powtarzał sobie w duchu fragment piosenki, której ostatnio tak często słuchał. Czy to się stanie właśnie dziś?

– Myślisz, że ta policjantka domyśliła się, że okłamaliśmy ją, mówiąc o wyjeździe do kina? – zapytał Sławomir.

Zwracał się zapewne do Hanny, więc Beniamin nawet nie próbował odpowiedzieć.

– Nie martw się – odparła. – Zakręciła wrzecionem. Usłyszała jego stukot. Spotka ją zło. Nie martwiłabym się nią.

ROZDZIAŁ 47

Zakład produkcyjny Dąbrowskich.
Piątek, 16 lutego 2018. Godzina 17.35.
Młodszy aspirant Emilia Strzałkowska

Emilia podjechała pod zakład produkcyjny Dąbrowskich
w nadziei, że zastanie tam Pawła Krupę. Tym razem chciała
porozmawiać właśnie z nim, a nie z jego pracodawcami.
A to ze względu na to, co usłyszała od Sławomira Kwiatkowskiego. Może to były kłamstwa, ale skoro i tak wybierała
się do Rypina przesłuchać jeszcze raz Oliwiera Pietrzaka,
to ulica Targowa znajdowała się prawie po drodze.

Była zmęczona i zaczynała popadać w przygnębienie.
Zimowa noc przychodziła szybko, a ona tęskniła już za słoń-
cem i wiosną, bo może wtedy przyjdzie nowa nadzieja.
Może wtedy wszystko się ułoży.

Miała oczywiście na myśli Daniela. Niech po prostu
życie już się ułoży, niech przyjdzie wiosna, zaklinała w duchu, wjeżdżając przed zakład produkcyjny Dąbrowskich.
Światła były pogaszone. Chyba przyjechała za późno. Mimo
to wysiadła z samochodu i zamknęła drzwi. Może ktoś
jeszcze jest na miejscu.

– Dzień dobry.

Odwróciła się. Paweł Krupa stał tuż za nią. Wielkie przedramiona splecione miał na klatce piersiowej. Mimowolnie cofnęła się o krok. Patrząc na krępego mężczyznę, ciężko było uwierzyć, że niższy od niego, ale na pewno znacznie słabszy Franciszek Sadowski wykorzystał go seksualnie. Choć tak naprawdę dziwniejsze i, zdawałoby się, mniej prawdopodobne rzeczy Emilia widziała już na swojej służbie.

– Szefa i szefowej akurat nie ma – poinformował ją Krupa.

Uśmiechnął się. Wyglądał przy tym już znacznie mniej złowrogo. Należał do osób, którym śmieją się też oczy. Może dlatego, że otoczone były siecią drobnych zmarszczek. Mimo groźnego wyglądu i tego, co o nim usłyszała od Kwiatkowskiego, młody mężczyzna sprawiał dość miłe wrażenie.

– Tym razem chciałam porozmawiać z panem, a nie z nimi.

– Napije się pani herbaty?

– Chętnie.

– To zapraszam do biura. Nie będziemy stać na zimnie.

Ruszyli dziedzińcem do drewnianego budynku. Znów minęli miejsce, gdzie ustawiono krzyż i palono świeczkę za duszę pierwszego właściciela firmy. Najwyraźniej dbano o to, żeby pamięć o Tomaszu Szymańskim była pielęgnowana. Policjantka zauważyła też, że pojawił się drugi znicz. Może płonął dla Julii.

– Słyszałam trochę plotek o wypadku pana Szymańskiego – zagaiła ostrożnie Emilia. – Że mógł być w to zamieszany Oliwier Pietrzak. Wie pan coś o tym?

– Ja tu jeszcze wtedy nie pracowałem. Dzieciakiem byłem. Ale faktycznie obiło mi się o uszy, że policja go sprawdzała. Ja tam nie wiem. Dąbrowscy tego nie drążyli. I jakoś się o tym tu nie mówi. No ale palimy znicz.

Skinęła głową w stronę drewnianego budynku.

– Mieszka pan tu na miejscu?

– Nie, wynajmuję mieszkanie w mieście. Po prostu jestem tu z reguły najdłużej – zaśmiał się. – Wiem, że nie wyglądam, ale jestem kierownikiem produkcji. Chociaż wszyscy biorą mnie raczej za ochroniarza.

Rzeczywiście Paweł Krupa ze swoją posturą bardziej pasowałby na stereotypowego pracownika ochrony. Tymczasem najwyraźniej pełnił funkcję biurową. Podobnie jak Robert Janik, którego blizna przez środek twarzy i hiphopowe ubranie sprawiały, że mało kto uwierzyłby, że jest sekretarzem prezesa firmy.

– Zapraszam.

Paweł Krupa otworzył przed Emilią drzwi do biura. W środku panowało przyjemne ciepło. Światło było zgaszone, ale z kozy z boku pomieszczenia płynęła pomarańczowa łuna żaru.

– Przygotuję herbatę z konfiturą. Rozgrzeje się pani. No i upiekłem wczoraj ciasto.

Musiał zauważyć zdziwienie na twarzy policjantki, bo znów się uśmiechnął.

– Mój dziadek opiekował się mną przez jakiś czas po tym, jak mój ojciec zginął w wypadku samochodowym. Czasem pytał o rady koleżanki swojego dawnego znajomego. Ona uwielbia piec. Nauczyła mnie kilku sztuczek. Jak mi się chce, to je robię.

Paweł Krupa przeszedł do pomieszczenia obok. To była chyba niewielka kuchenka. Po chwili wrócił z tacą. Parującej herbaty, konfitury malinowej i pachnącego placka ze śliwkami Emilia spodziewałaby się raczej podczas wizyty u Marii Podgórskiej, a nie u tego postawnego młodego mężczyzny.

– Co panią sprowadza? – zapytał Krupa, podając jej talerzyk z ciastem.

Atmosfera zrobiła się tak przyjemna i swojska, że Emilia nie miała ochoty poruszać kwestii, z którą tu przyjechała. Westchnęła.

– Ktoś zeznał mi, że Julia się pana bała i że pan ją śledził – powiedziała, powtarzając słowa Sławomira Kwiatkowskiego. Podobno dlatego właśnie Szymańska odmówiła sprzedania mu informacji.

– Że ją śledziłem? – Paweł Krupa zaśmiał się. – Chociaż właściwie można tak powiedzieć.

Emilia spojrzała na niego zaskoczona. Nie wydawał się przejęty oskarżeniem.

– Faktycznie czasem sprawdzałem, czy u niej wszystko okej – wyjaśnił Krupa. – Szef prosił, żebym to robił. Mówiłem, że kochał Julkę jak córkę. To znaczy to nie było tak, że ją śledziłem non stop albo coś. Po prostu od czasu do czasu podjechałem gdzieś, żeby zobaczyć, czy ma się dobrze.

– Podjechał pan g d z i e ś?

– No na przykład pod jej blok – wyjaśnił. – Nie starałem się ukrywać. Chciałem, żeby mnie widziała. Może i była buntowniczką, ale miała dopiero osiemnaście lat. Na pewno czuła się bezpieczniej, wiedząc, że co jakiś czas jestem blisko. Ale niestety nie byłem, kiedy ją…

Chciał chyba powiedzieć z a m o r d o w a n o, ale słowo uwięzło mu w gardle.

– Widział ją pan tamtego dnia, kiedy zginęła?

Odstawił swoją filiżankę herbaty na stolik.

– Nie. Ostatnio widziałem ją przelotnie na targach, więc uznałem, że podjadę pod jej blok pod koniec tygodnia. Żeby też nie miała poczucia, że ktoś próbuje wchodzić z butami w jej życie. Dokładnie tak to określił szef. Że mam nad nią czuwać, ale żebym nie był nachalny. Bał się, że to by mogło zadziałać jak płachta na byka. I znów byłyby kłótnie.

– Zofia Dąbrowska o tym wiedziała? – zapytała Emilia.

– Tak, pani Zofia też wiedziała. Myślę, że szef też dla niej to robił. Żeby się nie denerwowała o córkę. Trochę się bałem powiedzieć, że ją śledzę – przyznał Paweł Krupa. – Jak rozmawiałem z panią po raz pierwszy. Tak sobie myślałem, że to może wyglądać trochę… *creepy*. Tak to mówią po angielsku. Nie wiem, jakie byłoby dobre słowo po polsku.

– Wiem, o co panu chodzi – zapewniła policjantka.

– A ponieważ już pani mówiłem, jakie mam doświadczenia z p a n e m Sadowskim – słowo *pan* wymówił z największą odrazą – to kilka razy pokręciłem się trochę w okolicach stoiska Sadowskiego. Już wspominałem, że coś podejrzewałem. Ale nie powiedziałem wszystkiego. Widziałem coś.

ROZDZIAŁ 48

Zakład Karny w Starych Świątkach.
Piątek, 16 lutego 2018. Godzina 18.10:
Izabela Pietrzak

Masz pieniądze? – zapytał Rysiek. – Nie brakuje ci?
Izabela wzruszyła ramionami. Zerknęła na córkę.
Kalina stała pod ścianą sali widzeń i flirtowała z klawi-
szem. Dzięki temu mieli ze starym trochę czasu dla siebie.
Przyjechały tu dziś tylko we dwie. Oliwier był dziś czymś
zajęty, ale Izabela się cieszyła, że go nie ma. Dziś tylko
by przeszkadzał. Tym bardziej że Rysiek zachowywał się
dziwnie. I dziwnie gadał. To przede wszystkim.
– No mam – powiedziała. – Przecież pan Franio daje.
Ale wiesz, robi się dziwnie z tym chłoptasiem. Myślę, że
Robert próbuje…
– Ale będziesz miała więcej – przerwał jej mąż gorącz-
kowo.
Cały drżał. Może miał delirkę.
– No świetnie – powiedziała tylko, bo nie domyślała
się, do czego to zmierza.
– Załatwię więcej pieniędzy.

– Taaa – zaśmiała się. To było znajome gadanie. Słyszała to codziennie, odkąd wzięli ślub. Jeszcze nigdy nie widziała, żeby Rychu spełnił swoją zapowiedź. – Lepiej byś wyszedł z pierdla.

– No mówię, że załatwię.

Teraz oczy Rycha wydawały się przewiercać Izabelę na wylot. Były całkiem przejrzyste. Najwyraźniej był zupełnie trzeźwy. Jak kiedyś, dawno, dawno temu. Jak się poznali. Chociaż nie. Jak się poznali, to też spalili po blancie. Więc o dużej trzeźwości w ich relacji nie było co mówić.

Ale to było! Na samo wspomnienie zaśmiała się chrapliwie. Co prawda to był drogi interes i w sumie nigdy nie było ich stać, żeby spalić skręta. Takiego prawdziwego. Trzeba było mieszać z tytoniem. Ale co tam. Takie czasy wtedy były. Mało kto palił czysty towar. Byli młodzi i głupi.

– Zobaczysz – powtórzył Rysiek.

Teraz wyglądało, że jest pewny swego. Izabela spojrzała na niego uważniej. Sytuacja była dziwna. Zadzwonił do niej z telefonu jakiegoś przekupnego klawisza i powiedział, żeby przyjechała. Wtedy ona z miejsca zadzwoniła do Kaliny. Chyba naprawdę coś się działo.

– No to dawaj je – powiedziała podekscytowana.

– Nie teraz, Izunia.

Zaśmiała się głośno.

– No to wiadomo, że nie masz.

– Nie mam. Ale mówię, że będą – syknął. – Dziesięć baniek.

– Niby skąd? – zapytała Izabela, ściszając głos. Takiej sumy nigdy na oczy nie widziała.

– Z pewnego źródła, Izunia. Z pewnego źródła.

– Skąd? – powtórzyła.

– No przecież mówię – zaperzył się Rychu. Oczy powiększyły mu się jeszcze bardziej. W tych Starych Świątkach jeszcze schudł. Wyglądał jak szkielet. – Z pewnego źródła.

– A konkretniej? Weź nie daj się zrobić w bambuko, nic nie podpisuj i tak dalej.

– To nie kredyt.

– Kurwa, Rychu – zaśmiała się. Zawsze ją bawił. Nawet jak sprzedawali kaloryfer, żeby kupić wódę, to umiał rzucić dowcip. Nawet jak ledwo trzymał się na nogach.

– Powiedz no skąd.

– Nie mogę.

Teraz o dziwo zabrzmiało to poważniej.

– Tylko nie wolno ci gadać z psami – ostrzegł.

– Ta jedna ciągle się kręci – przyznała Izabela.

Policjantka z rozjaśnionymi niemal na biało włosami wydawała jej się ratunkiem, żeby wydobyć męża z pierdla. Ale wyglądało na to, że może jest odwrotnie.

Rychu nieoczekiwanie wziął ją za rękę.

– Izunia. Będzie hajs się zgadzał. Zobaczysz.

Izabela pokręciła głową. Im hajs się nigdy nie zgadzał, więc ciężko jej było uwierzyć. A jak się zgadzał, to znaczyło, że coś jest nie w porządku. Robiła w życiu różne rzeczy. Bardzo różne. A hajs się zgadzać nie chciał. Nigdy. Zaczynało ją niepokoić, jak pewny swego jest teraz Rychu.

– Zabiłeś tę dziewczynę? – szepnęła. – Za to dostaniesz pieniądze?

Mąż nie odpowiedział. Wcale jej się to nie podobało. Czuła, że to może oznaczać kłopoty. Duże kłopoty. Rychu jak nikt umiał wpakować ich w kabałę. To akurat zawsze mu się udawało.

– Kto ma ci zapłacić? – zapytała raz jeszcze.

– Pieniądze będziesz miała w pokoju – powiedział tylko.

– Obiecuję.

ROZDZIAŁ 49

Zajazd Franciszka Sadowskiego.
Piątek, 16 lutego 2018. Godzina 18.10.
Młodszy aspirant Emilia Strzałkowska

Emilia zaparkowała pod zajazdem Sadowskiego. Przekręciła kluczyk i wyłączyła silnik. Zapanowała cisza. W zakładzie produkcyjnym Franciszka dzień też już się skończył. Zajazd również wydawał się uśpiony. Światło świeciło się tylko w oknie recepcji. Najwyraźniej gości nie było, bo okna pokoi były wszystkie ciemne. Sadowski musiał utrzymywać się z budowy domów, bo zajazd nie był chyba szczególnie popularny.

Kiedy przyjechała tu z Danielem pierwszy raz, było podobnie. Poczuła na ciele dreszcz już na samo wspomnienie. Pragnęła Daniela. Tu i teraz. Tak jak wtedy. To było prymitywne i pierwotne uczucie. Wyjęła telefon i napisała, że go kocha. Podgórski niemal natychmiast odpowiedział tym samym. To było nieracjonalne, ale niemal czuła energię płynącą z telefonu. Jakby Daniel też wspominał rozkosz, którą przeżyli w tym miejscu. Głupota, zganiła się w duchu Strzałkowska. Podgórski nawet nie wiedział, gdzie była. Nie napisała mu, że przyjechała do zajazdu.

Wysiadła z samochodu. Zimne powietrze sprawiło, że emocje trochę opadły. Przyjechała do zajazdu, mimo że planowała zrobić to dopiero jutro, a po wizycie u Pawła Krupy udać się do Oliwiera Pietrzaka. Musiała zmienić plany.

Krupa powiedział jej, że faktycznie czasem Julię śledził. I na targach w Bydgoszczy też kilka razy podkradł się do stoiska Sadowskiego. Wtedy usłyszał, jak Julia mówi do Franciszka: *Powiem wszystkim, kim naprawdę jesteś*. A Sadowski odpowiedział na to: *Uważaj, bo każę cię ukarać*. Krupa sądził, że musiało to dotyczyć tajemnicy Sadowskiego, że zamiast pomagać młodzieży z trudnych domów, wykorzystuje te dzieciaki. A może i samą Julię. Krupa nadal upierał się, że jego zdaniem morderstwa dokonał Pietrzak, ale na zlecenie swojego pracodawcy.

Emilia czuła, że nie może tego doniesienia zignorować. Musiała sprawdzić te nowe informacje oraz wyjaśnić, dlaczego na ulotce Julia zapisała imię i nazwisko Sadowskiego razem z danymi dotyczącymi Hanny, za którą potem się przebrała. Policjantka uznała, że nie będzie z tym czekać do jutra, i wybrała się z powrotem do zajazdu. Bądź co bądź było niedaleko. Może uda się jeszcze dziś pojechać do Rypina. Służbę miała do dwudziestej drugiej, a było dopiero po osiemnastej.

– Dobry wieczór – rozległo się za jej plecami. Dopiero teraz zauważyła, że w ciemności stoi Robert Janik. Wokół nóg plątał mu się jego piesek. – Wyszedłem akurat z Filemonem. Pani do nas?

Pytanie było odrobinę bez sensu, bo nie było tu niczego oprócz zajazdu i zakładu produkcyjnego Sadowskiego. Czyli przyjechała do nich.

– Tak – odpowiedziała. – Mam do pana parę pytań.

Uznała, że kolejny raz wykorzysta nadarzającą się okazję i porozmawia z osobą, która akurat jej się nawinęła. Powinna wypytać Roberta o tę jego dziwną rozmowę z Julią.

– To znaczy?

– Miał pan pretensje do Julii, że coś komuś zabrała, a pan o mało nie dostał za to wpierdol – powiedziała, cytując jego wypowiedź na Messengerze.

Robert Janik cofnął się nieco dalej w cień. Przez chwilę zdawało jej się, że ma zamiar dać nogę.

– Nie wiem, o czym pani mówi – powiedział wreszcie.

Sięgnął do kieszeni. Emilia automatycznie przygotowała się do obrony, ale on tylko nieco nerwowym ruchem podrzucił monetę. To była mała złota moneta. Pewnie jednogroszówka. Nic groźnego. A Strzałkowska myślała, że chłopak z blizną wyciągnie z kieszeni jakąś broń. W tej pracy trzeba było być przygotowanym na taką ewentualność, aby nie zlekceważyć prawdziwego niebezpieczeństwa.

M o n e t a, przebiegło jej nagle przez myśl. Zupełnie zapomniała o jednogroszówce, którą połknęła Julia Szymańska niedługo przed śmiercią. Policjantka zerknęła na Roberta Janika podejrzliwie. Podrzucił monetę jeszcze kilka razy, potem upadła na ziemię. Nie podniósł jej.

– Nie jestem przyzwyczajony – mruknął wyraźnie speszony. – Zwykle podrzucałem inną.

– Proszę nie zaprzeczać – powiedziała, wracając do poprzedniego tematu. Zanotowała sobie jednak w pamięci, że musi koniecznie poruszyć kwestię połkniętej monety. – Widziałam waszą rozmowę na Messengerze. O co panu

304

chodziło? Co i komu Julia zabrała? Dlaczego pan miał za to zostać ukarany?

– To nie ma żadnego związku z jej śmiercią – zapewnił Robert Janik cicho. – Prywatne sprawy. Niech pani to zostawi.

Emilia miała wrażenie, że było to jakby ostrzeżenie. Albo dobra rada.

– Lepiej by pani uważała na swoich, a mnie zostawiła w spokoju – dodał jeszcze chłopak z blizną.

Chwycił psa i zniknął w mroku, zanim Emilia zdążyła zapytać, co to znaczyło. Nie miała ochoty gonić go w ciemności. Zresztą nie spodziewała się innej reakcji niż zaprzeczenie, ale musiała spróbować. Nie podobało jej się to, co powiedział na końcu. Co sugerował? Że powinna uważać na któregoś z policjantów? W jakim sensie?

Ruszyła powoli podjazdem w stronę budynku. W rozświetlonym oknie recepcji zauważyła Sadowskiego. Świetnie. Może w tej rozmowie będzie miała więcej szczęścia.

– Dzień dobry – powiedziała, wchodząc.

– Dobry wieczór – odparł właściciel zajazdu z naciskiem, jakby chciał podkreślić, że Emilia użyła złej formy.

Odetchnęła głębiej, by się nie dać sprowokować. Jej płuca wypełnił przyjemny zapach drewna. Budynek był co prawda trochę mroczny, ale nie czuła tu ani trochę przytłaczającej i niepokojącej energii, jaka panowała na przykład u Kwiatkowskich. Jakby zajazd był dobrym miejscem. To mogło być wrażenie całkowicie mylne, zważywszy na to, czego dowiedziała się już o Sadowskim.

– Chciałabym wyjaśnić kilka kwestii – powiedziała.

– Słucham.

Teraz z kolei miała wrażenie, że Sadowski z całym spokojem rzuca jej wyzwanie. Jakby chciał powiedzieć: No i co na mnie masz? Poczuła narastającą irytację.

– Po pierwsze mam świadka, który twierdzi, że groził pan Julii Szymańskiej.

– Ja jej groziłem? Niby dlaczego?

– Może to pan mi wyjaśni – powiedziała Emilia, choć wiedziała już, że źle zaczęła.

– Ale co mam wyjaśniać, skoro jej nie groziłem?

– Julia powiedziała, że rozgłosi, kim pan jest. A pan odrzekł, że ją za to ukarze.

– Nie przypominam sobie takiej sytuacji. A pani mnie prześladuje. Być może będę musiał to zgłosić.

Emilia miała ochotę zakląć. Zupełnie bez sensu zaczęła tę rozmowę. I spaliła jeden temat. Chyba zmęczenie zaczynało brać górę. Szczerze mówiąc, faktycznie przydałaby się druga osoba do pomocy. A to, że wszędzie jeździła sama, było zachowaniem nieprofesjonalnym. I mogło prowadzić do pomówień. Bo było tylko słowo przeciwko słowu.

Ale nie chciała mieć za partnera Fijałkowskiej. Strzałkowska była pewna, że koleżanka wbiłaby jej przysłowiowy nóż w plecy. Najlepiej byłoby oczywiście rozpracować tę sprawę z Danielem. A jeżeli nie z nim, to Emilia wybrałaby Trawińskiego. To był młody, zdolny chłopak z dużym zapałem do pracy. Jeszcze kilka lat i wyrośnie na prawdziwego gliniarza.

– Czy to wszystko? – zapytał z wyraźną satysfakcją Sadowski. Zauważył chyba jej niepewność.

– W rzeczach, które pan znalazł w dziupli, było coś, co mnie zainteresowało – powiedziała, porzucając na razie temat ewentualnego straszenia Julii.

– Doprawdy?

– Tak. Ofiara zanotowała sobie pańskie nazwisko – wyjaśniła Emilia. Policjantka nie zamierzała wdawać się w szczegóły ani mówić Sadowskiemu o ulotce. Przynajmniej na razie.

– I pani uważa, że dlatego ją zamordowałem? Znam trochę tego prokuratora, który prowadzi sprawę. Mieliśmy okazję niedawno się spotkać. Pomówię z nim może o jakości funkcjonariuszy, którzy zostali do tej sprawy przydzieleni.

Emilia zastygła w bezruchu. Sadowski znał Zjawę? Wcale jej się to nie podobało. Zwłaszcza że prokurator wręcz żądał zamknięcia śledztwa. Jeżeli nie będzie uważała, to Zjawa gotowy naprawdę odsunąć ją od dochodzenia. Być może na życzenie Sadowskiego. Musi to rozegrać jeszcze delikatniej, niż myślała.

– Co pana łączy z Hanną Kwiatkowską? – zapytała.

Uznała, że skakanie z tematu na temat być może zadziała lepiej niż skupianie się na jednym. Sadowski być może nie będzie się czuł naciskany, a pomału może uda jej się coś z niego wycisnąć. A wtedy złoży te elementy w jedną całość. Choćby klocek po klocu, obiecała sobie w duchu. Nie należała do osób, które łatwo się poddają.

– Znamy się z Hanią – powiedział powoli Sadowski, jakby teraz on oczekiwał reakcji policjantki. – Przypuszczam, że tak jak pani z tym kolegą, z którym tu pani była jakiś czas temu.

Strzałkowska poczuła, że się czerwieni. Było oczywiste, że Sadowski miał na myśli Daniela. Już kiedy była tu wczoraj, domyśliła się, że Franciszek zapamiętał ich wizytę. Widocznie się nie myliła. Skąd wiedział, że to była tajemnica? Przewróciła oczami. W sumie to nie było trudne. Przyjechali tu we dwoje. Wynajęli pokój na dwie godziny i odjechali rozanieleni. Nie trzeba być Sherlockiem Holmesem, żeby domyślić się, czym się zajmowali w pokoju. To, że nie byli małżeństwem, też wydawało się oczywiste. Małżeństwa raczej nie potrzebowały pokoju na dwie godziny.

– Mam nadzieję, że umie pani być dyskretna. – Sadowski posłał jej przeciągłe spojrzenie. – Ja też umiem, jeżeli inni odpłacają mi tym samym. Jeżeli nie, to…

Zabrzmiało to jak wyraźna sugestia, że może wykorzystać informacje na temat jej i Daniela. Strzałkowska uśmiechnęła się nieznacznie. Takie groźby na nią nie działały. Być może zdenerwowałyby innych, ale nie ją, bo jej w żadnej mierze nie przeszkadzałoby, żeby ktokolwiek się dowiedział o niej i Danielu. Wiedziała tylko, że Podgórski chce ich związek utrzymać w tajemnicy, póki nie upewni się, czy może odejść od Weroniki. Zamierzała uszanować jego decyzję, chociaż trudno jej było ją zaakceptować.

– To co pan zrobi? Ukarze mnie pan? – zapytała z uśmiechem, nawiązując do początku ich rozmowy. Nie było to profesjonalne zagranie, ale czuła, że Sadowski lubi takie gierki. Cóż, jeżeli trzeba, Strzałkowska była gotowa w jedną z nich zagrać.

Na jego pulchnej twarzy pojawił się nieznaczny uśmiech.

– Ja i Hanna spotykamy się od lat – oznajmił wprost. – Byłem jej chłopakiem w latach siedemdziesiątych. Mieliśmy wtedy po dwadzieścia kilka lat i tylko miłość w głowie. Takie czasy były. *Make love, not war*. Pani jest za młoda i nie pamięta. Który pani rocznik?

A co to pana obchodzi, cisnęło się Emilii na usta. Postanowiła jednak spróbować go udobruchać. Nic przecież nie zrobi z informacją na temat jej wieku.

– Urodziłam się w osiemdziesiątym roku – wyjaśniła. Byli z Danielem równolatkami. Trzydzieści osiem lat. Trudno jej było uwierzyć, że czas tak leci. Czuła się najwyżej na dwadzieścia. Jak wtedy, kiedy się poznali. A tymczasem za dwa lata będą czterdziestolatkami z prawie dwudziestoma latami służby na karku. Kto by pomyślał, że dotrwają. Teraz już musieli, zaśmiała się w duchu. Bez względu na to, co się będzie w firmie działo. Szkoda by było odejść, nie osiągając magicznej liczby.

– No widzi pani. Mógłbym być pani ojcem.

Teraz Sadowski uśmiechnął się niemal dobrodusznie. Wyglądał tak przyjaźnie. Jak uosobienie dobra. Paradoksalnie jakby wbrew temu policjantka zadrżała. Czuła, że temu mężczyźnie nie wolno ufać. Ani trochę.

– Wróćmy może do Hanny Kwiatkowskiej. Nadal się państwo spotykają?

– Tak, ale bardzo proszę o dyskrecję. Wiadomo, że Hanna ma męża. Pani ma męża?

A co to pana obchodzi, przebiegło jej znów przez myśl.

– Ja też miałem żonę – powiedział Sadowski, zanim zdążyła odpowiedzieć. – Ale rozwiedliśmy się w osiemdziesiątym piątym. Chyba nie mogła zaakceptować tego, że pomagałem już wtedy trudnej młodzieży.

A może molestowałeś tych młodych ludzi i tego znieść nie mogła, pomyślała Emilia, ale nic nic powiedziała. Obiecała sobie, że jeżeli nawet Sadowski nie okaże się winnym śmierci Julii Szymańskiej, ona i tak zajmie się jego innymi przewinami.

– Hanna spotykała się w tym czasie z różnymi mężczyznami. Ostatecznie wyszła za mąż za Michała Krupę. A potem za Sławomira Kwiatkowskiego, kiedy Krupa i pierwsza żona Sławka zginęli w wypadku. Chociaż nie, chyba nigdy formalnie nie była żoną starego Krupy... Już chyba pani mówiłem. Nieważne. W każdym razie my się widywaliśmy z przerwami przez cały ten czas. Choć nigdy jakoś nie zostaliśmy oficjalnie parą. Sam nie wiem czemu. Chyba tak było nam pisane. Pasowaliśmy do siebie zawsze. Hanna lubi te wszystkie ezoteryczne brednie. Ja czasem też. Wrzeciona, kamienie i tak dalej. Ma to swój prymitywny urok. W każdym razie naprawdę bardzo proszę o dyskrecję w tej sprawie. Bo różnie to może być.

– W jakim sensie?

– Chodzi o Sławomira. On wydaje się wesołkiem. Z tymi swoimi kolorowymi krawatami i tak dalej, ale różnie z nim bywa.

– W jakim sensie? – powtórzyła policjantka.

Franciszek Sadowski wzruszył ramionami.

– Wiem, że różnie traktuje kobiety. Czasami jest brutalny. I niech pani nie myśli, że jest wierny, zanim zacznie pani oceniać mnie i Hannę. Może nie powinienem mówić za moją pracownicę, ale Izabela... no cóż. Sprzedawała kiedyś swoje ciało. To już samo w sobie jest grzechem, ale to nie powód, żeby gwałcić taką kobietę.

– Izabela Pietrzak uprawiała prostytucję?

– Niestety. Potrzebowali z mężem każdych pieniędzy, to i takimi rzeczami się zajmowała. Dlatego zgodziłem się ich przyjąć do siebie po wstawiennictwie Oliwiera. Mówił, że jego stryj i ciotka naprawdę żyją w ciężkich warunkach.

Miał rację. Izabela trochę mi opowiadała. Wspomniała też, jaki jest Sławomir.

– Izabela jest tu na miejscu? – zapytała Emilia szybko. Chętnie omówiłaby tę kwestię z samą zainteresowaną. To mógł być ważny wątek i należało go sprawdzić.

– Nie. Pojechała do Ryszarda. Do więzienia.

Strzałkowska była rozczarowana.

– Czy Hanna wspominała panu kiedykolwiek, że mąż bywa wobec niej brutalny?

– Nie – przyznał Sadowski. – Ale wolałbym nie ryzykować. Niech pani mu nie mówi, że nas coś łączy, jeżeli nie będzie trzeba.

Teraz Emilia wcale nie była pewna, czy Sławomir nie znał prawdy. Przecież kiedy zaczęła pytać o Sadowskiego, wydawał się poruszony. Tak bardzo zaprzeczał, że wynajął Julię do udawania Hanny, ale być może kłamał.

Zerknęła na zegarek. Zrobiła się prawie dziewiętnasta. Uznała jednak, że mimo to pojedzie do Rypina do Oliwiera Pietrzaka. Czuła, że szef Julii wiedział więcej o jej robocie planowanej na wtorek. Emilia za wszelką cenę spróbuje wyciągnąć z niego, czy Julia miała wykonać zlecenie dla Sławomira Kwiatkowskiego. Tym razem nie pozwoli na uniki.

Pożegnała się i ruszyła do samochodu. Zanim zdążyła otworzyć drzwi, rozdzwonił się jej telefon. Spojrzała na wyświetlacz. To była Malwina Górska. Policjantka zapisała sobie numer pisarki po ich wcześniejszej rozmowie.

– Halo?

– Przypomniałam sobie coś – oznajmiła Górska. – Pomyślałam, że pani powiem.

ROZDZIAŁ 50

W drodze powrotnej do Brodnicy.
Piątek, 16 lutego 2018. Godzina 19.00.
Kalina Pietrzak

Kalina nie mogła skupić się na drodze, bo matka cały czas nawijała. Zupełnie jak nie ona. Izabela należała do cichych osób. Jak była trzeźwa, to milczała. Jak była pijana, to się nie awanturowała. W przeciwieństwie do ojca, pomyślała Kalina, Izabela tylko siedziała i patrzyła. A teraz z jakiegoś powodu gadała bez końca. To musiało mieć związek z tym, co powiedział matce ojciec na tym nieoczekiwanym widzeniu. Przedtem Izabela zachowywała się normalnie.

– Będę przygotowywała surówki dla gości. No i muszę sprzątnąć na górze. W sali konferencyjnej. Bo dawno tam nie sprzątałam. No i jeszcze…

– Zamknij się – nie wytrzymała w końcu Kalina.

Matka faktycznie przerwała w pół zdania. Jej napuchnięta od alkoholu twarz oświetlona była tylnymi reflektorami samochodu, który przed nimi jechał. Kalina przyhamowała. Nie była takim kierowcą jak Oliwier. Nie wyprzedzi. Zwłaszcza w nocy. No i wilgoć przymarzła lekko na jezdni.

Zrobiło się ślisko. Będą musiały wlec się za tym powolnym samochodem aż do Brodnicy.

A Kalina bardzo chciała już być w domu. Nie miała nawet siły wypytywać matki, co się stało w więzieniu. Chciała po prostu posiedzieć w ciszy. Czuła, że zrobiła coś strasznego. Nie potrafiła przestać o tym myśleć. Im bardziej próbowała, tym bardzicj wyobrażała sobie martwe ciało. Martwe ciało. Martwe ciało. Martwe ciało…

– Tamto cię gryzie? – zapytała z nieoczekiwaną jasnością umysłu Izabela.

Kalina żałowała, że przyznała się matce do wszystkiego. Izabela omal nie wyśpiewała tego policjantce. Ciekawe, jak zareagowałaby Strzałkowska. Aresztowałaby Kalinę? Pewnie tak. Na pewno nie próbowałaby zrozumieć. Oni wszyscy chełpili się swoją władzą. Tak to widziała Kalina. Nienawidziła policji i wszelkich stróżów prawa. Nikt jej nie wmówi, że posiadanie władzy nie zmienia człowieka. Jeszcze nie spotkała policjanta, który byłby porządny.

A przecież sama zabiła. Nie powinna więc chyba nikogo oceniać.

ROZDZIAŁ 51

Blok Julii Szymańskiej w Rypinie.
Piątek, 16 lutego 2018. Godzina 19.55.
Młodszy aspirant Emilia Strzałkowska

Panie Oliwierze? – zawołała Emilia, pukając do drzwi mieszkania pracodawcy Julii Szymańskiej. Nikt nie zareagował.

Strzałkowska pojechała do Rypina po rozmowie z Malwiną Górską. Pisarka zadzwoniła, kiedy policjantka była w zajeździe. Oznajmiła, że przypomniała sobie coś istotnego. Julia wspomniała jej kiedyś, że boi się Oliwiera. Malwina nie wiedziała dlaczego. W sumie to nie było nic nowego, pasowało natomiast do konwersacji na Messengerze, w której Julia to samo napisała do Oliwiera. Ta informacja utwierdziła Emilię w przekonaniu, że musi pojechać do Rypina mimo dość późnej pory. Myślała, że to nawet lepiej, bo jest większa szansa, że zastanie go w domu. Zapowiadać się nie zamierzała. Uznała, że efekt nieoczekiwanej wizyty może być znacznie lepszy, niż gdyby Oliwier wiedział, że policjantka ma się u niego zjawić.

– Panie Pietrzak? – spróbowała znów.

Najwyraźniej jednak się przeliczyła. Był piątek wieczorem, dwa dni po walentynkach. Nie wszyscy siedzą w domu albo pracują jak ona, pomyślała Strzałkowska z lekką goryczą. Może Oliwier wyszedł na jakąś imprezę albo randkę. Zganiła się w duchu, że jednak do niego nie zadzwoniła. Nie jechałaby tu na próżno.

Zapukała raz jeszcze. Nadal brak odpowiedzi.

– Cholera – mruknęła.

Dopiero teraz do niej dotarło, że Franciszek Sadowski wspomniał, że Izabela Pietrzak była u męża w Starych Świątkach. Ostatnio Emilia spotkała ją tam w towarzystwie Kaliny i Oliwiera. Być może Pietrzak był z kobietami na widzeniu.

Emilia poczuła dziwną ulgę. Musiała niechętnie przyznać, że wolała to, niż żeby Oliwier dobrze bawił się na randce. Chyba była po prostu zazdrosna, że ktoś może miło spędzać czas. Kiedy ona ostatnio była na randce? Pozostawało tylko trzymać się myśli, że wkrótce wszystko się ułoży.

Nagle poczuła, że ktoś ją obserwuje. Potem bardziej wyczuła niż zobaczyła poruszenie na schodach. Odwróciła się. Ktoś rzucił się biegiem na dół. Oliwier?

– Stój! – zawołała Emilia, ruszając w pościg.

Jej buty stukały głośno na stopniach. Klatka schodowa wyolbrzymiała te odgłosy. Aż dziwne, że żadne drzwi się nie otworzyły. Przecież pogoń musiało być słychać w całym bloku. Najwyraźniej jednak mieszkańcy bardzo pilnowali własnego nosa.

Zmusiła się do jeszcze szybszego biegu. Nie odpuści. Dwa piętra niżej zobaczyła w końcu, kogo goni. To nie był

Oliwier Pietrzak, tylko jakiś chłopiec. Zwolniła natychmiast. Teraz cieszyła się, że nikt nie wyjrzał na korytarz. Policjantka gonąca niewinne dziecko. Ale by było nagranie, gdyby ktoś wyciągnął telefon.

– Hej – zawołała do chłopca. – Już dobrze. Przepraszam, jeśli cię przestraszyłam. Myślałam, że jesteś kimś innym.

Dziecko też się zatrzymało.

– A kim?

Oddech chłopca był ciężki, ale słychać było w jego głosie wyraźne zainteresowanie.

– Szukałam tego pana z czwartego piętra, co czasem się przebiera – wyjaśniła, też starając się uspokoić oddech.

– Pana Oliego?

– Tak.

– Znam go – pochwalił się chłopiec. – I Julkę też.

Emilia zaczęła powoli schodzić do chłopca. Miała nadzieję, że go nie spłoszy. Mógł okazać się doskonałym źródłem informacji. Mówił chyba o Szymańskiej. Przy przesłuchaniach dzieci powinien być obecny sędzia, psycholog, prokurator i czasem adwokat. Rozmowa jest zawsze rejestrowana, więc są też protokolant i technik. Cała armia ludzi. Są do tego specjalne pokoje. Na komendzie w Brodnicy też mieli taki. Nazywano go niebieskim pokojem. Tam to się powinno odbywać. Na pewno nie robiło się takich przesłuchań na klatce schodowej. Do tego zaraz po tym, jak było ścigane Bogu ducha winne dziecko. Emilia postanowiła, że spróbuje wybadać, co chłopiec wie.

– Julkę też znałeś? – zapytała tonem pogawędki.

– Jo. Fajna była. Chociaż mama mówi, że podobno ją zabili. Pisali o tym w Internecie. Ale mama nie kazała mi czytać.

Kolejne specyficzne dla regionu określenie. Chłopiec powiedział, że matka mu nie kazała, ale miał na myśli, że nie pozwoliła.

– To prawda, że Julkę zabili? – zapytał chłopiec rzeczowo.

Strzałkowska pokiwała głową. Skoro matka chłopca uznała za stosowne poinformować go o tym, co się stało, nie zamierzała zaprzeczać.

– Dobrze się znaliście?

– Jo. Pokazywała mi sztuczki! – pochwalił się chłopiec.

– Jakie?

– Z monetami.

– Z monetami? – podchwyciła natychmiast Emilia.

Przecież nadal była niewyjaśniona kwestia monety, którą dziewczyna połknęła przed śmiercią. Strzałkowska jak dotąd nie miała pomysłu, jak do tego doszło. No i były monety w tej torebce. Głowę by dała, że takie same widziała w słoiku schowanym w sekretarzyku Hanny Kwiatkowskiej.

– Na przykład znikająca moneta. Że się ją połyka.

– Połyka? – powtórzyła znów za nim Strzałkowska.

– Tak. Ostatnio właśnie mi pokazywała – tłumaczył chłopiec. – Ale chyba nie wyszło, bo zakrztusiła się i połknęła mój grosz.

Strzałkowska zastygła niemal w bezruchu. Przecież dopiero co obiecała sobie, że to wyjaśni. Nieoczekiwanie stało się to szybciej, niż przypuszczała.

– Julia połknęła przy tobie monetę?

– Jo. Chyba sztuczka jej nie wyszła.

Emilia zeszła jeszcze kilka stopni i przysiadła na schodku obok chłopca. Czyżby trop z jednogroszówką okazał się zupełnie nieistotny? Kiedy rozmawiała z doktorem Koterskim, nie mogła wyobrazić sobie, żeby połknięcie monety mogło być przypadkowe. Teraz okazywało się, że jednogroszówka mogła jednak być zupełnie niezwiązana ze sprawą.

– Nauczył ją jakiś chłopak z pracy – powtórzył chłopiec. Być może miał na myśli Roberta Janika. On przecież ciągle podrzucał monetę. – Ale chyba jej się nie udało, bo naprawdę połknęła. A ja nie jestem już taki mały i wiem, że te sztuczki są tylko na niby. No ale była trochę zdenerwowana, bo jej powiedziałem, że widziałem, jak pan Oli wchodził do jej mieszkania, jak jej nie było. I pewnie dlatego jej nie wyszło.

Emilia walczyła ze sobą przez moment. A więc to od chłopca Julia dowiedziała się, że Oliwier wchodził do jej mieszkania. Strzałkowska miała więc przed sobą ważnego świadka. Właściwie powinna nadać tej informacji oficjalny bieg. Ale skoro nie było pewności, że chłopiec jeszcze cokolwiek wie, uznała, że można to podciągnąć pod działania operacyjne. Przecież niebieski pokój czy nie, przesłuchanie byłoby dla chłopca ogromnym stresem. Lepiej mu tego oszczędzić.

– Ktoś jeszcze wchodził do jej mieszkania? – zapytała Emilia. Nadarzyła się niepowtarzalna okazja, żeby sprawdzić, czy rodzice dziewczyny mieli klucz, jak twierdził Oliwier Pietrzak, i czy z niego korzystali.

– Raz taki pan w okularach.

Emilia poczuła, że serce bije jej szybciej. Czyżby chodziło o Jakuba Dąbrowskiego?

– To były takie śmieszne okulary? – zapytała, obrysowując wokół oczu kształt stylizowanych okularów ojczyma zamordowanej dziewczyny. Nie była pewna, czy chłopiec zna określenie *kwadratowy*.

– Takie kwadratowe – powiedział chłopiec profesorskim tonem. Najwyraźniej myliła się i co do niego.

Co do Jakuba zresztą też, bo wyglądało na to, że Dąbrowscy ją oszukali. Zaprzeczyli przecież, że mają klucz. A jednak musieli mieć, i do tego jeszcze Jakub był w mieszkaniu pasierbicy. Być może trzeba będzie zdobyć odbitki jego linii papilarnych i dać Ziółkowskiemu do porównania.

– A jak ty się nazywasz? – zapytała policjantka z uśmiechem.

– Łuki. Znaczy Łukasz, ale wszyscy mówią na mnie Łuki.

– To tak jak mój syn. Też Łukasz.

– Naprawdę? – chłopiec rozpromienił się, jakby to była najlepsza wiadomość pod słońcem.

Emilia uśmiechnęła się w odpowiedzi. Łuki zdecydowanie budził sympatię. Wydawał się bardzo pozytywnym dzieckiem.

– Jo – powiedziała Strzałkowska, przerzucając się na lokalne słówko, które tak bardzo chciała się nauczyć wymawiać. – Tylko on jest już duży.

– Ja też jestem duży. Mam osiem lat, tylko wyglądam na małego. Mama mówi, że to jej wina, bo piła i paliła, jak byłem w brzuchu.

Policjantka nie rozumiała, jak kobiety w ciąży mogą tak się zachowywać. Z drugiej strony sama kilka lat temu zignorowała polecenie lekarza i zakończyło się to tragicznie. Poczuła, że łzy napływają jej do oczu na myśl o córeczce, którą straciła przez własną głupotę. Bała się,

319

że zaraz się rozpłacze. Do pewnego stopnia nauczyła się już radzić sobie z bólem, ale emocje dotyczące Daniela nie pomagały. Wszystko ją teraz przytłaczało.

– Powiedziałem coś nie tak? – zasmucił się chłopiec. Chyba zauważył łzy w jej oczach.

– Nie, nie. Wszystko dobrze.

– Bo tata często mówi, że ja pierdolę głupoty.

Strzałkowska westchnęła. Najwyraźniej wcale nie taki mały Łuki pochodził z nie najlepszej rodziny. No ale może się myliła.

– To przeze mnie Julka jest w niebie? – zapytał chłopiec ciszej.

– Oczywiście, że nie. To ktoś bardzo zły jej zrobił, nie ty. Dlaczego tak mówisz?

– No bo jak wtedy wychodziła, to powiedziałem jej, że pan Oli wchodził do mieszkania, i ona powiedziała, że sobie z nim pogada. Już pani mówiłem. Pan Oli się zdenerwował i ją zabił?

– No coś ty – zapewniła Emilia, mimo że wcale nie była pewna, czy tak właśnie się nie stało. Na pewno jednak nie chciała, żeby chłopiec czuł się winny. Wyglądało na to, że sporo przeszedł w swoim krótkim życiu.

Rozważała przez chwilę, czy zapytać chłopca o narkotyki. Ale w jaki sposób? Nadal nie wyjaśniła, skąd się wzięło ponad siedemset gramów białego w mieszkaniu Julii. Skoro Łuki był najwyraźniej z szemranego środowiska, być może wiedział, czy Julia zajmowała się dilowaniem amfetaminą.

– Bo pan Oli był dziś zły też na mnie – oznajmił chłopiec, zanim zdążyła jakoś sformułować pytanie.

– Na ciebie? Dlaczego?

– Bo chyba się zezłościł, jak go zobaczyłem w śmietniku.

– W śmietniku?

– Jo. Bo ja się tam czasem bawię w chowanego, jak tata i mama piją sok. Ale nie w naszym śmietniku. Bo nasz nie ma daszku. Tylko w śmietniku tamtych bloków dalej.

Emilia przypuszczała, że sok wcale sokiem nie był. Łuki najwyraźniej biegał samopas po okolicy, kiedy rodzice zajmowali się piciem.

– No i pan Oli wszedł wyrzucić pudełko. I chyba był zły, że go widziałem.

Strzałkowska poczuła, że chyba usłyszała właśnie coś bardzo ważnego. Chłopiec wprawdzie bawił się w chowanego w śmietniku należącym do innego bloku, ale dlaczego Oliwier nie skorzystał z pojemników obok swojego domu?

– Powiedziałem: *a kuku*, a on bardzo się zdenerwował. Upuścił pudełko, co miał je ze sobą. Kazał mi wyjść ze śmietnika i nie ruszać pudełka.

– To było dzisiaj?

– Jo.

Grzebanie w kontenerze na śmieci nie napawało jej entuzjazmem, ale nie zamierzała zrezygnować. Jeżeli nie wywożono dziś śmieci, to tajemnicze pudełko mogło nadal znajdować się w kontenerze.

– Bardzo się zdenerwował? – upewniła się.

– Jo.

– Pokażesz mi to pudełko? – poprosiła.

ROZDZIAŁ 52

W drodze z Brodnicy do Warszawy.
Piątek, 16 lutego 2018. Godzina 20.00.
Malwina Górska

Trasa była ciężka. Malwina nie lubiła prowadzić w nocy, bo oślepiały ją reflektory innych samochodów. Poza tym dzisiejszy dzień był straszny. Potwierdziło się to, co i tak już wiedziała. Ale co innego przeczytać, a co innego usłyszeć na żywo.

Włączyła głośno muzykę, żeby zagłuszyć uczucia. *Sons of Winter and Stars* zespołu Wintersun towarzyszyło jej ostatnio bardzo często. Kochała niesamowicie szybkie uderzenia perkusji i maestrię muzyków, a także epicką wizję kompozytora. Kiedy słuchała tego po raz pierwszy, nie mogła uwierzyć, że można tworzyć taką muzykę. Była inna od wszystkiego, co dotychczas słyszała.

Czuła, że powoli się uspokaja, a jej ciało poddaje się muzyce. Tatuaż na lewej dłoni pulsował delikatnie. Starała się skupić na tym, co dobre. Spotkanie z czytelnikami było wspaniałe. Przyszło tyle osób. A jej zawsze wydawało się, że nikogo nie będzie. Poza tym widziała się też z jedną z najbliższych osób. Musiała się pogodzić, że innej bliskiej osoby już nie zobaczy.

Zerknęła przelotnie na zegarek na wyświetlaczu deski rozdzielczej. Właśnie zrobiła się dwudziesta. Zimową porą to wydawał się środek nocy. Mrok nie ułatwiał jazdy, ale zdawał się kryć winę.

A Malwina czuła się winna. Nie tylko za wszystko, co się wydarzyło w jej życiu, ale też za rozmowę, którą odbyła przed chwilą z policjantką. Strzałkowska wydawała się w porządku. Dlatego Górska czuła wyrzuty sumienia, że ją oszukała. No może nie oszukała, ale w każdym razie nie powiedziała wszystkiego.

Ale obiecała przecież, że tego nie zrobi.

ROZDZIAŁ 53

Pod blokiem Julii Szymańskiej w Rypinie.
Piątek, 16 lutego 2018. Godzina 20.20.
Młodszy aspirant Emilia Strzałkowska

Emilia szła szybkim krokiem za chłopcem. Był dość mały jak na osiem lat. Gdyby przed chwilą nie zdradził swojego wieku, pomyślałaby, że ma mniej. Może ją oszukiwał? Z drugiej strony rozmawiał z nią całkiem dojrzale. Albo tak sobie wmawiała, żeby ukryć wyrzuty sumienia, że w tej rozmowie nie towarzyszy im psycholog.

Policjantka była pewna, że sędzia by ją za to zganił. Zjawa zapewne też. Naczelnik Urbański również. No cóż. Czasami trzeba było działać spontanicznie i improwizować. Tym bardziej że czuła, że to może być ważny ślad. W tej pracy zaufanie intuicji niekiedy okazywało się kluczowe. Tak więc niemal biegła teraz za tym małym chłopcem tylko po to, żeby wleźć z nim do kontenera na śmieci. Tylko po to, żeby znaleźć jakieś pudełko, które wrzucił tam Oliwier Pietrzak.

Albo aż po to. To się okaże za chwilę.

– To tu – oznajmił Łuki triumfalnie. – To śmietnik tamtych budynków. I nie wolno mi tu wchodzić.

Powiedział to z zawadiacką miną uroczego łobuza. Emilia znów nie mogła się powstrzymać, żeby się nie uśmiechnąć. Stali przed murowaną altaną na śmieci, jakie często są budowane pomiędzy blokami. Ta była całkiem duża i zadbana. Z blachodachówką i klinkierowymi bokami wyglądała prawie jak mały domek. Tylko zakratowane okienka bez szyb oraz subtelny, ale wyczuwalny zapach śmieci zdradzały jej prawdziwe przeznaczenie.

Emilia zaczęła obchodzić budyneczek, żeby znaleźć wejście. Oczywiście z przodu ktoś napisał sprejem HWDP. Jakżeby inaczej. Uśmiechnęła się pod nosem. Za każdym razem, kiedy widziała te napisy, miała ochotę podkreślić je podwójnie na czerwono i dopisać literę C wzorem polonistki.

Jej matka była polonistką. Kiedy Emilia była w wieku chłopca, który ją teraz prowadził, lubiła siadać obok niej na krześle i patrzeć, jak czerwony długopis wędruje po kartkach. Im więcej błędów było, tym większa radość małej Strzałkowskiej, bo czasem mama pozwalała jej nawet podkreślić coś na czerwono. Emilia pamiętała, jaka dorosła się wtedy czuła.

Uśmiechnęła się do siebie kolejny raz. Dawno nie myślała o tych wspomnieniach. Ani o mamie. Będzie musiała wreszcie do niej zadzwonić. Nieoczekiwana odnowa relacji z Danielem sprawiała, że policjantka skupiała się właściwie tylko na tym. No i na pracy oczywiście. Jak skończy dochodzenie, pojedzie spotkać się z rodzicielką. Trochę ją zaniedbała.

– Trzeba mieć klucz, żeby wejść – poinformował Łuki, kiedy Emilia nacisnęła klamkę. Drzwi oczywiście ani drgnęły.

– To jak tu wszedł Oliwier?

– W ciągu dnia jest otwarte, ale zamykają wieczorem.

Strzałkowska westchnęła. Chłopiec spojrzał na nią szelmowsko, widząc jej rozczarowanie.

– No ale ja wchodzę przez okienko z tyłu, bo jestem mały – powiedział. – A tam wyrwali kratkę. Pani się nie zmieści, ale ja tak. Mogę wyciągnąć dla pani to pudełko. Chce pani?

Emilia biła się z myślami. Wezwać wsparcie czy poprosić chłopca, żeby wydobył dla niej paczkę wrzuconą tam dziś przez Oliwiera? Paczkę, którą szef Julii poszedł wyrzucić do śmietnika innego budynku i zdenerwował się, jak został na tym przyłapany. Policjantka miała silne przeczucie, że gniewna reakcja mężczyzny ma znaczenie. W środku musiało być coś istotnego. Musiało.

Spojrzała na chłopca. Zachichotał psotnie i pobiegł za budynek śmietnika, nie czekając na jej odpowiedź.

– Cholera – mruknęła pod nosem.

Naprawdę nie powinna kazać dziecku włazić do śmietnika, by wydobyć potencjalnie ważny dowód. Będzie się tłumaczyła. Już miała zawołać za Łukim, żeby zakazać mu wchodzenia do środka, ale w ostatniej chwili się powstrzymała. Może za bardzo się przejmuje. Ileż razy trzeba było patrzeć na niektóre rzeczy przez palce?

Poza tym jeżeli w pudełku faktycznie znajdował się ważny dowód, powie, że sama go wyciągnęła. Trudno. Zamierzała tę sprawę rozwiązać. Ale małego Łukiego naprawdę nie chciała skazywać na przesłuchania. Rozejrzała się po okolicznych blokach. Oby tylko nikt jej teraz nie obserwował.

Ruszyła na tył budyneczku. Faktycznie było tam niewielkie okienko. Raczej lufcik.

– Mam – rozległo się ze śmietnika.

Emilia spróbowała unieść się na rękach i wdrapać przez okienko, ale zaraz przekonała się, że to nie takie łatwe.

– Tu jest – rozległo się ze środka i po chwili w okienku zobaczyła karton.

Włożyła rękawiczki, przynajmniej z tego nie zrezygnowała, i przejęła pakunek od chłopca. Karton zaklejony był taśmą klejącą, ale wyglądało na to, że niezbyt dokładnie. Albo ktoś to już otwierał. Taśma zaczęła odchodzić i wieczko dało się uchylić.

Położyła karton na ziemi. Znów biła się z myślami, co powinna zrobić. Zajrzeć do środka czy od razu dzwonić po Ziółka? Oczywiście otwierając, mogłaby zatrzeć jakieś ślady. A jak zadzwoni po technika, to musi tu na niego czekać.

A przecież nie wiedziała, co jest w środku. Wezwie tu całą ekipę, a okaże się, dajmy na to, że w środku są stare peruki Oliwiera. Przecież Pietrzak mógł mieć tysiąc powodów, żeby nie wynosić pudełka do śmietnika przed swoim blokiem, pomyślała Strzałkowska. Tak naprawdę to były tylko usprawiedliwienia. Chciała otworzyć to pudło. Chciała rozwiązać tę sprawę. I to szybko.

– I jak? I jak? I jak? Pomogłem? – zapytał chłopiec.

Wydostał się ze śmietnika z niespotykaną zwinnością. Nie przypominało to jej nieudolnych prób sprzed chwili.

– Jasne – zapewniła Emilia. – Bardzo pomogłeś.

Mały Łuki cały się rozpromienił.

– Teraz zmykaj do domu – powiedziała. Nie chciała otwierać pudełka przy chłopcu. Kto wie, co tam było.

– Rodzice na pewno się martwią.

Już kiedy to mówiła, zorientowała się, że bardzo możliwe, że nie, ale było za późno. Łuki zrobił smutną minę.

– Tata pewnie już śpi i mama też, bo mieli imprezę – poinformował. – A pani jest policjantką, to na pewno byliby źli, że z panią rozmawiałem. Bo mówią, że nie wolno gadać z psami, ale ja lubię radiowozy. A najbardziej, jak światła błyskają.

Chłopiec wyglądał, jakby miał się rozpłakać. Emilia przykucnęła i objęła go ramieniem.

– Zrobiłeś superrobotę – powiedziała, mierzwiąc mu włosy. – Jak prawdziwy policjant, wiesz? Ale to będzie nasz mały sekret, prawda? A tu masz prezent.

Sięgnęła do kieszeni po klucze od domu. Miała do nich przypiętą smycz z napisem *Policja*. Odpięła ją i podała chłopcu. Wziął ją z powagą. Nie zamierzała wciągać Łukiego w całą tę machinę. Pomyślała, że oszczędzi Łukiemu przesłuchań, psychologów, sprowadzania rodziców. Wymyśli jakąś legendę, żeby nie mówić, skąd ma pudełko. Tym bardziej że rodzice małego zapewne byliby wściekli.

– To będzie nasza tajemnica – powtórzyła. – Schowasz to sobie i jak ci będzie smutno, to zawsze pomyśl, jak bardzo mi pomogłeś. Dobra? Zrobiłeś wspaniałą robotę, chłopie. Uważaj na siebie. A kiedyś może sam będziesz jeździł radiowozem, co?

Chłopiec pokiwał głową i pobiegł w podskokach w stronę bloku. Widziała, jak zaciska smycz w dłoni. Otarła oczy. Nie tylko zimowy wiatr sprawiał, że zrobiły się wilgotne. Kiedy pracowała w prewencji na warszawskim Ursynowie, w kamizelce taktycznej zawsze jedną kieszeń miała przeznaczoną na cukierki. Bardzo często się przydawały, bo sporo było interwencji w rodzinach podobnych do tej, w jakiej żył prawdopodobnie mały Łuki.

Westchnęła i odwróciła się z powrotem do pudełka, które stało na ziemi. Pora przekonać się, czego chciał się pozbyć Oliwier Pietrzak. Oderwała delikatnie kawałek taśmy i uchyliła kartonowe wieczko.

– Kurwa jego mać – wyrwało jej się, chociaż nie przeklinała zbyt często.

W pudełku leżały dłonie i stopy. Wyglądały na damskie. Trzeba będzie zrobić porównanie DNA, żeby to potwierdzić, ale można było przypuszczać, że to są zaginione części ciała Julii. Nie mieli tu przecież wysypu trupów bez dłoni i stóp. Liczyła na to, że nie będzie nowych niespodzianek.

– Kurwa – wyrwało jej się znów.

Nie mogła oprzeć się wrażeniu, że te dłonie i stopy są niepokojąco dobrze zachowane, zważywszy na czas, który upłynął od morderstwa. Dziesięć dni, a nie widziała śladów rozkładu. Przynajmniej patrząc pobieżnie w świetle latarni. No i nie była specjalistką.

Chyba że były przez ten czas zamrożone, pomyślała. Czy to oznaczało, że Oliwier Pietrzak trzymał je w lodówce w swoim mieszkaniu, kiedy była u niego ostatnio? Jeżeli tak, to dlaczego pozbywał się ich teraz? I gdzie do cholery był?

ROZDZIAŁ 54

Ulica Lidzbarska w Brodnicy.
Piątek, 16 lutego 2018. Godzina 20.20.
Aspirant Aleksander Ziółkowski

Ziółkowski westchnął i skrzywił się. Byli na przedłużeniu ulicy Lidzbarskiej. Właściwie to była już droga krajowa 544. Nie lubił jeździć do wypadków. Nie chodziło tylko o to, że nie było niczym przyjemnym robić zdjęcia trupa z oderwaną połową czaszki. Do takich widoków już dawno się przyzwyczaił i kiedy wieczorem wracał do domu, w ogóle o tym nie myślał.

Wypadki były takie upierdliwe. I jeszcze ta straż pożarna wiecznie zajeżdżająca mu ślady. Idealnie w linii opon samochodu ofiary. Wiadomo, chcieli kogoś ratować, ale po ich wizycie Ziółkowski nie miał prawie czego szukać. Ślady rozjechane, zalane, rozwalone i zniszczone. Potem on musiał próbować coś z tego bałaganu wyłuskać.

Zrobił kilka ujęć mężczyzny siedzącego za kierownicą białego golfa. Poduszka powietrzna najwyraźniej się nie otworzyła. Samochód miał już swoje lata, może więc dlatego. Uderzenie w murek, gdzie teraz tkwiło auto, dopełniło dzieła.

– Wypadek? – zapytał Trawiński.

– No właśnie – odpowiedziała Fijałkowska.

To oni dostali to zgłoszenie. Jakaś kobieta zadzwoniła koło dziewiętnastej pod sto dwanaście. Pewnie woleliby iść do domu. Zwłaszcza Fijałkowska miała niewyraźną minę. Ziółkowski wcale się nie dziwił. Też wolałby być w domu. Zwłaszcza że w ostatnim czasie jego życie odmieniło się o sto osiemdziesiąt stopni i zaczął wreszcie spotykać się z kobietą.

Przedtem nie miał szczęścia do kobiet. Wszystkie twierdziły, że jest zbyt smutny. Siadywał więc przed lustrem i ćwiczył uśmiech, czując się przy tym jak idiota, ale najwyraźniej zadziałało, bo Ela zobaczyła w nim to coś. Była nauczycielką historii w liceum. Miała ładne dołeczki w policzkach i umiała go rozbawić. Kto wie, może Ziółek wreszcie nauczy się uśmiechać.

– To był wypadek? – powtórzył Trawiński, wyrywając technika z zamyślenia.

– Możliwe.

– Możliwe? – obruszyła się Fijałkowska. – Chyba raczej na pewno.

– No raczej nie na pewno.

Ziółkowski próbował się uśmiechnąć, ale chyba mu nie wyszło, bo policjantka zrobiła zdziwioną minę, szeroko otwierając oczy. Ziółkowski postanowił się nie uśmiechać. Najwyraźniej nie na wszystkich działało to jednakowo. Jego Ela musiała być wyjątkiem.

– Połaziłem trochę po okolicznych domach – wyjaśnił Trawiński. – W jednym mieszka jakaś starsza pani, która nie wychodzi. Ale tak gdzieś przed osiemnastą słyszała pisk opon. I uderzenie. Ale nie wyjrzała. Bardzo możliwe, że to stało się już wtedy. Niestety nic nie widziała.

– A ja tu widzę interesujący ślad – powiedział Ziółkowski, pokazując młodemu policjantowi drzwi samochodu. – Zobacz. Widzisz to?

Trawiński pochylił się i poświecił latarką. W pewnym momencie jego twarz się rozjaśniła, jakby zrozumiał, o co chodzi.

– Te zarysowania i wgniecenia… Uważasz, że ktoś go zepchnął z drogi?

– Możliwe – powtórzył Ziółkowski.

– Kurwa. Że też ta kobiecina nie wyglądała przez okno – zmartwił się Trawiński. – Akurat panie świetnie się przydają w takich przypadkach. Jeżeli ktoś go zepchnął, czeka nas robota.

– No. Choć te zarysowania mogły powstać wcześniej. Ale na oko widzę, że raczej niedawno. Trzeba będzie sprawdzić, żeby ustalić to z całą pewnością.

– Zadzwonię do naczelnika – powiedziała Fijałkowska.

Ziółkowski skinął głową. W takich sytuacjach telefon do szefa to był najlepszy pomysł. Niech Urbański decyduje, co dalej.

Ziółek odszedł kilka kroków i wyjął telefon. On też zamierzał zadzwonić, tylko że do Strzałkowskiej. Spojrzał na martwego mężczyznę za kierownicą białego golfa. Blondwłosa peruka zsunęła mu się z głowy i zwisała groteskowo z zagłówka. Ostry makijaż mieszał się z krwią z rozbitej głowy. Emilia pewnie będzie wdzięczna za wiadomość, że facet, którego przesłuchiwała ostatnio w Rypinie, nie żyje. I że być może ktoś chciał go zabić.

* * *

2020
Zajazd Sadowskiego.
Czwartek, 20 lutego 2020. Godzina 21.20.
Izabela Pietrzak

– Napijmy się.

Izabela Pietrzak skinęła głową. Nie odmawiała nikomu, kto to proponował. A zwłaszcza sobie. Ale nie była głupia. Wiedziała, że nie chodzi o to, żeby obalić razem butelkę wódki. Pamiętała, co usłyszała w zeszłą sobotę. I wiedziała, że to dzisiejsze nieoczekiwane spotkanie będzie dotyczyło właśnie tego. Bo czego innego?

Kiedy Izabela usłyszała, co usłyszała, to nawet chciała coś zrobić. No ale chcieć a zrobić to dwie różne rzeczy. Bo co mogłaby zrobić? Nie była osobą, która łatwo decydowała się na r o b i e n i e. Tak było przez całe życie. Wiedziała to dobrze. Nie była głupia. Dlatego w ostatnim czasie próbowała trochę to zmienić. Nie pozwoli się przechytrzyć młodzikowi.

Ale co powinna zrobić z tym, co podsłuchała? Szantaż jako pierwszy przyszedł jej do głowy. Może mogłaby na tym zarobić. No ale co będzie z Ryśkiem? Stary garował, a ona chciała zarabiać na jego niewinności. Powinna raczej postarać się wyciągnąć go z ciupy. Tak. To powinna zrobić dobra żona.

– To co? Pijemy?

– Jo – odpowiedziała Izabela. – Pijemy.

Odrobina alkoholu była jej potrzebna. Zdecydowanie. Potem się będzie zastanawiała, co z tym zrobić. Albo jutro. Zresztą gdzieś w zajeździe jest Sadowski. Siedział chyba w sali na górze. Tak cicho, jakby go nie było. Więc może tylko ona wiedziała, że ktoś jeszcze jest w budynku. Pewnie szef przyćpał. Ale co tam. Chyba jakby coś się działo, to otrzeźwieje. Więc nie ma co się martwić. Nic nie ryzykowała. Co się może stać?

Odwróciła się, żeby sięgnąć do szafki po wódkę. Wtedy poczuła uderzenie w głowę. Butelka wypadła jej z dłoni i rozbiła się na podłodze z głośnym trzaskiem. Chciała chwycić tulipana, żeby się bronić, ale nie zdążyła.

* * *

CZĘŚĆ 5

2018

ROZDZIAŁ 55

Komenda Powiatowa Policji w Brodnicy.
Poniedziałek, 19 lutego 2018. Godzina 8.30.
Młodszy aspirant Emilia Strzałkowska

Emilia weszła do sekretariatu naczelników i skinęła głową na powitanie. Sekretarka szefostwa odpowiedziała uśmiechem. Helena Rylska przeniosła się tu dość niedawno. Przyszła mniej więcej wtedy, kiedy naczelnik Urbański objął swoje stanowisko. Przedtem była sekretarką komendantów. Najwyraźniej nie uważała swojego przeniesienia za degradację i witała wszystkich z tym samym uśmiechem, co wcześniej.

– Może pączka? – zapytała Rylska. – Żona szefa ostatnio piecze je na okrągło. Ja to chyba zaraz będę miała nie tylko nadwagę, ale i otyłość! Bo nam je tu ciągle podrzuca. A są takie dobre, że nic mogę się powstrzymać. Jedyna szansa, że jak minie tłusty czwartek i skończy się karnawał, to pani Daria wreszcie się zorientuje, że już jest Wielki Post.

Sekretarka zaśmiała się głośno. Nie wydawała się przejmować ani postem, ani nadwagą, ani nawet otyłością.

Przypominała Strzałkowskiej młodszą wersję Marii Podgórskiej. Helena Rylska była równie pulchna i dobroduszna jak matka Daniela. Ale za tą nieco mylącą fasadą prostodusznej starszej pani czaił się drapieżny umysł. D r a p i e ż n y u m y s ł. Emilia zaśmiała się pod nosem z tego określenia. Ależ wymyśliła. Ciekawe, co powiedziałaby na to Maria. A właściwie przyszła teściowa. Taką przynajmniej Strzałkowska miała nadzieję.

– Zjawa już jest? – zapytała, porzucając te rozważania. Wkrótce minie wystarczająco dużo czasu, żeby Weronika mogła zrobić badanie. Wtedy wszystko się wyjaśni.

– Tak. Pan prokuratur jest u szefa. No i wszyscy inni też.

Strzałkowska westchnęła. Liczyła na to, że pomówi na spokojnie z Urbańskim, zanim przyjdzie Zjawa, ale widocznie prokurator liczył na to samo. Zapukała do gabinetu.

– Proszę.

Szef siedział za biurkiem. Prokurator Krajewski przysiadł na krześle dla gości i popijał czarną kawę. Kontrast ciemnej barwy napoju i jego nienaturalnie bladej skóry robił spore wrażenie. W pokoju był jeszcze szef techników, Ziółkowski. Poza tym Trawiński i Laura Fijałkowska. Fijałkowska uśmiechnęła się złośliwie na widok Strzałkowskiej. Chyba zauważyła zaskoczenie na twarzy Emilii i doskonale wiedziała, że policjantka nie jest zadowolona z jej obecności.

– Spóźniłam się? – zapytała Emilia, omijając ją wzrokiem. Nie spodziewała się tu aż takiego zgromadzenia.

– Nie, oczywiście, że nie – odparł Urbański. – Zebrałem wszystkich, żebyśmy mogli zdecydować, co dalej.

Naczelnik zerknął ukradkiem na prokuratora, więc Emilia domyśliła się, że to był raczej pomysł Zjawy.

– Na razie skupmy się na śmierci Julii Szymańskiej – kontynuował szef. – Potem omówię wczorajszy wypadek z Laurą i Radkiem, a ty będziesz mogła już pójść. Trzeba będzie ustalić, czy to był wypadek. Na razie mimo wszystko bym nie demonizował.

Kiedy Emilia znalazła w piątek dłonie i stopy w śmietniku za domem Oliwiera Pietrzaka, była pewna, że to szef Julii jest mordercą, a Ryszard Pietrzak być może nie za swoje winy siedzi w Starych Świątkach. Zanim zdążyła wyciągnąć telefon i zadzwonić do szefa po grupę z komendy, odebrała połączenie od Ziółkowskiego. Technik zadzwonił, żeby jej powiedzieć, że Oliwier nie żyje. I że być może to nie był wypadek.

– Oliwier jest jednym z tych najbardziej podejrzanych – przyznała. – Więc sama nie wiem, co o tym myśleć.

– Sprawdzałam – odezwała się Fijałkowska. – Ten Oliwier zgarnął już sporo mandatów za prędkość. Może po prostu się przeliczył i nie dostosował prędkości do warunków na drodze. Robiło się tam ślisko.

Emilia przewróciła oczami. Irytował ją ton Fijałkowskiej. Koleżanka zachowywała się jak prymus przy tablicy.

– Na razie rozpatrujemy to jako dwie oddzielne sprawy – włączył się do rozmowy Zjawa. Poprawił okulary i spojrzał na Strzałkowską niepokojąco czerwonymi oczami. – Rozumiemy się? Powołałem oczywiście biegłego, żeby stwierdził, czy to mogło być coś więcej niż nieszczęśliwy wypadek. Jak wiemy, to może trochę potrwać. Skupmy się więc na jednym. Jak tam postępy w śledztwie? Bo czas nas goni.

– Wspominał pan – powiedziała Emilia z lekkim sarkazmem. Nie mogła się powstrzymać.

Piątek okazał się bardzo długim dniem. Po tym, jak Łuki pomógł jej znaleźć szczątki w śmietniku i zadzwonił Ziółkowski, okazało się, że wszyscy mają pełne ręce roboty. Strzałkowska siedziała na komendzie do rana. Udało jej się przedstawić Urbańskiemu sprawę kartonu w taki sposób, żeby chłopiec nie został wciągnięty jako świadek. Właściwie powiedziała naczelnikowi prawdę. Uznała, że ma z nim chyba na tyle dobre relacje, żeby Urbański nie powiedział za wiele prokuratorowi. Chyba się nie pomyliła, bo Zjawa nie napomknął nawet o osobie chłopca.

Weekend Emilia miała wolny. A przynajmniej to, co z niego zostało po tym, jak wróciła do domu. Spędziła trochę czasu z Łukaszem. Z Danielem nie udało się jej spotkać, ale sporo do siebie pisali. Dobre i to.

Dziś Strzałkowska zjawiła się na komendzie z samego rana, wiedząc, że czeka ją odprawa. Od razu rzuciła się w wir pracy. Zdążyła przejrzeć telefon Julii Szymańskiej znaleziony wśród rzeczy z dziupli. Technicy skończyli go badać i Ziółkowski pozwolił jej obejrzeć zawartość. Było tam trochę interesujących rzeczy. Zamierzała zaraz je omówić z kolegami.

– Nie jestem przekonana, czy powinniśmy te sprawy rozpatrywać oddzielnie – podjęła. Może trochę z przekory, bo Zjawa chciał inaczej. O znaleziskach z telefonu powie za chwilę. – Znalazłam u Oliwiera te dłonie i stopy. To znaczy starał się je wyrzucić. Skąd je miał, jeżeli nie był sprawcą śmierci Julii?

– Na razie nie wiemy jeszcze, czy należą do ofiary – przypomniał prokurator sucho. – Czekamy na analizę DNA.

– Doktor Koterski uważa, że dłonie i stopy były zamrożone – poinformował naczelnik Urbański, potwierdzając jej wcześniejsze przypuszczenia. – Gdyby nie były, na pewno nie dotrwałyby w takim stanie od szóstego lutego. Czekamy na DNA, ale wiemy, że dłonie i stopy są damskie. Koterski jest praktycznie pewny, że zostały odrąbane siekierą. Czyli sposób działania pasuje do naszego sprawcy.

– Możemy chyba przynajmniej roboczo założyć, że są Julii Szymańskiej – odparła Strzałkowska. – Po co Oliwier zamroził te ręce i dlaczego pozbywał się ich akurat teraz? Zadaję sobie to pytanie od piątku...

– A ja zadaję sobie pytanie, jak właściwie znalazłaś te dłonie i ręce w tym śmietniku – zapytała Laura. – Podobno był zamknięty. Dziwne.

Strzałkowska zerknęła na naczelnika. Pokręcił głową. Emilia postanowiła więc, że zignoruje komentarz koleżanki. Nie było to łatwe, bo cały czas czuła na sobie jej pełne jadu spojrzenie. Tak naprawdę Fijałkowska nie musiała się nawet odzywać. Jej wymownie milcząca obecność działała na Emilię tak jak płachta na byka. Musiała bardzo się pilnować, żeby nie poniosły ją emocje.

Nagle przypomniało jej się zdanie rzucone przez Roberta Janika, kiedy natknęła się na niego pod zajazdem. *Lepiej by pani uważała na swoich*, chyba tak się wyraził. Emilia czuła, że na Fijałkowską faktycznie powinna uważać.

Dobrze, że chociaż był tu Trawiński. Jemu Emilia ufała bezgranicznie, mimo że nie mieli okazji zbyt często ze sobą pracować. Liczyła na to, że w razie konieczności kolega utemperuje trochę zapędy Fijałkowskiej. Albo przynajmniej je zrównoważy.

– I skąd wiesz, że to Pietrzak wyrzucił ten karton do śmietnika? – nie odpuszczała Fijałkowska.

– To mamy potwierdzone – powiedział Urbański.

Emilia uśmiechnęła się do szefa z wdzięcznością.

– Na pudle faktycznie były paluchy Oliwiera Pietrzaka – włączył się do rozmowy Ziółkowski. Zerknął na Emilię jakby porozumiewawczo. Może naczelnik wprowadził go w szczegóły. – Czyli Pietrzak na pewno miał ten karton w rękach.

– No właśnie. – Strzałkowska skinęła głową. – Tylko pytanie, czemu najpierw je zamroził, a potem postanowił nagle wyrzucić. Oczywiście przy założeniu, że miał je od czasu morderstwa. Jestem tu od rana i zdążyłam zadzwonić do jego kuzynki. Do Kaliny Pietrzak. Zanim dowiedziałam się, że on nie żyje, myślałam, że go nie ma w domu, bo pojechał z nią i jej matką do Starych Świątek na widzenie z Ryszardem Pietrzakiem. Kalina powiedziała mi, że z nimi go nie było. Wiedziała tylko, że miał na ten wieczór jakieś plany. Zastanawiam się, czy dotyczyły wyrzucenia tych dłoni i stóp. Jeżeli okazałoby się, że został zabity, to mogłoby rzucić nowe światło...

– Jeżeli został zabity – podkreślił Zjawa. – Jeżeli! Przecież to mógł być zwykły wypadek. I był.

– Przeglądałam dziś rano telefon ofiary – powiedziała Emilia. – Przypominam, że został znaleziony razem z rzeczami w dziupli.

– Tak, wszyscy pamiętamy – powiedział Zjawa – że to była wasza wielka wpadka.

Emilia uśmiechnęła się chłodno. Prokurator zaczynał ją irytować na równi z Fijałkowską.

– Ja już mam zdjęte paluchy z tego telefonu – wtrącił się technik. – Ale jeszcze nie miałem czasu sprawdzić, czy mamy jakieś trafienie. Zrobię to po naszym spotkaniu.

– Znalazłaś coś? – zainteresował się naczelnik Urbański.

– W notatkach na ulotce z targów było dziwne zdanie – przypomniała znów Emilia. – Brzmi ono tak: *Oj, oj, oj. Bagnety stracisz i bagnety dasz zeru.* To samo Julia miała zapisane w telefonie. W aplikacji Notatnik.

– Informacje o Hannie też tam zapisała? – zapytał naczelnik.

– Nie. Nie było tam żadnych pozostałych informacji, które zanotowała na ulotce. Tylko to jedno zdanie. Wnioskuję z tego, że musiało mieć dla niej szczególne znaczenie. Mimo że my go nie rozumiemy. Chyba zależało jej na tym, żeby go nie zapomnieć, skoro zapisała je w dwóch miejscach.

– Może chodzi o wiersz *Bagnet na broń*? – zasugerował Ziółkowski. – Moja dziewczyna jest nauczycielką w liceum. Dlatego przyszło mi to do głowy.

Wszystkie oczy skierowały się na szefa techników. Raczej nie chodziło o to, że pomysł technika był dobry. Emilia powstrzymała uśmiech. Chyba nikt do końca nie wierzył, że wiecznie skwaszony Ziółek wreszcie znajdzie sobie kobietę. Teraz co jakiś czas wtrącał niby przypadkiem informację, że ma dziewczynę.

– Interesująca hipoteza – odchrząknął Urbański. Chyba też próbował zatuszować rozbawienie.

Ziółek zrobił jedną ze swoich krzywych min. Nie dało się stwierdzić, czy jest zadowolony, czy wyczuł, że wszyscy trochę z niego drwią.

– Hipotezę z wierszem trzeba będzie rozważyć – podjęła Emilia. Nie pamiętała, czego dokładnie dotyczył wiersz Broniewskiego. Matka polonistka pewnie nie byłaby z niej dumna. Zapamiętała jedynie autora.

– Co dokładnie było w tym wierszu? Ktoś pamięta? – zapytał Urbański. Najwyraźniej on się nie wstydził, że nie wie.

– To był wiersz patriotyczny – przypomniał Ziółkowski. – Napisany w roku rozpoczęcia drugiej wojny światowej. Nawoływał do oporu przeciwko najeźdźcy. To w skrócie.

– Niezbyt widzę, jak by to się mogło wiązać z czymkolwiek – oznajmił Zjawa. Powiedzieć, że prokurator wyglądał na nieprzekonanego, byłoby zdecydowanym niedopowiedzeniem. – Coś się jeszcze wiąże z tym telefonem?

– Tak – powiedziała Emilia szybko.

– Co?

– Zainteresowało mnie jedno ze zdjęć – wyjaśniła. – Oglądając przedtem jej profil na Facebooku, zauważyłam, że zmieniła zdjęcie profilowe. Na telefonie było więcej zdjęć podobnych do tamtego. Wyglądały na zrobione jednego dnia. To są zdjęcia zrobione przez kogoś. Nie w typie selfie.

– Co to ma za znaczenie? – zapytał siedzący dotąd cicho Trawiński.

Chyba dziś był trochę nie w humorze. Może też był zmęczony. Emilia wiedziała, że miał dwójkę małych dzieci, więc może nieźle dawały mu popalić.

– No, że to ktoś Julię sfotografował – wyjaśniła tok swojego rozumowania Strzałkowska. – Było z pięć takich zdjęć. Wszystkie zrobione koło szesnastej pięćdziesiąt w niedzielę. Czyli na targach w Bydgoszczy. Sprawdziłam. Targi trwały do szesnastej dla zwiedzających. Czyli o szesnastej pięćdziesiąt byli tam już tylko pracownicy ze stoisk. Trzeba przecież było wszystko uprzątnąć i tak dalej. I ktoś wtedy zrobił jej te zdjęcia. To była taka minisesja zdjęciowa. Pozostaje pytanie, kto zrobił te zdjęcia? Była widziana między innymi ze Sławomirem Kwiatkowskim. Chciał jej płacić. Twierdzi, że za informacje handlowe. Ale inni świadkowie mówią, że lubił ostry seks. Ja z kolei zastanawiałam się, czy nic chciał jej wynająć, żeby udawała jego żonę. Sporo rzeczy na to wskazuje...

– To są zdjęcia erotyczne? – zapytała Fijałkowska, przerywając Emilii.

– Nie. Zwykłe. Artystyczne – powiedziała Strzałkowska w zamyśleniu. Ktoś wspominał jej chyba, że robi zdjęcia. Kto to był? – To, które Julia ustawiła jako profilowe, jest bardzo ładne. Pełna gra świateł i tak dalej.

Poczuła nagle wibrowanie telefonu w kieszeni. Pomyślała, że to wiadomość od Daniela, ale aparat nie ucichł. Czyli to było połączenie przychodzące. Ktoś do niej dzwonił.

– Przepraszam – mruknęła, wyciągając telefon.

Zofia Dąbrowska, pojawiło się na wyświetlaczu. Czego chciała od niej matka ofiary?

ROZDZIAŁ 56

Komenda Powiatowa Policji w Brodnicy.
Poniedziałek, 19 lutego 2018. Godzina 9.30.
Sierżant sztabowy Radosław Trawiński

Trawiński czuł, że musi się przewietrzyć, ale bał się wyjść
z komendy. Ba. Nie miał nawet ochoty wyjść z pokoju
na korytarz. Nie chciał już nikogo spotykać. Chciał być
sam. Przed chwilą wymienił kilka wiadomości z bossem.
Boss zapowiedział, że będzie miał dla niego jakieś zadanie.

Właściwie tylko tyle powiedział, ale Trawiński każdą
komórką swojego ciała czuł, że nie wróży to nic dobrego.
Zupełnie nic dobrego. A cały czas miał w pamięci zdjęcie
z przekreślonymi twarzami członków jego rodziny, które
zostało mu podrzucone. Lubili podrzucać różne rzeczy…

Trawiński poczuł, że musi iść do łazienki. Był pewien,
że boss jest zdolny do wykonania swojej groźby. Maja
i dzieciaki były w niebezpieczeństwie. To było strasznie
żenujące, ale bał się. Bał się tak, że dosłownie srał po
gaciach. Odetchnął głębiej. Da radę. Cokolwiek mu każą
zrobić, zrobi, żeby mieć to już za sobą. Boss był człowiekiem honorowym, potem mu odpuści.

Chyba.

ROZDZIAŁ 57

Duży Rynek. Poniedziałek, 19 lutego 2018.
Godzina 9.30.
Młodszy aspirant Emilia Strzałkowska

Emilia zaparkowała przy Dużym Rynku. Udało jej się znaleźć miejsce, mimo że było dziś w miarę tłoczno. Ostatnio dopisywało jej szczęście. Rozejrzała się w poszukiwaniu Zofii Dąbrowskiej. Matka zabitej dziewczyny zadzwoniła i powiedziała, że chciałaby porozmawiać, ale nie na komendzie. Policjantce wydawało się, że kobieta jest bardzo zdenerwowana, więc się zgodziła. Musiało chodzić o coś ważnego.

– Tu jesteśmy – usłyszała głos z prawej strony.

Stało tam terenowe volvo Dąbrowskich. Za kierownicą siedział Paweł Krupa. Z tyłu samochodu wysiedli Jakub i Zofia. Strzałkowska była zaskoczona. Z góry założyła, że matka Julii chce z nią porozmawiać sam na sam. Najwyraźniej błędnie ją zrozumiała.

– To ty już możesz jechać – rzucił Jakub do swojego pracownika. – Wrócimy pieszo do domu.

Krupa skinął Emilii głową i odjechał.

– Ja mogę państwa podwieźć – zaproponowała, kiedy już zostali we trójkę.

– Nie, nie. Będziemy musieli jeszcze coś załatwić – wyjaśnił Jakub. – Nie będziemy pani zatrzymywać.

– Chcieli się państwo ze mną spotkać – przypomniała policjantka, zerkając na Zofię.

Próbowała znaleźć w jej twarzy jakieś emocje, ale matka ofiary rozglądała się tylko wokoło. Jakby była niesamowicie ciekawa mijających ją ludzi, a straciła już ochotę na rozmowę z Emilią.

– Tak – potwierdził Dąbrowski z delikatnym westchnieniem. Nieco nerwowym ruchem poprawił kwadratowe okulary. – Wiem, że jest zimno i pewnie wolałaby pani wejść do jakiegoś lokalu, ale… Sam nie wiem. Chyba będzie mi łatwiej, jak po prostu usiądziemy sobie tu na ławce.

Wskazał jedną z ławek otaczających charakterystyczny trójkątny rynek, którym szczyciło się miasto. Przysiedli na jednej z nich, chociaż Emilii faktycznie niezbyt uśmiechało się spędzanie czasu na dworze. Wiatr zdawał się dziś wdzierać w każdy zakamarek odzieży.

Przypatrywała się Dąbrowskiemu. Mały Łuki powiedział, że do mieszkania Julii wchodził mężczyzna w kwadratowych okularach. Emilia wątpiła, żeby chłopiec sobie to wymyślił. To musiał być Jakub. Zastanawiała się, jaka jest rola Dąbrowskich w tych wydarzeniach.

– O czym chcieli państwo porozmawiać? – zapytała policjantka. Postanowiła nie poruszać na razie kwestii kluczy. Uznała, że będzie na to jeszcze czas.

– To delikatna sprawa – powiedział Jakub Dąbrowski cicho.

Wziął żonę za rękę, jakby szukał u niej wsparcia. Zofia nie miała dziś makijażu. Różnica wieku pomiędzy małżonkami była teraz jeszcze bardziej widoczna.

– Myślałem o tym wszystkim i postanowiłem przerwać milczenie – szepnął Jakub. – Wiem, że Paweł pani powiedział o tym, co zrobił mu Franciszek Sadowski. Chciałem powiedzieć, że mnie spotkało to samo. Bo też byłem kiedyś podopiecznym Sadowskiego. Podejrzewam, że to może dziać się też z tym chłopakiem z blizną, którego on teraz umieścił u siebie. Zresztą to samo było swego czasu z Oliwierem Pietrzakiem. A słyszałem w lokalnych mediach, że miał wypadek...

Emilia czekała na ciąg dalszy, ale nie nastąpił. Dąbrowscy siedzieli w ciszy, trzymając się za ręce.

– Faktycznie. Pan Pietrzak zginął w wypadku samochodowym – przyznała. To nie była tajemnica.

– Zastanawiałem się... – zaczął Jakub, ale zaraz znów umilkł.

– Tak? – zachęciła go przyjaźnie.

– Zastanawiam się, czy go nie zabił Sadowski – powiedział Jakub Dąbrowski. – Dlatego chciałem z panią mówić. Wstydziłem się trochę, dlatego zadzwoniła żona. Wiem, że to głupie.

– To nie jest głupie, kochanie – zapewniła Zofia. – Prawda?

Strzałkowska potwierdziła, ale spojrzała na Jakuba uważniej. Przedtem Paweł Krupa sugerował, że to Sadowski uśmiercił Julię. Teraz jego pracodawca mówił, że Sadowski zabił Oliwiera Pietrzaka. Albo obaj kłamali, albo obaj mogli mieć rację i nie powinna lekceważyć ich słów. Czuła, że bardziej przekonuje ją to drugie. Sama przecież miała sporo obiekcji co do Sadowskiego.

– Sadowski chowa się za tym swoi altruizmem, ale to zły człowiek – kontynuował Jakub. – Być może kiedyś za to odpowie. To znaczy jeżeli jego ofiary w końcu zdecydują się mówić. Dlatego do pani przyszedłem. Człowiek się wstydzi...

Dąbrowski nie wyglądał teraz jak szef jednego z trzech dużych zakładów produkcyjnych, tylko jak mały skrzywdzony chłopiec. Emilia widziała to wiele razy. Ofiary przemocy czy też wykorzystywania seksualnego nawet w dorosłym życiu często nie mogły sobie poradzić z mówieniem o tych wydarzeniach.

Emilia nie zdołała się powstrzymać i położyła Dąbrowskiemu rękę na ramieniu. Mężczyzna siedział tak otoczony przez dwie starsze od siebie kobiety. Żonę i policjantkę.

– Historia Sadowskiego tak naprawdę sięga daleko – podjął Jakub. – Jeszcze jego poprzedniego małżeństwa. Jego żona podejrzewała, że wykorzystywał ich dzieci, i wniosła sprawę o rozwód. A on się rzucił w wir filantropii, żeby odpokutować za grzechy. Mówił mi o tym, jak robił mi... Różne rzeczy. Za to, że mi to robił, starał się więcej pomagać innym. A potem znajdował sobie kolejnego ulubieńca... Tak nas nazywał. I tak to się nakręcało. Gdyby nie pan Tomek, pierwszy mąż Zofii, tobym się stamtąd pewnie nie wyrwał. Bardzo przeżywałem, że zginął na budowie, bo był człowiekiem, który mnie uratował. Nigdy mu tego nie zapomnę.

Emilia pomyślała o brzozowym krzyżu i zniczu, który palił się pod drewnianym budynkiem za każdym razem, kiedy tam była.

– No nic... W każdym razie dlatego ja potem pomogłem Pawłowi Krupie i tak to jakoś szło – dokończył swoją opowieść Dąbrowski.

– A Oliwier? – zapytała policjantka.

Nie wiedziała, co myśleć o Pietrzaku. Jeszcze wczoraj była pewna, że to on, być może do spółki z wujem, zamordował Julię Szymańską. Teraz nie żył. Można by ulec wrażeniu, że to automatycznie oczyszcza go z ewentualnej winy. To, że Oliwier zginął, nie znaczyło, że nie zabił Julii, upomniała się Emilia w duchu. No i Tomasza Szymańskiego. Przecież dawno temu znalazł się w kręgu podejrzanych po śmierci pierwszego męża Zofii.

– Oliwier to była zupełnie inna historia – zaczął wyjaśniać Jakub Dąbrowski. – On się zakochał w Sadowskim. Był skłonny zrobić dla niego wszystko. Nie chciał stamtąd odejść. Sadowski sam go wygnał, bo spodobał mu się chłopak z blizną. Czyli Oliwier był jedynym z nas, który nie został stamtąd uratowany. On by tam do dziś siedział. To była chora miłość.

– Do czego pan zmierza? – zapytała powoli Strzałkowska.

– Do tego, że nie wiem, czy Franciszek Sadowski nie zabił Oliwiera, bo miał dosyć jego obsesji na swoim punkcie. Oliwier potrafił zachowywać się bardzo dziwnie. Miewał obsesje na punkcie różnych osób. Właśnie na punkcie Franciszka. Dlatego nie byłem do końca zadowolony, że nasza Julka poszła do niego pracować. Już pani wspominałem. No ale z nastolatkami się nie dyskutuje. A teraz ona nie żyje. No i Oliwier też nie. Wiem, że w mediach ogłoszono, że to wypadek, ale jestem pewien, że Franciszek znalazłby sposób, żeby go upozorować, tak by wszyscy myśleli, że to się samo stało. Jest cwany.

Przez chwilę żadne z nich nic nie mówiło.

– Zastanawialiśmy się, czy Julia nie szła tamtego dnia do zajazdu – odezwała się Zofia. – Beskidzka jest przecież bardzo blisko. Mogła na przykład chcieć porozmawiać z Sadowskim o Oliwierze.

Może. Tylko dlaczego była przebrana za Hannę Kwiatkowską, przebiegło Emilii przez myśl.

– Ale niby o czym chciałaby z nim rozmawiać? – zapytała. – Dlaczego na temat Oliwiera?

– Nie wiem, po postu pomyśleliśmy, że to może być ważne – odparł defensywnie Jakub. Wyglądał, jakby zupełnie się teraz wycofał.

Usłyszała piknięcie w telefonie. To nie był charakterystyczny dźwięk wiadomości od Daniela, na którą tak zawsze czekała. To był esemes od kogoś innego. Wyjęła komórkę z kieszeni i zerknęła na wyświetlacz. Nie musiała odblokowywać ekranu, bo widziała treść wiadomości w powiadomieniu. To Ziółkowski. *Wiem, kto dotykał telefonu ofiary*, napisał technik. Najwyraźniej zajął się porównaniem paluchów z telefonu z istniejącymi w systemie, tak jak obiecał podczas odprawy. No i mieli trafienie.

ROZDZIAŁ 58

Zakład produkcyjny Kwiatkowskich.
Poniedziałek, 19 lutego 2018. Godzina 9.40.
Beniamin Kwiatkowski

Beniamin odebrał przed chwilą jakiś dziwny telefon. Ktoś dzwonił do warszawskiej filii firmy, ale się rozłączył. Niezbyt go to obchodziło. Był pogrążony w myślach. Przyglądał się, jak pracownicy ojca precyzyjnie przygotowują gotową ścianę domu dla jednego z nowych klientów. To była technologia szkieletowa. Dom zostanie załadowany na ciężarówkę i pojedzie na miejsce przeznaczenia. Raz bliżej, raz dalej. Ojciec oczywiście wolałby bliżej. Wtedy transport nie był taki problematyczny. Wiadomo. Sławomir był zły, że pisarka wymknęła mu się z rąk. I to przez Julię. Przecież Lipowo, gdzie kupiła działkę, było rzut beretem od nich.

Julia… Była piękną dziewczyną. Temu nie dało się zaprzeczyć. Na tyle piękną, że Beniaminowi sprawiało przyjemność samo patrzenie na nią. Miała delikatne kształtne dłonie, szczupłe nadgarstki i kostki. Beniamin od dawna czuł, że stracił wszelkie poczucie szczęścia, a została tylko ciemność i pustka. Jedyne, co podnosiło go na duchu, to muzyka. Uroda Julii była jednak na tyle promienna, że oprócz przyjemności jej oglądania pojawił się nawet przebłysk pożądania.

Wzdrygnął się, czując, jak na samą myśl przyrodzenie zaczyna pęcznieć mu w spodniach. Kurwa. Nie tu, nie teraz. Nie przy pracownikach ojca. Chłopak wyszedł z hali produkcyjnej i ruszył szybkim krokiem do domu. Macocha gdzieś pojechała. Chyba do sklepu. Ojciec siedział w biurze. Beniamin mógł więc bez obaw pójść do łazienki i sobie ulżyć.

Nie trwało to długo, zwłaszcza że myślał o Julii. O jej długich włosach, którymi lubiła się bawić. Może nie znał jej dobrze, ale zauważył ten gest. Drobna dłoń pośród pukli. Beniamin miał wtedy ochotę dotknąć jej dłoni.

Spuścił wodę i umył ręce. Nie należał do tych oblechów, którzy walą konia, a potem z kimś się witają. O nie. Wyszedł z łazienki na korytarz. Dom trzeszczał cicho. Chłopak już dawno przyzwyczaił się do tych jego odgłosów. Nie budziły już w nim niepokoju.

Może dlatego, że niepokój to był od szóstego lutego stały element jego życia. Od tamtego dnia nieprzerwanie towarzyszył mu lęk, że wszystko się wyda. A teraz jeszcze... Serce biło mu coraz szybciej. Potrzebował ukojenia. Tylko gdzie go szukać?

Dawniej zadzwoniłby gdzie trzeba. Na przykład do Roberta Janika. Ale teraz? Bał się. Lepiej już za nic nie podpaść. Lepiej nie ryzykować.

Nagle Beniamin usłyszał stukoczący odgłos. Dochodził z labiryntu pokoi. Wrzeciono? Czyżby wrzeciono się poruszyło? Nie, to niemożliwe. Dom był pusty. Był tu sam. Zupełnie sam. Słowiańskie demony nie istnieją. Nie przynoszą nieszczęścia. Albo szczęścia. Człowiek sam je sobie serwował.

Nagle ogarnął go gniew na te wszystkie gusła. Popędził korytarzem do saloniku. Pokój zagracony był sprzętami, które macocha przywiozła tu ze starej restauracji U Hanny. Beniamin podbiegł do wrzeciona i z całej siły zakręcił kołowrotkiem. Wrzeciono kikimory niosło nieszczęście i śmierć? Naprawdę? Co za bzdury.

Zresztą jeśli śmierć go chce, to niech po niego przyjdzie!

ROZDZIAŁ 59

Komenda Powiatowa Policji w Brodnicy.
Poniedziałek, 19 lutego 2018. Godzina 11.00.
Młodszy aspirant Emilia Strzałkowska

Jesteś pewien, że to on? – zapytała Emilia. Przyjechała
na komendę od razu po rozmowie z Dąbrowskimi.

– Tak. Beniamin Kwiatkowski na pewno dotykał telefonu Julii Szymańskiej – powtórzył szef techników.

Strzałkowska pomyślała o długowłosym chłopaku
w bluzce z logo jakiegoś metalowego zespołu. Podejrzewała co prawda jego ojca. Może nawet i matkę, ale nie
brała pod uwagę jego samego, choć sama nie wiedziała
dlaczego. Przecież Beniamin i Julia byli rówieśnikami.
Mogli się znać.

Dopiero teraz sobie przypomniała, że przecież któreś
z Kwiatkowskich wspomniało jej, że Beniamin lubi robić
zdjęcia. Toby tłumaczyło, skąd się wzięły artystyczne foto-
grafie, które Emilia znalazła w telefonie ofiary. Poza tym
chłopak miał dostęp do sekretarzyka macochy. A więc
do wszystkich tych starych monet, wiedźmich kamieni
z dziurką i tak dalej.

No i nie można zapomnieć, że Julia szukała informacji o Kwiatkowskich. Wszystkich. O Sławomirze, Hannie i Beniaminie oraz o ich firmie. To były jej ostatnie wyszukiwania na Facebooku. Była zainteresowana całą trójką. Dlaczego? I przede wszystkim dlaczego była przebrana za Hannę?

Do tej pory Emilia brała pod uwagę, że być może Sławomir jej za to zapłacił. Ale co, jeśli stary Kwiatkowski nie kłamał i faktycznie chciał jedynie wyciągnąć z dziewczyny informacje biznesowe. Tylko tyle. Może w takim razie to Beniamin wiedział na temat przebrania dziewczyny więcej, niż mówił.

– Przejrzałem jeszcze raz rzeczy znalezione przez Franciszka Sadowskiego w dziupli – powiedział Ziółkowski, wyrywając ją z zamyślenia. – Skoro już miałem jego paluchy na telefonie, to sprawdziłem, czy nie ma ich więcej na innych rzeczach.

– Zgaduję, że były?

– Jo.

Emilia przejechała ręką w zamyśleniu po białych włosach. Robiły się coraz dłuższe. Może trzeba je przyciąć. Ale cokolwiek by robiła, na pewno nie będą tak grube i mocne jak rude pukle Weroniki. Westchnęła. Naprawdę sytuacja zaczynała jej ciążyć. Ciągłe porównania. Ukrywanie się. Zastanawianie, czy żona Daniela jest w tej cholernej ciąży, czy nie. Daniel był dobrej myśli. Twierdził, że zrobili to tylko raz. Nie mogło się udać. Emilia znów westchnęła. Nie chciała nawet myśleć, że dokładnie tak samo było z córeczką, którą stracili. Jeden raz. Dwie maleńkie komórki i całe życie ulega zmianie.

– Zastanawiam się, czy to nie on narobił Julii tych zdjęć na targach. A jeśli tak, to widzieli się tam w niedzielę – powiedziała. Musiała się skupić i przestać popadać w dramatyczne tony. Będzie, co ma być. – Nadal nie wiem, jakie plany miała Julia na niedzielę. Coś razem z Kaliną i chyba z tą pisarką, Malwiną Górską. Nie wiem, czy to ma znaczenie. Być może Beniamin coś wie, skoro widział się z nią tego dnia. Muszę go wypytać.

– Ale mam dla ciebie coś lepszego – powiedział Ziółkowski z tym swoim grymasem zadowolenia.

– Co?

– Pamiętasz to dziwne zdanie, które przytoczyłaś?

– Jasne. *Oj, oj, oj. Bagnety stracisz i bagnety dasz zeru* – wyrecytowała Emilia. To zdanie nie miało sensu, ale zapadło jej w pamięć. Może dlatego, że była zła, że nie potrafi go rozgryźć. – Zapisane i na ulotce z dziupli, i w telefonie ofiary.

– Jak mówiłem, moja dziewczyna pracuje w liceum.

– Tak, Ziółek, wszyscy wiemy, że masz dziewczynę – pozwoliła sobie na żart Strzałkowska.

Szef techników skrzywił się wyraźnie.

– To chcesz, żebym powiedział, czy zamierzasz sobie ze mnie szydzić?

– Jasne. Mów. Nie miałam nic złego na myśli. Przecież to był żart.

– Podczas odprawy przyszło mi do głowy, że to może chodzić o wiersz – przypomniał technik. – W międzyczasie zagadałem do mojej dziewczyny, co ona o tym sądzi. Ela powiedziała, że jej kojarzy się z czymś innym.

Strzałkowska spojrzała na kolegę uważniej. Uśmiechnął się zadowolony z efektu.

– Ela uczy historii – wyjaśnił. – Nie polskiego, ale i tak pomyślałem, że ona na pewno lepiej się zna na wierszach niż my. Dlatego ją zapytałem. No i ona powiedziała mi wtedy, że uczy swoich uczniów tak zwanych mnemotechnik. To są takie techniki...

– Żeby coś łatwiej zapamiętać – dokończyła Emilia. Czuła rosnące podekscytowanie. – I co?

– I właśnie to. Jedna z takich metod, żeby na przykład zapamiętać datę na lekcji historii, to ułożenie zdania. W tym zdaniu każde słowo ma określoną liczbę liter. Liczysz litery i masz datę. Dajmy na to piętnasty lipca tysiąc czterysta dziesiąty, czyli bitwa pod Grunwaldem. Masz wtedy do zapamiętania 15.07.1410. I wymyślasz zdanie, w którym pierwsze słowo ma jedną literę, drugie pięć liter, potem zero liter, siedem liter, jedna litera, cztery, jedna i zero. Jak jest zero, to Ela mówi uczniom, żeby tam po prostu wstawić słowo zero do zdania.

– Strasznie to skomplikowane – mruknęła Emilia. – Trzeba się nagłowić, żeby wymyślić słowa z określoną liczbą liter i żeby to miało sens.

– No ale właśnie nie musi mieć sensu. Wychodzą z tego różne śmieszne zdania, ale w ten sposób łatwiej je wbrew pozorom zapamiętać. Poza tym jak szukasz słów na ileś liter i próbujesz sformułować zdanie, to i tak zapamiętujesz tę datę – zaśmiał się Ziółkowski. – A w Internecie jest pełno wyszukiwarek słów z określoną liczbą liter. Można tam zajrzeć i wcale się nie głowić. Ale wracając do rzeczy. Eli właśnie to *zero* się skojarzyło z mnemotechniką. Bo najgorzej zawsze z zerem. W datach ono często występuje. Dlatego musiała coś wymyślić i najprostsze było po prostu użycie słowa zero. Bez liczenia liter. To jej autorski pomysł. Chociaż może ktoś też tak robi. W każdym razie jak usłyszała to nasze bezsensowne zdanie, to powiedziała: *Moje zero*. Zresztą to *oj, oj, oj* na początku też. Bo jak uczniowie szukają słów na dwie litery, też mają kłopot.

– Czyli co? Sugerujesz, że zdanie: *Oj, oj, oj. Bagnety stracisz i bagnety dasz zeru* tworzyłoby liczbę… – Emilia wzięła kartkę i szybko sobie to rozpisała, licząc litery. – Liczbę: 222781744?

– No nie. Przecież tłumaczę. Na końcu zero, nie cztery. Jak masz słowo *zero*, to oznacza liczbę zero. Nie trzeba liczyć tu liter. Czyli to by było tak: 22 278 17 40. – Ziółkowski wziął od Emilii kartkę i zapisał liczby. – Coś ci to przypomina?

– Numer telefonu stacjonarnego! – krzyknęła policjantka. – Warszawski, skoro na początku jest dwadzieścia dwa. To musi być kierunkowy.

Czyżby chodziło o pisarkę, zastanawiała się gorączkowo Emilia. Malwina Górska była przecież z Warszawy. Strzałkowska dysponowała numerem telefonu pisarki, ale to była komórka. Może ten był domowy? Policjantka sięgnęła po telefon. Trzeba to sprawdzić.

– Poczekaj – powiedział z naprawdę wyraźną satysfakcją Ziółkowski. – Już wiem, czyj to numer. Zadzwoniłem tam, jak tylko to odkryłem.

Emilia już miała go ofuknąć, że takich rzeczy nie powinno się robić, ale sama przecież dzwoniła do osób z billingów ofiary, zamiast poprosić o to odpowiednich ludzi.

– Czyj?

– To filia firmy Kwiatkowskich – oznajmił Ziółkowski triumfalnie. – A przypominam, że na telefonie ofiary znajdowały się odciski palców Beniamina Kwiatkowskiego. A to jeszcze nie wszystko. Beniamin Kwiatkowski był uczniem mojej Eli, czyli znał te mnemotechniki. Z jakiegoś powodu podał Julii numer za pomocą mnemotechniki i tak go zapisała. Kto wie, po jaką cholerę w ten sposób. Ale zgaduję, że nie chcieli, żeby ktoś wiedział, że wymienili się numerami.

– Cholera – mruknęła Emilia.

– Lepiej bym tego nie ujął. Co więcej, jak tam zadzwoniłem, to odebrał jakiś młody męski głos. Powiedział taką powitalną formułkę. *Tu firma Kwiatkowskich, bla bla bla. Przy telefonie Beniamin Kwiatkowski.* Wtedy ja powiedziałem, że to pomyłka, i się rozłączyłem.

– Ale on nie jest w Warszawie, tylko tu. To znaczy przynajmniej tak mi się wydaje – poprawiła się Emilia.

– To jak mógł odebrać warszawski numer?

Zastanawiała się, kiedy widziała Beniamina ostatnio. To było chyba w piątek, jak jechał z rodzicami do Torunia na film. Równie dobrze dziś mógł być w Warszawie.

– Może mają ustawione przekierowanie numeru? – zastanawiał się technik. – To nic szczególnie trudnego.

– Tylko dlaczego Beniamin dałby Julii warszawski numer, a nie na przykład numer swojej komórki? Skoro i tak to było powiedzmy z a k o d o w a n e.

To wszystko wydawało się zupełnie zwariowane, a jednak trudno było wyobrazić sobie, żeby to był oczywisty przypadek. Litery z dziwnego zdania układały się akurat w numer firmy Kwiatkowskich. W Warszawie, ale jednak. A sama ofiara była przebrana w ubranie przypominające to, które kiedyś nosiła Hanna Kwiatkowska. Julia zginęła na Beskidzkiej, czyli blisko zajazdu, jak zauważyli wcześniej Dąbrowscy, ale też blisko siedziby Kwiatkowskich. Dziewczyna miała w swoich rzeczach ulotkę z targów, na której zapisała informacje o Hannie. I to była właśnie ulotka ze stoiska Kwiatkowskich. To wszystko jakoś się ze sobą łączyło. Emilia uznała, że koniecznie musi po raz kolejny porozmawiać z Kwiatkowskimi. A zwłaszcza z Beniaminem.

– No i to jeszcze nie wszystko – oznajmił Ziółkowski. – Zgadnij, skąd wiem, że to paluchy Beniamina?

– Pewnie zostały pobrane przy jakiejś sprawie. Tak jak wcześniej Oliwierowi Pietrzakowi.

– Dokładnie. A wiesz, przy jakiej sprawie?

– Nie.

– Chodziło o narkotyki. A sama wiesz, co znaleźliśmy w kuchni Julii.

Emilia skinęła głową. Siedemset czterdzieści dwa gramy amfetaminy. Oczywiście nie zapomniała.

ROZDZIAŁ 60

Zajazd Sadowskiego. Poniedziałek, 19 lutego 2018.
Godzina 12.10.
Robert Janik

Robert Janik zastanawiał się, czy powinien pozbyć się towaru. Ta policjantka kręciła się po zajeździe i węszyła. Chłopak musiał przyznać, że trochę go to stresowało. Nie zdradził jej, że Julia spędziła z nim noc, bo chciała wypytać, jak opchnąć towar. Chodziło o seks, ale też o biznes. Ale to nie były informacje dla Strzałkowskiej.

Przez to wszystko zgubił gdzieś swoją ulubioną monetę do podrzucania. Próbował innymi, ale to nie było to samo. Nie szkodzi. To i tak był głupi zwyczaj. Lepiej go zarzucić. Prawdziwie silna osoba nie potrzebuje się uspokajać. A Roberta życie nauczyło być silnym.

Mimo to o mało nie wypaplał tej całej Strzałkowskiej, że na komendzie są dwie osoby, które zdradziły psiarnię. Sam nie bardzo zdawał sobie sprawę, dlaczego to zrobił. Może chciał jej utrzeć nosa, a może to był strach. Tak czy inaczej, Robert czuł, że sprawy potoczą się teraz szybko.

A swoje wiedział. Choć niektórzy chyba uważali go za idiotę. Przeliczą się. Bo w i e d z i a ł. I potrafi to wykorzystać.

Filemon pisnął cicho. Robert po raz pierwszy miał kogoś, kto go bezgranicznie kochał. To było nowe uczucie. Przecież zawiedli go wszyscy. Pogłaskał pieska po głowie. Co z tego, że to tylko zwierzę? Dla niego to była teraz najbliższa istota.

O ludzi nie zamierzał się troszczyć.

Niech wszyscy umierają.

Nie dbał o nikogo.

ROZDZIAŁ 61

Dom Kwiatkowskich. Poniedziałek, 19 lutego 2018.
Godzina 12.10.
Młodszy aspirant Emilia Strzałkowska

Możemy porozmawiać? – zapytała Strzałkowska bez wstępów.

Drzwi domu Kwiatkowskich otworzył Beniamin. Nie widziała na podjeździe żadnych innych samochodów. Być może miała szczęście i rodziców chłopaka nie było. Będzie mogła spokojnie porozmawiać z nim w cztery oczy. Beniamin był pełnoletni. Skoro miał osiemnaście lat, mogła go traktować jak dorosłego i rozmawiać z nim bez opiekuna. Nawet gdyby miał siedemnaście, już by mogła. Nie będzie tym razem żadnego kombinowania.

– Ale…

– To zajmie chwilę – oznajmiła, bez pardonu wpychając chłopaka do środka własnym ciałem.

Była zmęczona i zła. Wiadomo. Nie powinno się mieszać życia prywatnego z zawodowym, ale cóż. Czasem nie dało się tego uniknąć. Poza tym ileż to razy widziała, jak Klementyna Kopp postępuje w ten sposób ze świadkiem albo podejrzanym. Pora przestać bawić się w skrupuły.

Nie martwiła się też, że wchodząc tu sama, naraża się na niebezpieczeństwo. Choć może Beniamin miał minę posępnego nihilisty, który uważa, że pozjadał wszelkie rozumy, ale Emilia widziała w jego oczach, że nie należał do silnych osób. Nie tylko fizycznie. Przede wszystkim psychicznie. Nawet jeśli to on był sprawcą, uznała, że sobie z nim poradzi. Dlatego przyjechała tu bez obstawy.

A w najgorszej sytuacji… No cóż, miała broń i nie należała do osób, które obawiają się jej użyć.

– Chodźmy do salonu – zaordynowała, kiedy znaleźli się w przedpokoju.

Zapomniała już, jak bardzo ten dom był dziwny. Podzielony na maleńkie przestrzenie niepotrzebnych pokoików. To zdecydowanie nie pomagało jej się skupić. Potrzebowała więcej miejsca. A może będzie też okazja przekonać się, czy monety w sekretarzyku to były złotówki z lat siedemdziesiątych. Takie miała w torebce Julia, kiedy zginęła. Jeżeli tak, kolejny element zostałby wyjaśniony.

Beniamin ruszył za nią bez słowa. Na wszelki wypadek przepuściła go jednak przodem. Chciała mieć go na oku, kiedy przemierzali labirynt pomieszczeń. Teraz widziała, jaki był wychudzony. Ćpał? Ziółkowski znalazł informację, że młody Kwiatkowski został kiedyś zatrzymany za posiadanie stu gramów zielonego*. Ostatecznie się z tego wywinął, choć towaru było całkiem sporo. Może nie tak dużo jak białego, które znaleźli w domu Julii Szymańskiej, ale jednak jakiś kontakt ze światkiem narkotykowym musiał mieć.

* Potoczna nazwa marihuany.

– Lubisz zielone, co? – zapytała Emilia wprost, kiedy weszli do saloniku.

Rozejrzała się po zagraconym pomieszczeniu. Nikogo nie było. Skierowała się więc od razu do sekretarzyka. Włożyła rękawiczki i otworzyła drzwiczki mebla. Sięgnęła od razu po słoik monet. Bingo. To były stare złotówki. Dokładnie takie jak w torebce zamordowanej dziewczyny. Najwyraźniej element jej przebrania.

– Co pani robi? – żachnął się chłopak.

– O tym porozmawiamy za chwilę. Najpierw skupmy się na narkotykach.

– Nie rozumiem.

– A ja myślę, że dobrze rozumiesz. Miałeś kłopoty z tego powodu.

Beniamin spojrzał na nią wściekły, ale ujrzała też w jego oczach strach.

– A jaki to ma związek z czymkolwiek? To było dawno. Byłem młody i głupi.

– Julia Szymańska też w tym siedziała? – atakowała dalej Emilia. Czuła, że ostry ton podziała na Beniamina najlepiej.

– Co? Nawet jej nie znam.

– Na pewno?

– No o tyle, o ile. Widziałem ją kilka razy, bo jest od Dąbrowskich. I tyle.

– A ja myślę, że nie mówisz mi prawdy. Widziałeś ją na przykład na targach budowlanych. Dwa dni przed jej śmiercią. Zrobiłeś jej zdjęcia.

Emilia oczywiście nie miała stuprocentowej pewności, że to Beniamin zrobił Julii minisesję, z której zdjęcia policjantka znalazła na telefonie ofiary. Mimo to starała się, żeby w jej głosie słychać było absolutną pewność. Chłopak milczał, ale po jego minie widziała, że trafiła w dziesiątkę.

– Miała też zapisany numer telefonu, który odbierasz ty. Zapisany za pomocą jakiejś wymyślnej mnemotechniki, której nauczyłeś się w szkole. Nadal będziesz mi wciskał, że się nie znaliście, czy mam wyliczać dalej, co was łączyło?

Beniamin wyglądał, jakby zaraz miał się rozpłakać. Wyraz wyższości zniknął z jego twarzy. Emilia postanowiła dać mu chwilę na ochłonięcie. Nie chciała przesadzić. Trzeba naciskać, ale wiedzieć, kiedy się zatrzymać. Tego również nauczyła się od Kopp.

Usiadła na kanapie koło wrzeciona. Bardzo ją kusiło, żeby nim poruszyć. Ciągle miała jednak w głowie słowa Hanny Kwiatkowskiej, które padły podczas jej pierwszej wizyty w tym domu. Dźwięk wrzeciona kikimory przynosi nieszczęście.

– Ja ją wynająłem! Pani mówiła do ojca, że on, ale to ja – zawołał nagle Beniamin. Czarne włosy opadły mu na twarz, nadając mu nieco demoniczny wygląd. – Ale nie zabiłem jej! Nie wiem, kto to zrobił!

– Opowiedz wszystko po kolei – poprosiła policjantka spokojnie. Nie chciała go spłoszyć, kiedy najwyraźniej zaczynał się otwierać.

– Ja… Nienawidzę mojej macochy! Chciałem zażartować z Hanny, żeby wyszła na idiotkę podczas swoich urodzin. Bo szóstego robiła imprezę dla różnych szych. I zawsze przed nimi udaje taką normalną, mądrą, wykształconą i tak dalej. Powstrzymuje się przed tymi idiotycznymi opowiastkami o demonach, podróżach w czasie i tak dalej. A ja chciałem, żeby straciła kontrolę i gadała o tym jak nakręcona. Żeby ją wyśmiali. Tego chciałem. Tylko tego chciałem!

– I dlatego chciałeś, żeby Julia ją naśladowała?

– Dokładnie tak. Sama zresztą pani widziała, jak to zadziałało, kiedy pokazaliście ten portret pamięciowy.

– Rekonstrukcję twarzy – poprawiła go automatycznie policjantka.

– Wszystko jedno. Sama pani widziała, jak m a c o s z k a się nakręciła – syknął jadowicie chłopak. – Co by to było, gdyby Julia zjawiła się w tym stroju, z wiedźmim kamieniem, starymi pieniędzmi i tak dalej. Impreza zmieniłaby się w teatr. I tego właśnie chciałem. Przyznaję. Ale nie zabiłem Julii! Nie wiem, co jej się stało. Ona po prostu nie przyszła! Mimo że miała dostać kasę. Obiecałem jej dać tysiąc złotych. Ale ona nie przyszła!

– Po kolei – poprosiła znów Emilia.

– Na targach trochę mi się nudziło, a ojciec kazał mi podejrzeć, co dzieje się u konkurencji. No i jak zobaczyłem Julię w stoisku Sadowskiego, to jakoś tak po raz pierwszy zauważyłem, że jest podobna do Hanny. I wtedy wpadł mi do głowy ten pomysł. Zagadałem z nią, jak zeszła na przerwę na papierosa. Trochę pomówiliśmy. Pomysł jej się spodobał. Bo ona chciała grać, a nie tylko pozować do zdjęć. Uważała, że się urodziła, żeby być aktorką. A nie tylko ładną buzią.

Strzałkowska skinęła głową. To by wyjaśniało, czemu Julii nie było tak długo w stoisku Sadowskiego, o co miał do dziewczyny pretensje właściciel zajazdu. Przez ten czas omawiała z Beniaminem, jak się przebrać za Hannę.

369

– Chciała się jak najwięcej dowiedzieć o Hannie – opowiadał Beniamin. – Chciała się przygotowywać do roli, jakby to był jakiś oscarowy występ. No ale w sumie wolałem, że była taka zaangażowana. Nawet sobie porobiła notatki na temat Hanny.

– Na ulotce z waszego stoiska – powiedziała w zamyśleniu Emilia.

Chłopak spojrzał na nią zaskoczony. Chyba tym, że i to wiedziała. Bardzo dobrze. Niech się boi. Najwyraźniej skłaniało go to do mówienia.

– Tak – przyznał. – Akurat miałem ze sobą plik naszych ulotek i długopis i takie tam gadżety. A ponieważ Julia nie wzięła telefonu, to pisała na nich. Zapisała informacje o Hannie. Takie podstawowe, ale też na przykład, że spotykała się w latach siedemdziesiątych z Franciszkiem Sadowskim. To sobie nawet podkreśliła. Mówiła, że kto się z kim spotyka, jest najistotniejsze. Bo ludziom zawsze i wszędzie chodzi tylko o miłość.

Emilia poczuła, że się czerwieni. Julia najwyraźniej była młodą romantyczką. Strzałkowska była chyba starą romantyczką, bo zdecydowanie zgadzała się z tym, co powiedziała Beniaminowi Szymańska. Ludziom zawsze chodziło o miłość. Tylko że jak przychodziła, to nie zawsze była tym, czego się oczekiwało.

– No i Julia zapisała sobie też listę ubrań – ciągnął dalej Beniamin. – Bo ja widziałem tyle razy te cholerne zdjęcia z przeszłości, że mam to wbite w głowę. Podyktowałem jej. Ona powiedziała, że ubrania sama załatwi. A ja miałem tylko zdobyć wiedźmi kamień i monety, żeby jak macoszka zajrzy do torebki, to uwierzyła, że to naprawdę osoba z przeszłości, która ma przy sobie drobne z tamtego okresu. Pewnie nawet nie pamięta, że ma ten głupi słój, w którym pani przed chwilą grzebała. Tu jest wszystko. Zwoziła to i zwoziła z tej starej restauracji. Jeśli chodzi o monety, to tak naprawdę chodziło mi raczej o efekt. A ważniejszy był wiedźmi kamień, bo Hanna uważa, że to one pomagają w podróżach w czasie.

Beniamin zamilkł, jakby zmęczony swoim monologiem.

– Co dalej? – zapytała Emilia, żeby go zachęcić.

– Właściwie nic. Chciałem z tego zrobić konspirę. Wiem, to dziecinne, ale umówiliśmy się, że nie zapisujemy swoich numerów telefonów ani nie mamy kontaktu na Facebooku, ani nic.

Strzałkowska skinęła delikatnie głową. Postanowiła mu nie mówić, że Julia go nie posłuchała, bo szukała przecież informacji o nim i jego rodzinie na Facebooku.

– No i powiedziałem, że nie możemy do siebie dzwonić ani w inny sposób się kontaktować – kontynuował chłopak. – Trochę się tym podkręciłem i Julia też. Kazałem jej zapisać numer do naszej filii w Wawie, bo jest przekierowywany na mój. Właściwie nasza firma tam nie działa. Nawet nikt nie siedzi w biurze. Dlatego to idzie na mój telefon.

– A czemu po prostu nie dałeś jej swojej komórki?

– Bo to wydawało mi się takie bardziej tajemnicze. No i Julia zapisała go za pomocą tych mnemotechnik. Wymyśliłem naprędce jakieś głupie zdanie. A ona je zapisała. Najpierw na ulotce, ale potem jeszcze w telefonie na wszelki wypadek. Znaczy mówiła, że to zrobi, jak wróci do swojego stoiska. To była zabawa. To była tylko zabawa! Zresztą ona też była podjarana, że się tak ukrywamy. Dlatego byłem zdziwiony, że się nie zjawiła.

– Jaki dokładnie był plan na wtorek szóstego?

– No właśnie. Miała przyjechać sama, ale po południu w niedzielę, przed powrotem z targów, okazało się, że samochód jej się zepsuł. Przyszła, żeby mi o tym powiedzieć.

– Wtedy zrobiłeś jej zdjęcia telefonem?

– Tak. Bo wcześniej go nie miała. Mówiłem przecież. A moim nie mogłem jej robić. Przecież była konspira.

– Rozumiem… – zapewniła Emilia, chociaż to wszystko zupełnie jej się nie podobało. Ale wyglądało na to, że część historii staje się bardziej zrozumiała.

– Umówiliśmy się więc, że we wtorek przyjadę po nią do Rypina. Tylko w miarę wcześnie, żeby nikt nie połączył jej późniejszego pojawienia się na imprezie z moim wyjściem. Bo powinienem pomagać w przygotowaniach. Trochę narzekała, bo musiała dosyć długo czekać. Już nie pamiętam. Kiedy przyjechałem po nią, było chyba koło wpół do czwartej. A u nas miała być dopiero o wpół do siódmej. No ale ustaliliśmy, że połazi sobie tam po łąkach niedaleko strzelnicy. Już była w ustalonym stroju, bo nie było gdzie schować jej zwykłego ubrania. Nie mogła go mieć ze sobą, bo to by cały efekt zepsuło. I bała się, że połknęła jakąś monetę i czy nic jej się nie stanie. Chyba pokazywała sztuczkę jakiemuś dzieciakowi z bloku. Z tego, co wiem, sztuczki nauczył ją Robert Janik od Sadowskiego, ale chyba nie opanowała jej do końca.

Tak więc kolejna informacja została potwierdzona, pomyślała Emilia. To było aż zbyt piękne, żeby było prawdziwe. Szło jej doskonale.

– Czy Julia schowała swoje ubrania w dziupli? – zapytała. – Wspominała może, że ma taki zamiar?

Chłopak westchnął głośno.

– Ja schowałem jej rzeczy w dziupli – przyznał. – Po prostu ona mi dała swoje ubrania, nerkę, telefon i wszystko, jak ją wiozłem z Rypina. Miałem jej to oddać po całej akcji. Chociaż telefon wyłączyła, bo powiedziała, że nie chce, żebym tam zaglądał. Jakbym w ogóle miał taki zamiar.

Emilia znów skinęła głową, jakby odhaczała rzeczy do wyjaśnienia. Policja ustaliła przecież, że telefon został prawdopodobnie wyłączony właśnie w okolicach łąk obok strzelnicy. A w każdym razie nie logował się już więcej do żadnej anteny.

– No a potem, jak się okazało, że nie żyje jakaś dziewczyna, a ona się nie zjawiła, to dodałem dwa do dwóch. Nawet zanim jeszcze zrobiliście tę rekonstrukcję twarzy. No i się przestraszyłem. Julia nie żyła, ja miałem jej rzeczy. Bałem się, że możecie pomyśleć, że ją zabiłem. Pierwsze, co mi przyszło do głowy, to schować te rzeczy w dziupli. Bo nie wiedziałem, co z nimi zrobić. A to było miejsce, gdzie za dzieciaka chowałem sobie różne rzeczy. Teraz, jak o tym myślę… To była totalna głupota. Tylko potem, jak już je tam schowałem, to bałem się wrócić, bo myślałem, że jednak obserwujecie to miejsce. No i postanowiłem, że już je tam zostawię. Jeszcze zrobiłem dziecinne błędy, bo dotykałem tych rzeczy. Pewnie są tam moje odciski palców. Ale ja jej nie zabiłem! Niech mi pani uwierzy. Nie zabiłem Julii!

Emilia poprawiła włosy w zamyśleniu. Z jakiegoś powodu wierzyła temu ponuremu chłopakowi. Uwierzyła, że robota, do której przygotowywała się Julia, miała być głupim żartem. Tylko że żart chyba wymknął się spod kontroli. Ale pozostawało najważniejsze pytanie: jeżeli nie Beniamin zabił Julię, to kto?

– Wiesz może, jakie plany miała Julia na niedzielę?

– Wiem tylko, że chciała skądś odebrać Kalinę Pietrzak. To jej znajoma. No i razem pracują u Oliwiera. Znam je, bo my czasem też braliśmy od niego hostessy.

– Tak, poznałam Kalinę. I Julia miała ją skądś w Bydgoszczy odebrać, tak?

– Tak, tylko że zepsuł jej się samochód.

Emilia wiedziała już o tym od Malwiny Górskiej. Pisarka powiedziała, że wtedy Julia poprosiła ją o podwiezienie Kaliny. Tylko nadal nie wiadomo było skąd, skoro Kalina nie brała udziału w targach.

– Czy Julia wspominała cokolwiek o Malwinie Górskiej?

– Tej pisarce?

– Tak.

– Znaczy wiem od mojego ojca, że załatwiła Sadowskiemu tę Górską jako klientkę. Ale mnie o tym nie wspominała. Byliśmy skupieni na tej naszej akcji.

– A jak wysadziłeś ją przy strzelnicy, to mówiła, jakie ma plany?

– No przecież mówię. Miała połazić po łąkach. I narzekała, że tak długo będzie musiała czekać, by wejść do naszego domu.

Emilia przysiadła na kanapie opodal kołowrotka i porządkowała fakty. Mniej więcej o siedemnastej Julia już nie żyła. Policjantka myślała początkowo, że dziewczyna zjawiła się na Beskidzkiej, bo umówiła się tam z kimś na spotkanie. W przeciwnym razie po co miałaby tam iść. Teraz okazywało się, że Julia tam była i kręciła się po okolicy, zabijając czas. I albo nie powiedziała Beniaminowi, że ma się z kimś spotkać, albo nie miała takich planów. To z kolei oznaczałoby, że sprawca ją zaskoczył. Tylko skąd wiedział, że dziewczyna będzie właśnie na Beskidzkiej?

Myśli Emilii znów wróciły do Oliwiera Pietrzaka, który dopiero co zginął w wypadku. On mógł wiedzieć, jak podejrzewała już wcześniej. A jeżeli teraz został zabity, to być może to wszystko się ze sobą wiązało. Z drugiej strony mogło być też tak, że faktycznie śmierć Julii była przypadkowa. Może naprawdę trafiła na Ryszarda Pietrzaka, który zabił ją w jakimś niezrozumiałym ataku szału jako osoba chora psychicznie. Tak jak twierdził Zjawa.

Emilia czuła, że zaczyna gubić się w domysłach.

– Nie włączałeś jej telefonu? – upewniła się.

– Nie.

– Nie wchodziłeś na jej konto na Facebooku?

– Nie! Niby jak?

Pokiwała głową. No dobrze. Czyli nadal najbardziej prawdopodobne, że zrobił to Oliwier. Albo Jakub Dąbrowski, przebiegło jej przez myśl. Przecież Łuki go tam widział.

– Wróćmy do narkotyków – zagadnęła.

Na bladą twarz Beniamina wypłynął rumieniec. Najwyraźniej ten temat go stresował bardziej niż śmierć Julii, ale chciała przynajmniej spróbować o tym porozmawiać. Miała nadzieję, że z nim pójdzie jej lepiej niż z Robertem Janikiem.

– Mówię, że to dawne dzieje. Dostałem nauczkę. Już tego nie robię.

– Naprawdę?

– Przysięgam.

Tym razem czuła, że to nie do końca prawda.

– Julia ci to sprzedawała?

– Co?...

– Była dilerem?

– Nie!

– A kto?

– Nikt.

– To skąd miałeś marihuanę, z którą cię kiedyś zatrzymano?

– Znalazłem.

Westchnęła. Wyuczona odpowiedź, żeby nie wrabiać dilera. To albo opowieści o jakimś bliżej nieokreślonym człowieku z innego miasta, który sprzedał towar i odjechał. Pierwsza zasada na narkotykowym rynku to nie wrabiać swojego dilera.

– Skąd miałeś towar? – zapytała ostrzej. – Pamiętaj, że nie chodzi o głupie zielone, tylko o morderstwo. Lepiej grać w otwarte karty. Zastanów się, ile masz do stracenia.

Uznała, że go trochę postraszy. Wyglądało jednak na to, że Beniamin nic nie powie. Usta miał zaciśnięte w wąską kreskę. Wargi zrobiły się czerwone od napięcia, jakby przed chwilą użył szminki. Odcinały się wyraźnie od jego bladej twarzy.

– Pani nie rozumie – powiedział wreszcie cicho. – Przecież jak powiem kto, to mogą mi coś zrobić.

Zastanawiała się, jak zdobyć jego zaufanie. Rozumiała jego lęk, ale potrzebowała informacji. Jeżeli w grę wchodziła jakaś grupa przestępcza, to mogło zrobić się nieciekawie. Zanim zdążyła zapytać o cokolwiek, zadzwonił jej telefon. Na wyświetlaczu pojawiło się nazwisko naczelnika.

– Przepraszam, muszę odebrać – powiedziała do Beniamina.

Chłopak skinął ochoczo głową. Chyba cieszył się, że choć przez chwilę Emilia nie będzie go wypytywać.

– Są wieści – oznajmił komisarz bez przywitania, jak tylko odebrała. – Dzwonili ze Starych Świątek. Zjawa tam był, bo Ryszard Pietrzak zażądał rozmowy.

– I co? – zapytała Emilia.

– Ryszard Pietrzak oficjalnie przyznał się do morderstwa. Mamy sprawę rozwiązaną.

* * *

2018
Ulica Lidzbarska.
Piątek, 16 lutego 2018. Godzina 17.40.
Oliwier Pietrzak

Oliwier Pietrzak dodał jeszcze gazu. Zawsze jeździł szybko, ale teraz nawet on czuł, że zaczyna się robić niebezpiecznie. Jego biały golf z trudem wyrabiał się na zakrętach. Ich auto o dziwo radziło sobie o wiele lepiej. Mimo że to był SUV, a nie sportowy samochód. Byle dojechać gdzieś, gdzie będą jacyś ludzie, przebiegło mu przez myśl. Tam nie ośmielą się nic mu zrobić. Jeszcze kawałek i chyba będzie kilka domów obok kościoła w Cielętach.

Przeliczył się. Grubo się przeliczył. Nie powinien był z nimi igrać. Ale chyba po prostu miał dosyć marnych fuch, które robiły jego dziewczyny. Oliwier chciał więcej. Poza tym skoro zabili Julkę, to powinni za to zapłacić. A skoro mieli zapłacić, to mogli zapłacić jemu. Za milczenie.

Pomysł wpadł mu do głowy, jak ta policjantka zaczęła go wypytywać. Nie powiedział jej wszystkiego. Na przykład tego, że wiedział, dla kogo pracowała Julia ostatniego dnia swojego życia. Nie chciał, żeby Strzałkowska w tym grzebała. Chciał tych pieniędzy z szantażu. Węsząca policjantka nie pomoże.

Oliwier od lat myślał, żeby wreszcie coś zrobić ze swoim wyglądem. Na przykład lifting twarzy. W tym biznesie trzeba być wiecznie młodym. A lepiej zapobiegać niż potem przeciwdziałać. Z pieniędzmi mógłby już zacząć poprawiać twarz. Zanim naprawdę się zestarzeje.

No i tęsknił za Julką. Lubił na nią patrzeć. Lubił sobie wyobrażać, że jest nią. Trzymał zapasowy klucz od jej mieszkania i czasem wchodził tam, kiedy spała. Przeglądał Facebooka z jej konta. Czasem ośmielał się nawet polubić jakieś zdjęcie. Komentarzy w jej imieniu nigdy nie zamieszczał, bo mogłaby się zorientować. Tak samo jak nie zaglądał do rozmów w komunikatorze. Przecież nie był jakimś stalkerem. Ale niewinny lajk tu i tam to przecież nie było nic złego. Tak to przynajmniej sobie tłumaczył.

Dlatego głupio mu się zrobiło, kiedy Julka wysłała mu wiadomość, że wie o wszystkim. Ciekawe, jak długo wiedziała. Nawet jej nie odpisał. Nie znalazł w sobie odwagi. Tym bardziej po tych wszystkich kłótniach o Morderczy program *i statystowanie. Czuł się jak pomiędzy młotem a kowadłem.*

Skąd Julka wiedziała, że wchodził do jej mieszkania? Ten dzieciak jej pewnie doniósł. Kręcił się ciągle po klatce schodowej, jak jego rodzice chlali, i musiał widzieć. Najgorsze, że jeszcze dziś chłopaczek zobaczył, jak Oliwier chciał pozbyć się tej wstrętnej paczki, którą mu podrzucono. Ktoś musiał to zrobić w nocy. Pudło stało sobie obok jego samochodu. Zaparkował akurat z boku, więc nikt go nie zauważył. Oliwier zobaczył je, dopiero jak otwierał drzwi. A w środku… Nawet nie chciał o tym myśleć.

No nic… teraz trzeba było się skupić na drodze i ucieczce. Bo nie dość, że nie dostał żadnych pieniędzy, to jeszcze najwyraźniej chcieli go zabić…

Oliwier czuł, jak zimny pot spływa mu po czole spod peruki, która zawsze tak przyjemnie grzała. Skręcił gwałtownie na kolejnym zakręcie. Jeszcze kawałek i chyba już naprawdę będzie kościół. Paradoksalnie to mógł być dla niego jedyny ratunek. Choć w kościele nie był od lat. Nie chcieliby go tam. Nie kogoś takiego jak on.

Nie chodziło tylko o wygląd. Ani o szantaż. Bardziej o to, co zrobił kiedyś. Dla człowieka, którego pokochał. Oliwier zabił Tomasza Szymańskiego, bo tak mu zlecono. Bo tak chciał Sadowski, którego wtedy Pietrzak tak kochał. Ale czy to coś tłumaczyło? Czy to zmazywało winę?

Oliwier zerknął w lusterko.

Byli tak niedaleko.

Tuż za nim.

Ich samochody prawie się stykały.

I co teraz?

I co teraz?!

Zorientował się, że zaczynają go wyprzedzać. Chyba chcieli zajechać mu drogę. Dodał gazu, ale mieli lepszy samochód. Oba silniki ryczały głośno. Radia zupełnie nie było już słychać. A może po prostu go nie włączył.

Ich auto było już na pasie obok. Kątem oka zarejestrował nagły ruch kierownicy, kiedy ich samochód skręcił w jego stronę. Dopiero teraz Oliwier zrozumiał. Nie chcą zajechać mu drogi. Chcą go zepchnąć z szosy.

Starał się kontrować, ale uderzenie było nieuniknione.

Stracił panowanie nad kierownicą.

Z całej siły przycisnął hamulec.

Opony zapiszczały na asfalcie.

* * *

CZĘŚĆ 6
2018

ROZDZIAŁ 62

Komenda Powiatowa Policji w Brodnicy.
Środa, 21 lutego 2018. Godzina 14.00.
Młodszy aspirant Emilia Strzałkowska

To co? Gotowa? – zapytał Radosław Trawiński.

Młody policjant otworzył przed Emilią drzwi radiowozu. Szarmancki gest, którym chyba chciał poprawić jej
humor, niewiele niestety pomógł. Strzałkowska kiwnęła
tylko głową. Nie mogła mówić. Wiedziała, że jeżeli spróbuje wypowiedzieć choć jedno krótkie zdanie, po prostu
się rozpłacze.

Od poniedziałku jej życie to był prawdziwy rollercoaster.
Kiedy Ryszard Pietrzak przyznał się do winy, naczelnik
Urbański zdecydował, że śledztwo jest zakończone, więc
Emilia dostała kolejne zadania i na nich miała się skupić.
Początkowo była nawet w dobrym nastroju, bo tak się
złożyło, że we wtorek szef akurat przydzielił jej służbę
z Danielem. Nie była co prawda przekonana co do winy
Ryszarda Pietrzaka, mimo iż się przyznał, ale tęskniła
za Podgórskim i zamierzała skupić się na każdej cennej
chwili, kiedy byli razem.

Pojechali pozałatwiać trochę rzeczy w miejscowości Ciche. Wracając, zjechali na odosobnioną polanę, na której kiedyś latem stacjonowali harcerze. Teraz była zupełnie opuszczona, ale tego właśnie chcieli. Kochali się zapamiętale na tylnym siedzeniu radiowozu. Emilia miała wrażenie, że odleci do nieba. Nie dlatego, że to było coś szczególnie wyszukanego. Po prostu tak bardzo pragnęła bliskości Daniela. Wreszcie mieli chwilę dla siebie.

Potem dyżurny zadzwonił, że jest sprawa, i musieli zająć się śmiercią pewnej staruszki*. Właściwie załatwili ją dosyć szybko. Można powiedzieć, że dziś było już po wszystkim. Emilia była na tyle zajęta, że przez cały wtorek wcale nie myślała o Ryszardzie Pietrzaku.

A dziś była środa… Wszystko układało się dobrze. Ale tylko do pewnego momentu… Strzałkowska poczuła, że łzy same napływają jej do oczu. Była jeszcze kwestia Weroniki. Żona Daniela zrobiła ten cholerny test i okazało się, że jest w ciąży. A to oznaczało tylko jedno. Podgórski od niej nie odejdzie. Wszystko, absolutnie wszystko, co Strzałkowska sobie wymarzyła, na co liczyła, za czym tęskniła… To wszystko… Nic z tego się nie spełni. Po prostu.

Myśl o tym, że wszystko skończone, była obezwładniająca. Brzmiało to banalnie, ale czuła się, jakby zalała ją fala czarnej rozpaczy. Dziś rano policjantka z trudem wstała. Chybaby jej się nie udało, gdyby nie to, że udawała przed Łukaszem, że wszystko jest w porządku. Nie chciała mieszać w to syna. A potem udawała przed kolegami w pracy. Udawanie… Czy na tym miało teraz polegać jej życie?

* Sprawę tę Czytelnik poznać może podczas lektury poprzedniej części sagi – *Pokrzyk*, wyd. Prószyński Media.

Westchnęła. Może powinna poprosić dziś o dzień wolny, zamiast udawać, że czuje się normalnie. Albo zgłosić potrzebę wizyty u psychologa. Tylko jak to uargumentować? Że świat wydawał jej się jedną wielką czarną dziurą, bo kochanek ją zostawił?

Gdyby leżała zmiażdżona przez samochód, połamana, zalana krwią i wyłaby z bólu, wszyscy by jej współczuli. A co z bólem, który czuła w środku? Już zawsze będzie jej towarzyszył? Zawsze będzie musiała zakładać maskę? Mieć dwie twarze? Jedną, kiedy była sama, i jedną dla ludzi?

Poprawiła kaburę służbowej broni i wsiadła do nieoznakowanego radiowozu. Dziś akurat przypadła jej nocka, ale ktoś się rozchorował i dostała wcześniejszą służbę z Trawińskim. Kiedy indziej pewnie by się cieszyła. To był fajny chłopak. Z dużą wiedzą. Rozmowny. Nie można było się z nim nudzić. Tylko że teraz stało się coś nowego. Jakby było jej wszystko jedno. Po prostu stan totalnej pustki.

– Co tam ze sprawą Julii Szymańskiej? – zagadnął wesoło Trawiński.

Normalnie już by rozmawiali. O życiu, o sprawach, które prowadzili... Powiedziałaby mu o swoich wątpliwościach co do winy Ryszarda Pietrzaka. Wypytałaby go, czy może wie coś więcej o tym, co przydarzyło się Oliwierowi Pietrzakowi.

Normalnie wykorzystałaby teraz okazję do rozmowy z Trawińskim. Ale dziś nic nie było normalnie. Nie odpowiedziała więc na jego pytanie.

– Hej, wszystko w porządku? – zapytał Trawiński.

Odpalił silnik i wyjechali poza teren komendy.

– Tak – mruknęła, chociaż wszystko było zupełnie n i e
t a k.

– No to jedziemy – powiedział znów wesoło Trawiński.

– Najpierw za miasto. Tam zgłoszono jakieś zaginięcie.
Tym mamy się dziś zająć.

Oprócz spraw, które prowadzili, trzeba było przecież
robić normalną robotę. Radiowóz podskoczył na jakimś
wyboju. Strzałkowska miała ochotę krzyknąć, żeby kolega
zawrócił. Czuła, że nie powinno jej tu być. Mimo to milczała.

ROZDZIAŁ 63

Komenda Powiatowa Policji w Brodnicy.
Środa, 21 lutego 2018. Godzina 14.00.
Sierżant sztabowy Radosław Trawiński

To co? Gotowa? – zapytał Trawiński.

Starał się, żeby jego głos brzmiał normalnie. Żeby nie było słychać najdrobniejszego drżenia. Żeby nic nie zdradzał. A już na pewno nie to, co Trawiński musiał dziś zrobić. Kiedy o tym myślał, prawie nie mógł oddychać, a służbowa broń zdawała się ciążyć i palić w kaburze. Na szczęście Strzałkowska wydawała się pogrążona we własnych myślach. Na komendzie plotkowano, że spotykała się z Podgórskim. Teraz wszyscy dowiedzieli się, że jego żona spodziewa się dziecka. Może to leżało na sercu Emilii.

Trawiński miał ochotę ją pocieszyć. Strzałkowska wyglądała dziś jak siedem nieszczęść. Było mu jej szkoda. Mogliby porozmawiać. Tylko że… Tylko że właśnie dziś miał ją zabić. To było zadanie, które przydzielił mu boss i obiecał, że jeżeli Trawiński je wykona, zostawią go w spokoju i nic nie stanie się jego rodzinie. Boss nie powiedział, co się stanie, jeżeli Trawiński nie wykona polecenia, ale to rozumiało się samo przez się.

– Co tam ze sprawą Julii Szymańskiej? – zagadnął Emilię.

Wydawało mu się, że trochę przesadził i jego ton jest sztucznie wesoły. Wręcz teatralny, ale nie potrafił mówić normalnie. Chciało mu się płakać. Nigdy nikogo nie zabił. Ba. Nigdy nawet nie musiał użyć broni. A dziś... ale jeśli tego nie zrobi, Maja i dzieci zginą. Tego był pewny. Boss nie żartował. Zrobi to.

Strzałkowska nie odpowiedziała. Wyglądała przez okno z nieobecnym wyrazem twarzy. Wydawała się zupełnie załamana. Rzadko widywał kogoś w takim stanie. Trawiński miał ochotę zatrzymać radiowóz i zadzwonić do bossa. Spróbować przekonać go, że Emilia już chyba nie stanowi zagrożenia. Nie będzie w tym grzebała. Wystarczy wybadać, co wie i co podejrzewa, a morderstwo może nie będzie konieczne. Przecież nie jest powiedziane, że Strzałkowska będzie dalej nad tym pracować. Raczej nie odkryje, że przyznanie się Ryszarda Pietrzaka do winy było opłaconym kłamstwem.

Wiedział jednak, że to nie ma sensu. Boss podjął decyzję i jej nie zmieni. A Trawiński miał być wykonawcą. A potem będzie mógł odejść. Potem wszelkie zobowiązania zostaną zapomniane. Taka była umowa. I policjant w nią wierzył. A przynajmniej chciał wierzyć. Znał bossa nie od dziś. Wszystko można było o nim powiedzieć, ale nie to, że nie dotrzymuje słowa.

Trawiński zerknął na Strzałkowską. Miał ochotę wyć. Skoro wydawała się bossowi taka niebezpieczna, dlaczego nie zabije jej ktoś inny? Przecież na usługach bossa był jeszcze jeden zdrajca.

– Hej, wszystko w porządku? – zapytał, mimo że to była największa hipokryzja, jaką mógł sobie wyobrazić. Przecież za chwilę ją zabije.

– Tak – mruknęła Emilia.

– No to jedziemy – powiedział wesoło Trawiński. Znów grał, żeby niczego nie zauważyła. – Najpierw za miasto. Tam zgłoszono zaginięcie. Tym mamy się dziś zająć.

Kurwa, pomyślał. Kurwa. Kurwa. Kurwa.

Oby tylko trafiła się okazja.

Oby miał gdzie to zrobić.

Musiał.

Nie było innego wyjścia.

ROZDZIAŁ 64

W Wielkim Leźnie. Środa, 21 lutego 2018.
Godzina 16.53.
Młodszy aspirant Emilia Strzałkowska

Trawiński wjechał na podjazd przed spalonym domem i zahamował z piskiem opon. Sygnały ich nieoznakowanego radiowozu błyskały na wszystkie strony. Środa przebiegała zdecydowanie nie według planu. Mieli zajmować się prostymi interwencjami do odhaczenia, a dyżurny zadzwonił do nich, że sprawa, którą wczoraj zajmowała się z Danielem, miała zupełnie nieoczekiwany epilog*. Emilia i Trawiński byli akurat najbliżej i musieli przyjechać tym się zająć.

– Chodźmy! – zawołał Trawiński, wyskakując z samochodu.

Strzałkowska wzdrygnęła się. Nie miała ochoty na żadne działanie, ale to nie był czas na rozważanie prywatnych spraw. Nawet tych najtrudniejszych. Zwłaszcza tych najtrudniejszych, przebiegło jej przez myśl. Trzeba było działać. I to natychmiast.

* Szczegóły Czytelnik znajdzie w *Pokrzyku*.

Wyskoczyła z radiowozu. Pobiegła za kolegą. Pędzili do niewielkiego domku gościnnego na tyłach spalonego budynku. Chciała to załatwić jak najszybciej i wrócić do stuporu, w którym tkwiła przez większość dzisiejszej służby. Trawiński otworzył drzwi domku gościnnego i wpadł do środka. Nie sprawdził nawet, czy nic mu nie grozi. Chyba i jego poniosła adrenalina, bo o takich rzeczach nigdy nie powinno się zapominać. Zwłaszcza w momentach krytycznych. Ale on chyba też nie miał dziś dobrego dnia.

– Policja! – krzyknęła Emilia, wbiegając za nim do środka. Też nie sprawdziła, czy może. Nie dlatego, że zapomniała. Szczerze mówiąc, po prostu już o to nie dbała.

O dziwo, załatwili sprawę całkiem szybko. Doszło do morderstwa, a sprawca został obezwładniony. Czekali na wsparcie. Dyżurny wysłał patrole i karetkę.

– Wszystko w porządku? – zapytał znowu Trawiński. Jak wcześniej, kiedy ruszali dziś na służbę.

Strzałkowska skinęła głową, bo co mogła powiedzieć? Że nic nie jest w porządku? Że wszystko, co sobie wymarzyła, legło w gruzach, kiedy okazało się, że Weronika jest jednak w ciąży, i Daniel powiedział, że to koniec. Czy mogłaby Trawińskiemu o tym powiedzieć?

Kolega pomyślałby, że Emilia jest histeryczką niczym małolata. Uważałby pewnie, że to głupota tak się przejmować rozstaniem z kochankiem. Może nawet wypomniałby jej, że to ona jest tą trzecią w trójkącie.

Strzałkowska wzdrygnęła się. Wszyscy uważali, że jest tą złą. Złodziejką mężów. A przez to pozbawioną prawa do rozpaczy. Bo to ona miała być czarnym charakterem. A przecież też cierpiała. Ale Trawiński tego nie zrozumie.

Takie rzeczy rozumieli tylko ci, którzy sami to przeżyli. A nie wesoły chłopak z lekką nadwagą, dwójką dzieci i kochającą żoną.

– Emilia? Wszystko w porządku? – zapytał po raz kolejny Trawiński, wyrywając policjantkę z zamyślenia.

– Tak – mruknęła.

Łzy napłynęły jej do oczu. Przetarła je szybko, ale młody policjant chyba i tak zauważył. Przyglądał jej się spod zmarszczonych brwi. Może myślał, że interwencja chwilę temu zrobiła na niej takie wrażenie. To było nawet zabawne, zważywszy na to, że trochę już w tej robocie widziała i zrobiła. Dla niektórych to mógł być widok makabryczny, ale ona nauczyła się traktować trupy jako coś normalnego. Element służby, którą wykonywała. Potrafiła sobie z nimi radzić. Z rozkładem, smrodem, okropieństwami. Nie potrafiła sobie poradzić z czymś zupełnie innym.

Spróbowała głębiej odetchnąć, żeby się uspokoić. Głęboki oddech zawsze pomagał jej się wyciszyć. Tym razem nie. Emilia czuła, że doszła do granic swoich możliwości. Słyszała kiedyś, jak psycholog policyjny mówił, że każdy funkcjonariusz wcześniej czy później trafia na sprawę, która go złamie. Jej nie złamała robota. O nie. Ją złamała miłość. Choć brzmiało to żałośnie.

Znów spróbowała odetchnąć głębiej. Bez powodzenia.

– Idę zapalić – poinformowała Trawińskiego. – I włóż rękawiczki, jak będziesz robił przeszukanie. Przezorny zawsze ubezpieczony.

Nie miała siły wytykać mu poprzedniego błędu, ale dobrze by było, gdyby nie popełnił kolejnego.

– Myślałem, że nie palisz – powiedział młody policjant. Zabrzmiało to nieco podejrzliwie.

Emilia nie odpowiedziała. Nie było sensu prostować kłamstwa. To przyszło jej do głowy, żeby mieć pretekst do wyjścia na zewnątrz. Potrzebowała tylko chwili, żeby zrobić, co trzeba. Daniel nie zostawi Weroniki. Podgórscy będą mieli dziecko, rodzinę. Dla Strzałkowskiej nie było w tym układzie miejsca. Wiedziała już, co zrobić.

Inni zapewne uważaliby, że jest wiele wyjść z takiej sytuacji. Że Emilia wybiera najgorsze rozwiązanie. Nie rozumieli. Nic dziwnego. Nigdy do końca nie zrozumiemy, co czuje druga osoba. Dla niej nie było już wyjścia... Chciała tylko spokoju.

Wyszła na dwór. Pomyślała o Łukaszu. Syn był już dorosły. Skończył osiemnaście lat. Poradzi sobie bez niej. Odetchnęła głębiej. Płuca wypełniło zimne powietrze. Mimo to czuła w nim zapowiedź wiosny. Ona już wiosny nie zobaczy.

Nikt nigdy nie zastanawiał się, co czują takie jak ona. Liczyły się tylko biedne żony, którym odebrano mężów. Nikt nie zastanawiał się, co czują kochanki. Te trzecie. Te złe. Złodziejki mężów. Może teraz wszyscy będą zadowoleni...

Emilia sięgnęła do kabury służbowej broni. Miała nadzieję, że w tej ostatniej chwili pojawi się spokój. Tylko tego już pragnęła.

ROZDZIAŁ 65

W Wielkim Leźnie. Środa, 21 lutego 2018.
Godzina 17.15.
Sierżant sztabowy Radosław Trawiński

Idę zapalić – oznajmiła Strzałkowska. – I włóż rękawiczki,
jak będziesz robił przeszukanie. Przezorny zawsze ubezpieczony.

Trawiński spojrzał na nią. Właśnie musieli nieoczekiwanie
porzucić swoje zadania na dziś i pojechać interweniować
w innej sprawie. Tak naprawdę nie mógł sobie wyobrazić
lepszego obrotu spraw. Byli prawie sami. Jedyna osoba
w pobliżu była podejrzana o to, że ma na swoim koncie kilka
trupów. Jedyny świadek. Zła osoba, która i tak zasługuje
na śmierć. Trawiński czuł, że w głowie zaczyna kiełkować
mu plan. A już myślał, że nie uda mu się wykonać zadania.
Bo przecież co miał zrobić? Zastrzelić Emilię w radiowozie?

Spojrzał na koleżankę. Nie mógł oprzeć się wrażeniu,
że dzieje się z nią coś naprawdę złego. Tyle że jego to
akurat cieszyło. O ile w ogóle można było w tej chwili tak
powiedzieć. Wszystko zaczynało się układać. Tego zamierzał
się trzymać. I tego, że robi to wszystko dla Mai i dzieci.

– Myślałem, że nie palisz – powiedział.

Miał ochotę ugryźć się w język. Głupio, że się odezwał. To mogło sprawić, że Strzałkowska domyśli się, że coś zauważył. A im mniej zwracała teraz na niego uwagę, tym lepiej. Zaczynał czuć, że właśnie nadarza się idealna okazja.

Strzałkowska nie odpowiedziała. Wyszła po prostu na dwór. Odczekał chwilę i ruszył za nią. Z mieszaniną przerażenia i nadziei patrzył, jak Emilia wyjmuje z kabury służbowego walthera i przykłada sobie do skroni.

Zrobi to?

Niech to zrobi!

Trawiński błagał w dachu, żeby koleżanka nacisnęła spust.

To by było zbyt piękne, żeby było możliwe.

Niech to zrobi! Kurwa jego mać. Niech sama się zabije!

ROZDZIAŁ 66

W Wielkim Leźnie. Środa, 21 lutego 2018.
Godzina 17.25.
Młodszy aspirant Emilia Strzałkowska

Emilia sięgnęła do kabury służbowej broni. Wyciągnęła
pistolet. Przeładowała. Przyłożyła lufę do skroni. Wystarczyło teraz nacisnąć spust i będzie po wszystkim. Nic już
nie będzie miało znaczenia. A złamane serce najmniej.

Odetchnęła, nadal przyciskając lufę do głowy. Jeszcze
chwilę temu była pewna, że się zabije. Ale nie mogła. Nie
należała do osób, które łatwo się poddają. A może po prostu bała się śmierci. Tak czy inaczej, nie zamierzała już…

– Co ty robisz? – głos dobiegający zza jej pleców wyrwał
ją z zamyślenia.

Odwróciła się powoli. Trawiński stał tuż za nią. Najwyraźniej tekst o wyjściu na papierosa go nie przekonał
i kolega postanowił sprawdzić, co Strzałkowska robi.

– Ja tylko…

Trawiński uśmiechnął się uspokajająco. Podszedł do niej
jeszcze kilka kroków.

– Daj mi to – powiedział, kiedy był już naprawdę całkiem blisko.

Emilia znała ten uspokajający ton. Sama miała kilka razy do czynienia z samobójcami. Mówiła wtedy dokładnie tak samo.

– To była chwila słabości – wyjaśniła.

Czuła się strasznie głupio, że Trawiński zobaczył, co chciała zrobić. Teraz wszyscy na komendzie będą wiedzieli. Języki pójdą w ruch. Trudno. Jakoś będzie musiała sobie z tym poradzić. Zawsze dawała radę, to teraz też da. Nawet jeżeli to będzie bolało. A kto wie, może nie powinna jeszcze tracić nadziei. Daniel co prawda powiedział, ze to koniec, ale gdzieś głęboko wierzyła, że to niemożliwe. Byli na siebie skazani. Uśmiechnęła się nieznacznie na tę myśl. Jakoś będzie. Musi. Jeszcze będą razem szczęśliwi.

– I tak wolę, żebyś mi to dała. Przezorny zawsze ubezpieczony – dodał Trawiński. – Sama przed chwilą mówiłaś.

Westchnęła. Podała mu walthera niechętnie. Wolałaby włożyć pistolet z powrotem do kabury, żeby ten moment słabości poszedł w niepamięć, ale rozumiała Trawińskiego. Gdyby natknęła się na kogoś z bronią przy skroni, też by mu ją odebrała.

– To była tylko chwila słabości… – powtórzyła.

Chciała wyjaśnić, że zmieniła zdanie. Wcale nie chciała się już zabić, ale wtedy stało się coś, czego zupełnie się nie spodziewała. Trawiński uniósł jej własny pistolet i wycelował prosto w jej skroń. Dokładnie tam, gdzie przed chwilą sama mierzyła.

Nagle czas jakby zwolnił.

Przed oczami stanęły jej najważniejsze osoby.

Nastoletni syn.

Córeczka, którą pochowała.

I Daniel. Mężczyzna, którego kochała.

Huk.

ROZDZIAŁ 67

W Wielkim Leźnie. Środa, 21 lutego 2018.
Godzina 17.30.
Sierżant sztabowy Radosław Trawiński

Trawiński nie mógł uwierzyć, że się na to zdobył...
Strzałkowska upadła po prostu na ziemię.
I było po wszystkim.
Po wszystkim!!!
Serce biło mu gwałtownie, ale nie mógł tracić czasu
na uspokajanie się. Musiał działać. I to natychmiast. Zanim
przyjedzie wsparcie z komendy, które dyżurny na pewno
tu wysłał od razu po tym, jak po nich zadzwonił.
Trawiński spojrzał jeszcze raz na ciało Strzałkowskiej.
Naprawdę miał sporo szczęścia. Być może nie wypełniłby
zadania, gdyby nie wyszedł na dwór i nie zobaczył, że
Emilia najwyraźniej chciała się zabić. Poczekał na progu
w nadziei, że Strzałkowska to zrobi. Ona jednak się wahała. Nie szkodzi. On już nie. Chyba potrzebował impulsu,
żeby zacząć działać. Skoro koleżanka chciała umrzeć, on
jej pomoże. I dzięki temu sam pozbędzie się kłopotów.
Dwa w jednym.

– Co ty robisz? – zapytał.

Starał się, żeby w jego tonie pobrzmiewała troska. Strzałkowska musiała uwierzyć, że chce jej pomóc. Zdobycie zaufania było kluczowe dla planu, który zrodził mu się w głowie pod wpływem tego, co właśnie widział.

Podszedł kilka kroków. Stał tuż obok Emilii. Bardzo dobrze. Nie może być za blisko. To musi wyglądać naturalnie. Również i potem, kiedy jej śmierć będzie analizowana. Ślady na ubraniu może wytłumaczyć tym, że próbował ją powstrzymać. Jest szansa, że plan się powiedzie, powtarzał sobie w duchu. Musi. A ona i tak chciała zginąć. Nie robił więc nic aż takiego złego. To też dodało mu otuchy.

– Daj mi to – powiedział, patrząc na broń w jej ręce.

Starał się, żeby w jego głosie nadal brzmiała troska. Zmartwiony kolega. A nie ktoś, kto planował ją zamordować.

– To była tylko chwila słabości… – zaczęła mówić Emilia.

Mimo tego, co sobie wmawiał, szczerze mówiąc, wyglądało na to, że koleżanka już zebrała się w sobie. Działał więc dosłownie w ostatniej chwili. Gdyby choć moment się spóźnił, opuściłaby rękę. Teraz widział w jej twarzy, że jest zawstydzona tym, że została przyłapana. Bardzo dobrze. Niech na tym się skupi. Nie zauważy, co Trawiński chce zrobić.

– I tak wolę, żebyś mi to dała. Przezorny zawsze ubezpieczony – dodał. – Sama przed chwilą mówiłaś.

Dokładnie tak powiedziała, kiedy kazała mu włożyć rękawiczki do przeszukania. I tu też dopisało mu szczęście. Nadal miał je na dłoniach. Idealnie się składało. Będzie tylko musiał szybko się ich pozbyć, zanim przyjadą ludzie z komendy.

Strzałkowska podała mu walthera z westchnieniem. Nie wyglądało na to, żeby cokolwiek podejrzewała. To było normalne zachowanie zmartwionego kolegi. Byle się nie rozmyśliła.

– To była tylko chwila słabości... – powtórzyła.

Trawiński nie słuchał. Uniósł jej broń i wycelował dokładnie tam, gdzie przed chwilą sama przykładała lufę. Przepraszam, Emilia, pomyślał.

Strzelił.

Jemu niczym nie podpadła. Po prostu nie powinna grzebać w sprawie śmierci Julii Szymańskiej. Trzeba ją było uciszyć, a on dostał to zadanie. Tyle. Nie wolno się nad tym zbyt długo zastanawiać. Nie wolno, bo zwariuje.

Trawiński pozwolił jej upaść bezwładnie na ziemię, chociaż ręce go świerzbiły, żeby ją złapać, kiedy ciało się osuwało. Ale chciał, żeby wyglądało to naturalnie. Oby tylko uznano to za samobójstwo. Będzie musiał zachować zimną krew w czasie przesłuchań. Nie był pewien, czy to się uda, ale będzie musiał trzymać się swojego wymyślonego naprędce planu. Liczył na to, że w razie czego dostanie pomoc. Macki bossa sięgały wszędzie.

Zostawało jeszcze tylko jedno do zrobienia. Zabić jedynego świadka. Klamką* Strzałkowskiej. Potem Trawiński powie wszystkim, że to Emilia zrobiła. Powie, że koleżanka przeszła załamanie nerwowe. Będzie udawał zbolałego i straumatyzowanego. Zresztą bicie serca mówiło mu, że udawanie chyba nawet nie będzie potrzebne. To, co zrobił... Czuł, że nigdy nic nie będzie już takie samo. Ale przynajmniej Maja i dzieci będą bezpieczne.

---

* Potocznie pistolet.

Zrobił, co trzeba, i wrócił do ciała Emilii. Dwie wystrzelone pestki*. Nikt nie będzie wiedział, że Strzałkowska umarła pierwsza. Włożył pistolet z powrotem w jej dłoń. Rękawiczek pozbył się w pogorzelisku. Był pewien, że tam nikt nie będzie szukać.

Teraz kolejna rzecz do zrobienia. Trawiński upadł na kolana i podjął próbę reanimacji. Nikogo tu nie było, ale chciał, żeby wyglądało to naturalnie. Musiał mieć na sobie krew Emilii. Musiał też zostawić na niej swoje ślady, i to w odpowiednich miejscach. Musiał być zdyszany i zmęczony, kiedy zadzwoni do dyżurnego. Musi wyglądać i brzmieć tak, jakby koleżanka właśnie zamordowała podejrzaną i popełniła samobójstwo. Zrobił, co mu kazano. Być może dzięki temu nic się nie stanie jemu i jego rodzinie. Tylko o tym myślał, reanimując zaciekle trupa.

W oddali słychać już było sygnały nadjeżdżających radiowozów. A potem wszystko poszło bardzo szybko. Trawiński jak przez sen widział kolejne radiowozy. Koledzy z grobowymi minami. Nawet nie musiał szczególnie hamować emocji, które nim targały. Wszyscy brali to za dobrą monetę. Policjantka, z którą był na służbie, właśnie popełniła samobójstwo. On był roztrzęsiony. To było naturalne. Normalne. Chyba nikt ani przez chwilę nie pomyślał, że to on strzelił jej w głowę. Odpowiadał na zadawane mu pytania. Wszystko szło dobrze. Wszystko dobrze, powtarzał sobie w duchu. Wszystko dobrze.

Wtedy nieoczekiwanie nadjechał Podgórski. Pewnie usłyszał, co się stało. Może ktoś go zawiadomił. Podjechał

* Potocznie naboje.

swoim subaru i zahamował z piskiem opon. Trawiński jak przez mgłę widział, że Daniel biegnie w stronę trupa. Jak chwyta Strzałkowską za kurtkę i przyciąga do siebie. Jak przyciska usta do jej martwych ust, jakby miał nadzieję, że pocałunek ją obudzi. Jakby to była bajka.

Trawiński miał wrażenie, że czas zwolnił. Widział, jak twarz Podgórskiego wykrzywia straszny grymas bólu. Miał wrażenie, jakby widział każde najdrobniejsze drgnięcie twarzy kolegi. A potem... Potem był już tylko krzyk.

Trawiński był pewny, że nigdy tego nie zapomni. Straszny, zwierzęcy krzyk absolutnej rozpaczy. Rozpaczy, kiedy straciło się kogoś, kogo kochało się najbardziej na świecie. Trawińskiego pocieszało tylko to, że to nie on teraz krzyczał. Rozpacz Daniela zdawała się wypełniać powietrze. Była przerażająca. To prawda. Ale bardziej przerażające byłoby co innego. Myśl, że to on krzyczałby w ten sposób, gdyby nie zrobił tego, co kazał boss. Bo to jego rodzina byłaby martwa. Jak przekreślone twarze na zdjęciu. Musiał to zrobić.

Musiał.

Przepraszam, pomyślał. Jakby to mogło coś pomóc.

Przepraszam, Emilia.

Przepraszam, Daniel.

Przepraszam was.

* * *

2020
Szpital w Brodnicy.
Piątek, 21 lutego 2020. Godzina 12.15.
Zofia Dąbrowska

Zofia Dąbrowska patrzyła, jak mąż konferuje o czymś z lekarzem. Nie chciała słuchać o swoich obrażeniach i pobiciu, więc przysiadła na ławce. Jej obolała dłoń krążyła po równie obolałym ciele. Tylko umysł pozostał zaskakująco sprawny. Czuła, że będzie musiała coś zrobić. Przecież to może przydarzyć się znowu.

Tylko co może zrobić?

Nagle jej palce natrafiły na naszyjnik z kamienia. Wiedźmi kamień, powiedziała jej Hanna Kwiatkowska. Kamień magicznej mocy. Doprawdy? To teraz zobaczymy, czy naprawdę ma moc, przebiegło Zofii przez myśl. Zerwała łańcuszek z szyi szybkim ruchem. Szarpnięcie zabolało. Niczego innego się nie spodziewała, bo teraz całe jej ciało zdawało się składać z siniaków i bólu.

Poczekała chwilę, aż ból ucichnie, i wrzuciła naszyjnik do śmietnika stojącego obok ławki.

Wiedźmi kamień zniknął pomiędzy śmieciami.

* * *

CZĘŚĆ 7
2020

ROZDZIAŁ 68

Komenda Powiatowa Policji w Brodnicy.
Sobota, 22 lutego 2020. Godzina 8.00.
Młodszy aspirant Daniel Podgórski

Jestem niewinny – powiedział Paweł Krupa.

Daniel stracił rachubę, który to już raz. Zerknął na Trawińskiego. Kolega miał nieprzenikniony wyraz twarzy.

Trafili do pokoju przesłuchań po lekkich bojach z prokuratorem.

– Facet jest winny – powiedział Bastian Krajewski, kiedy Daniel przyszedł rano na odprawę. – Zaraz będzie przewieziony do Starych Świątek, żeby wam tu nie zapychać cel. Tam będzie czekał na dopełnienie formalności. Zapewniam was, że w Świątkach przyjmą Krupę z wielką chęcią.

Daniel spojrzał na Urbańskiego. Naczelnik wzruszył tylko ramionami.

– Moglibyśmy chociaż jeszcze raz z nim porozmawiać? – Daniel rzucił pytanie w stronę szefa. – Zanim go zabiorą?

– Po co? – zapytał Zjawa, jakby pytanie było skierowane do niego. – To tylko strata czasu.

– Mnie się wydaje, że nie – upierał się Daniel.

Kiedy Podgórski i Trawiński przesłuchiwali wczoraj Dąbrowskich po tym, jak zgłosili pobicie Zofii, dyżurny dobijał się do nich kilka razy. Chciał im powiedzieć, co się wydarzyło na polance obok jeziora Strażym. Klementyna Kopp, Weronika i matka Daniela znalazły trupa Beniamina Kwiatkowskiego. Po chwili na miejscu pojawił się Paweł Krupa z siekierą w garści.

Mieli zatem trzy trupy oraz jedno pobicie. Wszystkie te zbrodnie, może oprócz śmierci Franciszka Sadowskiego, charakteryzowały się dużym stopniem okrucieństwa. Zofia Dąbrowska została pobita obuchem siekiery. Ciała Izabeli Pietrzak i Beniamina Kwiatkowskiego dosłownie zmasakrowano. Jedno prawdopodobnie nożem i narzędziem, które jeszcze nie zostało ustalone. Drugie być może siekierą. W każdym razie oba trupy były całe w ranach.

Chłopakowi dodatkowo obcięto dłonie i stopy oraz zastąpiono je makabrycznie w tych okolicznościach wyglądającymi ptasimi łapkami. Łapki zaciekawiły Daniela już wcześniej, bo znalazł takie same pod kanapą, na której leżał Franciszek Sadowski. Te zabójstwa musiały się jakoś ze sobą łączyć. Nie widział innej możliwości.

No i jeszcze zwrócił jego uwagę dziwny tatuaż na dłoni Malwiny Górskiej. Przypominał odcisk ptasiej łapki. Czyżby pisarka brała w tym jakiś udział? Zofia Dąbrowska zeznała, że zaatakowały ją dwie osoby. Kobieta i mężczyzna. Oboje w kominiarkach. Czy pisarka mogła być tą nieznajomą? Nie można było tego wykluczyć. Potem mogła przecież zjawić się w zajeździe i udawać, że odkryła ciało Izabeli

Pietrzak. I to w towarzystwie Roberta Janika. Skoro Zofię pobiła dwójka osób, on mógł być drugim sprawcą.

– Dobrze, że Klementyna Kopp ma jeszcze krzepę i obezwładniła Krupę – powiedział naczelnik Urbański. Starał się chyba zachować neutralność i nie stawać po żadnej ze stron. Ani Daniela, ani Zjawy.

– Podobno nawet za bardzo nie musiała – wtrącił się Trawiński.

Podgórski cieszył się, że kolega chyba też nie jest przekonany co do winy Pawła Krupy. Przynajmniej Daniel miał w nim jakieś wsparcie. I faktycznie Klementyna opowiadała, że Krupa początkowo się stawiał, ale potem Maria powiedziała mu, żeby przestał, i młody mężczyzna poddał się właściwie bez walki, powtarzając tylko, że jest niewinny.

Krupa twierdził, że był na treningu biegowym i znalazł siekierę na ścieżce. Podniósł ją, niewiele myśląc, a potem zobaczył kobiety na polance. I ciało. Historia brzmiała mało przekonująco, ale Daniel doskonale wiedział, że nie należy od razu ulegać pierwszemu wrażeniu i trzeba rozważyć inne możliwości.

– Moja matka go zna… – zaczął Daniel.

Prokurator Krajewski zaśmiał się sztucznie.

– Nie no, jak mamusia za niego ręczy, to już możemy go wypuścić.

Podgórski stłumił chęć powiedzenia czegoś mało uprzejmego. To matka zasiała w nim najwięcej wątpliwości. Maria wierzyła Pawłowi Krupie.

– Nic o to mi chodziło – odparł policjant z wymuszonym spokojem. – Raczej o to, że faktycznie ona wierzy w jego niewinność. Ja też przelotnie go kilka razy widziałem. Jego dziadek był przyjacielem mojego ojca. I przyznaję, może dlatego nie jestem do końca obiektywny. Ale zdążyłem już spytać Zofię Dąbrowską, czy Krupa mógł być jednym z atakujących. Mówi, że nie. To pracownik jej męża i łatwo by go rozpoznała mimo kominiarki. Chociażby po głosie.

– No i co z tego? – zapytał Zjawa, poprawiając okulary. Spojrzał na Daniela zza grubych szkieł. – Niby co to ma do rzeczy? Zaatakowała ją jakaś dwójka osób. Trzeba ich będzie znaleźć. A Paweł Krupa zabił Beniamina Kwiatkowskiego. Może też Franciszka Sadowskiego i Izabelę Pietrzak. Ale tego też bym od razu nie zakładał. Facet jest winny śmierci Beniamina i kropka.

– Nie wiem – sprzeciwił się Daniel. – Ja cały czas zastanawiam się nad tym, że w ciągu niespełna doby notujemy ataki na osoby z trzech firm budujących domy drewniane. Wydaje się, że to chyba nie przypadek. Jeżeli za wszystkimi tymi atakami stoją te same osoby, to musimy polegać na ocenie Zofii, bo jest jedyną osobą, która przeżyła. Moja matka widziała samochód, w którym siedziały dwie osoby. Tak że to wszystko zdaje się do siebie pasować. I chyba powinniśmy to sprawdzić.

– Facet jest winny – powtórzył prokurator.

Oblizał palce z całym spokojem i sięgnął po drugi pączek. Żona naczelnika wpadła na komendę i przyniosła im trochę do kawy. Szef tłumaczył, że to efekty charytatywnego pieczenia. Nie zawsze uda się sprzedać wszystkie, a wtedy Daria obdarowuje podwładnych i współpracowników męża. Daniel musiał przyznać, że były prawie tak dobre jak te, które piekła jego matka. Sam zdążył już zjeść trzy. Nadzienie z dzikiej róży było pyszne.

– Nie ma co w tym grzebać – dodał jeszcze Zjawa.

– Jo – mruknął Podgórski. – Ale co szkodzi, żebyśmy jeszcze raz go przesłuchali? To nie potrwa długo.

Daniel uważał, że prokurator chce zakończyć śledztwo przedwcześnie. Dlatego nalegał na przesłuchanie. Poza tym poprosił rano Klementynę, żeby przyjrzała się temu z zewnątrz. Powiedział jej trochę o sprawie. O tym, co znaleźli technicy i tak dalej. Było to może przekroczenie uprawnień. Ale Podgórski nie miał wyrzutów sumienia, jeżeli to oszczędzi niewinnemu człowiekowi wieloletniego pobytu w Starych Świątkach. Choć trzeba przyznać, że Paweł Krupa był wprost idealnym podejrzanym. Ale to nie znaczyło, że na pewno jest winien.

Zjawa wzruszył ramionami.

– Ty zdecyduj – powiedział, odwracając się do naczelnika Urbańskiego.

Naczelnik wyraził zgodę i w ten sposób Podgórski i Trawiński znaleźli się w salce przesłuchań razem z Pawłem Krupą.

– Nie zrobiłem tego – upierał się nadal mężczyzna.

Siedział przy metalowym stole. Umięśnione przedramiona ledwo dały się skuć kajdankami. Niski wzrost i krępa budowa ciała upodabniały go do krasnoluda. Brakowało mu tylko długiej brody.

– A jednak był pan na miejscu zdarzenia z zakrwawionym narzędziem zbrodni w rękach – powiedział Podgórski powoli.

Zdecydował się używać formy *pan*, bo nie chciał się spoufalać. Przecież za weneckim lustrem sali przesłuchań przysłuchiwali się Zjawa i naczelnik. Prokurator gotów znów łapać ich wszystkich za słówka.

– Już powtarzałem to sto tysięcy razy. Poszedłem biegać i znalazłem siekierę. Szef i szefowa pojechali do szpitala. Nie byłem potrzebny, więc pobiegłem na trening. Mam trasę nad jezioro Strażym i z powrotem. Jak biegłem, to na ścieżce zobaczyłem siekierę. Nie wiem, co mnie podkusiło, żeby ją podnieść. Chyba diabeł, skoro teraz mam takie problemy. No ale podniosłem ją i wyszedłem na polanę. A tam była ciocia Maria, ta wytatuowana policjantka i twoja była żona.

Najwyraźniej Paweł Krupa nie zamierzał trzymać się formy *pan*. Podgórski westchnął. Po raz pierwszy od dawna miał ochotę zapalić. Może to pomogłoby mu zebrać myśli. W nocy nie spał zbyt dobrze. Wstał wcześnie, żeby zajrzeć na cmentarz do Emilii. Kolejna noc prawie bezsenna.

– Szkoda, że zostawiłem wtedy telefon w zakładzie – powiedział Krupa. – Pewnie możecie lokalizować takie rzeczy i tak dalej. Zobaczyłbyś, że biegłem. Mam taką trasę na dziesięć kilometrów. Znaczy w jedną stronę. Nic złego nie zrobiłem, ale pewnie i tak mnie zamkniecie?

Teraz Paweł Krupa mówił jak człowiek do pewnego stopnia pogodzony z losem. Daniel przejechał dłonią po brodzie w zamyśleniu. Krupa faktycznie ubrany był w strój do biegania, a przy sobie miał tylko klucze od mieszkania i od firmy Dąbrowskich. Nic więcej. Nie wyglądał na osobę, która przed chwilą dokonała morderstwa. Tylko ta siekiera, którą zaciskał w dłoniach.

– O której rozstałeś się z Dąbrowskimi?

Podgórski zdecydował, że nie będzie sztucznie stwarzał dystansu, skoro Krupa mówił mu na ty.

– Myślę, że to mogło być koło jedenastej.

Podgórski skinął głową. To by się zgadzało z tym, co wczoraj mówili Dąbrowscy. Czyli Paweł Krupa miał alibi do jedenastej. Był z nimi. Doktor Koterski pewnie dziś już przedstawi wyniki sekcji zwłok Beniamina, Izabeli i Franciszka. Będzie można sprawdzić, jak alibi Krupy ma się do śmierci tej trójki.

– A w czwartek wieczorem?

– Wiozłem szefową na to charytatywne pieczenie pącz-ków. Czekałem, aż skończy piec, a potem odwiozłem ją z powrotem.

Już wczoraj medyk przyznał, że na oko wyglądało na to, że Izabela Pietrzak i Franciszek Sadowski zmarli w czwartek wieczorem. Czyli w tych okolicznościach można było Krupę wstępnie wykluczyć. Beniamin Kwiatkowski z kolei zginął w piątek przed południem. Ciekawe, czy medyk zdoła to ustalić na tyle dokładnie, że będą mogli wykluczyć udział Krupy również i w tej zbrodni.

– Zastanawia mnie, że tak po prostu podniósł pan tę siekierę – odezwał się Trawiński. Wyglądał na zamyślonego.

Paweł Krupa odpowiedział mu długim spojrzeniem. Przez chwilę dwaj mężczyźni wyglądali, jakby toczyli po-jedynek.

– Przecież mówię, że nie wiem, co mnie podkusiło – mruknął w końcu Paweł Krupa. – Nie wiem. Po prostu to było naturalne, bo w robocie ciągle mam do czynienia z siekierami. Więc to stało się odruchowo. Dopiero potem zobaczyłem te czerwone plamy. No i już wtedy nadbiegła ta wytatuowana kobieta. Błagam, po prostu mi uwierzcie. Ja tego nie zrobiłem. Nie zabiłem Beniamina. Wiem, jak to brzmi. Ale uwierzcie mi.

Daniel zerknął w stronę weneckiego lustra. Oczami wyobraźni widział uśmiech na bladej twarzy prokuratora zwanego Zjawą. Krajewski nie wyglądał na zainteresowanego szukaniem innych winnych niż Paweł Krupa. I Daniel musiał znów przyznać, że mężczyzna był idealnym kandydatem na winnego. Może aż nazbyt idealnym. Oczywiście opowieść o podniesieniu siekiery wydawała się grubymi nićmi szyta, ale Daniel nie takie rzeczy widział przez prawie dwadzieścia lat służby w policji.

Dwadzieścia lat, przebiegło mu przez myśl. To już niedługo. A we wrześniu czterdzieste urodziny. Sam nie był pewny, kiedy to minęło.

– Znałeś Beniamina Kwiatkowskiego? – zapytał policjant.

– O tyle, o ile. Wszyscy się w tym środowisku znamy. Chłopak był raczej trochę dziwny, jeżeli mogę tak powiedzieć. Zamknięty w sobie. Tyle o nim wiem.

– A nie jesteście spokrewnieni?

Daniel był prawie pewny, że matka coś o tym wspominała.

– Nie. To znaczy nie tak naprawdę. Hanna Kwiatkowska była partnerką mojego ojca, zanim zginął w wypadku. No i potem związała się ze Sławomirem Kwiatkowskim. Można więc powiedzieć, że Hanna była moją macochą, a teraz Beniamina. Natomiast ja i on nie kontaktowaliśmy się. Po śmierci ojca miałem mało do czynienia z Hanną. Poszedłem mieszkać z dziadkiem, bo ona niezbyt chciała się mną zajmować.

Podgórski skinął głową. No i tu wkroczyła Maria ze swoimi poradami dla dziadka Pawła Krupy, jak ma wychowywać młodego.

– Daniel, nie chcę iść do więzienia – szepnął rozpaczliwie Paweł.

– Wszystko na pewno się wyjaśni – odparł Podgórski, chociaż wiedział, że nie powinien. Tego nie wolno było nigdy obiecywać. Może był przepracowany i dodatkowo nieobiektywny, ale na razie nie widział Krupy w roli sprawcy. Pewnie dlatego to mu się wymknęło.

– A ten dźwięk pan rozpoznaje? – zapytał Trawiński i włączył nagranie, które odtwarzało się w kółko z dyktafonu pozostawionego na ciele Beniamina Kwiatkowskiego. Miarowe stukanie połączone z lekkim szumem.

– Pamiętam, że coś takiego było słychać tam przy ciele – powiedział Paweł Krupa.

– Jakieś pomysły, co to może być?

– Nie. Jedyne, co mi się rzuciło tam w oczy, to aparat fotograficzny – powiedział młody mężczyzna.

– Dlaczego? – zapytał Trawiński.

Kolega też wyglądał na zmęczonego i niewyspanego. Najwyraźniej po kłótni z żoną wciąż nocował na działce. Podgórski czuł wyrzuty sumienia, że nie wypytał Trawińskiego o szczegóły. Był mu to winien. Przecież Radek tyle razy go odwiedzał po śmierci Emilii. Zawsze pytał, czy wszystko w porządku, pomagał i tak dalej. Daniel powinien potraktować go tak samo.

– No bo ten aparat skojarzył mi się z rozmową z zeszłej soboty. Mieliśmy wtedy spotkanie w zajeździe. Ponieważ firmy produkujące tu domy są skłócone, na początku spotkania trudno nam było wszystkim się rozluźnić. I w końcu ktoś zainicjował rozmowę o tym, jakie każdy ma hobby. Żeby przełamać lody. I pamiętam, że Beniamin opowiadał wtedy, że fotografuje jezioro Strażym w każdy przedostatni piątek miesiąca. Czyli dokumentuje, jak zmienia się jezioro i okolica. Mnie się to wydało ciekawe.

No proszę. Znów opowieść o spotkaniu trzech firm w zajeździe, a resztki po tej imprezie walały się w salce na górze budynku.

– Czyli wszyscy, którzy byli tam podczas spotkania, słyszeli? – zapytał Daniel powoli.

To mógł być istotny szczegół. Sprawca lub sprawcy, bo przecież prawdopodobnie była ich dwójka, wiedzieli zatem, że mogli spodziewać się Beniamina na plaży. Daniel wyrzucał sobie, że nie zapytał Zofii Dąbrowskiej, czy ktoś wiedział o jej spacerach. Jeżeli również opowiadała o tym na spotkaniu tydzień temu, to sytuacja mogła być podobna. A oni mogliby zawęzić krąg podejrzanych.

ROZDZIAŁ 69

Dworek Weroniki w Lipowie. Sobota, 22 lutego 2020.
Godzina 9.30.
Weronika Podgórska

No nie, ja nie wierzę, że Pawełek to zrobił – powiedziała
Maria stanowczo.

Kroiła właśnie ciasto własnego wypieku. Cały dworek
wypełniał aromat cynamonu i pieczonych jabłek. Szarlotka
z kruszonką była popisowym wypiekiem teściowej. Maria
rozstawiła talerzyki na stole, jakby była u siebie, i każdemu
nałożyła spory kawałek.

Mariusz od razu podziękował i powiedział, że pójdzie
uśpić Emilkę, żeby kobiety mogły sobie pogadać. Weronika
podejrzewała, że jej pierwszy były mąż mimo wszystko
nie czuł się komfortowo w towarzystwie matki drugiego
byłego. Weronikę opanowywał czasem czarny humor.
Myślała wtedy, że jej życie zaczęło przypominać film czy
książkę, tyle nagromadziło się skomplikowanych relacji.

– Ja tam nie wiem, czy on jest winny czy nie – odparła
Kopp. – Ale! Daniel mnie poprosił, żebym się tym zajęła,

421

więc to zrobię. Byłyście tam ze mną, więc pytam. Zajmiemy się tym razem czy mam to robić sama, co?

Z tego, co Weronika wiedziała, emerytowana komisarz żywiła się głównie niezbyt zdrowymi batonami, które popijała coca-colą. Mimo to nie ruszyła ani kawałka ciasta przygotowanego przez Marię.

Teściowa podsunęła Kopp talerzyk.

– Zjedz, Klementynko. W naszym wieku trzeba o siebie dbać. Przynajmniej nie musimy przejmować się linią.

– Dobroduszny śmiech Marii rozbrzmiał w całym domu.

– Oczywiście, że w to wchodzimy. Przynajmniej ja. Bo jak mówię, nie wierzę, żeby chłopak był winny. Musimy mu pomóc. Jestem to winna Marianowi. Był przyjacielem mojego męża. Nie mogę zostawić Pawełka w potrzebie.

– Naprawdę jesteś pewna, mamo? – zapytała Weronika. – Kiedy go w ogóle ostatnio widziałaś?

– Od śmierci Mariana okazjonalnie – przyznała Maria.

– Ale co to zmienia? Po prostu dajcie mu szansę.

– Nawet jeśli ukatrupił Beniamina, co? – zapytała Kopp z krzywym uśmieszkiem na pomarszczonych ustach.

– Nikogo nie ukatrupił – odparła teściowa z godnością. – A ty zjedz swoje ciasto.

Dopiero po chwili Weronika zorientowała się, że tym razem Maria mówi do niej. Podgórska zanurzyła łyżeczkę w grubej warstwie jabłek i zjadła kawałek. Głównie po to, żeby zrobić teściowej przyjemność. Nie miała ochoty jeść.

Po porodzie szybko wróciła do normalnej wagi, a nawet schudła. Wiele kobiet przyczyny swojego złego samopoczucia po pojawieniu się dziecka na świecie upatrywało właśnie w nadmiernych kilogramach. Ona nawet na to nie mogła zrzucić swojego ciągłego braku zadowolenia z nowej roli. Była złą matką dla maleńkiej Emilki i tyle... Ta myśl wracała i wracała. Weronika tak bardzo czekała na córeczkę i tak bardzo chciała ją kochać. I kochała ją, ale...

– Zobaczcie – kontynuowała eksteściowa, wyrywając Weronikę z ponurych rozważań. – Wy przyszłyście ścieżką z prawej. Ja tą pośrodku. Paweł tą z lewej. Ani wy, ani ja nie mogłyśmy natknąć się na siekierę.

– Co to ma niby udowodnić? – zapytała Kopp.

Maria wzruszyła ramionami.

– No że mogła tam naprawdę leżeć i on ją podniósł.

Klementyna spojrzała na Marię z wyraźnym rozbawieniem. Jakby tylko się ze starszą panią droczyła.

– Daniel przekazał mi trochę informacji na temat tego, co technicy znaleźli wczoraj po południu na plaży – oznajmiła.

Kiedy Weronika, Klementyna i Maria zatrzymały Pawła i zadzwoniły do dyżurnego, na polanę przyjechała także grupa z komendy. Podgórska wiedziała, że technicy przeczesali teren, jeszcze zanim zapadł zmrok. Potem pojechali do zajazdu, gdzie jak się okazało, też popełniono zbrodnię, a właściwie dwie. Tam policjanci mogli pracować, kiedy było już ciemno.

– Za tą stertą kamieni, gdzie leżało ciało, było miejsce, gdzie znaleziono sporo krwi – wyjaśniła Kopp. – Ziółek uważa, że prawdopodobnie właśnie tam Beniamin został zaatakowany. A potem przeniesiony tu, gdzie my go znalazłyśmy.

– Czyli sprawcy zależało na ułożeniu go w odpowiednim miejscu – powiedziała Weronika zamyślona.

– Może chodziło o dobry kadr do zdjęcia? – zastanawiała się głośno teściowa. – Przecież tam stał aparat fotograficzny.

– Daniel mówi, że jeszcze nie przejrzeli aparatu – odparła Kopp. Po jej tonie można było sądzić, że dużo by dała, żeby sama mogła to zrobić. – No ale nie mieli czasu. Jak to wreszcie zrobią, zobaczymy, czy tam będą zdjęcia truposza.

Zapadła cisza.

– Jak przetransportował ciało? – zapytała w końcu Maria.

– Przetransportowali – poprawiła ją Weronika. – Sama mówiłaś, że widziałaś dwie osoby. Daniel też wspominał, że może chodzić o dwójkę sprawców.

Podgórski wpadł dziś rano pobawić się z Emilką, więc Weronika też trochę z nim rozmawiała. Miał ciemne worki pod oczami i bladą cerę. Wyglądał na zmęczonego. Postanowiła, że pomówi z Klementyną. Może Kopp przekona go, żeby trochę przystopował i odpoczął. Od samobójstwa Strzałkowskiej dwa lata temu pracował właściwie non stop.

– Jo. No w tym samochodzie to chyba była kobieta i mężczyzna – powiedziała Maria, oblizując palce z okruchów. – Zjedzcie jeszcze po kawałeczku.

Namowa była chyba próżna, zważywszy na to, że ani Weronika, ani Klementyna nie ruszyły prawie swoich porcji. Tylko Bajka machała ogonem pod stołem. Pitbulka na pewno chętnie pochłonęłaby całe ciasto na raz.

– Dwójka osób mogła chyba z łatwością przenieść ciało – powiedziała Weronika. – Beniamin był raczej szczupły.

– Ułożenie go w tamtym miejscu może też mieć praktyczne znaczenie – wtrąciła się Kopp. – Nie wiem, czy zauważyłyście, ale cała polanka jest porośnięta trawą. A tam, gdzie on leżał, są kamienie. Takie większe też. Mogło chodzić o twarde podłoże. Przydatne, kiedy ktoś chce, dajmy na to, odrąbać komuś dłonie i stopy.

Weronika wzdrygnęła się. Od wczoraj prześladowało ją wspomnienie groteskowej inscenizacji. Brakujące stopy i dłonie zastąpione kurzymi łapkami.

– Ty tam coś zauważyłaś – przypomniała sobie. Kopp nie wyjaśniła im wczoraj, co tak zainteresowało ją przy ciele Beniamina Kwiatkowskiego.

– Tak. Pomiędzy kamieniami było trochę mokrego piasku i zobaczcie.

Kopp wyjęła telefon i położyła na środku stołu tak, żeby Maria i Weronika też widziały ekran. Powiększyła jedno ze zdjęć, które zrobiła wczoraj, zanim zjawił się Paweł Krupa. Na fotografii widać było niewielki dołek o okrągłym kształcie.

– Macie pomysł, co mogło odcisnąć taki ślad w piasku, co? – zapytała Klementyna.

– Statyw od aparatu? – zgadywała Weronika. – Tylko to by chyba znaczyło, że aparat był przestawiany i najpierw znajdował się tuż przy ciele.

Klementyna wzruszyła ramionami.

– Też o tym myślałam. Ale! Musiałybyśmy porównać to z nóżkami statywu. Technicy na pewno to zrobią. Mam nadzieję, że Daniel da szybko znać.

– Słuchajcie, a teraz wpadł mi taki pomysł do głowy – powiedziała Podgórska. – Może statyw stał tak blisko, bo oni chcieli zrobić ujęcie jakby z góry. Już wczoraj pomyślałam, że te ręce z kurzymi łapkami są ustawione wzdłuż twarzy. Trochę jak na obrazie *Krzyk*. I przypomniałam sobie, gdzie ostatnio widziałam reprodukcję tego obrazu. U Malwiny Górskiej.

ROZDZIAŁ 70

Dom Kwiatkowskich. Sobota, 22 lutego 2020.
Godzina 9.30.
Aspirant Daniel Podgórski

Podgórski i Trawiński usiedli na miękkiej kanapie w niewielkim salonie domu państwa Kwiatkowskich. Pomieszczenie wypełnione było rozmaitymi starymi przedmiotami, ale uwagę zwracał chyba najbardziej staromodny kołowrotek z wrzecionem ustawiony właśnie obok sofy. Daniel cieszył się, że nie siedzi z tamtej strony, bo chyba cały czas korciłoby go, żeby poruszyć urządzeniem.

Cały dom był bardzo dziwny. Żeby dotrzeć do pokoju dziennego, trzeba było przejść labirynt małych pomieszczeń. A Daniel widział teraz przez okno nieoznakowany radiowóz, którym tu przyjechali. Czyli salon znajdował się właściwie tuż przy drzwiach. Można by tu wejść bezpośrednio z pierwszego korytarzyka, zamiast krążyć po całym budynku. Podgórski niezbyt rozumiał ideę, jaka przyświecała Kwiatkowskim, kiedy budowali ten dom. On w każdym razie nie czułby się tu zbyt dobrze.

– O, panowie może coś wiedzą. Panowie są z policji. Pewnie macie więcej danych – zagadnął Sławomir Kwiatkowski. – W mediach się mówi, że przyjedzie jakiś wirus z Chin? Że może być ciężko. Epidemia i tak dalej?

Daniel spojrzał na mężczyznę zaskoczony. Wczoraj znaleziono jego syna martwego, a on pyta o wirusa z Chin? Gdyby Łukaszowi coś się stało, Podgórski raczej nie pytałby o takie rzeczy. Poza tym Kwiatkowski miał na sobie nieco za dużą seledynową marynarkę, a do tego jaskraworóżowy krawat. Dziwny wybór, zważywszy na to, że jeden z najbliższych członków jego rodziny został brutalnie zamordowany.

– Podobno coś się dzieje – przyznał Trawiński. – Zobaczymy.

– Ja porozstawiałam wiedźmie kamienie w oknach – poinformowała Hanna Kwiatkowska, wskazując parapet. Leżało tam kilka kamieni z widoczną dziurką. – Może nas ochronią. Choć Beniamina nie ochroniły… No ale on nie chciał nosić kamienia ze sobą…

Drżącą ręką Kwiatkowska zapaliła papierosa. Nikomu innemu nie zaproponowała ani nie zapytała, czy będzie to komuś przeszkadzać.

– Kochanie, przestań. Beniamin nie zginął dlatego, że nie wziął kamienia – mruknął niechętnie Sławomir Kwiatkowski. Twarz miał teraz ściągniętą. A więc były w nim jednak jakieś emocje. – Poza tym nie powinnaś tyle palić.

– Przepraszam – mruknęła Hanna, gasząc dopiero co zapalonego papierosa.

– No właśnie. Między innymi o te kamienie chciałem zapytać – podchwycił Daniel. – Czy są dużo warte?

Mieli rozmawiać z Kwiatkowskimi o Beniaminie, ale interesował ich też naszyjnik ukradziony podczas ataku na Zofię Dąbrowską. Dąbrowska dostała go podobno właśnie od Hanny Kwiatkowskiej. Daniel podejrzewał, że kamień musiał być podobny do tych leżących teraz na parapecie salonu.

– Tylko dla tych, którzy wiedzą, jak ich używać – wyjaśniła Hanna. – Generalnie ich moc polega na tym, że bronią nas przed złem. To jest najważniejsze. Ale nie tylko. Długo by opowiadać, a wiem z doświadczenia, że nikt nie chce o tym słuchać.

Kwiatkowska wyglądała teraz na ożywioną. Wbrew temu, co właśnie oświadczyła, chyba lubiła opowiadać o tych rzeczach.

– Zna pani taką osobę? Znaczy taką, która wiedziałaby, jak używać takich kamieni? – zapytał Podgórski.

Zofię Dąbrowską zaatakowały i okradły dwie zamaskowane osoby. Być może chodziło im właśnie o naszyjnik. A jeżeli tak, to z jakiegoś powodu musiał być dla nich cenny. Nikt nikogo brutalnie nie bije, żeby zabrać mu coś zupełnie nieistotnego.

– Dlaczego pan pyta?

Daniel się uśmiechnął. Nie chciał mówić o ukradzionym naszyjniku. Przynajmniej jeszcze nie teraz.

– Nie zdziwiłabym się, gdyby pańska matka wiedziała, jak ich używać – oznajmiła nieoczekiwanie Hanna Kwiatkowska. Uśmiechnęła się przy tym delikatnie. – Ona jest starszą panią. Zawsze nią była. Nawet za młodu. Niektórzy tak mają.

To zabrzmiało trochę dziwnie. Daniel uniósł lekko brwi.

– Zna pani moją matkę?

– Nie wierzy pan? – zapytała Hanna, jakby nie usłyszała jego pytania. – Niektóre kobiety zawsze są stare. Tu nie chodzi o wiek. I nie w złym znaczeniu. Chodzi o rozumienie tego, co wokoło.

Daniel uśmiechnął się uprzejmie, nie zamierzał komentować tych słów. Maria była typową starszą panią, to fakt. Nie wyobrażał sobie jednak swojej matki z tym dziwnym dziurawym kamieniem, tańczącej niczym wiedźma wokół ogniska. Tym bardziej że co niedzielę sumiennie chodziła do kościoła. A już na pewno nie wkładała kominiarki i nie atakowała Zofii Dąbrowskiej. Atak nastąpił po dziesiątej, a Maria była wtedy w okolicach Lipowa. Na pewno nie koło strzelnicy wojskowej w Brodnicy. To było zupełnie niedorzeczne. I nie podobały mu się takie insynuacje.

– Skąd pani zna moją matkę? – powtórzył.

– Przez Pawła Krupę. Może raz ją widziałam. Bo Paweł należał kiedyś do mojej rodziny, chyba pan wie.

Daniel skinął głową.

– Pańska matka to dobra kobieta. Wiele razy doradzała Marianowi w sprawach Pawła. Czyli jego dziadkowi – wyjaśniła. – Nie znam jej osobiście, ale Marian mi wspominał. No i raz ją widziałam.

– No właśnie – podchwycił Daniel. – Była pani związana z ojcem Pawła Krupy.

– Tak. Ale Paweł po wypadku mojego pierwszego męża nie chciał ze mną zostać. Wolał mieszkać z dziadkiem. Potem, jak Marian zmarł, Paweł pomieszkiwał trochę na działce po moich rodzicach. Mieliśmy kiedyś restaurację, ale upadła. Budynki zostały.

– No właśnie. Podarowała pani naszyjnik z takim kamieniem Zofii Dąbrowskiej. W sobotę tydzień temu.

– Tak. Faktycznie. Chciałam tak po kobiecemu podziękować jej za opiekę nad Pawłem, bo on teraz pracuje u Dąbrowskich. To była decyzja podjęta pod wpływem chwili. Nie kontaktowałyśmy się często z Zofią. Teraz trochę się zmieniło, bo razem bierzemy udział w charytatywnym pieczeniu pączków. Teraz był tłusty czwartek, to akurat się widziałyśmy. Zresztą właśnie Paweł ją przywiózł. Proszę się nie gniewać za mój komentarz o pańskiej matce – dodała. – Przepraszam, jeśli pana uraziłam. Nie miałam na myśli nic złego.

– Kto jeszcze mógłby docenić moc tych kamieni?

Kamień z naszyjnika wydawał się policjantowi niezbyt wartościowy. Jednak to, co myślał na ten temat Daniel albo ktokolwiek inny, nie miało wielkiego znaczenia. Chodziło o to, w co wierzyli sprawcy, którzy być może dokonali tych morderstw. Jeżeli uważali, że te kamienie z dziurką mają wyjątkowe znaczenie, mogli dla nich zabijać. Nawet jeżeli dla innych ludzi to były zwykłe otoczaki.

– Nie zdziwiłabym się, gdyby Malwina Górska też wiedziała, jak się nimi posługiwać – powiedziała Hanna Kwiatkowska.

– Ta pisarka? – wtrącił się Trawiński.

– Tak.

– Dlaczego? – zapytał Daniel.

– Spotkałam ją przelotnie w zajeździe. Wydawała się zainteresowana ich historią.

No proszę, przebiegło Danielowi przez myśl. On brał już pod uwagę, że Malwina Górska mogła odgrywać jakąś rolę w tych zdarzeniach.

– Interesowała się nimi jakoś szczególnie?

– Czy ja wiem? Trochę.

– Ktoś jeszcze?

– Nie wiem.

– Podarowała pani taki naszyjnik jeszcze komuś?

Pomysł wpadł Danielowi do głowy nagle. Nie wiedzieli przecież, dlaczego rzeczy w pokoju Izabeli Pietrzak zostały porozrzucane. Z recepcji zajazdu ukradziono kasetkę z niewielką sumą pieniędzy, ale w pokoju denatki też najwyraźniej czegoś szukano. A jeżeli chodziło o taki naszyjnik, jaki ukradziono Zofii? Może właśnie to było dla sprawców ważniejsze niż drobne z recepcji.

– Chodzi panu o Julię Szymańską? – zapytała nieoczekiwanie Hanna.

Daniel zerknął na Trawińskiego. Kolega też był chyba zaskoczony.

– No bo ona miała w torebce taki kamień, więc pomyślałam, że to ją pan ma na myśli.

Podgórski zmarszczył brwi. Trzeba będzie przejrzeć notatki Emilii i zajrzeć do akt. Może podpytać trochę Fijałkowską, bo przecież to ona zakończyła śledztwo po samobójstwie Strzałkowskiej. S a m o b ó j s t w o. Daniel czuł, że na samą myśl ogarnia go uczucie potwornej paniki. Nie był pewien, czy zdoła zajrzeć do notatek Emilii. Zobaczyć jej odręczne pismo, zapiski… To wydawało się ponad siły.

Julia Szymańska została zamordowana dwa lata temu, ale skoro też miała taki kamień, być może to on stanowił element łączący z tym, co się działo teraz. Być może jej śmierć stanowiła część większego obrazu. Chociażby przez osoby, które brały w tych zajściach udział. Trzeba się będzie wziąć w garść i przysiąść do dokumentacji sprzed dwóch lat.

– Ja nie dałam Julii tego kamienia, który znaleziono w jej torebce, jeżeli o to chciał pan zapytać – dodała Hanna. Najwyraźniej nie przyjęła do wiadomości, że Daniel niewiele wie o tamtej sprawie. – Ale jak widać, jej nie uchronił. Bo on działa tylko wtedy, gdy się wierzy w jego moc. Jak się nie wierzy, to wtedy moc kamienia może się obrócić przeciwko nam.

Słowa te zabrzmiały złowrogo. Jak ostrzeżenie.

– A kto w takim razie dał Julii ten kamień? – zainteresował się Trawiński. – Pochodził z pani zbiorów.

Hanna wzruszyła ramionami.

– Nie tylko ja dysponuję takimi kamieniami. Można je po prostu kupić w Internecie.

Daniel miał wrażenie, że powiedziała to na odczepnego.

– A Izabeli Pietrzak też pani dała taki kamień? – zapytał. Pomysł, który przyszedł mu przed chwilą do głowy, nie dawał mu spokoju. – Może też wtedy w sobotę, podczas spotkania.

– Tej pijaczce, która pracuje dla Sadowskiego? Nie. Niby czemu miałabym dawać jej kamień? Skąd w ogóle takie pytanie? Zresztą zwykle nie noszę przy sobie więcej niż jednego. Tamtego dnia miałam naszyjnik i podarowałam go Zofii Dąbrowskiej. Nikomu innemu.

Daniel nie był pewny, czy Hanna Kwiatkowska mówi prawdę. Zastanawiał się, czego sprawcy szukali w pokoju Izabeli Pietrzak. Być może uda się ustalić to z jej córką. Daniel był już umówiony z Kaliną Pietrzak, żeby obejrzała pokój.

Hanna znów sięgnęła po paczkę papierosów i zapaliła, nie bacząc na wcześniejszy komentarz męża. Daniel się ucieszył, bo dym gasił zatęchły zapach tego pomieszczenia.

– Ale wróćmy do śmierci państwa syna – odezwał się Trawiński. – Paweł Krupa mógł mieć motyw, żeby zabić Beniamina? Można powiedzieć, że była pani macochą i jednego, i drugiego, więc pani opinia będzie dla nas cenna.

– Paweł i Beniamin chyba prawie się nie znali – powiedział zamiast żony milczący od dłuższego czasu Sławomir Kwiatkowski. – A jednak Paweł go zabił. To nie jest dobry człowiek.

– Widzieli się może raptem kilka razy – zgodziła się z mężem Hanna. – Na palcach bym policzyła. Słyszałam, że go panowie zatrzymali. Widocznie bardzo nienawidził Beniamina.

Daniel nie mógł się oprzeć wrażeniu, że w jej słowach czaiła się nutka fałszu.

– Uważa pani, że to naprawdę on zabił Beniamina?

– A pan nie? – odparła Hanna Kwiatkowska.

Patrzyła teraz Danielowi prosto w oczy. Podobnie jak Malwina Górska wczoraj. Jakby obie chciały rzucić policjantowi wyzwanie. Malwinę policjant brał już pod uwagę jako sprawczynię. Teraz pomyślał o Hannie. Pytał ją o osoby, które doceniłyby moc kamieni, ale na razie to ona głównie zdawała się nimi zainteresowana. A jeżeli to ona była kobietą w kominiarce, która napadła na Zofię? Trudno powiedzieć, dlaczego najpierw wręczyłaby jej naszyjnik, a potem napadała na nią, żeby go odebrać. I to w towarzystwie jakiegoś zamaskowanego mężczyzny. Być może swojego męża.

– Gdzie państwo byli wczoraj przed południem? – zapytał powoli. Nie mógł przecież wykluczyć, że nie tylko zaatakowali Zofię Dąbrowską, ale też zabili Beniamina.

– Pan nas podejrzewa? – zapytał Sławomir. – Byliśmy tu w domu. A jak Beniamin pojechał fotografować, to my pojechaliśmy do sklepu na zakupy. Nie pamiętam. To mogło być koło dziesiątej, jak wyszliśmy z domu. Byliśmy tam prawie do momentu, kiedy dostaliśmy telefon, co się stało. Robiliśmy duże zakupy na cały tydzień.

Faktycznie. Dopiero teraz Daniel przypomniał sobie, że Trawiński wspomniał mu, że zastał ich w sklepie. Bo to kolega poinformował Kwiatkowskich o śmierci Beniamina.

– To musiały być spore zakupy – powiedział Trawiński. – Zdołałem państwa znaleźć dopiero o…

– Tak – przerwał mu Sławomir Kwiatkowski. Miał taką minę, jakby ledwo powstrzymywał płacz. – Bo jak usłyszałem, że ma być epidemia, to uznaliśmy, że lepiej zrobić zapasy. Pewnie ludzie spanikują. Chociaż teraz zapasy są nieważne. Bo mój Beniamin nie żyje.

– Ciekawe, jak to wszystko zjemy we dwójkę – mruknęła Hanna. – Beniamin był taki chudy, a jadł za trzech. Jak to młodzi.

– Aparat, który został znaleziony przy ciele, należał do Beniamina, prawda? – zapytał Trawiński.

Chyba chciał się upewnić, bo Kwiatkowscy zidentyfikowali ciało syna już wczoraj wieczorem, aparat chłopaka też. Ale Daniel cieszył się, że kolega zapytał. Czasem warto było powtarzać niektóre pytania. Można było nieoczekiwanie dostać zupełnie inne odpowiedzi.

435

– Tak. Aparat był jego – szepnął Sławomir. – A ten chory typ pewnie robił mu nim zdjęcia.

Daniel zerknął w stronę Trawińskiego. Tego jeszcze nie wiedzieli. Zawartości pamięci aparatu jak dotąd nie przejrzeli, bo na razie lustrzanka była w pracowni Ziółkowskiego.

Nagle Sławomir Kwiatkowski zaczął płakać. Łzy zaczęły toczyć się po jego twarzy, a jego ciałem wstrząsały łkania. Jakby dopiero teraz doszło do niego, co się wydarzyło. Hanna zgasiła papierosa i podeszła do męża. Objęła go czule.

– Mąż bardzo przeżywa śmierć syna – powiedziała przepraszająco. – Rodzina jest dla nas bardzo ważna. Aparat faktycznie był Beniamina. Kupiliśmy mu ze dwa lata temu, bo robienie zdjęć było jego hobby. A miał takie swoje małe dziwactwo, że fotografował jezioro. Robił to cyklicznie. Znaczy co miesiąc, zawsze w przedostatni piątek miesiąca dokumentował, jak jezioro się zmienia w kolejnych porach roku.

– Kto mógł wiedzieć o tym, że on tak co miesiąc robi te zdjęcia? – zapytał Daniel. Na to pytanie odpowiedział już wcześniej Paweł Krupa, ale policjant wolał się upewnić.

– Pewnie sporo osób. Rozmawialiśmy też o tym nawet niedawno podczas naszej konferencji branżowej – powiedział Sławomir Kwiatkowski, uspokajając się nieco.

Czyli Paweł Krupa mówił prawdę. A więc wszyscy, którzy uczestniczyli w spotkaniu trzech firm, wiedzieli, że w piątek Beniamin będzie na odosobnionej plaży wśród lasów. Idealne miejsce, jeżeli chciało się kogoś zabić.

– Przychodzi państwu do głowy ktokolwiek oprócz Krupy, kto mógłby chcieć śmierci Beniamina? – zapytał Trawiński.

Daniel patrzył, jak kolega w zamyśleniu wystawia rękę i kręci wrzecionem.

– NIE! – krzyknęła Hanna.

Podgórski spojrzał na nią zaskoczony, dziwiąc się, że to pytanie wywołało aż takie emocje. Trawiński też zatrzymał się w połowie kolejnego ruchu.

– Nie wolno tego dotykać. Dźwięk wrzeciona kikimory zwiastuje nieszczęście.

Dźwięk. Dopiero w tej chwili do Daniela dotarło, że dźwięk kołowrotka bardzo przypominał to, co sprawcy nagrali na dyktafon i zostawili przy ciele Beniamina.

– To straszne. Pan zginie – powiedziała głucho Hanna do Trawińskiego.

Podgórski zerknął na kolegę. Policjant nie wydawał się szczególnie przejęty tą informacją. Szczerze mówiąc, Daniel podziwiał jego spokój. Zarówno dziwny ton oraz słowa Hanny, jak i dźwięk wrzeciona przyprawiały o dreszcze.

– Kikimora? – zapytał tylko Trawiński. Najwyraźniej jego to nie ruszało.

– To taki słowiański demon – wtrącił zrezygnowanym tonem Sławomir. Zabrzmiało to tak, jakby musiał to tłumaczyć nieskończoną ilość razy. – Staruszka z kurzymi łapkami zamiast stóp. Tak wygląda.

– Z kurzymi łapkami? – zapytali Podgórski i Trawiński niemal jednocześnie.

– Tak – odparła równie grobowo jak przedtem Hanna.

437

Daniel spojrzał w zamyśleniu na macochę Beniamina. Czy to możliwe, że wzięła swoje wierzenia odrobinę zbyt serio i to ona ustawiła tę inscenizację? Kurze łapki zamiast dłoni i stóp. Dźwięk wrzeciona. Kamienie z dziurką. To wszystko by do niej pasowało. Sławomir nie wydawał się zafascynowany tymi historiami w takim samym stopniu jak ona. Chyba był tym zmęczony. Ale nie oznaczało to przecież, że nie chciałby pomóc żonie zrealizować jej plan.

Matka wspomniała Danielowi wczoraj wieczorem, że widziała jakiś ciemny terenowy samochód. Na podjeździe domu Kwiatkowskich stały aż dwa odpowiadające temu opisowi. Mercedes i toyota. Natomiast Zofia Dąbrowska z kolei mówiła, że sprawcy przyjechali autem w rodzaju transportera. O terenowym nic nie mówiła.

– Przychodzi państwu do głowy jeszcze ktoś, kto chciałby śmierci Beniamina? – ponowił swoje pytanie Trawiński. Chyba jednak trochę się zestresował wrzecionem i nie chciał kontynuować tematu kurzych łapek.

– Może Kalina Pietrzak? – zapytał Sławomir i odwrócił się do żony.

– Córka Izabeli? – zdziwił się Daniel.

Całkowicie zaskoczyła go ta odpowiedź. Nie miał jeszcze okazji rozmawiać z Kaliną, ale myślał, że jest zupełnie niezwiązana z tymi wydarzeniami. Poprosił ją o spotkanie tylko po to, żeby dowiedzieć się, czy z pokoju matki nie zginęły jakieś rzeczy, które ewentualnie mogli zabrać sprawcy. Tymczasem być może miała motyw.

– Tak.

– Skąd ten pomysł? – zapytał Trawiński.

– Kalina była w zajeździe w zeszłą sobotę na naszym spotkaniu biznesowym. No i...

Sławomir Kwiatkowski przerwał w pół zdania i nie wyglądało na to, że chciałby powiedzieć coś więcej.

– I? – zapytał więc Daniel.

– No i Beniamin mógł się posunąć trochę za daleko – dopowiedziała Hanna. Tym razem z jej słów przebijał smutek.

ROZDZIAŁ 71

Dworek Weroniki w Lipowie. Sobota, 22 lutego 2020.
Godzina 10.10.
Klementyna Kopp

Widziałaś reprodukcję tego obrazu u Malwiny Górskiej,
co? – zapytała Klementyna.

Weronika kolejny raz wspomniała o dziwnym ułożeniu
ciała Beniamina Kwiatkowskiego. Jej zdaniem być może
upodabniającym je do obrazu Muncha. Kopp nie miała najlepszych wspomnień ze stylizowaniem morderstw na dzieła
malarskie. Mieli już tu kiedyś taką sprawę. Dlatego wcale
nie chciała wykluczać tego pomysłu. Ale! Zdecydowanie
wolałaby, żeby nie było tu kolejnego pokręconego szaleńca.
Uśmiechnęła się pod nosem. Wolała zwykłe prymitywne
rąbanie siekierą.

A na tym etapie żadnych sugestii nie chciała wykluczać. Trzeba było zwracać uwagę zarówno na szczegóły,
jak ten dziwny ślad na piasku przy ciele czarnowłosego
chłoptasia, jak i na ogóły. *Szczegół-i-ogół*. Jedno nie powinno przyćmić drugiego, bo wtedy może się okazać, że
nie mamy pełnego oglądu sytuacji.

– Tak.

Weronika kiwnęła głową, pokazując dom pisarki widoczny przez kuchenne okna dworku. Stał niemal pod samą ścianą lasu. Z białymi okiennicami i drzwiami przypominał Klementynie budownictwo skandynawskie. Teresa zmusiła ją kiedyś do przeczytania kryminału ze Szwecji. Wszystkie domy tam tak wyglądały. Kopp zapamiętała z książki wszystko oprócz zagadki kryminalnej.

– Może Malwina maczała w tym palce – dodała jeszcze Podgórska. Związała długie rude włosy w kok na środku głowy.

– O mój Boże. – Maria się przeżegnała. – A mieszka tak blisko małej Emilki! Co, jeśli jest morderczynią?!

Weronika wzruszyła ramionami. Kopp wydawało się, że ruda wie więcej na temat Malwiny, niż mówi.

– No proszę. A myślałam, że jesteście z tą pisareczką przyjaciółeczkami, co? Przecież zwróciła się do ciebie o pomoc.

– Powiedziała mi tylko tyle, że ktoś ją śledzi, i poprosiła, żebym o tym z kimś pomówiła – wyjaśniła szybko Weronika. – Mieszka sama, więc trochę gadałyśmy. Otworzyła się przede mną, bo nikogo tu nie zna. Tyle. Nie nazwałabym nas przyjaciółkami.

Kopp uśmiechnęła się słodko. Teraz była na sto procent pewna, że Weronika coś ukrywa. Ale! Skoro ruda nie zamierzała mówić, ona nie zamierzała wypytywać. Przynajmniej jeszcze nie.

– Znaczy, że ta Malwina była w tym samochodzie, który widziałam? – zastanawiała się Maria.

– Czekaj. Stop. – Kopp czuła, że musi to sprostować. Skoro już zdecydowała się zająć tą sprawą razem z nimi,

trzeba było sobie kilka rzeczy wyjaśnić. – Nie wyciągaj-
my pochopnych wniosków. Ludzie w tym samochodzie
mogą. Ale! Nie muszą być sprawcami. Poza tym to, czy
pisareczka była w samochodzie czy nie, też niczego nie
rozstrzyga.

Maria otworzyła szeroko oczy. Przyglądała się Kopp zza
grubych szkieł babcinych okularów. *Babcine-okulary*. Kopp
łapała się na tym, że też już chyba takich potrzebowała,
jednak odsuwała od siebie decyzję o zakupie. Nie była
gotowa ani chętna poddać się starości. *Głupia-stara-baba*
kontra starość. Jeden zero.

– Nie wiem – przyznała Weronika. – Wiem tylko tyle,
że Malwina Górska powiedziała mi, że ktoś ją śledzi. I to
w ciemnym samochodzie. Terenowym. Ty taki widziałaś,
mamo.

– Czekaj. Stop – powtórzyła Kopp. – Tak samo nie
możemy zakładać, że to jeden i ten sam samochód.

– Ale nie możemy też tego wykluczyć – przerwała jej
Weronika.

Kopp skinęła powoli głową. Co racja to racja.

– To co teraz? – zapytała Maria. – Jeszcze po kawałku
ciasta i spróbujemy wejść do domu pisarki?

Kopp spojrzała na nią zaskoczona. Maria wyglądała
tak niewinnie. Ale! Klementyna widziała teraz iskierki
w jej oczach. Biada temu, kto da się zwieść wyglądowi
starszej pani, zaśmiała się w duchu.

– Mamo, chcesz się włamać?

Ruda chciała wyglądać na zbulwersowaną. Ale! I ją
Kopp znała na tyle, by wiedzieć, że Weronika też o tym
pomyślała. I to być może zanim padła ta sugestia. Kopp

też tego nie wykluczała. Chciała na własne oczy sprawdzić, co jest z tą pisarką.

– No co? – zapytała Maria z miną niewiniątka.

Ukroiła znów wielkie kawały ciasta i podsunęła im. Kopp jeszcze swojego nie tknęła. Ale! Marii najwyraźniej to nie przeszkadzało dokładać.

– A co, jeżeli jest w domu? – zapytała Weronika.

– Najpierw zadzwonię do Koterskiego – zdecydowała Kopp.

Liczyła, że doktorek powie jej coś o ciałach. Tak po starej znajomości. Ciężko prowadzić sprawę, jak człowiek nie wie, co mówią trupy. Automatycznym ruchem Klementyna wybrała numer. Mimo kilku lat bycia w cywilu nadal miała go w pamięci. Medyk sądowy odebrał dosłownie po kilku sygnałach.

– Klementyna! – zawołał do słuchawki. – Kopę lat.

W jego głosie słychać było uśmiech. Był człowiekiem, który zdawał się nigdy nie tracić humoru. Kopp, rzecz jasna, nie zamierzała nikomu się do tego przyznać. Ale! Czasem mu zazdrościła.

Włączyła tryb głośnomówiący i położyła telefon na stole, żeby Weronika i Maria też słuchały. Posłała im tylko ostrzegawcze spojrzenie, żeby się nie odzywały. To, że mogły słuchać, nie znaczyło, że mogły przeszkadzać.

– Co zebrałeś na temat denatów, doktorku, co? – zapytała Koterskiego.

– Brakowało mi tego zdecydowanego tonu – zaśmiał się medyk. – Wiesz, że nie powinienem tego robić. Nie mogę rozmawiać o sprawach, które są w toku.

– Jakby ci to kiedykolwiek przeszkadzało – mruknęła Kopp. Owijania w bawełnę akurat nigdy nie lubiła. – Co ci te trupy powiedziały, co?

Wbrew pozorom umarlacy mieli bardzo dużo do powiedzenia. Czasem zdecydowanie więcej niż żywi. A konkretniej ich ciała i wszystko, co się znajdowało wokół nich. Niekiedy Kopp ufała im bardziej niż tym, co jeszcze oddychali. Żywi mieli irytującą skłonność do kłamania. Dawno zauważyła prawidłowość, że im bardziej z człowieka ucieka życie, tym bardziej prawdomówny się staje.

– Była w użyciu siekiera, co? – rzuciła, żeby trochę Koterskiego zachęcić. – Tego Beniamina porąbano, co?

Pozostałych trupów nie widziała, co trochę utrudniało sprawę. Ale! Czarnowłosy chłopak faktycznie wydawał się zaatakowany siekierą. Może nawet tą, którą miał w rękach Paweł Krupa.

– Była w użyciu – przyznał medyk. – Ale nie do końca tak, jak myślisz. Ciosy siekierą, które zauważyłaś, zadano już po śmierci. Tak samo jak po śmierci odrąbano mu dłonie i stopy. Trochę mi to przypomniało sprawę sprzed dwóch lat. Nie wiem, czy kojarzysz? Dziewczyna nazywała się Julia Szymańska. Wyglądało to podobnie. Usunięcia dłoni i stóp dokonano po śmierci. Tylko tam atak siekierą był powodem zgonu. A w przypadku Beniamina Kwiatkowskiego mamy jeszcze inne narzędzia zbrodni.

Kopp przejechała dłonią po ogolonej niemal na łyso głowie. Włosy już odrastały. Szczecina była twarda i drapiąca. Słyszała o śmierci tamtej dziewczyny, kto zresztą nie słyszał. Wtedy sprawa była głośna. Media uwielbiały takie sensacje, więc nawet nie pracując już na komendzie, można było się sporo dowiedzieć. I niedługo potem mysia policjantka strzeliła samobója. Takie rzeczy zostawały w głowie. Zwłaszcza jeśli dotyczyły przyjaciół.

Mysia policjantka może i Klementynę czasem irytowała. Ale! Znała się na robocie. Młodego życia zawsze szkoda. Zwłaszcza na samobója. Kopp miała epizody, kiedy myślała, żeby to samo zrobić. Zwłaszcza po śmierci Teresy. Życie bez kochanki zdawało się zupełnie pozbawione sensu. Później jej przeszło. Wiedziała, że Teresa by tego nie chciała.

– To może być ten sam sprawca, co?

– Nie mogę powiedzieć tego z całą pewnością – przyznał Koterski. – Ale porównanie mi się nasunęło. Nawet to, że dłoni i stóp nie było na miejscu. Ani teraz na polanie, ani wtedy na Beskidzkiej. Te Julii znalazły się później. Pamiętam, że Emilia Strzałkowska odkryła je w śmietniku w Rypinie. Może tu też ktoś je nagle gdzieś znajdzie?

– Gdzie się wtedy znalazły? – zapytała Weronika. Najwyraźniej nie przejmowała się spojrzeniami Klementyny.

– Weronika? – zapytał Koterski najwyraźniej zaskoczony, że ktoś jeszcze uczestniczy w rozmowie.

– Gdzie się wtedy znalazły? – nie ustępowała ruda.

– U pewnego mężczyzny, szefa zamordowanej dziewczyny. Nazywał się Oliwier Pietrzak. Ktoś trzymał je zamrożone przez cały czas od śmierci Julii. Nie wiem, czy ten Pietrzak, czy ktoś inny, bo skazany został i siedzi inny facet. Ryszard Pietrzak. Chyba jego wuj. Więc widocznie prokurator i reszta uznali, że nie Oliwier jest zabójcą.

– A ty masz wątpliwości, co? – podchwyciła Kopp.

– Ja w tym nie siedziałem, ale wydaje mi się, że Emilia się z tym nie zgadzała. Dość intensywnie wtedy działała.

Pamiętam, że pojechała do Starych Świątek, by porozmawiać z tym Ryszardem Pietrzakiem.

– No to trzeba chyba sprawdzić tego Oliwiera, skoro on miał dłonie – wtrąciła się matka Daniela. – Maria Podgórska, panie doktorze, też tu jestem. Pan mnie pewnie pamięta. Bo pracowałam w Lipowie i mój mąż był tu bohaterem.

Po drugiej stronie linii panowała przez chwilę cisza. Potem Kopp usłyszała dyskretny śmiech.

– No co? – obruszyła się Maria. – Trzeba sprawdzić tego Oliwiera. Chyba nie powiedziałam nic głupiego.

– Nie – zapewnił doktor Koterski. – Po prostu macie tam panie niezłe zgromadzenie z tego, co słyszę. Słucha nas ktoś jeszcze?

– Nie – rzuciła Kopp. – Jesteśmy tylko we trzy. Co z tym Oliwierem, co?

– Nie żyje. Zginął w wypadku. Chociaż z tego, co wiem, Ziółkowski sprawdzał, czy ktoś mu nie pomógł. Były jakieś ślady na samochodzie. W każdym razie, wracając do rzeczy. Siekierą, którą trzymał tamten mężczyzna...

– Paweł Krupa – podpowiedziała Maria usłużnie. – Ja uważam, że on jest niewinny. I musimy mu pomóc.

– W ogóle nie powinienem z wami rozmawiać – powiedział Koterski. Jakby to, co powiedziała matka Daniela, podziałało na niego jak płachta na byka.

Kopp spojrzała na Marię krzywo. Ale liczyć, że matka Daniela będzie siedziała cicho, to chyba tak jakby wierzyć, że spędzi się za rok wakacje na księżycu. Albo że pies Weroniki zrobi się grzeczniejszy. Klementyna cały czas czuła, że Bajka podgryza jej palec u nogi.

– Co z tą siekierą? – zapytała łagodnie Weronika. – Nie chcemy przeszkadzać w prowadzeniu oficjalnego śledztwa. Chodzi nam tylko o to, żeby potencjalnie niewinny człowiek nie poszedł siedzieć za to, czego nie zrobił.

Doktor Koterski westchnął głośno.

– Bardziej się boję, że w coś się wpakujecie – powiedział. – Nie byłby to pierwszy raz. Śledztwo trzeba zostawić policji.

– Spoko. Ale! Ja jestem z policji – wtrąciła się Kopp. – Co z siekierą, co?

– Ty jesteś na emery… – zaczął mówić Koterski, potem jednak zrezygnował. – Niech wam będzie. Ale ja nie miałem z tym nic wspólnego. Tak jak wspomniałem, siekierą odrąbano dłonie i stopy Beniamina Kwiatkowskiego. No i zadano mu ciosy na całym ciele. Ale dopiero po śmierci. To zamaskowało częściowo ślady po pierwotnie użytych narzędziach. Ale nie przede mną.

Koterski wydawał się zadowolony z siebie. Wszystkie trzy czekały w napięciu pochylone nad telefonem Klementyny.

– Beniaminowi Kwiatkowskiemu zadano bardzo dużo ciosów, ale innymi narzędziami – podjął po chwili medyk. Chciał widać wywołać odpowiednie napięcie. – Na ciele jest wiele ran ciętych i kłutych. Większość z nich zadano prawdopodobnie nożem. Za życia. Na ramionach było sporo ran, które być może powstały podczas próby obrony. Chłopak zasłaniał się rękoma. To za życia oczywiście. Ale były tam też ślady czegoś w rodzaju szpikulca. Te są tylko na torsie. I zadano je po śmierci. Tak jak te siekierą.

– Skoro próbował się bronić, to był przytomny podczas ataku, co?

– Tak. I trzeźwy. Toksykologia niczego nie wykazała. W przeciwieństwie do jednego z denatów z zajazdu...

– Czy mogła to zrobić kobieta? – wtrąciła się Weronika, przerywając Koterskiemu. – Znaczy zaatakować siekierą?

Być może nie chciała zrezygnować z pomysłu, że mogła to być Malwina Górska.

– Nie mogę tego wykluczyć, ale słyszałem plotki z komendy, że szukają dwójki sprawców. Mężczyzny i kobiety, więc to facet mógł machać siekierą – powiedział Koterski teatralnie konspiracyjnym szeptem. – A co do twojego pytania, to Beniamin nie był szczególnie imponującej postury. Wymachiwanie siekierą może i jest ciężkie fizycznie, ale tak jak powiedziałem, kiedy zadano rany siekierą, ofiara już nie żyła. Nie wykluczałbym więc kobiety. Powiem wam, że mnie bardziej intryguje ten szpikulec. Nie mam jeszcze pomysłu, co to mogło być. Nie lubię takich sytuacji.

– Na pewno to nie był nóż, co?

– Nie. Już prędzej bagnet. Bez takiego płaskiego ostrza jak nóż. Coś raczej ze spiczastą końcówką. Stawiałbym, że najpierw doprawiono go bagnetem, szpikulcem czy cokolwiek to było, a potem siekierą.

– Ale po co, skoro już nie żył? – przeżegnała się znów Maria.

– Mnie nie pytajcie. Ja jestem od tych, którzy już nie oddychają.

W głosie Koterskiego pojawiała się delikatnie niecierpliwa nuta.

– Czas zgonu, co? – zapytała szybko Kopp. Miała przeczucie, że rozmowa zaraz się skończy. *Za-wcześnie.*

– I tak za wiele już wam powiedziałem – odparł medyk zgodnie z jej podejrzeniami. – Byłem na miejscu dość szybko, podobnie jak w przypadku Julii Szymańskiej. Oceniłbym, że Beniamin Kwiatkowski mógł zginąć koło jedenastej. Ten wasz niewinny Paweł Krupa ma na ten czas alibi?

Kopp nie miała jeszcze okazji porozmawiać dłużej z Krupą. Kiedy odebrała mu siekierę, mężczyzna powtarzał tylko, że nic nie zrobił. Daniel wspomniał, że dziś Krupa zostanie przewieziony do Starych Świątek. Podgórski chciał przesłuchać go na komendzie. Na razie nie zadzwonił, więc nie wiedziała, czy mu się udało.

Natomiast Kopp cieszyła się, że Krupę wywiozą, bo miała w Świątkach starego znajomego. Być może uda jej się tam pogadać z podejrzanym. Bo zrezygnować z takiej rozmowy nie zamierzała.

– Co z pozostałymi trupami i tą pobitą kobietą, co? – zapytała. – Zacząłeś przed chwilą mówić o toksykologii.

– I tak za wiele wam powiedziałem – powtórzył Koterski. – Do następnego, Klementyna. Do usłyszenia paniom.

Kopp rzadko przeklinała. Ale! Kiedy doktorek się rozłączył, miała na to wielką ochotę. Służbista się znalazł. Oczywiście to, że nie wiedziała na razie zbyt wiele o pozostałych trupach, nie przekreślało możliwości dotarcia do prawdy. Na pewno znajdzie się chwila, żeby zadzwonić do Daniela i wymienić się z nim informacjami. A na razie we trzy zajmą się śmiercią Beniamina Kwiatkowskiego. A przedtem…

– Idziemy do tej twojej Malwiny – zakomenderowała Kopp, uśmiechając się pod nosem do Weroniki. – Zobaczymy, co pisareczka ma do ukrycia.

ROZDZIAŁ 72

Pod zajazdem Sadowskiego. Sobota, 22 lutego 2020. Godzina 10.30.
Aspirant Daniel Podgórski

Daniel zaparkował nieoznakowany radiowóz pod zajazdem. Obok stał van techników, więc mimo weekendu koledzy byli na miejscu. Może kończyli jeszcze pracę z wczoraj. Podgórski z Trawińskim przyjechali tu od razu po rozmowie z Kwiatkowskimi. Z domu Sławomira i Hanny było tu niedaleko. Ponadto Daniel umówił się, że koło jedenastej do zajazdu przyjedzie Kalina Pietrzak, aby przejrzeć rzeczy matki.

– Wszystko się dobrze składa – powiedział Trawiński. – Jak Kalina tu będzie, to możemy ją podpytać o to, co powiedział Kwiatkowski. Dwa w jednym. I nie zorientuje się nawet, że ją o cokolwiek podejrzewamy.

Kwiatkowscy powiedzieli im przecież, że właśnie Kalina mogła chcieć śmierci Beniamina.

– Masz może fajki? – zapytał Trawiński nieoczekiwanie.

– Nie. Nie palę już dwa lata.

Trawińskiemu Daniel nie musiał mówić, że od śmierci Emilii. Kolega i tak wiedział. Choć skłamał o papierosach.

Podgórski cały czas miał przy sobie swoją ostatnią zgniecioną paczkę. Sam nie był pewien, dlaczego jej nie wyrzucił. Nie był też pewien, czemu nie powiedział o niej Trawińskiemu. Może dlatego, że te papierosy w ogóle nie nadawały się już do palenia. A może chciał je zostawić sobie jako wspomnienie.

– No tak.

Przez chwilę siedzieli w samochodzie w zupełnej ciszy.

– Co z Mają? – zapytał w końcu Daniel. – Nadal nocujesz na działce?

– Jo. Jest na mnie wściekła.

– Chcesz o tym pogadać?

Przez moment wyglądało, jakby Trawiński chciał coś powiedzieć. W końcu pokręcił tylko głową. Podgórski nie naciskał.

– Co myślisz o tym, co powiedzieli Kwiatkowscy? – zapytał więc zamiast tego.

Na pytanie, jaki motyw mogła mieć Kalina, Hanna i Sławomir odpowiedzieli dość zagadkowo. Najpierw Hanna mruknęła, że Beniamin posunął się za daleko. Nie chciała jednak wyjaśnić, co ma na myśli. Potem Sławomir powiedział, że jego syn pokłócił się z Kaliną podczas sobotniego spotkania przedstawicieli trzech firm budujących domy drewniane.

– Wydaje mi się, że chodziło o seks.

– Też tak to odebrałem – zgodził się Daniel. – Mam wrażenie, że ostrożnie sugerowali, jakoby Beniamin zgwałcił Kalinę.

– Słuchaj, stary, może powinniśmy zadzwonić po jakąś laskę? Żeby ona z nią gadała. Jeżeli był gwałt, to wiesz...

Daniel sięgnął po telefon i wybrał numer Fijałkowskiej. Zastępczyni naczelnika odrzuciła połączenie. Chwilę później telefon brzęknął. Fijałkowska napisała, że jest zajęta. Daniel odpisał i nakreślił pokrótce sytuację. Skoro ostatnio była taka chętna do pomocy i przyjechała, mimo że na miejscu był trup, to może będzie chciała im pomóc w przesłuchaniu Kaliny.

– Odpisała, że przyjedzie – poinformował Daniel po krótkiej wymianie wiadomości.

– No to miejmy nadzieję – burknął Trawiński. – Żeby nam nie zarzucili, że wychodzimy przed szereg.

Wysiedli z samochodu i ruszyli do zajazdu. To, że Kalina mogła być osobą podejrzaną, dla Daniela było zupełną niespodzianką. Czy to możliwe, że się mściła za gwałt? Jeżeli faktycznie sprawców było dwoje, to mogła wziąć jakiegoś mężczyznę do pomocy, żeby był jej karzącą ręką sprawiedliwości za to, co się stało. Tylko kto by to mógł być?

Pozostawało jeszcze jedno pytanie. Dlaczego by Kalina zabiła albo kazała zabić także swoją matkę i jej pracodawcę? Dlaczego by pobiła Zofię Dąbrowską, żeby ukraść bezwartościowy w gruncie rzeczy naszyjnik? Za mało mieli danych na jej temat, żeby można było snuć domysły.

Podgórski bardzo chciał wyrobić sobie jakąś opinię na jej temat. Na razie wiedział tylko to, co widział na zdjęciu. Lubiła poprawiać urodę i ubierać się dość wyzywająco. Niewiele można było z tego wywnioskować.

– O, dobrze, że jesteście – powiedział Ziółkowski, kiedy weszli do budynku. Na jego twarzy pokazał się zwyczajowy grymas, który raczej przeczył słowom i nie sugerował zadowolenia. – Kończymy tu robotę, i tak chciałem do was dzwonić.

– Masz coś nowego?

– Omówmy wszystko po kolei – zaproponował Ziółkowski. – Zacznijmy może od kuchni. Jakby co, to tego Roberta Janika na razie się pozbyłem. Kręcił się tu pod pretekstem, że on jako sekretarz szefa musi wiedzieć, co się dzieje. Siedzi w biurze z tyłu, jeżeli będziecie chcieli z nim gadać.

– No to co z tą kuchnią? – zapytał Trawiński.

Daniel znów nie mógł oprzeć się wrażeniu, że kłótnia z żoną musiała naprawdę dać się we znaki. Życie prywatne czasem sprawiało, że człowiek zupełnie nie mógł skupić się na robocie. Podgórski wiedział o tym jak mało kto.

– Sami wczoraj widzieliście, że tu było w miarę czysto jak na obrażenia, których doznała Izabela Pietrzak. Obiecałem, że sprawdzę pomieszczenia luminolem. No i wyszło szydło z worka. Tak jak się spodziewałem, ktoś tu posprzątał. A przynajmniej się starał.

Roztwór luminolu był stosowany, aby znaleźć nawet ukryte ślady krwi. Żelazo w hemoglobinie działa jako aktywator i krew świeci. Danielowi zdarzało się widzieć olbrzymie błyszczące powierzchnie, które bez użycia tej substancji wyglądały całkiem niewinnie. Zawsze przyprawiało go to o ciarki. Ale miało też pozytywny wydźwięk. Nawet jeżeli sprawca starał się sprzątnąć, i tak prawda wychodziła w końcu na jaw.

To była dość dobra metoda, choć policjant przekonał się już, że użycie luminolu czasem dawało zafałszowane wyniki. Na przykład kiedy do usunięcia śladów użyto wybielacza. Daniel wiedział, że Ziółek sobie poradzi. Szef techników znał się na rzeczy.

– Wszędzie była krew – dodał Ziółkowski. – Na podłodze w kuchni, na kranie, gdzie być może ten ktoś wymył ręce… Natomiast zainteresuje was pewnie coś innego. Krew była w kuchni, to jasne. Tam Izabela Pietrzak została zaatakowana. Ale zobaczyłem, że roztarte ślady prowadzą w stronę drzwi.

Technik wskazał drzwi kuchenne wychodzące na korytarz, gdzie się teraz znajdowali. Obecnie wszystko znów wydawało się zupełnie czyste i niewinne. Poświata roztworu luminolu trwa kilkanaście sekund, wtedy można krew udokumentować. Potem znika. Technicy już tu skończyli pracować. Wszystko było więc jak wcześniej.

– Czyli może wyszli z kuchni na korytarz w zakrwawionych butach – zgadywał Podgórski.

– O tym samym pomyślałem – przyznał szef techników. – Bo luminol pokazuje ścieżkę prosto do pokoju numer jeden. Śladów butów nie zobaczymy, bo zostały rozmazane, kiedy starano się to wyczyścić, ale była tu krew.

Daniel przełknął ślinę. To był pokój, w którym spędził jedne z ostatnich szczęśliwych chwil z Emilią.

– Czy ta pisarka nie wspominała wczoraj, że zajmowała ten pokój, zanim wyprowadziła się z zajazdu? – odezwał się Trawiński.

– Chyba tak – powiedział Daniel, chociaż doskonale pamiętał, że tak. Wtedy też pomyślał o Strzałkowskiej. – A co stwierdziliście w tym pokoju? Coś ciekawego? Więcej krwi?

– Nic – poinformował Ziółkowski.

– Nic?

– Zupełnie nic – potwierdził technik. – Sami zobaczcie.

Ruszyli we trzech do pokoju numer jeden. Daniel otworzył ostrożnie drzwi. Nadal miał w pamięci tamte chwile sprzed dwu lat. Kwiatowy zapach perfum Emilii. Może to był bez? Nic wyszukanego. Ot, zwyczajny zapach kwiatów. Ale był pewien, że zapamięta go na zawsze. Teraz pokój pachniał środkami chemicznymi i czyszczącymi. Był obcy i nieprzyjemny. Natomiast faktycznie czysty. Żadnego bałaganu.

– Tu też sprzątnęli? – zapytał policjant.

– Być może, ale nie tak jak w korytarzu. Jakby tylko doszli do drzwi.

– Może drzwi były zamknięte? – zgadywał Trawiński. – I nie mogli wejść.

– Z tego, co zauważyłem, wszystkie pokoje są pootwierane – wyjaśnił Ziółkowski. – Pewnie dają klucz, dopiero jak ktoś wynajmuje pokój. I wtedy można go zamknąć.

Daniel o mało tego nie potwierdził. Jak był tu ze Strzałkowską, też były otwarte, póki ich za sobą nie zamknęli. Milczał. Z drugiej strony co miał ukrywać, skoro wszyscy i tak wiedzieli, że spotykał się z Emilią. Na pogrzebie stał przy trumnie i nawet nie próbował maskować swoich uczuć. Poza tym byli z Weroniką dawno po rozwodzie. Mógł mówić, co chciał.

– To czemu nie weszli do środka? – myślał dalej głośno Trawiński. – Dokonali morderstwa i podeszli tu. A potem co?

Kolega przeszedł korytarzem, jakby naśladował sprawców. Zatrzymał się pod drzwiami pokoju numer jeden i zawrócił.

– Może szła tylko jedna osoba i została zawołana? Czyli jedna osoba była w kuchni, a druga szła tu – zgadywał

Podgórski. – Nie wiem. Może ta osoba miała coś przynieść, ale okazało się, że to coś jest jednak w kuchni. I już nie trzeba było wchodzić do pokoju.

– Pisarka powiedziała wczoraj, że zapomniała wziąć z pokoju jakieś rzeczy – przypomniał Trawiński.

– Właśnie to mi poddało tę myśl – przyznał Podgórski. – Tylko że to nie do końca jest jasne. Wczoraj powiedziała, że przyjechała po jakieś rzeczy. Jeżeli była tu w czwartek, żeby je wziąć i może zabić Izabelę i Franciszka, to po co wróciła w piątek i udawała, że znalazła ciała, oraz mówiła, że przyjechała po rzeczy. No chyba że chcieli udawać, że znaleźli ciało.

– Chodzi ci o Roberta Janika? – zapytał Trawiński. – Że razem to zrobili?

– Nie wiem. Głośno myślę. Ale uważam, że warto będzie z nim jeszcze raz pomówić.

– A właśnie – odezwał się Ziółkowski. – Nie zgadniecie, kto zawitał do nas z rana. Otóż, otóż! Prokurator Krajewski nawiedził nasze skromne progi. Chyba żeby obejrzeć, jak pracujemy.

– Zjawa na miejscu zbrodni? – Daniel się uśmiechnął.

To wydawało się nawet mniej prawdopodobne niż to, że Fijałkowska zechce zobaczyć trupa. Najwyraźniej jednak cuda się zdarzały.

– Ano właśnie – powiedział Ziółkowski. – A wiecie, co jest najlepsze?

– Co?

– Że prokurator zjawił się i od razu coś znalazł.

ROZDZIAŁ 73

Pod domem Malwiny Górskiej w Lipowie.
Sobota, 22 lutego 2020. Godzina 10.40.
Weronika Podgórska

Skradały się we trzy wzdłuż ściany lasu w kierunku domu Malwiny Górskiej ścieżką, którą Weronika wydeptała, zanim jeszcze pisarka się tu wprowadziła. Podgórska chodziła tędy na spacery najpierw z Igorem, a potem z Bajką. Czasem jeździła tędy konno na Lancelocie lub Kofim. To jednak wymagało niezłej gimnastyki. Trzeba było przytulać się do grzbietu konia, żeby nie zaczepić o gałęzie. Teraz okazało się, że tą ścieżką uda się dojść niepostrzeżenie do posesji sąsiadki.

– Jest jej samochód – powiedziała teatralnym szeptem Maria.

Weronika trochę żałowała, że zabrały eksteściową. Maria zdawała się ostatnią osobą, która nadawałaby się do skradania i śledzenia. No ale kim była Podgórska, żeby wydawać takie opinie. Sama po raz kolejny zostawiła malutką córeczkę pod opieką byłego męża. Pierwszego byłego męża, poprawiła się w myślach. I szła tam, gdzie nie powinna. Chyba tylko Klementyna miała doświadczenie.

– A skoro jest jej samochód, to raczej nie zajrzymy do środka, bo Malwina musi być w domu – paplała dalej Maria. – Szkoda, bo tam może być coś ciekawego.

– Tak, wiemy – syknęła Kopp. – Ale! Może jednak zamilknij póki co. Bo słychać cię w samej Brodnicy.

– Zobaczcie. Okno jest otwarte. Może chociaż coś usłyszymy. Chodźcie. Damy radę podejść jeszcze bliżej – szepnęła Weronika. – Tylko mama musi być naprawdę cicho.

– Jestem – mruknęła Maria.

Weronika ruszyła przodem, żeby torować drogę. Teraz trzeba było zejść ze ścieżki i przedzierać się przez krzaki. Latem byłoby trudno, ale zima im sprzyjała. Tak samo jak to, że Malwina Górska nie ogrodziła jeszcze posesji. Do jej domu można by podejść w miarę niezauważonym, choć akurat do pełnego zakamuflowania ich obecności przydałyby się liście.

– Ktoś ma ochotę na delicje? – zapytała Maria, kiedy dotarły już prawie pod ścianę domu. – Mam jeszcze trochę.

Kopp wyglądała, jakby chciała coś powiedzieć, i to coś niezbyt wybrednego. W końcu jednak tylko przyłożyła wytatuowany palec do pomarszczonych ust. Podziałało to na Marię dużo lepiej niż wcześniejsze upominanie i prośby o ciszę. Była teściowa zastygła w pół ruchu i nie przetrząsała już swojego zimowego płaszcza w poszukiwaniu słodkości.

Trwały tak w zupełnym milczeniu, nasłuchując odgłosów z domu Malwiny Górskiej. Nagle Weronika poczuła, że serce bije jej szybciej. Od strony budynku dobiegało teraz bardzo delikatne stukanie połączone z lekkim szumem. Podgórskiej z miejsca stanęło przed oczami zmasakrowane ciało Beniamina Kwiatkowskiego. Ten dźwięk albo bardzo podobny dochodził chyba z dyktafonu leżącego na piersi zamordowanego chłopaka.

Weronika zerknęła na Kopp. Ona najwyraźniej też to usłyszała. Gestem pokazała im, żeby zostały na miejscu.

– Nie możesz tam iść sama, Klementynko – oburzyła się Maria. Znów za głośno.

Dźwięk ucichł natychmiast. Po chwili z okna wyjrzała Malwina Górska. Różowe włosy ściągnięte miała w krótki kucyk. Kilka kosmyków zwisało wokół twarzy. W uszach jak zwykle sterczały długie kolczyki, a na nadgarstkach ujrzały całą kolekcję srebrnych bransoletek. Widocznie nie zdejmowała ich nawet w domu.

– Dzień dobry? – rzuciła w ich stronę pisarka.

Zabrzmiało to bardziej jak pytanie niż powitanie. Nic dziwnego. Trzy kobiety w krzakach tuż pod jej oknem. W tym jedna z ogoloną na łyso głową i starymi tatuażami. Druga w kraciastym babcinym płaszczu i moherowym berecie. No i trzecia z rozwianymi rudymi włosami. Z pustymi rękoma, za to z piersiami pełnymi pokarmu dla córeczki, którą nie potrafiła się zajmować.

– Dzień dobry – odkrzyknęła Weronika.

Starała się, żeby jej głos zabrzmiał choć trochę naturalnie. Jakby po prostu tędy przechodziły. Szkoda, że nie wzięła Bajki. Kłamstwo wydawałoby się bardziej prawdopodobne. Udawałyby, że wyszły z psem. Pitbulka ciągle gdzieś wtykała nos, więc można by w to uwierzyć.

– Zastanawiałyśmy się, czy możemy obejrzeć dom – zawołała z uśmiechem Maria. – Przyniosłam pierniczki! No i mam delicje. Ale one są kupne.

Matka Daniela wyciągnęła z kieszeni papierową torebkę. Weronika naprawdę nie mogła pojąć, gdzie eksteściowa chowa cały ten prowiant.

– Możemy? – nalegała Maria z uśmiechem uroczej staruszki, która jednak nie znosi sprzeciwu. Trochę jakby żądała ustąpienia miejsca w autobusie.

– Zapraszam – odparła pisarka, choć widać było, że nie jest do końca zadowolona z najścia.

Może miała swoje powody, przebiegło Weronice przez myśl. Zwłaszcza biorąc pod uwagę to, co przed momentem usłyszały. Być może w domu znajdowały się dowody, których szukały. Gorzej, że żeby dostać się do domu, musiały najpierw wydostać się z krzaków i okrążyć budynek. Malwina będzie więc miała kilka minut, żeby schować to, czego nie powinny zobaczyć.

– Tylko jest trochę bałaganu. Dopiero się tu urządzam – powiedziała pisarka, kiedy wreszcie dotarły do drzwi z przodu domu. – A teraz szykowałam śniadanie.

– Trochę późno na śniadanie – zagadnęła Maria.

– Rano biegałam. Dopiero się zebrałam, żeby przygotować sałatkę. Nigdy nie jem przed bieganiem.

– Bardzo niezdrowo – oznajmiła Maria, choć Weronika była pewna, że teściowa nie ma najmniejszego pojęcia o trenowaniu na czczo. – Trzeba jeść, żeby mieć siłę. Proszę, tu są pierniczki. Lepsze niż kupne.

To akurat na pewno była prawda. Zapach korzennej przyprawy czuć było nawet przez papier, w który Maria owinęła swoje wypieki.

– Dziękuję. W sumie nie ma nic do oglądania – zastrzegła Malwina. – Musiałam sprzedać dom w Warszawie, więc wprowadziłam się do zajazdu pana Sadowskiego. Strasznie opóźniał wykończenie tego domu. No i w sumie jeszcze nie jest skończony, ale nie chciałam już tkwić w zajeździe. Zresztą dziewiętnastego lutego obchodziłam urodziny i pomyślałam sobie, że to będzie miało symboliczny charakter. Trzydziestkapiątka i własny dom. Nawet niewykończony. Na razie mam tylko stół w kuchni, krzesło i materac w sypialni. I kilka drobnych rzeczy.

Faktycznie dom był prawie pusty. Weronika była w środku już przedtem, kiedy się poznały, więc jej to nie zaskoczyło. Naprawdę garstka mebli i jedyna ozdoba na ścianie. Reprodukcja *Krzyku* Muncha.

– Och, to pani miała dopiero co urodziny – zapaliła się od razu Maria. – Przygotuję tort z bitą śmietaną...

– Bardzo miło z pani strony, ale jestem weganką.

– Ach, to tak jak Weroniczka. Te wasze wymysły...

Maria pokręciła głową niezadowolona. Bardzo dużo czasu zajęło jej przyswojenie sobie, że Podgórska nie je ani mięsa, ani żadnych produktów zwierzęcych. W końcu jednak pogodziła się z tym i wszystkie wypieki, które przynosiła do dworku, przygotowywała po wegańsku.

– Ale i na to znajdę sposób – zapewniła starsza pani. – Mogę na przykład upiec...

– Ładna jest ta reprodukcja *Krzyku* – weszła jej w słowo Weronika.

Nie mogła się powstrzymać. Czyżby Malwina zabiła Beniamina i ułożyła jego ciało w taki sposób, żeby przypominało postać na obrazie? I co to za dźwięk słyszały przed chwilą? Weronika rozglądała się, żeby zlokalizować jego źródło, ale nic nie zauważyła. Nie widziała nic nadzwyczajnego. Miska sałaty na kuchennym blacie. Obok plastikowa butelka z wodą. Na stole w kuchni komputer, papiery i…

– Wielu krytyków uznaje, że *Krzyk* to najważniejsze dzieło Muncha – mówiła właśnie Malwina.

Weronika jej nie słuchała. Wśród papierów na stole zobaczyła dyktafon. Wystawał tylko odrobinę skryty pod jakimiś notatkami. Podgórska nie pamiętała, jak wyglądał tamten leżący na ciele Beniamina Kwiatkowskiego, ale czy to miało znaczenie? Dyktafon to dyktafon. I może to właśnie z niego dochodził dźwięk, który usłyszały przed chwilą przez okno.

– Nie wiem, czy wiecie, ale Munch namalował aż cztery obrazy pod takim tytułem – ciągnęła pisarka, nieświadoma chyba odkrycia Weroniki. – To były różne wersje. Każda wykonana inną techniką. Pierwsza farbą olejną, temperą i pastelami. Kolejny obraz to była tempera, a dwa pozostałe pastele. Ja mam ten najpopularniejszy. Bezradność, strach, nawet, powiedziałabym, apokalipsa. Fascynuje mnie, ile emocji mógł pokazać w jednym obrazie. Ta siła wyrazu… Widzicie to? Jakby ten obraz dotyczył każdego z nas.

Malwina machnęła dłonią w stronę reprodukcji. Weronika zobaczyła tatuaż na jej ręce. Przedtem nie zwróciła na niego uwagi. Był dość subtelny. Kilka przecinających się linii.

– Ciekawy tatuaż – powiedziała Kopp. Najwyraźniej też go zauważyła.

– Lubię go – powiedziała Górska.

Weronika zrobiła kilka kroków w kierunku stołu, korzystając z okazji, że pozostałe kobiety oglądały tatuaż

462

pisarki. Może uda jej się wykraść dyktafon i przesłuchać potem nagranie. To był chyba dobry pomysł.

Starała się wyglądać naturalnie. Jakby opierała się o stół. Kiedy sięgała po urządzenie, Malwina akurat się odwróciła. Podgórska mocniej zacisnęła dłoń i niechcący nacisnęła przycisk play. Z dyktafonu dał się słyszeć męski głos. Mężczyzna tłumaczył właśnie, jak został postrzelony podczas ćwiczeń. Zdecydowanie nie był to szeleszcząco--stukający odgłos, który słyszały przez okno.

Malwina Górska uniosła brwi zaskoczona.

– Przepraszam – mruknęła Weronika, ściskając dyktafon w spoconej dłoni. Z trudem zastopowała nagranie.

– Jestem w trakcie przepisywania wywiadów do kolejnej książki – wyjaśniła pisarka. – Po co panie tu właściwie przyszły?

W jej głosie czaiła się teraz podejrzliwa nuta. Może nawet lekki niepokój.

– Podobno ktoś panią śledzi. Przyszłam o tym pogadać – skłamała gładko Klementyna. – Jestem emerytowaną policjantką.

Malwina Górska zlustrowała Kopp od obutych w ciężkie glany stóp do łysej czaszki.

– Słyszałam o pani – powiedziała jakby nieprzekonana. – Tak. Ktoś mnie śledzi. I myślę, że chce mnie zabić. I wydaje mi się, że wiem, kto to.

ROZDZIAŁ 74

Zajazd Sadowskiego. Sobota, 22 lutego 2020.
Godzina 11.00.
Aspirant Daniel Podgórski

Daniel obracał w dłoniach owiniętą w gazetę paczuszkę.

– To było pod materacem? – zapytał.

– Jo – potwierdził Ziółkowski. – Zjawa wszedł do pokoju Izabeli Pietrzak, jeszcze zanim my tu zaczęliśmy działać. Powiedział, że się rozejrzy, bo nie ma czasu czekać, aż skończymy. No i od razu miał strzał. Co prawda chowanie czegoś pod materacem jest raczej typowe.

Brzmiało to, jakby szef techników był nieco zły, że to nie on dokonał odkrycia, tylko prokurator.

– Co jest w środku? – zapytał Trawiński. – Bo pewnie już otwieraliście. Skoro tu jest taki bałagan, to może właśnie tego szukali.

Daniel o tym samym właśnie pomyślał.

Zanim Ziółkowski zdążył odpowiedzieć, skrzypnęły drzwi zewnętrzne. Daniel oddał paczuszkę Ziółkowskiemu i wyszedł z pokoju Izabeli Pietrzak na korytarz, żeby zobaczyć, czy to przyszła Kalina. Miała być koło jedenastej.

Wyglądało na to, że jest punktualna. W przeciwieństwie do Fijałkowskiej, przebiegło Danielowi przez myśl. Mimo wcześniejszej obietnicy zastępczyni naczelnika nadal nie było.

– Dzień dobry – powiedziała Kalina Pietrzak na jego widok. – Przeszkadzam?

Nie przypominała kobiety, którą widział wcześniej na zdjęciu. Była co prawda hojnie obdarowana przez naturę. Lub chirurga plastyka, pomyślał przelotnie. Miała długie blond włosy. Ale na tym podobieństwo się kończyło. Nie miała ani ułożonej fryzury, ani wydekoltowanej sukienki. Przetłuszczone włosy związała w niedbały kucyk. Na zmęczonej twarzy nie widać było ani grama makijażu. Jeżeli prawdą było, że tydzień temu została zgwałcona przez Beniamina Kwiatkowskiego, to jej obecny wygląd mógł być tego skutkiem. Kalina zdawała się celowo chować swoje atrybuty.

Podgórski poczuł lekkie zakłopotanie i wyrzuty sumienia. Może powinien zaczekać na Fijałkowską. Z drugiej strony nie mógł trzymać tu Kaliny Pietrzak w nieskończoność. Może zastępczyni naczelnika łaskawie się zjawi w trakcie ich rozmowy.

– Nie. Oczywiście, że pani nie przeszkadza. Jest pani idealnie na czas. Nie przywykliśmy do takiej punktualności – zaśmiał się policjant. – Chciałbym prosić panią, żeby przejrzała pani rzeczy matki. Może wpadnie pani w oko, czy coś nie zginęło.

– Tak, wiem. Już pan tłumaczył przez telefon, dlatego jestem.

Podgórski ruszył korytarzem z powrotem do pokoju numer trzy. Ziółkowski i Trawiński wycofali się z pomieszczenia, zabierając tajemniczą paczuszkę. Podgórski cieszył się, że szef techników zrobił to bardzo dyskretnie, bo policjant nie był jeszcze pewien, czy powinien powiedzieć o tym zawiniątku Kalinie. Nawet nie zdążył się dowiedzieć, co jest w środku.

– Mamy tu spory bałagan. – Daniel wprowadził Kalinę Pietrzak do pokoju Izabeli. – Pani matka chyba utrzymywała większy porządek?

Robert Janik i Malwina Górska stwierdzili wczoraj, że w pokoju nigdy nie było takiego rozgardiaszu. Daniel zadał to pytanie raczej pro forma. Chciał jakoś zacząć rozmowę.

– Z pewnością tak tu nie wyglądało, jak byłam ostatnio – oznajmiła Kalina, oceniając krótkim spojrzeniem bałagan panujący w pomieszczeniu.

Teraz było tu jeszcze gorzej niż wczoraj, bo część mebli pokryta była proszkiem daktyloskopijnym.

– Proszę się rozejrzeć – poprosił Daniel delikatnie.

Kalina zaczęła przechadzać się po pokoju.

– Mogę dotykać tych rzeczy? – zapytała.

– Tak. Już zabezpieczyliśmy ślady.

Kalina zaczęła składać porozrzucane ubrania i wkładać je z powrotem do szafy, a Daniel nie zaprotestował. Chyba pomagało jej to się uspokoić. Przecież przeżyła nie tylko gwałt, ale też śmierć matki. Z jego punktu widzenia to powolne oglądanie rzeczy mogło przynieść rezultaty. Nie przeoczą niczego.

– Tak dziwnie, że jej nie ma – szepnęła Kalina. – Nie byłyśmy ze sobą szczególnie blisko. Matka i ojciec nie stronili od używek. Ale to pewnie pan wie. Ojciec siedzi w więzieniu. Zamknęliście go za morderstwo, którego nie popełnił.

W jej głosie zabrzmiał wyraźny wyrzut. Daniel czekał na następne gorzkie słowa, ale wyglądało na to, że Kalina nie miała siły kontynuować ataku. Składała dalej ubrania.

– Przychodzi pani do głowy ktokolwiek, kto mógłby chcieć śmierci pani matki? – zapytał Daniel.

Postanowił nie rozmawiać o ewentualnej niewinności Ryszarda Pietrzaka. Nie znał sprawy. Ale po raz kolejny pomyślał, że zajrzy do notatek Emilii, by wyrobić sobie zdanie na ten temat. Strzałkowska nie wprowadziła go w sprawę. W tamtym okresie za bardzo byli zajęci sobą, żeby rozmawiać o pracy.

– Nie. Zupełnie nikt. Matka była osobą, której się nie zauważało. Nawet jak sobie popiła, to nie szalała. Po prostu siedziała cicho w kącie. Szczytem jej aktywności była próba przekonania tamtej policjantki, że ojciec jest niewinny.

Tamtej policjantki. Kalina musiała mieć na myśli Strzałkowską. Daniel wiedział, że było trzeba o to zapytać. Może powinien trochę podrążyć temat, ale nie mógł. Słowa jakby uwięzły mu w gardle. Znów pojawiła się paląca jak diabli myśl, że Emilii już nie ma. Nie ma i nie będzie. Jeżeli pojechałby do jej domu w Lipowie, to spotkałby tylko syna. I Łukasz zapewne nawet by mu nie otworzył.

Emilii nie było. I to przez Daniela. Bo nie potrafił podjąć decyzji. Bo głupio czekał. Bo ją zostawił, a ona tego nie wytrzymała. Gdyby tylko Strzałkowska wiedziała, jak tego żałował i jak bardzo ją kochał. Gdyby mógł cofnąć czas, powtarzałby jej to codziennie. Ale nie mógł. Życie toczyło się nadal jak okrutny żart.

– Ale wracając do pańskiego pytania – mówiła dalej Kalina wobec braku jakiejkolwiek reakcji z jego strony.

– Matka naprawdę wierzyła, że ojciec nie zabił Julii Szymańskiej. Może kogoś tym zdenerwowała.

– Ma pani kogoś konkretnego na myśli?

– Na przykład prawdziwego sprawcę. Tylko wie pan, to wydaje mi się dość naciągane, bo matka naprawdę nie podejmowała działania. Albo bardzo rzadko. Nie wydaje mi się, żeby mogła zrobić cokolwiek, co sprawiłoby, że ten ktoś czułby się zagrożony. Naprawdę była najbardziej pasywną i bezbarwną osobą, jaką znałam.

Dość smutne podsumowanie osoby własnej matki, pomyślał Podgórski.

– A jednak Izabela Pietrzak nie żyje – powiedział. – Skala obrażeń sugeruje dużo złości i emocji. Sprawcom chyba nie wydawała się bezbarwna. Nie zadaliby sobie tyle trudu.

O mało nie ugryzł się w język. Chyba nie powinien mówić w liczbie mnogiej i sugerować, że podejrzewają dwie osoby. Całe szczęście Kalina nie zwróciła chyba na to uwagi.

– Może ma pan rację. Dlatego szukałabym p r a w d z i w e g o sprawcy śmierci Julii. Mój ojciec siedzi tam w Starych Świątkach za nic. Jest niewinny.

Zapadła cisza. Córka Izabeli nadal składała porozrzucane ubrania i wkładała je systematycznie z powrotem do szafy. Cała jej postawa pokazywała wrogość. Daniel czuł nieprzyjemny niepokój.

– A Franciszek Sadowski? – zapytał.

Czekali na protokół z sekcji. Koterski pewnie już go przygotował. Daniel musiał zapoznać się z nim przed jutrzejszą odprawą. Strzykawka i opaska zaciśnięta na ramieniu mężczyzny sugerowały, że mogło dojść do przedawkowania. Ale pod sofą, na której leżał, znaleźli ptasie łapki.

Takie same jak te, które widzieli przy ciele Beniamina Kwiatkowskiego. Ciężko było uwierzyć, że to przypadek.

A skoro o przypadkach mowa, Daniel znów pomyślał o tatuażu pisarki. Litera Y z dodatkową kreską pośrodku. Jakby odcisk ptasiej łapki w piasku. Malwina Górska znała zarówno Sadowskiego, jak i Izabelę Pietrzak. Przecież nocowała w zajeździe. Skoro tydzień temu odbyło się tu spotkanie, to mogła też poznać Beniamina Kwiatkowskiego. Jakiś motyw mogła więc mieć. Tylko czemu zabiłaby Julię Szymańską? Czy ją znała? Choć może to nie miało takiego znaczenia, jeżeli z kimś współpracowała. To ta druga osoba mogła mieć motyw. Ten mężczyzna.

– Cóż. Nie znałam pana Sadowskiego aż tak dobrze – odpowiedziała Kalina Pietrzak, wyrywając policjanta z zamyślenia. – Rodzicom pomógł. Pomógł też mojemu kuzynowi Oliwierowi. Oli nie żyje. Zginął w wypadku samochodowym dwa lata temu. Przejęłam wtedy jego firmę.

– No właśnie – podchwycił Daniel. – Ma pani firmę z hostessami i obsługiwała pani…

Fijałkowskiej nie było, ale to chyba był dobry moment, żeby zapytać o wydarzenia z zeszłej soboty. Postanowił to zrobić najdelikatniej jak się da. Chociaż spróbuje wybadać grunt. Jeżeli Kalina Pietrzak nie będzie chciała rozmawiać z nim o gwałcie, poczekają na Fijałkowską.

– Zaraz! – zawołała kobieta, zanim zdążył dokończyć. – Nie ma sukienki mamy!

– Sukienki? – zdziwił się policjant.

– Tak. Wszystkie jej rzeczy to szmaty z lumpeksu. Sam pan widzi. – Kalina uniosła górę starych ubrań, które chciała właśnie ułożyć na najwyższej półce w szafie. To była ostatnia tura. Nic już nie leżało na podłodze. – Ale matka miała jedną lepszą sukienkę. Czarną, kopertową. Wkładała ją na widzenia z ojcem. I na jakieś uroczyste okazje. Nie ma tej sukienki. Sam pan widzi, że wszystko sprzątnęłam, a sukienki nie ma.

Daniel zmarszczył brwi. Brakująca sukienka. Czy to mogło mieć jakiekolwiek znaczenie? Izabela Pietrzak na pewno nie była w nią ubrana w chwili śmierci. Była w spodniach. To pamiętał.

– Może po prostu jest w praniu? – zasugerował.

– Mama prała sobie wszystko tu w pokoju – wyjaśniła Kalina, ruszając do niewielkiej łazienki. – Nie, nie ma jej tu. Zniknęła. Uważa pan, że to ważne?

– Nie wiem – powiedział Daniel zgodnie z prawdą.

Brzęknęła przychodząca wiadomość. Zerknął na telefon. Fijałkowska pisała, że dużo się spóźni. Przeklął w duchu. Podobno była czymś zajęta. Świetnie. Czyli naprawdę nie miał wyboru. Musiał porozmawiać z Kaliną sam.

– Chciałbym z panią pomówić o zeszłej sobocie, kiedy była tu impreza branżowa – zaczął. Trudno. Zobaczy, co to przyniesie. – Z tego, co wiem, pani firma obsługiwała tę imprezę.

– To prawda. Jak powiedziałam, przejęłam firmę po moim kuzynie. To firma z hostessami, modelkami i tak dalej. Współpracowaliśmy co jakiś czas z panem Sadowskim. Na przykład obsługując stoiska jego firmy na targach budowlanych.

– Jak przebiegła sobotnia impreza? – zapytał.

Spojrzała na niego spod oka.

– Normalnie. Jak impreza branżowa.

– Będę z panią szczery – powiedział, wzdychając. – Rodzice Beniamina Kwiatkowskiego przyznali, że mogło dojść do czegoś pomiędzy ich synem a panią.

– Dojść do czegoś? – zaśmiała się gorzko Kalina.

Daniel wiedział już, że trafił w sedno. Jego podejrzenia okazały się prawdą.

– Czy wolałaby pani porozmawiać o tym z policjantką? – zapytał szybko. – Może czuje pani dyskomfort, mówiąc o tym zc mną. Jeżeli tak, to…

– Taki jest pan delikatniusi? – zadrwiła Kalina. – Nie, łaski bez. Nie ufam ani panu, ani jakiejś tam policjantce. Więc mnie tam żadna różnica, z kim rozmawiam. Tak, ten mały chujek Beniamin mnie zgwałcił. To nie ja powinnam się wstydzić, ale on.

Mimo buńczucznego tonu Daniel widział łzy w jej oczach. Próbowała chyba bronić się za pomocą ataku, ale nie do końca jej to wychodziło. Było mu jej szkoda. Naturalnym odruchem byłoby ją objąć albo chociaż poklepać pocieszająco po ramieniu. Nie zrobił jednak ani jednego ruchu. Po takiej traumie pewnie nie chciała mężczyzn za blisko siebie.

– Zgaduję, że były tu też hostessy, które dla pani pracują. One też… – nie wiedział, jakiego słowa użyć – ucierpiały?

– Nie. One nie. Tylko ja. Nie zapyta mnie pan teraz, dlaczego tego nie zgłosiłam? – zaatakowała go Kalina.

Nie odpowiedział. Ofiary rzadko decydowały się na taki krok. Niestety. Potem ciężko było ukarać sprawców. Powodowało to w policjantach sporą frustrację. On też niejednokrotnie to przeżywał. Zwłaszcza na początku służby, kiedy był jeszcze młody i pełen złudzeń.

– Powiem panu – odparła, nie czekając, aż Daniel się odezwie. – Bo nie ufam policji. Ani panu, ani tym na korytarzu, ani nikomu z was. Pewnie tu coś podłożyliście. Jakiś dowód czy cokolwiek. Jesteście zdolni do wszystkiego. Pewnie znów wsadzicie do więzienia niewinną osobę. Jak ojca.

Podgórski pomyślał o Pawle Krupie, wręcz modelowym podejrzanym. Aż za modelowym. Jeżeli faktycznie jest niewinny, Daniel zamierzał to udowodnić.

– Zapewniam panią…

– Pan mnie zapewnia? Łapiecie chłopaczków z gramem marychy, a nie zajmujecie się prawdziwymi czarnymi charakterami.

Ostatnie słowa Kalina powiedziała z wyraźnym szyderstwem.

– Właśnie to teraz staram się zrobić – odparł Daniel spokojnie. – Chcę znaleźć prawdziwego mordercę pani matki. Albo osoby, które za tym stoją.

– Doprawdy.

Daniel odetchnął głębiej. Nie chciał, żeby doszło do słownej przepychanki.

– Gdzie pani była w piątek przed południem i w czwartek wieczorem?

Kalina zaśmiała się głośno.

– No tak. Podejrzewa pan mnie. Mam już pakować torbę i dołączyć do ojca? Kolejna niewinna osoba w więzieniu niewiele zmieni, prawda? Tylko w to wam graj. Kryjecie swoich.

Daniel czuł, że ogarnia go zmęczenie. Pewna grupa ludzi zawsze miała pretensje do policji. Bez względu na to, jak policjanci się starali. Zawsze będzie źle. Słyszał takie rzeczy już tyle razy, że zwykle nie robiły na nim szczególnego wrażenia. Tylko że tym razem naprawdę miał wątpliwości co do winy Pawła Krupy. Może trochę przez matkę. Maria tak bardzo się upierała, że chłopak jest niewinny.

– Gdzie pani była? – ponowił pytanie Podgórski. Nie zamierzał ustąpić. Nawet jeżeli było mu jej szkoda.

– W domu. S a m a. – Ostatnie słowo Kalina wyraźnie podkreśliła. Wpatrywała się w Daniela ze złością. – Tak że nie mam alibi. W necie widziałam, że jeszcze zabili Beniamina i zaatakowali Zofię Dąbrowską. Te zbrodnie też pan mi przypisze? Znaczy chujkowi życzyłam jak najgorzej. Należało mu się. Ale ja tego nie zrobiłam.

– Niech pani da mi kontakt do hostess, które tu pracowały. Pewnie z nimi też będzie trzeba porozmawiać.

Podała mu numery, ale każdy jej ruch zdradzał niechęć.

– Beniamin to był tchórz – powiedziała. – Pozował na mrocznego i groźnego. Z tymi swoimi diabłami na koszulkach. Ale to był głupi dzieciak, który robił wszystko na pokaz. Głupi, rozpieszczony dzieciak. Pewnie by mnie nie zgwałcił, gdyby nie ogólna atmosfera, która się wytworzyła na tej imprezie. Chciał po prostu zaistnieć. Popisać się przed ważnymi mężczyznami.

– Chodzi pani o szefów tych trzech firm?

– A o kogo innego? Chciał się przed nimi popisać. Najbardziej chyba przed ojcem. Wszyscy na to patrzyli.

– Nikt pani nie pomógł?

– Pan to jest naiwny. – Kalina znów się zaśmiała. – Stary chłop, a durny.

– Zdaje się, że były tam też kobiety. Zofia Dąbrowska, Hanna Kwiatkowska, ta pisarka. One…

– Ano były tu – przerwała mu Kalina. – Ale to się stało na górze. A one siedziały wtedy na dole w kuchni. Znaczy ta pisarka to nie wiem. Ale Zofia Dąbrowska i Hanna Kwiatkowska były razem z moją matką. Jak mężczyźni zaczęli się głośno zachowywać, to zeszły na dół. Chyba nie chciały tego oglądać. Jak to baby. Wolą zamknąć oczy niż pomóc drugiej. Tylko jedna osoba mi pomogła. Paweł Krupa. Odwiózł mnie do domu i się mną zajął. Może w trakcie tego nie przerywał Beniaminowi, ale potem dzięki niemu mogłam przynajmniej wrócić do siebie. A teraz, zdaje się, skażecie go za morderstwo. Szkoda, że nie weźmiecie się za prawdziwych sprawców.

– Powtarza pani, że powinniśmy łapać odpowiednich ludzi. Prawdziwych sprawców. Ma pani kogoś konkretnego na myśli?

Pytał już o to na początku rozmowy. Zaprzeczyła. Ciekaw był, czy teraz wymieni choć jedno nazwisko. Zawsze łatwo krzyczeć, a potem, jak trzeba powiedzieć coś konkretnego, to się milczy.

– Nie jestem konfidentem – mruknęła. – Dlatego też nie zamierzam zeznawać o tym gwałcie do żadnych pańskich papierów, protokołów czy jak to nazywacie. Niech panu nawet się nie śni.

– Nawet nie śmiałem tak myśleć – nie mógł się powstrzymać przed odrobiną sarkazmu.

Kalina była ofiarą gwałtu. Spotkało ją coś strasznego. Ale też nie mógł automatycznie wykluczyć jej z kręgu podejrzanych. Skoro tak bardzo nie chciała współpracować z policją, to może wzięła sprawy w swoje ręce. Wcale by się nie zdziwił.

– Nic nie zginęło oprócz tej sukienki. To tyle – warknęła.

– Mogę już iść czy i mnie zamierza pan zatrzymać?

– Jeszcze jedno pytanie. Czy pani matka miała może naszyjnik z kamieniem. Takim zwykłym. W środku była dziurka.

Hanna Kwiatkowska wprawdzie zaprzeczyła, że dawała Izabeli wiedźmi kamień, ale wolał się upewnić, skoro sprawcy napadli Zofię, żeby taki ukraść.

– Nic o tym nie wiem. Raczej nie nosiła biżuterii.

– Okej. Dziękuję.

Kalina spojrzała na niego, ale nic nie powiedziała. Wyszła z pokoju, trzaskając drzwiami.

– Przyjemniutka – zażartował Trawiński, kiedy Daniel wyszedł na korytarz.

Podgórski wzruszył ramionami. Czuł sympatię do tej kobiety. Mimo wszystko.

– Wróćmy do tej paczuszki, którą znalazł Zjawa – powiedział. – Co jest w środku?

– Pieniądze – odparł po prostu Ziółkowski. – Ale myślę, że bardziej może cię zainteresować gazeta, w którą je zapakowano.

ROZDZIAŁ 75

Dom Malwiny Górskiej w Lipowie.
Sobota, 22 lutego 2020. Godzina 11.00.
Weronika Podgórska

No to kto chce cię zabić, co? – zapytała Kopp z krzywym uśmieszkiem.

Malwina Górska spojrzała na Weronikę porozumiewawczo. Na jej twarzy widać było smutek. Podgórska odwróciła się szybko. To była właśnie ta historia, do której pisarka jej się przyznała już wcześniej. Historia, której Weronika nie mogła znieść, bo sama przeżyła coś podobnego.

Wysłuchała Malwiny chyba tylko dlatego, że czuła, jak bardzo pisarka chce to z siebie wyrzucić. Powtarzała, że ma tu w okolicy tylko jedną bliską osobę. Przyjaciela. A potrzebowała rozmowy z kobietą. Weronika żałowała, że nie miała więcej asertywności i nie odmówiła.

– Wiecie, dlaczego zrobiłam te książki wywiady z policjantami? – zapytała tymczasem Górska.

– Bo odkryłaś coś groźnego? – zapytała Maria zaciekawiona. Pogryzała pierniczka z pełnym napięcia wyrazem na twarzy.

Malwina uśmiechnęła się smutno.

– Zrobiłam te książki nie dlatego, że mnie jakoś szczególnie fascynuje broń i inne takie rzeczy. Niektórzy myślą, że to jest powód. Mylą się. Zrobiłam te książki, bo wiedziałam, jak to jest bać się, że on nie wróci ze służby. Że zwykła interwencja może zakończyć się tragicznie. Chciałam pokazać bezsenne noce, godziny na służbie. To, co musiał znosić na ulicy, i to, co się dzieje za murami ich jednostek. Bo wiedziałam, że on tego nie powie. Chciałam, żeby ludzie wiedzieli i zrozumieli. Żeby docenili. Chociaż on nigdy nie prosił, żebym o to walczyła. A potem, jak szedł dalej po szczeblach kariery, jeszcze większy strach, że któregoś razu coś mu zrobią za to, że zatrzymuje tych najgroźniejszych. Latami się o niego bałam. I mieszanina dumy ze strachem. Ciągłym strachem. I bezsilnością, że nie mogę mu pomóc. Nawet jak już go awansowali...

Malwina ucichła.

– Oj, dobrze to rozumiem. Jestem wdową po policjancie – powiedziała Maria, klepiąc się w pierś z niejaką dumą. – Takie rzeczy zrozumie tylko ta, co dostała obrączkę od niebieskiego. A myślałam, że nie masz męża, kochaniutka.

– Bo on nigdy nie był moim mężem – oznajmiła Malwina.

Weronika z trzaskiem odłożyła dyktafon na stół. Dopiero w tej chwili zorientowała się, że nadal go trzyma. Wszystkie spojrzały w jej stronę. Zapanowała cisza. Klementyna i Maria zaczynały rozumieć, o co chodzi, bo się nie odzywały.

477

– Ale bardzo go kochałam – powiedziała w końcu Malwina, kontynuując swoją spowiedź. – I bardzo chciałam, żeby ludzie docenili jego pracę. Taka zawsze byłam z niego dumna, ale tak zawsze się martwiłam. Dlatego właśnie zrobiłam te książki. Żeby ludzie wiedzieli, jak to wygląda naprawdę. I bardzo go kochałam, chociaż nigdy nie miałam okazji prać mu munduru ani nawet brudnych skarpetek, pani Mario.

Pisarka uśmiechnęła się do matki Daniela. Znów zapadła cisza.

– Może chcecie też trochę pierników? – zapytała Maria cicho.

Nikt jej nie odpowiedział.

– Okej. No dobra. Uporządkujmy to. Wszystko to bardzo pięknie i poetycko opisałaś. Książki z wywiadami na pewno też są niczego sobie. Ale! Ja lubię mieć kawa na ławę – odezwała się w końcu Klementyna. – Czy dobrze rozumiem, że miałaś kochasia z policji, co? Bo zaczynam się gubić w tych niezwykle literackich metaforach o brudnej bieliźnie.

– Tak – odpowiedziała pisarka. Odwróciła się do Weroniki. – I przepraszam, że ci o tym opowiedziałam. Może nie powinnam była zwierzać się akurat tobie po tym, co przeszłaś. Ale naprawdę bardzo potrzebowałam o tym opowiedzieć. Latami nie mogłam znieść tego ukrywania się i udawania. To mnie zabijało kawałek po kawałku. W końcu ciężko było mi normalnie funkcjonować. Chciałam to wykrzyczeć komuś w twarz. Na tych wszystkich spotkaniach, wywiadach i tak dalej. Jak mi mówili, że tak dobrze rozumiem specyfikę służby w policji. Albo kiedy niektórzy policjanci próbowali mi tłumaczyć, jak to jest być w związku z policjantem i co przechodzą ich żony. Tak bardzo chciałam im powiedzieć, że dobrze wiem, co czuje kobieta, która kocha jednego z nich. W jednej z moich książek stworzyłam nawet postać, której dałam swoją historię. Tyle osób krytykowało tę bohaterkę. A ja wtedy cały czas czułam, jakby mówili prosto do mnie. Jakby to mnie przeklinali… Cały czas o tym wszystkim mówiłam, choć nie wprost. A teraz już chyba jest inaczej. Wolałabym nic nie mówić. Zostawić tę historię dla siebie. Bo wiem, że będziecie mnie teraz oceniać. Potrzeba krzyku chyba minęła. Został tylko strach i zrezygnowanie, że nic się nie ułoży. Ale skoro powiedziało się A, to trzeba powiedzieć B. Przepraszam, że trafiło na ciebie, Weroniko.

Podgórska spuściła wzrok.

– To nie zawsze są rzeczy, które się dzieją, bo tak chcesz – dodała jeszcze Malwina. – Nie wybrałam tego. I mogłabym przepraszać i przepraszać, ale prawda jest taka, że zrobiłabym to drugi raz. Bo nigdy nikt nie był dla mnie tak ważny jak on. Od pierwszego dnia, kiedy się poznaliśmy.

– No ale chyba nie… – Maria się zawahała. – Chyba nie mój Danielek?

Malwina Górska znów zaśmiała się smutno.

– Nie, pani Mario. Ktoś inny. I zmierzam do tego, że chyba wiem, kto mnie śledzi. On zerwał ze mną dwa lata temu. Znaczy sporadycznie jeszcze utrzymywaliśmy kontakt, ale to skończone. Najpierw mi napisał, a potem, jak byłam tu na spotkaniu autorskim, to powiedział mi prosto w twarz. Nieważne. Dawne dzieje…

479

W zapewnieniu pisarki słychać było, że wcale do siebie nie doszła.

– Konkrety proszę – wtrąciła się Kopp.

Nawet Weronika czuła, że zabrzmiało to zbyt ostro. Niemal obcesowo.

– Jego żona wysyłała mi wiadomości z pogróżkami. Z tym, że życzy mi śmierci. No i ten samochód, który mnie śledził. Chyba jest jej. Kierowcy za dobrze nie widziałam. Bo zawsze utrzymywał dystans. Ale myślę, że to może być ona. Chyba myśli, że ja nadal z nim jestem, bo się tu sprowadziłam, a oni tu mieszkają. Jestem pewna, że to ona doprowadziła do tego, że ze mną zerwał. Wiem, że wszystkie kochanki tak pewnie mówią. Ale ja wiem, że on mnie kochał. Zabezpieczył mnie i powiedział, że ma więcej… Ale nie to chciałam powiedzieć. Łatwo jest oceniać, że nie powinniśmy byli czegoś zrobić. Ale nie da się cofnąć przed miłością. Był czas, kiedy szukałam osób, które też to przeszły. Żeby ktokolwiek mnie zrozumiał i nie oceniał. Poza tym ciągle czytałam biografie znanych kobiet, które spotkało to samo. Teraz dałam spokój. Chciałabym umieć do końca odpuścić…

– Spoko. Bardzo romantycznie – mruknęła Kopp. – Ale! O kim ty mówisz, co? Sprawdzimy sobie tę żonkę. I jego też.

ROZDZIAŁ 76

Zajazd Sadowskiego. Sobota, 22 lutego 2020.
Godzina 11.30.
Aspirant Daniel Podgórski

Jakie pieniądze? – zapytał Daniel zaskoczony. – I dlaczego ma mnie interesować gazeta?

Ziółkowski odwinął pakunek i uniósł dość spory plik banknotów.

– Dziesięć tysięcy złotych. W stuzłotówkach i dwustu-złotówkach – włączył się do rozmowy Trawiński. – Policzyliśmy przed chwilą, bo Zjawa nie raczył.

Kolega uniósł dłonie w rękawiczkach, jakby chciał pokazać Danielowi, że uważali.

– Dziesięć kawałków? Całkiem spora suma – podsumował Daniel. – Robert Janik wspominał, że Izabela Pietrzak czasem podkradała z kasetki. Z tej, którą ukradziono. Myślicie, że tyle uzbierała? To jakieś zaskórniaki?

Trawiński wzruszył ramionami.

– Nie wiem. Ale może sprawcy szukali tych pieniędzy?

– I w końcu zadowolili się kasetką z tysiącem złotych? – zakpił Podgórski.

Czuł, że coś umyka ich uwadze. Zaginiona sukienka, ukradziony naszyjnik, kasetka z drobnymi pieniędzmi z recepcji. Jak na razie zniknęły rzeczy o stosunkowo niewielkiej wartości. A teraz nagle pojawia się dziesięć tysięcy. I nie znika, ale znajduje je prokurator.

– A gazeta, czemu jest taka interesująca? – zapytał.

Trawiński przybrał nieco zmartwioną minę. Przejechał ręką po brodzie.

– Co? – zapytał Daniel, bezwiednie powtarzając gest kolegi. Chyba naprawdę się do siebie upodabniali.

– To może nie ma żadnego znaczenia – zastrzegł Trawiński powoli.

– Mówcie, zamiast kręcić – poprosił Podgórski z lekką irytacją.

Pomięta gazeta, w którą owinięte były pieniądze, nie wydawała mu się ważnym dowodem. Oczywiście mogły być na niej jakieś paluchy. Trzeba to będzie sprawdzić. Wyglądała jak zwykły kawałek papieru. O ile dobrze widział logotyp, to było jakieś wydanie „Czasu Brodnicy".

– To jest numer sprzed dwóch lat – oznajmił Ziółkowski. – Z piątku, szesnastego lutego dwa tysiące osiemnaście.

– Czyli wtedy, kiedy...

Trawiński nie dokończył. Przyglądał się Danielowi z troską. Podgórski odetchnął głębiej. Szesnasty lutego dwa tysiące osiemnaście. Kilka dni później życie dla niego straciło wartość. I chyba nic się nie zmieniło do tej pory.

– W tamtym czasie zamordowano niejaką Julię Szymańską – powiedział Daniel. Ziółkowski i Trawiński spojrzeli na niego zaskoczeni. Spodziewali się chyba, że będzie mówił o Emilii, ale on nie chciał. To nadal było za trudne.

– Trzeba się przyjrzeć tamtej sprawie, bo widać między nimi pewne podobieństwa.

Ziółkowski odchrząknął.

– Pamiętam tamtą sprawę. No są podobieństwa. Chociażby odrąbane dłonie i stopy u tego Beniamina – powiedział ze zwyczajowym grymasem. – Pamiętam dokładnie. Potem Emilia znalazła je u pewnego gościa w Rypinie.

Nagle rozdzwonił się telefon Daniela. Podgórski wyciągnął komórkę i zobaczył na wyświetlaczu nazwisko szefa.

– Mam coś – powiedział naczelnik Urbański bez wstępów. – To może być ważne.

– Coś się stało? – zapytał Daniel.

– Tylko jak na razie to nie wiesz tego ode mnie – zastrzegł naczelnik nieoczekiwanie. – To jasne?

– Jo.

– Moja żona jest notariuszem. Pewnie wiesz. Daria zdradziła mi w sekrecie, że przygotowywała ostatnio testament dla Franciszka Sadowskiego. Sadowski przepisał wszystko jednej osobie. A wiesz, co to z reguły oznacza?

ROZDZIAŁ 77

Przed domem naczelnika Urbańskiego.
Sobota, 22 lutego 2020. Godzina 11.55.
Klementyna Kopp

Kopp musiała przyznać, że nie spodziewała się, że cztery kobiety zbiorą się tak szybko. A tu niespodzianka. Po prostu wstały i wyszły. Pisareczka nie zawracała sobie nawet głowy zamykaniem okien. Klementyna zaproponowała, że pojadą jej samochodem. W tej sytuacji miałaby większą kontrolę nad sytuacją, gdyby trzeba było działać. Poza tym jej mała czarna skoda była może i brzydka. Ale! Zdecydowanie niezawodna. Jak sama Kopp. *Brzydka-ale-niezawodna*.

Malwina Górska powiedziała im, że osobą, która być może ją śledziła, jest żona jej kochanka. Pisareczka spotykała się latami potajemnie z Urbańskim, obecnie naczelnikiem wydziału kryminalnego na komendzie w Brodnicy. Ale! Żonka Daria najwyraźniej nie zapomniała upokorzenia. Klementyna zamierzała sprawdzić, co w trawie piszczy. Tym bardziej że kobieta jeździła czarnym SUV-em. A taki Maria widziała niedaleko miejsca, gdzie zginął chłopaczyna z czarnymi włosami.

Kiedy dojechały pod dom Urbańskich, czarna toyota rav 4 rzeczywiście stała na podjeździe. Kopp zaparkowała kawałek dalej, żeby to, że obserwują nieruchomość, nie było aż nazbyt oczywiste.

– To auto widziałaś w lesie, co? – zapytała Kopp, pokazując w stronę toyoty.

Maria wsadziła głowę pomiędzy fotele. Znów coś przeżuwała. Ale! Do tego trzeba się było najwyraźniej przyzwyczaić.

– Nie wiem. Może... Ale może nie.

– Niech mama się przyjrzy – poprosiła Weronika. – Jeżeli żona naczelnika znalazła się blisko miejsca zbrodni, może to ona pociąga za sznurki. Nie tylko śledzi Malwinę.

O dziwo, ruda zdawała się nieco bardziej pozytywnie nastawiona do pisareczki. Sama Malwina przez całą drogę siedziała cicho z tyłu. Nie odezwała się chyba ani słowem. Za to Maria non stop gadała albo proponowała im poczęstunek.

– Nie wiem, Weroniczko. I co teraz?

Kopp rzuciła okiem na dom. Ogród ogrodzony był z trzech stron. Z przodu nie było płotu, tylko wybrukowany teren do parkowania. Można tam było bez problemu wejść. Może właściciele zakładali, że z przodu i tak nikt nie będzie się włamywał.

– Co robimy? – zapytała Maria raz jeszcze.

Nagle ktoś wyszedł z budynku. To była jakaś młoda dziewczyna.

– To córka Bolka i Darii – wyjaśniła szeptem Malwina Górska.

– Spoko. Ale! Możesz mówić głośno. Stąd to dziewucha nas raczej nie usłyszy.

Obserwowały, jak dziewczyna otworzyła drzwi toyoty i wsiadła. Chwilę walczyła z uruchomieniem silnika. Po czym wycofała z podjazdu, o mało nie uderzając w płot. Kopp aż się wzdrygnęła. Były zasady i zasady. Na przykład samochodem zawsze należało jeździć ostrożnie. Dlatego Klementyna strzegła swojej małej skody jak oka w głowie i zawsze o nią dbała.

– Możliwe, że to córka cię śledziła? – zapytała Weronika, kiedy toyota przejechała obok nich. – Najwyraźniej też ma dostęp do samochodu.

– Nie – pokręciła głową Malwina. Wielkie koła kolczyków zabrzęczały głośno. Pisareczka obwieszona była jak choinka na święta.

– Czekaj. Stop. Ale! Przecież dopiero nam mówiłaś, że nie widziałaś dobrze kierowcy.

– No nie widziałam – przyznała Malwina. – Ale zaufajcie mi. Jestem prawie na sto procent pewna, że to Daria mnie śledziła. Jednak mimo wszystko widać różnicę pomiędzy nastolatką a pięćdziesięciolatką. Za kierownicą nie siedziała dziewczyna, tylko kobieta. I umiała prowadzić. Same widziałyście, że córka Bolka niezbyt sobie radzi za kierownicą.

– Co robimy? – powtórzyła znów Maria. W jej głosie była ekscytacja. Chyba starsza pani tęskniła za emocjami. Kopp w sumie ją rozumiała. Sama nigdy nie umiała siedzieć bezczynnie.

– Chodźmy zobaczyć, czy żonka jest w środku – oznajmiła więc ze słodkim uśmieszkiem. – Nie będziemy tu tkwić godzinami.

– Przecież w środku może ktoś być – zauważyła Weronika. – Ta dziewczyna nie zamknęła domu na klucz, jak wychodziła. Nie chcesz chyba ryzykować włamywania?

– A kto powiedział, że mam zamiar się włamywać, co?

Kopp wysiadła ze skody, posyłając rudej uśmieszek.

– Chcesz po prostu zadzwonić do drzwi?!

– A co mam zrobić, co? Zaśpiewać? Wy oczywiście możecie się skradać za mną, jeżeli lubicie i wam to sprawia frajdę. Ale! Ja mam na razie dosyć łażenia po krzakach.

Pozostałe kobiety wymieniły spojrzenia, jakby nie mogły rozeznać, czy Kopp mówiła poważnie czy nie. Klementyna uśmiechnęła się półgębkiem i ruszyła w kierunku domu. Drzwi trzasnęły za jej plecami, a więc szły za nią. Kopp nacisnęła guzik pilota, żeby zamknąć samochód.

Ruszyły w stronę budynku. Obok domu stał mniejszy.

– To jest kancelaria Darii – wyjaśniła pisareczka. Nie musiała. Nad wejściem wisiał szyld *Daria Urbańska notariusz*. – W Warszawie też miała kancelarię obok domu.

Kopp nacisnęła dzwonek przy drzwiach kancelarii. Czekały. Żadnej odpowiedzi. Ruszyła więc w stronę domu. Tam sytuacja się powtórzyła. Kopp nacisnęła klamkę. Drzwi nie ustąpiły.

– Dziewczyna nie zamknęła drzwi na klucz, co? – mruknęła.

– Wydawało mi się, że nie – broniła się Weronika. – Może mają po prostu zamek, który sam się zatrzaskuje.

– Co robimy, Klementynko? – zapytała po raz trzeci Maria.

– Czekamy – zarządziła Kopp. – Robota w policji głównie na tym polega, więc skoro tak się tym ekscytujecie, to proszę bardzo. Nie chcę psuć waszego wyobrażenia o naszej robocie. Ale! To nie są ciągłe pościgi i spektakularne akcje. Wracamy do samochodu.

487

Usiadły z powrotem w skodzie. Kopp uchyliła okno, żeby nie zaparowały szyby.

– Zakryj się tym szalem – poradziła Maria. – Bo zmarzniesz i jeszcze się przeziębisz.

Kopp westchnęła. Tak, robota w policji polegała głównie na czekaniu. Ale! Z reguły czekało się w ciszy. Sięgnęła po telefon. Równie dobrze mogły tu siedzieć bardzo długo. Czas trzeba jakoś wykorzystać. Można było na przykład jeszcze raz spróbować wydobyć coś z Koterskiego. Może doktorek znów zechce gadać.

– Tu Kopp – poinformowała, kiedy medyk sądowy odebrał telefon. O d e b r a ł. Czyli znaczyło, że jest szansa.
– To co? Opowiesz mi o pozostałych truposzach, co?

Koterski westchnął po drugiej stronie linii. Ale! Kopp czuła też nadchodzący uśmiech. Najwyraźniej znów był w dobrym humorze. Czuła więc, że dowiedzą się, czego trzeba. Włączyła tryb głośnomówiący. Skoro postanowiła już z nimi współpracować, zamierzała się tego trzymać.

– Właśnie kończę przygotowywać protokoły dla policji – poinformował medyk.

– Okej. No dobra. To masz na świeżo. Słucham. Coś tam wspomniałeś o toksykologii u tego Sadowskiego.

– Pozostałe panie też tam są? – zapytał żartobliwie Koterski.

– Jo, panie doktorze – odezwała się znów Maria. Kopp uznała, że nie będzie interweniować. Na matkę Daniela i tak nie było siły.

– Zacznijmy więc od Izabeli Pietrzak – zaproponował Koterski. – Z nią jest ciekawiej. Pietrzak leżała na plecach. Najwyraźniej ktoś ją tak specjalnie ułożył. Jedna ręka była uniesiona wzdłuż głowy. Trochę jak Beniamina Kwiatkowskiego. Tylko u niego obie ręce były uniesione. I mówię o tych podobieństwach nie bez przyczyny. Na nadgarstku Izabeli znalazłem kilka ran ciętych. Wyglądało na to, że ktoś próbował odkroić dłoń. Prawdopodobnie nożem, którym zadano rany na torsie. Czyli ktoś chyba chciał usunąć dłoń.

– Ale się nie udało – powiedziała Weronika ostrożnie.

– Nie zdążył? Czy może nóż nie dał rady?

– Powiem tak: nie wyglądało mi na to, żeby ktoś się bardzo przyłożył do tej próby. To nie było tak, że ktoś się siłował i nadgarstek nie chciał puścić – zaśmiał się medyk. – Bardziej jakby to były nacięcia próbne. Nie wiem. Może ten ktoś chciał potem użyć siekiery, jak w przypadku Beniamina. A to nacięcie to było tylko zaznaczenie sobie miejsca. Trochę jak wtedy, kiedy chcemy powiesić obraz, a najpierw rysujemy ołówkiem na ścianie, gdzie będzie otwór. Nie wiem. W każdym razie ran rąbanych na ciele Izabeli Pietrzak nie ma. Z tego, co wiem, technicy nie znaleźli siekiery.

– To jest zakład produkcji domów drewnianych – włączyła się do rozmowy Malwina Górska. – Na pewno jest tam dużo siekier. Może nie w samym zajeździe. Tu Malwina Górska, doktorze, że pozwolę sobie zabrać głos.

– Pani przy naszej poprzedniej rozmowie chyba nie było – zaśmiał się Koterski. – A właśnie, jak mówię, na ciele Izabeli Pietrzak nie było ran rąbanych, tylko bardzo dużo ran ciętych i kłutych zadanych z dużą dozą prawdopodobieństwa nożem. Poza tym…

– Czekaj. Stop. Ale! Przy tym chłoptasiu z czarnymi włosami mówiłeś, że jeszcze był jakiś szpikulec. Tu też było coś takiego, co?

– Nie. Tylko zwykły nóż. No i młotek. Pozwól mi dokończyć, Klementyno. Z tyłu głowy była rana tłuczona. Pani Malwino, pani, zdaje się, była na miejscu i mówiła, że to mógł być młotek, którym ofiara uruchamiała piec.

– Tak.

– Nie mogę stwierdzić, czy to jest ten sam młotek, czy nie, bo młotka policja też nie znalazła.

– Czyli sprawca zabrał narzędzia zbrodni – podsumowała Weronika.

– Na to wygląda. Ale wiem, że technicy nadal pracują w zajeździe. Mogę domniemywać, że rana z tyłu głowy była faktycznie zadana takim młotkiem, jaki został mi opisany. To, czy kości czaszki ulegną złamaniu, zależy od wielu czynników. Chociażby grubości samych kości, ale też skóry czy od tego, ile dany delikwent ma na głowie włosów. No i oczywiście od samego narzędzia. Tu mamy tak zwane włamanie. Czyli kości sklepienia czaszki się odłamują. Wbijają, może lepiej powiem. Wtedy taki fragment kości może mieć kształt zbliżony do użytego narzędzia. I właśnie książkowym przykładem takiej sytuacji jest bardzo mocne uderzenie młotkiem. W takim przypadku nie dochodzi do pęknięć, które rozchodzą się promieniście od miejsca włamania. Mogłyby powstać, gdyby użyto szerszego narzędzia. Czegoś w rodzaju deski. Wtedy pęknięcia pojawiają się zazwyczaj w miejscach najmniej odpornych lub wzdłuż linii promieniście rozchodzących się od miejsca urazu. Ale tu tego nie ma. Na sto procent nie mogę potwierdzić, ale to mógł być ten młotek. Teraz pewnie musicie zadać sobie pytanie, kto i dlaczego go użył.

– Nie chcę się wtrącać, ale wszyscy wiedzieli, że ona trzyma tam młotek – powiedziała pisarka. – Mam na myśli osoby z jej otoczenia. Ale równie dobrze ktoś mógł go wziąć, bo leżał pod ręką. Chyba nie da się teraz tego stwierdzić.

– Co ty nie powiesz, co? – zaśmiała się znów Klementyna. – Co dalej, doktorku, co?

– Uraz głowy zlokalizowany jest na kości ciemieniowej. Powyżej tak zwanej linii kapeluszowej, jeżeli to coś wam mówi. Chodzi o najszerszą część głowy. Zwykle uważamy, że takie urazy mają charakter czynny. A te poniżej linii kapeluszowej bierny. Oczywiście to nie zawsze się zgadza.

– No raczej sama na młotek nie upadła – mruknęła Malwina.

Poprawiła palcami różowe włosy. Bransoletki na nadgarstkach znów zabrzęczały. Ale! Kopp nie patrzyła na nie, tylko na tatuaż na dłoni pisareczki. Trzy przecinające się linie. Ciekawa była, co oznaczają. Klementyna sama miała wiele dziar, których symbolizm rozumiała tylko ona sama. Mapa życia na ciele.

– Zdziwiłaby się pani, co czasem się dzieje – powiedział Koterski. Funkcja głośnomówiąca telefonu zniekształcała trochę jego głos. – W każdym razie po takim uderzeniu krwiak podtwardówkowy gotowy. Krew wypełnia przestrzeń międzyoponową i rozprzestrzenia się na sporej powierzchni. To jest właśnie najczęstsza przyczyna śmierci, gdy dojdzie do urazu głowy. Izabela Pietrzak prawdopodobnie zmarłaby, nawet gdyby nie zadano jej pozostałych ran.

– Czas zgonu – rzuciła Kopp.

– Wstępnie oceniłem, że Izabela Pietrzak zmarła w czwartek wieczorem. Sekcja to potwierdziła. Stawiałbym, że byłem przy ciele mniej więcej czternaście, piętnaście godzin po jej śmierci. Niedługo po tym, jak państwo ją znaleźli w piątek. Nie będę już robił listy wszystkich zmian pośmiertnych, na których podstawie mogę to stwierdzić. Chyba że panie chcą?

– Nie – zapewniła Maria. – Mnie to już chyba starczy tych trupów.

– Co z tym drugim, co? – wtrąciła się szybko Kopp, żeby Koterski nie wziął do siebie słów Marii. Nie miała cierpliwości dzwonić do doktorka trzeci raz.

– Franciszek Sadowski zmarł mniej więcej w tym samym czasie, co Izabela Pietrzak. Niestety to nie jest popularny serial telewizyjny i nie umiem określić co do minuty, kiedy to miało miejsce. Więc nie powiem wam, które zmarło pierwsze.

– A czemu on wywinął kopyta, co? Powiesz wreszcie o tej toksykologii, co?

– Przedawkowanie heroiny – odparł medyk sądowy. – Daniel wspominał mi o tym, że przy ciele leżały te ptasie łapki. To by mogło wskazywać na jakiś związek ze śmiercią Beniamina Kwiatkowskiego i sugerować, że Sadowski też został zamordowany. Natomiast ja nie widzę niczego, co wskazywałoby mi na udział osób trzecich. Na przykład że ktoś zmusił Sadowskiego do zażycia tych narkotyków.

– Czekaj. Stop. Ale! On był ćpunem, co?

– Po tym, jak go pokroiłem, mogę stanowczo powiedzieć, że nadużywał narkotyków od dłuższego czasu. Do czego zmierzasz?

– Może ktoś mu dał trefny towar – zasugerowała Kopp.
– Wtedy nikt nie musiał go zmuszać do przedawkowania.
Sam to zrobił. Czasem trafi się o wiele czystsza działka.
Albo towar jest mieszanką różnych rzeczy. Albo delikwent
miał przerwę i potem zażył za wielką dawkę. Mylę się, co?

– Nie – przyznał doktor Koterski. – Ale wtedy musieliby-
ście chyba szukać jego dilera? W każdym razie bezpośrednią
przyczyną zgonu była niewydolność oddechowo-krążeniowa,
typowa po przedawkowaniu heroiny. Następuje wtedy
paraliż ośrodka oddechowego, czyli delikwent po prostu
przestaje oddychać.

– Nie było żadnych innych urazów, co? Żadnych prób
odcinania dłoni czy stóp? Nic z tych rzeczy, co?

– Na jego ciele znalazłem jedynie ślady zadrapań. No
i właśnie tu mamy ciekawą sytuację.

ROZDZIAŁ 78

Zajazd Sadowskiego. Sobota, 22 lutego 2020.
Godzina 11.55.
Aspirant Daniel Podgórski

Komu Sadowski zapisał cały majątek? – zapytał szefa
Podgórski.

– Robertowi Janikowi – wyjaśnił naczelnik Urbański.

– Sprawdź go. Teraz wszystko jest jego.

– Jasne. I tak chciałem sobie z nim pogadać.

– Dobrze. Lecę, bo na dziś już kończę. Jadę do domu,
ale jestem pod telefonem. Nie planuję dziś nic szczególnego.

Urbański rozłączył się bez pożegnania.

– Co się dzieje? – zapytał Trawiński. Przyglądał się
Podgórskiemu pytająco.

– Franciszek Sadowski spisał niedawno testament i zapisał wszystko swojemu sekretarzowi. – Daniel odwrócił
się do Ziółkowskiego. – Sprawdziliście już pokój Roberta
Janika?

– Chłopaki są w trakcie. On jest w biurze. Tak jak mówiłem.

Daniel skinął głową.

– Chodźmy najpierw zobaczyć jego pokój – zarządził. – Potem sobie z nim pogadamy.

W pokoju numer sześć pracowała blondwłosa dziewczyna, jedyny technik kobieta w ich komendzie. Zawsze dobrze się spisywała.

– A co to za pielgrzymka? – zapytała, śmiejąc się na widok trzech mężczyzn. – Właśnie miałam do was iść. Przejrzeliśmy też pokój Sadowskiego. Może was zainteresować, że pod łóżkiem znajdowała się siekiera. No ale w pokoju tego Janika chyba jest ciekawiej. Zobaczcie.

Uniosła foliową torebkę na dowody. W środku było kilka kurzych łapek.

ROZDZIAŁ 79

Przed domem naczelnika Urbańskiego.
Sobota, 22 lutego 2020. Godzina 12.20.
Weronika Podgórska

Na jego ciele znalazłem jedynie ślady zadrapań – oznajmił doktor Koterski. – No i właśnie tu mamy ciekawą sytuację.

Weronika przysunęła się do telefonu, żeby lepiej słyszeć. Malwina Górska zrobiła to samo. Podgórska czuła jej oddech na swojej twarzy. Już samo to sprawiało, że Weronika ledwie się powstrzymywała, by nie wysiąść ze skody. Czuła niechęć do pisarki. Za to, co zrobiła. Może Daria Urbańska miała rację, że chciała ją zabić. Złodziejkom mężów to się należało.

Weronika odetchnęła głębiej. Nie, nie chciała poddawać się takim myślom, ale niełatwo było jej się zdystansować. A bardzo chciała wreszcie odpuścić. Tak jak wspomniała sama Malwina wcześniej. Wystarczyło przecież, że Strzałkowska popełniła samobójstwo. Lepiej nie eskalować złych uczuć.

Zwłaszcza że Weronikę męczyły wyrzuty sumienia, że znów zostawiła maleńką Emilkę pod opieką Mariusza. Tak bardzo pragnęła dziecka, a jak się pojawiło, szukała pretekstu, żeby się nim nie zajmować. A to musiała oporządzić konie, a to wyjść na spacer z Bajką, a to tropić mordercę, jak teraz. Wszystko, byle nie siedzieć z córeczką. Sama nie wiedziała, dlaczego tak jest. Szczerze mówiąc, gdyby nie obecność Mariusza, chybaby zwariowała.

Tłumaczyła sobie, że to minie. A pierwszy były mąż ma potrzebę posiadania rodziny i bliskich, którą skutecznie tłumił w sobie latami. Dobrze mu zrobi zajęcie się malutkim dzieckiem. Ale to były tylko wymówki. To było jej dziecko. Jej i Daniela. A żadne z nich nie spędzało z maleńką Emilią tyle czasu, ile powinno.

– Co takiego? – zapytała, żeby powstrzymać gonitwę myśli.

– No więc na ciele Franciszka Sadowskiego znalazłem zadrapania, a pod paznokciami Izabeli Pietrzak były śladowe ilości naskórka. Dłoni nie usunięto, więc miałem więcej pola do popisu niż u Beniamina. Coś mnie tknęło i stwierdziłem, że zrobię porównanie. Akurat miałem kontakt z kolegą z laboratorium. Zrobili mi to ekspresowo w drodze wyjątku, więc to oczywiście tajemnica. I nawet nie wiem, czy będę mógł to zapisać w oficjalnym protokole. Bo się na mnie rzucą, żebym zawsze to załatwiał. Pewnie dopiero potem oficjalnie to im przekażę, a Danielowi powiem tylko po przyjacielsku. Jak wam. Więc liczę na dyskrecję. W każdym razie DNA się zgadza.

– Czekaj. Stop. – Kopp jak zwykle wypluwała słowa. – Pod paznokciami Pietrzakowej był naskórek Sadowskiego, co?

– Dokładnie tak. Izabela Pietrzak podrapała Franciszka Sadowskiego.

– Broniła się przed nim? – zapytała Maria Podgórska. Na pulchne policzki byłej teściowej wystąpił rumieniec. – Zabił ją, a potem popełnił samobójstwo przez przedawkowanie?

Koterski nie odpowiedział. Przez chwilę panowało milczenie. Każda z nich rozważała chyba słowa Marii. Weronika uznała, że to może być całkiem prawdopodobny trop. Może doszło do jakiejś kłótni, a Sadowski nie wytrzymał potem ciężaru winy i zażył za wiele narkotyków?

– Patrzcie – odezwała się nagle Malwina Górska.

Wszystkie spojrzały w stronę, którą pokazywała. Pod dom Urbańskich podjechał radiowóz. Prowadziła go kobieta z równo przyciętymi wzdłuż linii brody ciemnymi włosami. Weronika wiedziała, kto to jest. Laura Fijałkowska, obecnie zastępca naczelnika wydziału kryminalnego. Podgórska wiedziała, że Daniela bardzo ubodło, kiedy Fijałkowska dostała tę posadę. Sugerował nawet, że mogło odbyć się to przez łóżko. Takie przynajmniej krążyły plotki po komendzie. Fijałkowska trafiła przecież z powrotem do wydziału, kiedy Emilia się zabiła. I nieoczekiwanie szybko zaczęła piąć się w górę. Zważywszy na to, jak w i e r n y był Urbański, pomyślała Weronika z przekąsem, w plotkach mogło być ziarno prawdy.

– Halo? – zapytał Koterski. – Jesteście tam jeszcze?

Kopp po prostu rozłączyła się bez słowa pożegnania. Weronika wyobrażała sobie zdziwienie medyka sądowego po drugiej stronie linii.

– Ta druga to żonka Urbańskiego, co? – zapytała Kopp. – Bo Kleopatrę kojarzę z roboty.

Przypatrywały się, jak z radiowozu wysiada druga kobieta. Miała krótko przycięte włosy i okrągłe okulary.

Na plecy narzuciła płaszcz w jakieś orientalne wzory. Wspierała się na lasce, mimo że musiała być maksymalnie koło pięćdziesiątki.

– Tak, to Daria – mruknęła Malwina. W jej głosie słychać było nutę zmęczenia.

– A ta laska, co?

– Chodzi o lasce, ale jest całkiem żwawa. To raczej ozdobnik. Z tego, co wiem, mogłaby chodzić bez niej. Tak mi mówił Bolek.

Weronika patrzyła, jak Urbańska i Fijałkowska chwilę rozmawiają i potem się żegnają. Daria ruszyła do domu. Lekko utykała, ale faktycznie szła całkiem żwawo. Prawie nie wspierała się na zdobionej lasce.

– Hej! – zawołała Maria.

To było tak nieoczekiwane, że Weronika aż się wzdrygnęła.

– Spoko. Ale! Musisz aż tak krzyczeć, co? – mruknęła Kopp. – Mówiłam, że nas nie usłyszą, bo to za daleko. Ale! Jak weźmiemy megafon i zaczniemy robić hałas na całą ulicę, to raczej zwrócimy na siebie uwagę.

– Przecież i tak chciałaś po prostu zadzwonić do drzwi – zaśmiała się z lekką złośliwością Malwina Górska. – To co za różnica?

Kącik pomarszczonych ust Klementyny powędrował do góry, ale nic nie powiedziała. Weronika odwróciła się do eksteściowej.

– Co się stało, mamo?

– Laska! – powiedziała Maria wyraźnie ożywiona.

– I?

– Ten ślad, który Klementyna pokazywała nam rano w telefonie. Teraz tak pomyślałam, że laska zostawia taki okrągły ślad. Nie tylko statyw. Jak miałam problem z biodrem, to kazali mi chodzić jakiś czas o takiej lasce i jak byłam na plaży nad Bachotkiem, to wszędzie zostawiałam takie dziurki. Ta Daria Urbańska mogła być przy ciele Beniamina Kwiatkowskiego!

Klementyna najwyraźniej potraktowała sugestię Marii poważnie, bo odblokowała ekran telefonu i zaczęła szukać zdjęcia, które im wcześniej pokazywała. Wszystkie znów skupiły się wokół jej telefonu.

– Rzeczywiście trochę tak to wygląda – zgodziła się Weronika. – To może być ślad po lasce.

– Jeżeli to była Daria, to mamy odpowiedź – powiedziała Malwina Górska.

Podgórska spojrzała na pisarkę spod oka. Malwina nie zapytała nawet, o jaki ślad chodzi. A przecież nie była z nimi na plaży ani potem w dworku w Lipowie, kiedy o tym dyskutowały. Na jej miejscu Weronika zaczęłaby wypytywać, o jaki ślad chodzi. Chyba że pisarka wiedziała więcej, niż im powiedziała. Przecież tylko od niej wiedziały, że to Daria ją śledziła, a przedtem wysyłała wiadomości z groźbami. Górska nawet im ich nie pokazała. A jeśli chciała wrobić Darię? Podgórska postanowiła mieć oczy i uszy szeroko otwarte.

– A to kto, co? – zapytała Kopp.

Pod dom Urbańskich podjechał SUV marki Volvo. Weronika nigdy nie pamiętała, jakie ta firma miała oznaczenia modeli, ale od jakiegoś czasu myślała, żeby wymienić swojego starego jeepa na samochód tej szwedzkiej firmy.

Z auta wysiadł młody mężczyzna w kwadratowych okularach. Dodawały mu zawadiackiego uroku.

– To też jest człowiek od domów drewnianych – wyjaśniła Maria. – Dąbrowski. Jakub albo jakoś tak. Ten, co Danielek mówił, że jego żonę pobito. Pracodawca Pawełka Krupy.

Daria Urbańska też zauważyła nowo przybyłego. Zatrzymała się w połowie schodów i zawróciła w stronę Dąbrowskiego. Przywitali się. Potem ruszyli za dom.

– Poczekajcie tu – rozkazała Kopp, otwierając drzwi skody.

ROZDZIAŁ 80

Zajazd Sadowskiego. Sobota, 22 lutego 2020.
Godzina 12.20.
Aspirant Daniel Podgórski

Daniel szedł szybkim krokiem do biura zakładu produkcyjnego Sadowskiego, które znajdowało się na tyłach zajazdu. Towarzyszył mu Trawiński. Ziółek mówił, że chłopak z blizną tam właśnie będzie. Teraz musieli z nim porozmawiać. Nie tylko o testamencie Sadowskiego, ale też o dziwnych ptasich łapkach, które technicy znaleźli w zajmowanym przez Janika pokoju. Identycznych z tymi, które znajdowały się pod ciałem Franciszka Sadowskiego, oraz z tymi, które ktoś ułożył zamiast dłoni i stóp Beniamina Kwiatkowskiego.

– Myślisz, że to on? – zapytał Trawiński cicho. – Chyba nie zostawiłby dowodów w swoim pokoju, gdyby był winny?

Daniel wzruszył ramionami. Nie chciał, żeby kolega odgrywał rolę adwokata diabła. Chciał wyjaśnić sprawę. Janik miał motyw, żeby zabić Franciszka Sadowskiego, bo przejąłby wtedy cały zajazd i firmę budującą domy. Był jedynym beneficjentem testamentu swojego szefa.

Podgórski nie był natomiast pewien, dlaczego chłopak z blizną mógłby zabić Beniamina Kwiatkowskiego, Izabelę Pietrzak i zaatakować Zofię Dąbrowską. To trzeba byłoby ustalić. Tak samo z kim współpracował. Przecież Zofia powiedziała, że była dwójka napastników. Daniel nie mógł oprzeć się wrażeniu, że mogła to być Malwina Górska.

A może jednak córka Izabeli? Kalina była tak wrogo nastawiona do policji. Poza tym musiała dość dobrze znać Roberta. Tylko dlaczego zabiłaby razem z nim swoją matkę? Wspomniała co prawda, że miały nie najlepsze relacje, ale czy to mógł być powód?

Daniel przeciął szybkim krokiem dziedziniec za zajazdem. Z tyłu był niewielki budynek z białym napisem *Biuro*. Zapukał do drzwi bardziej z przyzwyczajenia niż dlatego, że zamierzał przejmować się konwenansami.

– Proszę – powiedział Robert Janik. Siedział przy biurku i pisał coś na komputerze. – O, to panowie. No i jak? Będę mógł wreszcie wejść do zajazdu? Już panowie skończyli?

– Najpierw musimy wyjaśnić sobie kilka kwestii – oznajmił Podgórski.

Chłopak z blizną zamknął powoli klapę laptopa. Patrzył na policjantów pytająco.

– To znaczy?

– Po pierwsze to.

Daniel uniósł torebkę na dowody zawierającą kilka suszonych kurzych łapek.

– O tym chce pan rozmawiać? Nie rozumiem – zdziwił się Robert Janik i kiwnął głową w stronę swojego pieska. Zwierzak leżał zwinięty we włochatym legowisku. – To smakołyki Filemona. Często je kupuję, chociaż szef nazywał je ptasimi resztkami i zawsze się wściekał, ale Filemon je lubi. O co więc chodzi?

O dziwo, chłopak z blizną wydawał się naprawdę zaskoczony. Jakby nie rozumiał, w czym rzecz. Informacja o tym, że ciało Beniamina Kwiatkowskiego zostało użyte do makabrycznej inscenizacji, na razie nie przedostała się do mediów. Nie było jeszcze żadnego wycieku. Jeżeli Janik faktycznie był niewinny, to jego zaskoczenie było zrozumiałe. Ale mógł oczywiście grać.

– Skąd te nóżki wzięły się w sali na górze? – zapytał Podgórski.

– Pewnie Filemon je tam zaciągnął. Albo wypadły mi z paczki, jak była ta impreza w sobotę. Bo chciałem, żeby Filemon też miał coś z życia, skoro my się bawiliśmy. Albo ktokolwiek niechcący potrącił paczkę i wypadły. Dlaczego to jest tak ważne?

Policjant postanowił odłożyć ten temat i podejść Janika od drugiej strony.

– Słyszałem, że dziedziczy pan to wszystko po swoim zmarłym szefie – powiedział tonem pogawędki i zatoczył ręką po obwieszonym fotografiami biurze. – Wiem, że istnieje testament.

Robert Janik zmarszczył czoło. Blizna sprawiała, że jego twarz zdawała się teraz składać z samych linii łamanych.

– Faktycznie jest testament – przyznał chłopak powoli. – Szef spisał go niedawno, bo wiedział, że źle się z nim dzieje, i chciał, żeby wszystko zostało zabezpieczone. Wiedział, że może mi ufać. Że zamierzam to wszystko doprowadzić do ładu. A gdyby testamentu nie było, to nie wiem, co by się stało, bo pan Franciszek nie miał rodziny. Dawno temu się rozwiódł. Ale o co mu chodzi?

Robert Janik odwrócił się i patrzył pytająco na Trawińskiego, jakby to on miał udzielić odpowiedzi.

– O to mu chodzi, że możesz pójść siedzieć – odparł Daniel spokojnie.

– Doprawdy? – warknął Janik.

– Dlaczego Sadowski trzymał siekierę pod łóżkiem? – zapytał Trawiński.

Chłopak z blizną uśmiechnął się.

– Dawny zwyczaj. Do obrony.

– Przed kim? – spytał Daniel.

Robert Janik wzruszył ramionami.

– Przede mną – powiedział w końcu. – Chyba trochę się mnie bał. Niepotrzebnie oczywiście.

W tym momencie zadzwonił telefon Trawińskiego. Kolega odebrał.

– Fijałkowska przyjechała – powiedział po zamienieniu kilku słów. – Jest przed zajazdem.

– Rychło w czas – mruknął Daniel. – Akurat na aresztowanie. Idź do niej, a ja tu sobie skończę rozmowę z panem.

Fijałkowska lubiła mieć komitet powitalny na miejscu zdarzenia. Nie chciała nigdzie wchodzić sama. Nawet jeżeli trupa już dawno nie było. A to zupełnie nie były okoliczności, żeby witać ją na czerwonym dywanie. Daniel czuł, że nie powinien teraz przerywać przesłuchania. Być może było coś w oczach Roberta Janika, policjant czuł, że chłopak z blizną chce mówić.

– Zostaniesz z nim sam? – zapytał Trawiński cicho.

– Jo. Nie ma problemu. Poradzę sobie. Idź do niej. Zaraz przyjdę.

– To gdzie byłeś w czwartek wieczorem? – zapytał Daniel, kiedy Trawiński wyszedł z biura.

– Mówiłem już, że na działce po ojcu.

– Ale mówiłeś też, że nie masz na to świadków.

– Nie mam. Ale ja nie zabiłem pana Franciszka ani Izabeli. Kurwa. Ja nikogo nie zabiłem.

– Macie tu monitoring? – zapytał Daniel. – Będziemy mogli w prosty sposób stwierdzić, dajmy na to, czy rzeczywiście wchodziliście tu ty i pisarka wtedy, jak powiedzieliście, czy też może byliście tu już wcześniej.

– Mamy monitoring…

W głosie chłopaka pojawiło się wahanie.

– Ale? – zapytał Daniel.

ROZDZIAŁ 81

Obok domu naczelnika Urbańskiego.
Sobota, 22 lutego 2020. Godzina 12.30.
Klementyna Kopp

Za plecami Klementyny trzasnęła gałązka. Potem rozległo się głośne chrupanie. Kopp westchnęła przeciągle. Nie musiała się nawet odwracać, żeby wiedzieć, że Maria przyszła tu za nią. Znając życie, zapewne ruda też. No i skoro były tu we cztery, to r ó ż o w a pewnie również nie uznała za stosowne zostać w samochodzie. Miejmy nadzieję, że chociaż zamknęły skodę. Kopp n i e c o by się zdenerwowała, gdyby jej oczko w głowie zostało ukradzione.

– I co się dzieje? – zapytała Maria.

Kopp przyszła tu, żeby sprawdzić, co zamierza żonka naczelnika i facet od domów drewnianych. Dąbrowski i Urbańska poszli na tyły ogrodu, więc postanowiła złamać swoje postanowienie, że dziś już żadnego skradania się. Kazała kobietom zostać w samochodzie, a sama ruszyła wokół płotu.

Jak widać, jednak nie sama.

– Nic – mruknęła, odwracając się. No proszę, była tu tylko Maria i Weronika. Pisareczka przynajmniej umiała słuchać i została w aucie.

– Co robią?

W sumie nic wielkiego się nie działo. Urbańska i Dąbrowski po prostu dyskutowali. Z tego, co Kopp zdołała usłyszeć ze swojej kryjówki za płotem, mówili o jakiejś drewnianej szopie. A raczej o jej budowie. Nic niezwykłego.

– Chyba się żegnają – szepnęła Weronika.

Urbańska i Dąbrowski faktycznie podali sobie dłonie.

– Wyłazimy z tych krzaków – zakomenderowała.

Nie było sensu dalej się czaić za płotem, skoro Urbańska i Dąbrowski ruszyli z powrotem przed dom. Zanim wydostały się z zarośli, mężczyzna wsiadł do swojego samochodu i odjechał. Trzasnęły drzwi, czyli żonka naczelnika musiała wejść do domu. Kopp uznała, że to idealny moment, żeby sobie z nią pogadać. Ale! Najpierw upewni się, że Malwina Górska dobrze pilnuje jej auta.

Tylko że… Skoda była pusta.

– Czekaj. Stop. Co zrobiłyście z pisareczką, co?

– Była tu, kiedy za tobą poszłyśmy – powiedziała Weronika wyraźnie zdezorientowana.

Nagle dało się słyszeć silnik samochodu. Ktoś skręcił z głównej drogi w uliczkę, przy której stał dom Urbańskich. Chwilę później zobaczyły czarnego mercedesa klasy G.

– To to auto! – zawołała Maria. – To ten samochód, który widziałam przy plaży! Teraz jestem pewna! Jedzie tu!

ROZDZIAŁ 82

Zajazd Sadowskiego. Sobota, 22 lutego 2020.
Godzina 12.30.
Aspirant Daniel Podgórski

Mamy co prawda monitoring, ale go wyłączyłem – przyznał Robert Janik. – Zostały tylko kamery. Ale de facto to atrapy. Chodziło o oszczędności. Wszystko się tu sypało. To dlatego.

– Bardzo wygodnie, że nie ma nagrań – odparł Daniel.

Zanotował sobie w pamięci, że muszą sprawdzić, czy docierają tu jakieś kamery monitoringu miejskiego. Na pewno były jakieś na Sądowej. Tylko czy na tyle blisko, żeby obejmować zasięgiem wjazd do zajazdu? Może przynajmniej udałoby się zobaczyć coś z zewnątrz. Mogliby na przykład sprawdzić, czy w czwartek wieczorem pod budynek podjeżdżał jakiś samochód.

Ale to i tak niewiele by dało, westchnął policjant. Jeżeli Robert Janik zamordował swojego szefa i jego pracownicę – czy to razem z Malwiną Górską, czy Kaliną Pietrzak – to przecież mógł się tu dostać od drugiej strony. Tam były tylko łąki. Żadnych kamer miejskich.

– To nie ma znaczenia – oznajmił chłopak z blizną.

Mówił teraz zupełnie innym tonem niż przed chwilą. Wrócił też akcent z Kałaski, który tak skrzętnie ukrywał. Robert Janik wyglądał, jakby szykował się do ataku.

– Doprawdy? – odparł Daniel. Był przygotowany do wyjęcia broni, gdyby sprawy zaszły za daleko. Może faktycznie nie powinien tu zostawać z Janikiem sam.

– Tak – odpowiedział chłopak. – Wypuści mnie pan, żebym mógł stąd uciec. Najlepiej razem z Filemonem. Nie chcę, żeby mu się coś stało. To niby tylko pies, ale dla mnie jedna z najbliższych osób… Stworzeń czy cokolwiek. No i nie zamierzam trafić do puchy za coś, czego nie zrobiłem. Jeszcze tego by brakowało. Więc pozwoli mi pan odejść, zanim ktoś jeszcze od was tu przyjedzie.

Propozycja zabrzmiała tak absurdalnie, że Daniel nie mógł powstrzymać uśmiechu.

– A dlaczego miałbym to zrobić? – zapytał. – Z mojego punktu widzenia pańska wersja wydarzeń jest mocno naciągana.

– Pomoże mi pan stąd uciec – powtórzył Robert Janik jakby nigdy nic. – I dobrze pan zrobi, bo ja nikogo nie zabiłem. Zresztą nie będzie pan musiał wiele robić. Wyjdę po prostu stąd tyłem. Pańscy koledzy mnie nie zobaczą. Powie pan, że uciekłem. Mogę nawet uderzyć pana kilka razy, żeby wyglądało, że się biliśmy.

– A dlaczego niby miałbym to zrobić? – powtórzył Daniel. Położył rękę na broni, żeby Janik nie miał wątpliwości, że to czysto teoretyczna pogawędka.

– Bo w zamian powiem panu, jak zginęła ta pańska dziewczyna.

Podgórski zastygł w bezruchu. Czy Robert Janik mówił o Emilii?

– Tak, tak – ciągnął chłopak z blizną. – Wcale nie popełniła samobójstwa. No i macie u siebie zdrajcę.

Daniel musiał się zmusić, żeby z powrotem zacząć oddychać. Wiedział, że powinien działać profesjonalnie. Zwłaszcza kiedy został sam na sam z podejrzanym. Nie docenił chyba Janika. Naprawdę nie powinien był odsyłać Trawińskiego.

– Tak, tak – powtórzył Robert Janik. – Nie zabiła się. To zostało tylko tak ustawione.

– O czym ty kurwa mówisz? – nie wytrzymał Podgórski.

– O tym, że pańska lala została zamordowana. A tylko upozorowano samobójstwo.

Daniel miał wrażenie, że serce wyskoczy mu z piersi. Ten gnój być może sobie z nim pogrywał. Nie mógł pozwolić, żeby uczucia wzięły górę. Spokój. Tylko spokój.

– Kto to zrobił? – zapytał, siląc się na beznamiętny ton. Jakby pytał tylko pro forma, a wcale chłopakowi z blizną nie wierzył.

– To właśnie powiem, jak pan mi pomoże uciec. Taka wymiana. To co? Mamy deal?

ROZDZIAŁ 83

Obok domu naczelnika Urbańskiego.
Sobota, 22 lutego 2020. Godzina 12.35.
Weronika Podgórska

Weronika, Maria i Klementyna patrzyły, jak mija je czarny terenowy mercedes. Kierowca zwolnił na wyboistej drodze i powoli zaparkował przed kancelarią notarialną Darii Urbańskiej.

– Jesteś pewna, że to ten samochód, co? – syknęła Kopp. – Ale! Tak naprawdę pewna, co?

– Tak, tak – zapewniła matka Daniela. – Jest taki kanciasty. Teraz pamiętam. To ten.

Weronika przyglądała się mężczyźnie wysiadającemu z mercedesa. Miał rozpięty płaszcz. Wystawał spod niego zupełnie niepasujący do eleganckiego stroju pomarańczowy krawat. Zaczesane na czubek głowy włosy rozwiewał zimowy wiatr, odsłaniając łysinę, którą mężczyzna pewnie chciał skrzętnie ukryć pod zaczeską.

– To też człowiek od domów drewnianych. – Maria nie umiała ukryć podekscytowania. – Ten to Kwiatkowski. Z tego, co pamiętam, Sławomir. Czyli był tu Dąbrowski i teraz jest Kwiatkowski. Myślicie, że to coś znaczy? Nie było tylko Sadowskiego.

– To raczej nie jest zaskakujące, skoro gość wywinął kopyta, co?

Brzmiało to trochę jak sarkazm, ale Weronika widziała zamyślenie na pomarszczonej twarzy Klementyny. Przez chwilę żadna z nich nic nie mówiła. Patrzyły, jak żona naczelnika wychodzi z domu. Musiała usłyszeć silnik samochodu, bo Kwiatkowski nawet nie zadzwonił. Chyba żc byli umówicni na jakąś konkretną godzinę. Weronika zerknęła na zegarek. Było pięć po wpół do pierwszej. Najwyższa pora wracać do Emilki.

Ale to chyba nie wchodziło w grę. Przecież tyle się działo. No i Malwina Górska zniknęła. Weronika jej nie lubiła. Głównie za to, że była czyjąś kochanką, bo poza tym tak naprawdę jej nie znała. Ale trzeba było jej pomóc, jeżeli coś jej się stało.

– No i gdzie się podziała Malwinka? – zapytała Maria. Najwyraźniej pomyślała o tym samym.

– Tego nie wiem. To wy ją zgubiłyście – odparła Kopp. – Poza tym mogła oddalić się sama.

– Chyba w to nie wierzysz – mruknęła Weronika. – Nie poszłaby sobie tak bez słowa.

– Masz jej numer, co?

Podgórska pokręciła głową. Nie wymieniły się jeszcze z Malwiną telefonami. Teraz to by wiele ułatwiło. Wystarczyłoby zadzwonić. A tak rodziła się bardzo nieprzyjemna myśl.

– Może ta Daria Urbańska naprawdę ją zabiła…

Kopp zaśmiała się głośno. Nie dbała już chyba o pozory. Zresztą Daria Urbańska i Sławomir Kwiatkowski zniknęli za drzwiami kancelarii. Byli skupieni na sobie i nie zwracali uwagi na trzy kobiety stojące obok samochodu zaparkowanego kilka domów dalej.

– Spoko. Ale! Kiedy naczelnikowa miałaby to zrobić, co? Przecież ja Urbańską cały czas miałam na oku. Gadała z tym gościem w okularkach. Tym Dąbrowskim. Raczej nie miałaby kiedy zabić różowej.

– A jednak Malwiny nie ma – mruknęła Weronika. – Może i jej nie zabiła. Jeszcze. A może Malwina weszła do domu Urbańskich, kiedy my poszłyśmy za tobą. Już teraz drzwi są otwarte, bo Daria wróciła. Poza tym jakbym słyszała jakiś samochód…

– Patrzcie tu – zawołała Maria.

Weronika spojrzała tam, gdzie pokazywała teściowa. Na chodniku leżał duży okrągły kolczyk. Taki, jakie w uszach miała Malwina Górska. Dokładnie taki. Teraz Weronika jeszcze bardziej poczuła, że coś tu się stało.

ROZDZIAŁ 84

Zajazd Sadowskiego. Sobota, 22 lutego 2020.
Godzina 13.00.
Aspirant Daniel Podgórski

Jak to uciekł? – wrzasnęła na całe gardło Fijałkowska.
Daniel czuł, jak z łuku brwiowego spływa mu krew.
Przetarł ją dłonią, przy tym rozmazując ją po całej twarzy.
Robert Janik faktycznie go uderzył. Chodziło o to, żeby
nie wyglądało, że obyło się bez walki. Ucieczka miała
wyglądać na realistyczną. Podgórski czuł do siebie wstręt,
że zgodził się na tę propozycję. Jednocześnie nie cofnąłby
swojej decyzji. Zwłaszcza teraz, kiedy znał prawdę.
   Starał się nie patrzeć na Trawińskiego. Dwa lata. Dwa
kurwa lata. Dwa lata udawania przyjaciela. Trawiński zabił
osobę, którą Podgórski kochał najbardziej na świecie.
Odebrał Danielowi wszystko. Wszystko. Podgórski miał
ochotę wyjąć służbowego glocka i odstrzelić Trawińskiemu
tę pierdoloną kłamliwą mordę. Teraz. Tu na miejscu.
   Podgórski uwierzył w słowa Roberta Janika. Chłopak
z blizną być może zabił tych wszystkich ludzi, ale Podgórski czuł, że o śmierci Emilii mówił prawdę. Dlatego
policjant złamał wszystkie swoje zasady i pozwolił mu

uciec. Zresztą to było nic. Czuł, że wkrótce złamie tych zasad więcej. Skoro znał prawdę, nie było odwrotu. Zabije Trawińskiego. Może nie teraz, ale niedługo. Musi wybrać dobry moment. Po prostu go kurwa zajebie.

– Kurwa! – wrzasnęła zastępczyni naczelnika nieświadoma jego rozważań. – Kurwa! I co teraz?

Wyglądało na to, że Fijałkowska zupełnie nie wie, co zrobić w sytuacji, kiedy uciekł im podejrzany. Była zastępczynią naczelnika stosunkowo niedługo. Podgórski od początku uważał, że Laura zupełnie się do tej roli nie nadaje. Nie chodziło tylko o plotki na temat jej i Urbańskiego. Nie była ani najbardziej doświadczoną osobą, ani nie miała największej wiedzy teoretycznej. W wydziale znalazłyby się osoby, które lepiej by pełniły tę funkcję.

– To moja wina – wtrącił się Trawiński. – Nie powinienem był zostawić Daniela samego z podejrzanym. To może być niebezpieczny typ. Ale musiałem wyjść po panią, bo pani się spóźniła. Tak więc to też pani wina.

Podgórski czuł, jak krew dosłownie kipi mu w żyłach. Chciał zabić Trawińskiego tu i teraz, a nie słuchać jego obłudnie przyjacielskiego tonu, brania winy na siebie i prób pomocy. Fałszywy sukinsyn.

– Ja... Uczestniczyłam w końcówce aukcji charytatywnej z pączkami. Trzeba ocieplać wizerunek policji – tłumaczyła się niezdarnie Fijałkowska. – Przyjechałam, jak tylko mogłam. Musiałam odwieźć panią Urbańską...

– Wspaniale – odpowiedział sarkastycznie Trawiński.

Fijałkowska zrobiła się czerwona na twarzy.

– Obaj będziecie mieć kłopoty. Niedopełnienie obowiązków...

– Dobrze się czujesz, Daniel? – zapytał Trawiński, przerywając Fijałkowskiej. – No nie wiem, pani naczelnik, ale wydaje mi się, że kolega może zemdleć. Ja na pani miejscu zadzwoniłbym do naczelnika Urbańskiego. Bo pani może mieć kłopoty, jak pani podejmie złą decyzję.

Fijałkowskiej nie trzeba było dwa razy powtarzać. Natychmiast wyciągnęła telefon i wybrała numer.

– Kurwa, nie odbiera.

– Niech pani spróbuje jeszcze raz – poinstruował Trawiński, jakby mówił do małego dziecka. Potem odwrócił się do Daniela. – Będzie dobrze, stary.

Podgórski znów otarł twarz. Krwawił całkiem mocno. Robert Janik się nie cackał. Daniel też nie zamierzał.

– Pani zobaczy, że kolega się wykrwawi – kontynuował Trawiński, najwyraźniej próbując bronić Daniela. Gdyby Podgórski nie znał prawdy, byłby mu za to wdzięczny. – To nie tylko nie jest niedopełnienie, ale wręcz bohaterska akcja z niebezpiecznym przestępcą.

– Halo! – zawołała Fijałkowska gorączkowo do słuchawki. Widocznie Urbański wreszcie odebrał. Wspominał przecież Danielowi, że jedzie do domu, ale będzie pod telefonem.

Zaczęła tłumaczyć naczelnikowi, co się stało. Rzecz jasna, podała wersję, którą zaserwował im Daniel. Podejrzany go zaatakował i uciekł na tyły. Tam okazało się, że jest furtka, i zanim Daniel odzyskał przytomność, Roberta Janika już nie było.

– Co zrobić z nimi dwoma, Bolek? Podgórski i Trawiński nie dopełnili obowiązków czy są poszkodowani? Co ja mam kurwa robić?

ROZDZIAŁ 85

Dom naczelnika Urbańskiego. Sobota, 22 lutego 2020.
Godzina 13.30.
Klementyna Kopp

Przez okno kancelarii notarialnej widać było, że Daria
Urbańska zajęta jest rozmową ze Sławomirem Kwiatkowskim. Kopp stała na czatach, czekając, aż Weronika i Maria
wyjdą z domu naczelnika. Początkowo sama chciała tam
wejść. Potem uznała, że w razie jakichś nieoczekiwanych
zdarzeń ona lepiej sobie poradzi. Chociażby z zagadaniem
żonki Urbańskiego. Albo jego samego, gdyby się zjawił.
Naczelnikowa zostawiła otwarte drzwi, więc nie trzeba
było nawet forsować zamka.

Kopp zerknęła na zegarek. Ruda i *starsza-pani* miały
tylko sprawdzić, czy pisareczki nie ma w środku, a były
w domu dobrych kilkanaście minut. O ile nie więcej.
Przecież to nie była nie wiadomo jaka willa. Klementyna
zaczynała żałować, że sama tam nie weszła.

– Bardzo dziękuję.

Kopp odwróciła się. Drzwi kancelarii za jej plecami
otworzyły się. W progu stanęli Daria Urbańska i Sławomir

Kwiatkowski. Najwyraźniej zakończyli to, co robili. Mężczyzna miał nieco zagubiony wyraz twarzy. Skinął głową Klementynie. Nie wyglądał na szczególnie zaskoczonego, że ktoś stoi pod kancelarią. Może uznał po prostu, że Kopp jest następną klientką pani notariusz.

– Do widzenia – powiedział, wsiadając do terenowego mercedesa.

Kopp zmarszczyła brwi. Maria uważała, że widziała ten samochód odjeżdżający z miejsca zbrodni. Nie zwróciła uwagi, kto go prowadził, ale wydawało jej się, że w środku siedzieli mężczyzna i kobieta. Kopp nie lubiła wyciągać przedwczesnych wniosków. Ale! Uznała, że można chyba założyć, że mężczyzną był Sławomir. Przynajmniej wstępnie. Kim była w takim razie kobieta, która mu towarzyszyła, co? Jego własna żonka? Czy może pani notariusz, co?

– W czym mogę pani pomóc? – zapytała Daria Urbańska. Ona też nie okazywała szczególnego zaskoczenia obecnością Klementyny na podjeździe. Ale! Kopp czuła w jej głosie niepewność.

– Czego on chciał, co?

– Kim pani jest?

Teraz w głosie notariuszki pojawiła się lekko wroga nuta.

– Kimś, kto chce wyjaśnić kilka spraw. Jestem z komendy.

Daria Urbańska zmierzyła ją wzrokiem, najwidoczniej oceniając stare wyblakłe tatuaże, ogoloną głowę i przykrótki skórzany żakiet. Zapewne nie widziała zbyt wiele takich policjantek, a jej mąż chyba nie opowiadał o Klementynie. Nie miały okazji się spotkać.

– Doprawdy? – powiedziała w końcu Daria.

Kopp skinęła głową. Patrzyły na siebie lustrująco. Każdy ma jakiś słaby punkt. Klementyna starała się dopatrzyć takiego u żonki Urbańskiego. Ale! Ta wydawała się nieprzenikniona. Kopp mogła oczywiście wepchnąć ją z powrotem do kancelarii i wydobyć z niej informacje siłą.

Właśnie miała to zrobić, kiedy drzwi domu otworzyły się i wykuśtykała z nich Maria. Jej kraciasta spódnica i babciny płaszcz powiewały triumfalnie na zimowym wietrze. Beret zsunął się na tył głowy. To tyle, jeśli chodzi o konspirację, pomyślała Kopp.

– Mamy coś! – zawołała Maria, jakby chciała poinformować o tym całe miasto i przy okazji wszystkie sąsiednie.

Za matką Daniela wyszła z domu Weronika. Ruda zrobiła wielkie oczy na widok notariuszki. Ale! Było już za późno. Zostały przyłapane.

– To nie tak – odparła nieoczekiwanie zakłopotana Daria Urbańska.

Kopp nie widziała dokładnie, co trzyma Maria. Okulary chyba stawały się już koniecznością. *Głupia-stara-baba*. Wyglądało na to, że żona naczelnika uznaje to za coś kłopotliwego. Nareszcie słaby punkt.

Matka Daniela ruszyła w ich stronę.

– I to żona policjanta – powiedziała z wyraźną naganą. Teraz Klementyna zobaczyła, że starsza pani trzyma woreczek strunowy z zielonym suszem. – Znalazłam to w książce kucharskiej o pieczeniu pączków. Strony były wycięte.

– Kim panie są? – zapytała notariuszka. Tym razem ciszej.

No i proszę. Każdy ma czuły punkt. Kopp widziała wyraźnie, że mają ją w garści. Za tę ilość marihuany Daria Urbańska może nie wpadłaby w jakieś olbrzymie kłopoty. Ale! Najwyraźniej ona uważała inaczej. I bardzo dobrze.

– Proszę nie mówić mojemu mężowi – powiedziała Urbańska. – Nie chcę go denerwować. A ta marihuana jest na nerwy.

– Dużo masz nerwów, co? – zakpiła Kopp.

– Co panie w ogóle robią w moim domu? Zadzwonię do męża! Zresztą powinien już lada chwila być. Dlatego zostawiłam drzwi otwarte. A panie… To przecież jest najście. Włamanie… Mój mąż paniom pokaże.

Kopp uśmiechnęła się krzywo. No proszę. Teraz zwrot w drugą stronę.

– Okej. No dobra. Proszę bardzo. Chętnie poczekamy na niego i to my pokażemy mu, co tam trzymasz w książkach kucharskich. Na pewno będzie bardzo, bardzo zadowolony.

– Pani nie jest nawet policjantką! – rzuciła Daria Urbańska.

– Jestem – odparła spokojnie Kopp.

Emerytura emeryturą. Ale! Pewne rzeczy nie kończyły się tak po prostu grawerowanym zegarkiem. Zegarkiem, którego, nawiasem mówiąc, Klementyna nie dostała. Była policjantką większą część swojego dorosłego życia. Nie zanosiło się na zmianę, mimo że de facto została cywilem.

– Gdzie ukryła pani Malwinę Górską? – włączyła się do rozmowy Weronika. Ruda najwyraźniej przywykła już do myśli, że zostały przyłapane na gorącym uczynku, i odważyła się zabrać głos. – Co jej pani zrobiła?

– Nie widziałam jej od dłuższego czasu – warknęła notariuszka. Cały spokój zniknął z jej twarzy. Teraz można było naprawdę uwierzyć, że byłaby zdolna pozbyć się kochanki swojego męża. – Skąd taki pomysł?

– Naprawdę? – kontynuowała Weronika. – A nie śledziła jej pani w ostatnich dniach?

– Oczywiście, że nie!

Kopp musiała przyznać, że brzmiało to dość przekonująco.

– A twoja córeczka, co? – zapytała. Malwina twierdziła, że młodą można wyłączyć z kręgu podejrzeń. Ale! Klementyna wolała się upewnić.

– Nie! – warknęła znów Daria Urbańska. – Ta kurwa wam zapłaciła, żebyście mnie nękały? Od niej jesteście?

– Czekaj. Stop. Ale! Zdaje się, że to ty jej groziłaś, co? – Kopp cmoknęła głośno. – Niezbyt mądrze wysyłać esemesy z groźbami. W moralność nie wchodzę. Ale! Chciałabym wiedzieć, co tu robił przed chwilą cały komitet facetów od domów drewnianych. Zacznijmy od Dąbrowskiego, co?

Przez chwilę wyglądało na to, że Daria nie będzie chciała niczego tłumaczyć. Klementyna podeszła do Marii i wzięła od niej woreczek z marihuaną. Pomachała nim tuż przed oczami naczelnikowej.

– Jakub będzie nam stawiał szopę, jak się trochę ocieli – wyjaśniła Urbańska niechętnie. – A jeśli chodzi o Sławomira Kwiatkowskiego, to nie mogę powiedzieć, co tu robił. To sprawa zawodowa. Obowiązuje mnie tajemnica. To nie ma związku z tą waszą Malwiną Górską.

Klementyna uznała, że Urbańska potrzebuje jeszcze troszeczkę zachęty do mówienia. Ponownie pomachała woreczkiem.

– Zielone to też sprawa zawodowa, co? No proszę, nie wiedziałam. Na pewno chętnie to omówię z twoim mężulkiem.

– Powiem mu, że się włamałyście i to mi podrzuciłyście! Że ta suka wam kazała, żeby mnie oczernić.

– Spoko. Ale! Mogłabyś tak zrobić. Tylko na pewno lepiej by zadziałało, gdybym nie nagrywała całej naszej rozmowy – powiedziała Kopp, uśmiechając się słodko.

To był blef. Czasem silniejsza broń niż służbowy pistolet. W każdym razie w odpowiednich ustach. A Klementyna dobrze wiedziała, że jej usta są jak najbardziej odpowiednie.

Urbańska wahała się. Rozważała chyba wszystkie za i przeciw.

– Wyłącz nagrywanie – poprosiła w końcu.

Klementyna znów uśmiechnęła się słodko. Wyjęła telefon i udała, że klika coś w jakiejś aplikacji. Urbańska nawet nie patrzyła co. Szło aż za łatwo. Kopp nie lubiła takich sytuacji. Mogły doprowadzić do tego, że człowiek tracił czujność. A nigdy nie należało jej tracić. Nigdy.

– Sławomir Kwiatkowski spisywał testament. Zadowolone? – mruknęła pani notariusz. – Zajmuję się również takimi rzeczami. Ostatnio sporo tego jest. Ludzie chcą zabezpieczać swoje ruchomości i nieruchomości.

– Co jest dokładnie w tym jego testamencie, co? – zapytała Kopp na wypadek, gdyby okazało się to ważne.

Urbańska westchnęła głośno.

– Ale zostawicie mnie w spokoju?

– Jasne. I oddam ci to – obiecała Kopp i uniosła marihuanę.

– Właściwie Kwiatkowski miał już gotową treść – wyjaśniła naczelnikowa, wzdychając. – Troszkę ją tylko podrasowaliśmy, żeby to lepiej brzmiało. Dlatego poszło w miarę szybko. Nawet zdążyliśmy trochę pogawędzić o mojej charytatywnej akcji pieczenia pączków. Różne ważne osoby z miasta je ze mną pieką. Potem sprzedajemy albo licytujemy. Można za nie zapłacić, ile się chce. No i pieniądze przekazujemy na różne cele w naszym mieście. W tym roku na schronisko dla zwierząt. W tamtym na dom dziecka. I tak dalej. Żona Sławomira też brała ze mną w tym udział. Udało mi się namówić Zofię Dąbrowską, a także Laurę Fijałkowską, która jest zastępcą mojego męża. Miałyśmy mocną ekipę w tym roku. W poprzednich latach…

– Okej. No dobra. Prawdziwa filantropka z ciebie. Szanuję – przerwała jej Kopp. – Ale! Zdecydowanie bardziej chcę wiedzieć, na czyją rzecz spisany był testament Sławomira Kwiatkowskiego, co?

– Jest jeden spadkobierca. Kobieta.

* * *

2020
Przed domem Urbańskich.
Sobota, 22 lutego 2020. Godzina 12.25.
Malwina Górska

Malwina Górska patrzyła, jak Weronika i Maria idą za Klementyną Kopp. Była policjantka wzbudzała w pisarce sympatię. Zdawała się jedyna w swoim rodzaju. Maria z kolei zarażała pogodą ducha i dobrodusznością. A Weronika... No cóż, na pewno miała dobre intencje. Górska jeszcze nie wiedziała, co o niej sądzić, mimo że powiedziała Podgórskiej tak wiele o swoim życiu.

Nagle Malwina poczuła, że ktoś na nią patrzy. To było dziwne, prastare uczucie. Zostało w ludziach chyba jeszcze z czasów, kiedy musieli walczyć o przetrwanie. Odwróciła się gwałtownie.

– Co ty tu robisz? – szepnęła, wysiadając z samochodu Klementyny.

– Dlaczego głupio pytasz? To chyba oczywiste, co tu robię.

Może i racja. Pytanie nie było najszczęśliwsze, pomyślała Malwina.

– Chodź tu. Pojedziemy gdzieś dalej i porozmawiamy normalnie.

Górska spojrzała na skodę Klementyny. Teraz zdawało się, że mały czarny samochód był źródłem bezpieczeństwa. Ciężko było tak po prostu go opuścić. No i kobiety na pewno będą złe, że zniknęła bez słowa.

– Chodź.

525

Tym razem zabrzmiało to nagląco. Ale też przyjaźnie. A może nawet kusząco. Bolek nigdy nie mówił do niej takim tonem. Nawet jak się spotykali. To było dziwne. Zatrzasnęła drzwi skody. Będzie, co ma być. Sięgnęła tylko do ucha i zrzuciła kolczyk na ziemię. To było zupełnie irracjonalne zachowanie. Ale w razie czego niech zostanie po niej chociaż ślad.

Gdyby coś jednak się stało.

* * *

CZĘŚĆ 8

2020

ROZDZIAŁ 86

Komenda Powiatowa Policji w Brodnicy.
Niedziela, 23 lutego 2020. Godzina 14.30.
Aspirant Daniel Podgórski

Mimo że była niedziela, odprawa miała się odbyć jak każdego dnia. Sprawa była zbyt medialna, żeby z tym zwlekać do jutra. Spotkanie wyznaczono co prawda dopiero po piętnastej, ale Daniel i tak wstał wcześnie. Po pierwsze jak zwykle chciał pójść na cmentarz do Emilii. Tym razem nie spotkał Łukasza. Może i dobrze. Znów pewnie byłaby kłótnia.

Potem poszedł do dworku Weroniki, żeby pobawić się z córeczką. Weronika zmartwiła się, widząc jego rozcięty łuk brwiowy, ale zapewnił ją, że to nic poważnego. Nawet nie trzeba było przecież zszyć rany. Korciło go, żeby powiedzieć byłej żonie o tym, czego się wczoraj dowiedział. To znaczy prawdy o śmierci Emilii. Uznał jednak, że nie powinien rozmawiać z nią o takich rzeczach. Wszak byli po rozwodzie i to był temat, na który na pewno mówić by nie chciała. Musiał poradzić sobie z tym sam.

Weronika natomiast opowiedziała mu pokrótce o wczorajszych poczynaniach ich nieformalnego zespołu śledczego i wyjaśniła, że Malwina Górska nadal nie wróciła do domu. Na podjeździe stał samochód pisarki, okno w kuchni wciąż było otwarte, tak jak pisarka je zostawiła. W nocy światło się nie paliło. Z samego rana Weronika zapukała do drzwi, ale nikt nie otworzył. Malwina nie wróciła do domu. Po prostu rozpłynęła się wczoraj w powietrzu, zostawiając kolczyk, który znalazła Maria. Weronika była bardzo zaniepokojona. Oczekiwała chyba, że Daniel coś zrobi, ale on nie miał głowy, żeby tym się zająć. Postarał się uspokoić byłą żonę na tyle, żeby nie czuła, że ją zbywa, i pojechał na komendę.

Daniel spojrzał na leżące przed nim na biurku protokoły z sekcji zwłok, które przygotował Koterski. Czytał je kolejny raz, ale nic do niego nie dochodziło.

Zerknął w stronę Trawińskiego. Młody policjant przeglądał monitoring miejski z okolic zajazdu. Niestety kamery nie obejmowały terenu, który ich interesował. Nie można więc było potwierdzić ani zaprzeczyć słowom Roberta Janika.

Trawiński miał zaraz przejrzeć monitoring ze sklepu, w którym mieli być jakoby Kwiatkowscy, kiedy zginął ich syn. Wzorowy policjant. Pomyślałby kto, żachnął się w duchu Podgórski.

Daniel czuł narastającą wściekłość. Miał też nieprzyjemne poczucie, że jest oblepiony brudem. Wszedł w układ z Robertem Janikiem, który powiedział mu prawdę o śmierci Emilii, ale mógł być zabójcą pozostałych ofiar. Co to miało zresztą za znaczenie, skoro Podgórski sam zamierzał zabić. Każda minuta, kiedy Trawiński jeszcze oddychał, była jak najgorsza obelga.

Podgórski długo o tym myślał podczas wczorajszej niemal bezsennej nocy. Teoretycznie mógłby porzucić plan zemsty i zgłosić przestępstwo naczelnikowi. Wezwaliby BSW*. Ale co by to dało? Robert Janik był jedynym świadkiem. A skoro Podgórski pozwolił mu uciec, to nie wiadomo, gdzie Janik się znajdował. A nawet gdyby go znaleźli, nie jest powiedziane, że chłopak z blizną powtórzyłby w oficjalnym przesłuchaniu to, co powiedział Danielowi. Szczerze mówiąc, Podgórski raczej w to wątpił. Dlatego właśnie postanowił wziąć sprawy w swoje ręce, by sprawiedliwości stało się zadość.

Ale było też dużo pytań. Na przykład skąd Robert Janik znał prawdę. Odpowiedź wydawała się dość oczywista. Musiał mieć kontakt albo z Trawińskim, który był zdrajcą, albo bezpośrednio z osobą, która zleciła zabójstwo Emilii. Czyli z tym, dla którego Trawiński pracował. Janik nie chciał powiedzieć, kto to jest. Bał się. Daniel czuł, że tego z Janika nie wyciśnie. Może więc uda mu się uzyskać te informacje od Trawińskiego, zanim ten zginie.

Daniel obiecał sobie, że nie spocznie, póki ich wszystkich nie ukarze. Emocje zdawały się dosłownie rozsadzać Podgórskiemu czaszkę. Zemści się. Konsekwencje mało go obchodziły.

– Będziemy musieli przejrzeć notatki Emilii – odezwał się Trawiński. Wyczuł chyba, że Daniel na niego patrzy znad swojej roboty. Na pewno nie był jednak świadomy, jakie plany snuje policjant.

* Biuro Spraw Wewnętrznych.

– Jo – odpowiedział Podgórski.

To była prawda. Musieli zajrzeć do tych notatek. Ale Daniel nadal nie potrafił znaleźć w sobie siły, żeby to zrobić. Nie żeby nie próbował. Niestety, jak tylko zobaczył pismo odręczne Emilii, od razu zrezygnował. Za dużo emocji. Na razie przeczytał tylko krótką listę osób, które Strzałkowska uznała za ważne w prowadzonym dochodzeniu.

– Dobrze, że Urbański nas oszczędził – powiedział Trawiński. – Jeszcze tego mi brakowało, żeby nam przyklepał niedopełnienie obowiązków. Oprócz mieszkania na działce oraz nadchodzącego prawdopodobnie rozwodu miałbym jeszcze kłopoty w robocie.

Zamknij się, pierdolony chuju, miał ochotę wrzasnąć Podgórski, ale tylko skinął głową. Fijałkowska dodzwoniła się wczoraj do Urbańskiego. Naczelnik kazał jej lekko przytuszować sprawę, żeby nie robić piekła. Przedstawili to komendantowi tak, że uwierzył, że ucieczka Roberta Janika to nie była wina ani Podgórskiego, ani Trawińskiego.

– Mówię ci, stary. Działka jest spoko – kontynuował Trawiński. – Ale chciałbym już wrócić do domu. Jestem teraz niedaleko ciebie, bo w Kuligach. Tam obok tego opuszczonego pegeeru. Kojarzysz?

– Jo. Już mówiłeś.

Daniel oddychał powoli. O dziwo, napięcie zaczynało powoli opadać. Mógł zająć się teraz chłodną kalkulacją. Czuł, że ma w życiu nowy cel. To była całkiem przyjemna odmiana. Życie bez celu było najgorsze. Tak było z nim przez te dwa lata. A teraz? Teraz wiedział już, co powinien zrobić. Pomścić Emilię. Proste. Nie był pewien, czy jej samej by się to podobało. Może nie. Ale nie potrafił przestać o tym myśleć. Zabije Trawińskiego, tego, co zlecił morderstwo, też. A potem niech się dzieje, co chce.

Zerknął na zdjęcia, które ustawił sobie na biurku. Emilia, obok Łukasz i wetknięte w ramkę zdjęcie malutkiej Emilki. Dręczyła go myśl o córeczce. Jej ojciec zostanie mordercą. Ale miała przecież Weronikę. Daniel był pewien, że była żona się nią doskonale zajmie.

A Łukasz? Może on chociaż będzie zadowolony. Daniel rozważał, czy nie powiedzieć synowi, czego się dowiedział o śmierci Emilii. Ale Łukasz nie odbierze telefonu ani nie otworzy mu drzwi. Podgórski musiałby zrobić to tu na komendzie. A to nie był czas ani miejsce. Ściany potrafiły mieć uszy. Zresztą po co zrzucać na chłopaka taki ciężar. Lepiej niech o niczym nie wie. Daniel musi poradzić sobie sam. I zrobi to.

Zadzwonił telefon na biurku.

– Ktoś do ciebie – poinformował dyżurny, kiedy Daniel odebrał. – Niejaka Zofia Dąbrowska. Powiedzieć, że zejdziesz? Czy mówić, że cię nie ma?

– Idę – powiedział Daniel.

I tak czuł, że ani minuty dłużej nie wytrzyma w jednym pokoju z Trawińskim. Potrzebował wytchnienia. Poza tym skoro Zofia tu przyszła, to może przypomniała sobie coś na temat pobicia. Wszystkie fakty zdawały się łączyć ze śmiercią Julii Szymańskiej. A przecież właśnie za prowadzenie tej sprawy Emilia zginęła. Jeżeli więc Daniel rozwikła te zapętlenia, dojdzie jak po nitce do kłębka prosto do osoby, dla której pracował Trawiński.

Zofia Dąbrowska czekała na niego w pomieszczeniu przed dyżurką. Teraz wyglądali trochę podobnie. Ona z poobijaną twarzą. On też. Oczywiście ona oberwała znacznie mocniej. No i nie była to mistyfikacja, która udawała prawdę.

– Dzień dobry. W czym mogę pomóc? – zapytał.

– Ja tylko... Nie będę zajmowała panu czasu. Jestem w drodze do fryzjera. – Zofia Dąbrowska poprawiła długie czarne włosy. – Pomyślałam tylko... Czasem czytam magazyny popularnonaukowe i w jednym był artykuł o tym, jak opaska fitness pomogła złapać mordercę.

– Opaska fitness? – zdziwił się policjant.

Zofia zdjęła z ręki urządzenie o wyglądzie futurystycznego wąskiego zegarka. Z kieszeni wyjęła skrawek papieru.

– Tak. Niech pan weźmie. A tu na karteczce spisałam wszystkie loginy, żeby państwo mogli to obejrzeć. Nie ma co prawda GPS, ale może się przyda... Dopisałam mój numer, jakby pan chciał się kontaktować. Znaczy już się wymienialiśmy numerami, ale jakby co. W artykule napisano, że policjant sprawdzał tętno i tak dalej. Może to też się przyda.

– Dziękuję – powiedział Podgórski. – Wszystko może się przydać.

– Dziękuję. Do widzenia.

Zanim Daniel zdążył cokolwiek więcej powiedzieć, Zofia Dąbrowska ruszyła do drzwi. Policjant patrzył, jak matka Julii Szymańskiej kuśtyka w dół schodów. To była dziwna wizyta. Spojrzał na urządzenie, które mu wcisnęła. Wbrew swoim wcześniejszym zapewnieniom nie był pewien, czy opaska przyda się w jakikolwiek sposób, ale i tak nie miał chęci wracać na górę do Trawińskiego. Ruszył więc na dół do techników, by dać opaskę Ziółkowskiemu.

– O, Daniel.

O wilku mowa, pomyślał Podgórski. Szef techników właśnie szedł korytarzem.

– Miałem do ciebie zajrzeć – oznajmił Ziółek. – Bo znalazłem coś w aparacie fotograficznym Beniamina Kwiatkowskiego. Tym, który stał na polanie przed ciałem. To jest drobnostka, ale czasem takie rzeczy mają największe znaczenie. Chodź, pokażę ci, zanim pójdziemy na odprawę. Sam zdecydujesz, czy to może być ważne.

ROZDZIAŁ 87

Mieszkanie Kaliny Pietrzak przy ulicy Matejki.
Niedziela, 23 lutego 2020. Godzina 14.30.
Klementyna Kopp

Kopp rozejrzała się po mieszkaniu Kaliny Pietrzak. Było dość nijakie. To znaczy niby niczego tu nie brakowało. Ale! Wyglądało jak z katalogu meblowego. Kopp nie była estetką. Brakowało jej jednak choćby najdrobniejszego osobistego wkładu w urządzenie tych pomieszczeń. To był bardziej pokój hotelowy niż mieszkanie młodej kobiety. Wyjątkiem była toaletka wciśnięta w róg salonu. Tam piętrzyły się chyba wszystkie skarby Kaliny. Tony jakichś produktów do makijażu. Klementyna nawet nie próbowała zgadywać, do czego mogą służyć. Makijaż ostatnio robiła lata temu. To nie było dla niej.

– Zapraszam na kanapę – powiedziała Kalina. – Usiądziemy sobie.

Maria Podgórska skwapliwie zajęła miejsce na szarej sofie i od razu zaczęła rozwijać sreberko, w które zapakowała jakiś swój wypiek. Pokój wypełnił zapach wiśni.

– Proszę! – Matka Daniela uśmiechnęła się. – Zrobiłam placek. Pyszny.

Z ich wczorajszej ekipy brakowało tylko rudej. Ale! Weronika nie chciała tym razem im towarzyszyć, bo postanowiła porozmawiać z Danielem o zniknięciu Malwiny Górskiej. Kopp nie wyrobiła sobie jeszcze zdania o pisareczce. Choć również miała niezbyt przyjemne przeczucie, że coś mogło się jej stać. Wprawdzie Malwina była osobą dorosłą i mogła po prostu oddalić się sama. Ale dlaczego nie wróciła do domu?

– Pani nie usiądzie? – zapytała Kalina.

Sama zajęła miejsce obok Marii. Wetknęła nawet długi paznokieć w ciasto i nabrała nim trochę wiśni, jakby to była łyżka. Kopp wzdrygnęła się na ten widok.

Kalina wpuściła je, nie podejrzewając podstępu. Maria miała rację, że to się uda. Blondyna kojarzyła matkę Daniela przez Pawła Krupę, bo była z nim jakiś czas związana. Ciekawe, czy sytuacja się nie zmieni, jak zaczną ją wypytywać.

A bez wypytywania się nie obędzie. Daria Urbańska zdradziła im wczoraj, że Sławomir Kwiatkowski spisał testament. Cały swój majątek zapisał właśnie Kalinie Pietrzak, mimo że wydawało się, że nie łączy ich żadna oczywista relacja. Co ciekawe, zrobił to dzień po śmierci syna. Nie trzeba było być mistrzem dedukcji, żeby uznać to za co najmniej dziwne.

– Może zrobię kawę. Przygotowuję całkiem niezłą – pochwaliła się Kalina. – Mogę zrobić z kardamonem. Dodaje niesamowitego aromatu.

– Spoko. Ale! Co cię łączy ze Sławomirem Kwiatkowskim, co? – zapytała Kopp szybko, widząc, że Maria już szykuje się do rozmowy o jedzeniu i piciu.

Klementyna przechadzała się po pokoju. Wolała na razie nie siadać. Czasem pomagało to wywrzeć odpowiednie wrażenie na przesłuchiwanym, a czasem po prostu pozwalało rozprostować nogi. Tak jak dziś.

– Słucham? – zdziwiła się Kalina.

Maria rzuciła Klementynie zaskakująco ostre spojrzenie.

– Najpierw zjedzmy – zakomenderowała. – Mam jeszcze ciasto czekoladowe z dżemem porzeczkowym. Pyszne! Najprostszy przepis pod słońcem.

Kalina pokręciła głową.

– Już wystarczy. Jestem na ciągłej diecie, pani Mario – wyjaśniła.

– Na ciągłej diecie? – zdumiała się starsza pani. Na jej twarzy pojawił się wyraz absolutnej zgrozy.

– Takie życie. – Kalina wzruszyła ramionami. – W mojej pracy to podstawa. Musimy dobrze wyglądać na sesjach zdjęciowych, w programach telewizyjnych i tak dalej. Tak jak na przykład tu.

Wstała i podeszła do komody pod ścianą. Wyciągnęła zwinięty w rulon plakat. Rozwinęła, żeby im pokazać. Na środku Kopp zobaczyła wielki napis *Morderczy program*. Wokół były zdjęcia różnych osób. Między innymi samej Kaliny. Ale! Kopp zauważyła też różowe włosy Malwiny Górskiej. A więc te dwie się znały.

– Piękne zdjęcie – pochwaliła natychmiast Maria.

– Nic wielkiego – zapewniła Kalina tonem osoby, która uważa wręcz przeciwnie. Zwinęła plakat i schowała z powrotem do komody. – To był taki program telewizyjny. Mniej więcej dwa lata temu. Byłam statystką, ale to była całkiem istotna rola...

– Spoko. Ale! Co masz wspólnego ze Sławomirem Kwiatkowskim, co? – przerwała jej Kopp, wracając do swojego pierwszego pytania. Wyglądało na to, że jeżeli się nie wtrąci, to cycata blondyna będzie gadać o swojej rólce całymi godzinami.

– Zupełnie nie rozumiem pytania – mruknęła Kalina, siadając obok Marii.

– A ja myślę, że rozumiesz – rzuciła Klementyna ze słodkim uśmieszkiem.

Powiązanie pomiędzy Kaliną a Sławomirem trzeba było wyjaśnić. Przecież nikt nie przepisuje wszystkiego, co zgromadził przez całe życie, zupełnie obcej osobie. I jeszcze jedna kwestia nie dawała jej spokoju. Maria była pewna, że to samochód Kwiatkowskiego widziała w piątek w okolicach miejsca zbrodni. Jeżeli założyć, że to sam Sławomir prowadził auto, to kobietą na fotelu pasażera mogła być jego żona. Ale! Mogła też być Kalina. Może razem pozbyli się pierwotnego spadkobiercy. Ale w takim razie co z żoną Kwiatkowskiego? Z nią Kopp jeszcze nie miała do czynienia. Trzeba to będzie w końcu zmienić.

– Ja mam mieć coś wspólnego z Kwiatkowskim? Tym bucem? Skąd w ogóle to przypuszczenie?

Kopp nie odpowiedziała. Wyjęła z plecaka butelkę coli i pociągnęła kilka długich łyków. Jakiś czas temu zmuszona była pójść do lekarza. Kazał jej ograniczyć spożycie słodzonych napojów. Nie miała najmniejszej ochoty tego robić. Piła colę całe życie. Tak samo jak całe życie była policjantką. Emerytura czy dodatkowe lata na karku z pewnością jej nie powstrzymają.

– Przepisał ci wszystko w testamencie – wypaliła Maria.

– Słucham? To jakiś żart.

– Co masz z nim wspólnego, co? – nie ustępowała Kopp.

– Nic. Oprócz tego, że jego syn mnie zgwałcił. A sam Sławomir kiedyś zgwałcił moją matkę. Tylko tyle mamy wspólnego.

Klementyna zatrzymała się w pół kroku. Jeżeli było coś, co wprawiało ją w autentyczny gniew, to była to przemoc wobec kobiet. Być może dlatego, że jej własne życie nie należało do najłatwiejszych pod tym względem.

– Już o tym opowiadałam temu policjantowi, synowi pani Marii. On was przysłał? – Teraz w głosie Kaliny słychać było nutę podejrzliwości. – Dlatego że nie chciałam z nim gadać? Już powiedziałam, że nienawidzę policji. A takich gierek jeszcze bardziej.

– Danielek nas nie przysłał – zapewniła Maria, podsuwając Kalinie kawałek ciasta. – Staramy się oczyścić z winy Pawełka Krupę. Ja nie wierzę, że on zabił Beniamina Kwiatkowskiego.

Blondyna nie potrafiła się jednak oprzeć i wzięła kolejny kawałeczek ciasta. Czubkami długich paznokci operowała jak pałeczkami.

– Ja nie mam z nim nic wspólnego – powtórzyła jeszcze raz Kalina. Na jej policzki wystąpił rumieniec. Być może poczuła się ośmielona tym, że są po stronie jej byłego chłopaka, a nie policjantów. – Tak jak mówię. Nie łączą mnie z Kwiatkowskimi najlepsze przeżycia. Tylko gwałt.

– Kiedy to było, co? – zapytała Kopp delikatnie. – Ten gwałt.

– A czy to ma jakieś znaczenie?

W sumie racja. To nie miało znaczenie. Czy gwałt zdarzył się wczoraj, czy lata temu, pozostawiał po sobie ślad na zawsze.

– Nie mam bladego pojęcia, dlaczego przepisał mi jakieś pieniądze. Nic o tym nie wiem. Niech sobie w dupę wsadzi te swoje pieniądze. Matkę stary Kwiatkowski zgwałcił, jak go obsługiwała. Bo kiedyś robiła jako dziwka. Ale to go w żadnej mierze nie usprawiedliwia. Beniamina też. Nie chcę mieć z nimi nic wspólnego.

Kolejne zapewnienie. Klementyna nie była pewna, czy może Kalinie wierzyć. Intuicja jej podpowiadała, że blondyna coś ukrywa.

– A żonkę Kwiatkowskiego to znasz, co?

– Pobieżnie. Hanka wpasowała się do tej rodziny doskonale. Też jest z niej niezłe ziółko.

– W jakim sensie, co?

– Swojego czasu łaziła wszędzie i gadała, że Paweł nie chciał z nią mieszkać po śmierci jej pierwszego męża. Czyli Pawła ojca. A tak naprawdę to było na odwrót. To ona nie chciała Pawła u siebie i kazała mu mieszkać z dziadkiem. Chciała skupić się na nowej rodzinie, a jego wyrzuciła jak śmiecia. Inaczej bym tego nie nazwała. Zresztą powinnyście zobaczyć, gdzie kazała mu mieszkać, jak dziadek zmarł. Nie chciała Pawła w domu Kwiatkowskich, więc niezwykle wspaniałomyślnie wyraziła zgodę, żeby mieszkał w starej ruderze restauracji, która kiedyś należała do jej rodziny. Paweł kiedyś mnie tam zabrał. Matko, co za dziura. Cały budynek się rozpada. Tylko zaplecze mu wyremontowała i to się jakoś trzymało. Ale jak można kazać komuś mieszkać w takich warunkach. Jakby był psem, którego porzuciła.

Tak że macie pojęcie, jakim Hanna jest człowiekiem. Jak ktoś jej nie pasuje, to się go pozbywa.

– Myślisz, że mogła zabić Beniamina? – zapytała Maria, robiąc wielkie oczy. – Może wrabia Pawła?

– Nie wiem, ale wcale bym się nie zdziwiła. Zresztą w tej opuszczonej restauracji miała kupę jakichś dziwnych rzeczy. Część to wygląda jak jakieś narzędzia tortur. Według mnie ona jest nienormalna. I te jej opowieści o duchach i innych takich. Masakra. No ale jak mówię, oni są wszyscy siebie warci. Kwiatkowscy to bezwzględni dranie. Nie obchodzi ich nikt i nic. Chociaż non stop gadają, że rodzina jest najważniejsza. Cieszę się, że Beniamin nie żyje. Tchórz. Zrobił mi to, bo go pewnie strach obleciał.

– Jak to? – zapytała Maria.

– Powiem, ale tego powiedzieć policji nie możecie. Mam wasze słowo?

– Tak – obiecała Maria, zanim Kopp zdążyła zaprzeczyć.

Stara Podgórska ciągle ją zaskakiwała. Klementyna postanowiła dać jej tu przejąć inicjatywę.

– Jak być może wiecie, prowadzę firmę dla hostess i modelek. Kiedyś należała do mojego kuzyna. W każdym razie moje dziewczyny czasem robią więcej, niż tylko są hostessami. Te imprezy branżowe różnie przebiegają. Czasem jest też seks. I dla mnie to jest okej, jeżeli dziewczyny się na to zgodzą. Dostają dodatkową kasę. Wszyscy są wtedy zadowoleni. Tylko ja mam swoje zasady. Na przykład nigdy nie pozwolę zrobić tego dziewicy. Uważam, że dziewictwo trzeba zachować na odpowiednią sytuację. Możecie się ze mnie śmiać, bo w sumie jestem dziwką i do tego córką dziwki. Ale właśnie dlatego to wiem.

Ostatnie zdanie zabrzmiało jak wyzwanie. Kalina czekała chyba, aż któraś z nich zareaguje. Ale! Zarówno Klementyna, jak i Maria po prostu słuchały.

– No i w ostatnią sobotę zorganizowali spotkanie. Wszyscy z tych trzech firm, co robią domy drewniane. Kwiatkowscy właśnie, Sadowski i Dąbrowscy. Wielcy panowie w towarzystwie żon i najbliższych pracowników. No i impreza się rozkręciła. Był alkohol, jakieś dragi i miał być seks. Poprzedniego dnia były walentynki, więc panowie tym bardziej byli napaleni. Zwłaszcza że żony pewnie nie dawały. Jak to żony z długoletnim stażem. Polazły w każdym razie siedzieć na dole i nie patrzyły, co się dzieje. Moja matka miała je zabawiać. Znaczy Zofię i Hannę właśnie. No i była tam ta pisarka. A my pozostaliśmy na górze. W takiej sali. Przyznam, że byłam zadowolona, bo dzięki temu miałyśmy zyskać większą kasę. Ale jedna z tych moich dziewczyn podeszła do mnie i powiedziała, że ona tego jeszcze nie robiła. A jak ją przyjmowałam, to pytałam i mnie oszukała, że pierwszy raz ma za sobą. No to mówię do tych napalonych orangutanów, że niech przelecą mnie zamiast niej. Bo było potrzebne po kobiecie na faceta. W tym czasie Beniamin akurat wrócił na górę.

– Wrócił na górę, co? – podchwyciła Kopp. – Nie było go tam wcześniej, co? Mówiłaś, że tylko kobiety sobie poszły.

– Właśnie o to chodzi. Beniamin też się wymknął w pewnym momencie. Obserwowałam go podczas całej imprezy i widziałam, że był nieswój. Jakby chciał zwiać. W końcu się wymknął. Chyba nie lubił takich imprez. No i Hanka Kwiatkowska przyprowadziła go z powrotem na górę. Za rączkę – zadrwiła Kalina. – Jak niegrzecznego chłopaczka. A u nas na górze akurat trwały dywagacje, kto będzie kogo pieprzył. No ja się zgłosiłam za tę młodą dziewicę. Dosłownie moment przed tym, jak wrócił Beniamin. Panowie byli rozochoceni i niezadowoleni, że stracą taką okazję. Sławomir Kwiatkowski w tym przodował. Beniamin to podchwycił. Według mnie wyglądało, jakby chciał zyskać uznanie u ojca. Trochę wymazać, że próbował uciec. Więc z tego strachu zaczął udawać odważnego. I wtedy właśnie mnie zgwałcił. Takie z niego było chuchro, ale nie mogłam się wyrwać. Zresztą miałam nadzieję, że uchronię tę dziewczynę. Żeby nie stała się tym, kim ja się stałam. Smutną kurwą, która udaje, że prowadzi agencję dla hostess i odnosi sukcesy. A tak naprawdę gra tylko epizodziki w programach, których nikt nie ogląda. Jak przejęłam firmę po kuzynie, to miałam tyle planów, żeby to wszystko zmienić. A wyszło kurwa jak zwykle.

W głosie Kaliny zabrzmiał wyjątkowo gorzki ton, oznaczający absolutną porażkę. Kopp też go znała. Wielokrotnie w życiu chciała uchronić różne osoby. Wiele razy się nie udało, mimo największego wysiłku. A najgorzej było, gdy ta osoba podzieliła jej własny los.

– A wiecie, co było najgorsze? – zapytała Kalina. Najwyraźniej miała teraz potrzebę mówić, skoro i tak już się rozgadała.

– Co? – zapytała powoli Maria.

– To, że dali tej dziewuszce pięćset złotych i ona to zrobiła. Sprzedała swoje dziewictwo za garść monet. I będzie żyła z tą świadomością. I to jest dla mnie właśnie najgorsze. Nawet nie to, że ten chujek mi to zrobił. Paweł zawiózł

544

mnie tu do domu. To wszystko było jak cios obuchem. Nie mogłam się pozbierać. Dopiero dziś postanowiłam, że nie będę się mazać. Beniamin mnie zgwałcił, ale mnie nie złamał. No i to ja żyję, a on nie.

– Nie chciałabyś jednak tego oficjalnie zgłosić? – zapytała Maria delikatnie. – Danielek na pewno pomoże. Nie lubisz policji, ale ja ręczę za mojego syna. Niech oni zostaną ukarani. To znaczy przynajmniej ten Sławomir i ci, którzy nie zareagowali i ci nie pomogli.

– Po co? Co mi da ciąganie ich po sądach? Oni mają niezłe plecy i za ten gwałt nie odpowiedzą.

– Jakie plecy, co? – zapytała Kopp.

– Kojarzycie tego białego prokuratora? Bastian Krajewski, ale nazywają go Zjawą. On był w zajeździe. Wtedy w sobotę. A skoro tam był, to musi być ich znajomkiem.

ROZDZIAŁ 88

Dworek Weroniki w Lipowie.
Niedziela, 23 lutego 2020. Godzina 14.30.
Weronika Podgórska

Weronika uśmiechała się do córeczki, ale cały czas kątem oka spoglądała przez okno na dom Malwiny. Nie mogła przestać myśleć o zniknięciu pisarki. Bajka zaskomlała głośno, prosząc o uwagę. Podgórska pogłaskała ją po głowie.

– Idź tam – powiedział Mariusz wyraźnie rozbawiony.

Odwróciła się do niego. Pierwszy były mąż miał irokeza z długich dredów i brodę. Koszula w kratę od znanego projektanta dopełniała całości. Wielka plama od dziecięcej kaszki z przodu nieco psuła efekt. Weronika musiała jednak przyznać, że z dzieckiem na rękach wyglądał rozbrajająco.

Nigdy go sobie w ten sposób nie wyobrażała. Mariusz zdawał się ostatnim mężczyzną, jakiego można by podejrzewać o chęć opiekowania się dzieckiem. Latami zajmował się albo pracą, albo zdradzaniem Weroniki z kobietami, których imion nawet pewnie nie pamiętał.

Poza tym był człowiekiem wybitnie miejskim. Ponad wszystko kochał ciemne zaułki Warszawy, kamienice starej Pragi i modne kluby śródmieścia. A teraz bujał na kolanach cudzą córeczkę, siedząc w dworku pod lasem dwieście kilometrów od stolicy. Kto by pomyślał, że życie tak się potoczy. I że Weronika będzie znów spała z nim w jednym łóżku.

– No coś ty – powiedziała. – Nie mogę tam iść.

Starała się, żeby zabrzmiało to szczerze. Choć bardzo chciała, żeby Mariusz ją jeszcze trochę ponamawiał.

– Przecież i tak obydwoje wiemy, że pójdziesz – odparł z chytrym uśmieszkiem, jakby z miejsca przejrzał jej grę.

– Zostanę z Emilką. Mnie to nie przeszkadza. Już się nalatałem po akcjach i atrakcjach. Jestem człowiekiem spełnionym.

Zaśmiał się głośno. Chyba mówił prawdę, choć Weronika wiedziała, że przejście na policyjną emeryturę nie poszło mu gładko. Podejrzewała, że w opiece nad jej córeczką nieoczekiwanie znalazł to, czego mu brakowało.

– Nie boisz się, że coś mi się stanie? – zapytała zalotnie.

No i kto by pomyślał, że będzie próbowała nieśmiało uwodzić byłego męża. Pierwszego byłego męża.

– Wierzę, że sobie poradzisz – odparł Mariusz spokojnie.

To ją denerwowało. Przyjemnie jest, kiedy ktoś się o ciebie martwi.

– Jesteś pewien, że chcesz zostać z Emilką?

– Jasne, jasne – zapewnił, bujając dziewczynkę coraz silniej. Córeczka uśmiechnęła się szeroko i zagaworzyła radośnie.

Weronika poczuła zazdrość. Nawet Mariusz, którego nie łączą z jej córeczką więzy krwi, potrafił lepiej zająć się dziewczynką niż ona sama, jej matka. Weronikę ogarnęły wyrzuty sumienia i gorzkie myśli. Trzeba spojrzeć prawdzie w oczy. Lepiej zajmowała się psem i końmi niż własną córeczką. Poklepała Bajkę po grzbiecie. Suczka zaczęła machać radośnie ogonem. Dlaczego Emilka nigdy się nie cieszyła, kiedy Podgórska próbowała spędzać z nią czas?

– Tam jest otwarte okno – powiedział Mariusz. – Wejdziesz bez problemu.

– Dobra, idę – mruknęła. – Malwina może być w niebezpieczeństwie.

Weronika opowiedziała o tym dziś rano Danielowi. Poprosiła, żeby chociaż zlecił lokalizowanie telefonu pisarki. Policja przecież miała swoje sposoby. Podgórski zdawał się zupełnie nieobecny. Podejrzewała, że chodzi o ucieczkę Roberta Janika. Zapytany o szczegóły odpowiadał zdawkowo. Czuła, że dziś nic do niego nie dociera. To budziło jej niepokój.

– Bajka, zostań – rozkazała, kiedy suczka poszła za nią do korytarza.

Pitbulka zrobiła zbolałą minę. Tymczasem z kuchni dochodziły śmiechy Mariusza i maleńkiej Emilki. Weronika westchnęła i włożyła kurtkę. Znów pojawiła się zazdrość. Zaczynała czuć, że tu nie pasuje. We własnym domu. Z własnym dzieckiem.

Wyszła na dwór. Lekki mróz szczypał w twarz. To było nawet przyjemne doznanie. Ruszyła szybkim krokiem tą samą ścieżką, którą ostatnio skradała się z Marią i Klementyną. Przedarła się przez bezlistne krzaki i zatrzymała się w tym samym miejscu, gdzie ostatnio usłyszały dziwny dźwięk, niepokojąco przypominający nagranie z dyktafonu na ciele Beniamina Kwiatkowskiego. Weronice znów stanęło przed oczami okaleczone ciało chłopaka. Rany i kurze łapki zamiast dłoni i stóp. Wzdrygnęła się, mimo że szybki marsz ją rozgrzał.

Nasłuchiwała. Tym razem panowała cisza. Czyżby wdarły się w nią jakieś delikatne odgłosy? Ktoś był w domu? Nie, chyba jej się wydawało.

– Do dzieła – szepnęła do siebie. Właściwie tylko po to, żeby usłyszeć czyjś głos.

Czuła dziwny niepokój. Jakby miało się stać coś złego. Żałowała trochę, że przyszła tu sama. Jeśli nie chciała siedzieć w domu, mogła pojechać z Marią i Klementyną do Kaliny Pietrzak. Przecież proponowały.

Zatrzymała się, ale teraz nic nie słyszała. Zrobiła kilka kroków w stronę drewnianego domu pisarki. Stała na odsłoniętej przestrzeni niezagospodarowanego jeszcze ogrodu. To sprawiło, że czuła się jak na celowniku. Wzdrygnęła się i ruszyła szybko pod ścianę budynku. Jakby jego bliskość mogła zapewnić bezpieczeństwo. Pod lasem widziała swój biały dworek. Ten widok też działał uspokajająco. Jeśli krzyknie wystarczająco głośno, Mariusz chyba ją usłyszy. Jak duża to odległość? Pięćset metrów? Czy pięćdziesiąt? Nigdy nie umiała precyzyjnie określić odległości.

Wzruszyła ramionami. Posuwała się przyciśnięta plecami do drewnianej fasady. Okno w kuchni nadal było otwarte jak wczoraj, kiedy wyszły, żeby sprawdzić Darię Urbańską. Malwina Górska zostawiła je wtedy otwarte. Jakby spodziewała się, że wróci. Przecież nikt nie zostawiłby okna otwartego tak szeroko zimą. W domu musiało być lodowato.

Weronika zrobiła jeszcze kilka kroków w stronę okna. Jeśli oprze stopę na desce, która oddzielała podmurówkę od głównej fasady, będzie mogła podciągnąć się i wejść do środka. Była wysoka. Chyba się uda.

Tylko w jaki sposób pomoże pisarce, wdzierając się do jej domu. Ale może ona tam jest i potrzebuje pomocy. Albo Weronice uda się znaleźć jakiś trop. Cokolwiek.

– Idę – szepnęła znów do siebie Weronika.

Spróbowała oprzeć stopę, jak planowała. Nie było to wcale tak łatwe, jak jej się wydawało. W końcu jednak złapała przyczepność. Podciągnęła się z całych sił do góry. Nie wyszło to zbyt zgrabnie, ale się udało. Po chwili była już w kuchni Malwiny Górskiej.

Rozejrzała się. Pomieszczenie wyglądało dokładnie tak, jak zostawiły je wczoraj. Nawet sałatka, którą zrobiła Malwina, stała na kuchennym blacie. To tylko upewniło Weronikę, że Górskiej od wczoraj tu nie było.

No i co teraz, pomyślała Podgórska niezdecydowana. Jej wzrok padł na stół oraz leżącą na nim stertę notatek i dyktafon. Też leżał dokładnie tam, gdzie go odłożyła po nieudanej próbie wykradzenia go w celu odsłuchania zawartości. Zrobiła kilka kroków w tamtą stronę. Za bardzo ją korciło, żeby nie skorzystać z okazji. Teraz może przecież posłuchać.

Nagle usłyszała jakieś skrzypnięcie. Zastygła w bezruchu. Oczy skupione miała na dyktafonie. Starała się nie rozglądać. Jakby to miało sprawić, że stanie się niewidzialna. Głupota, skarciła samą siebie w myślach.

Uniosła wzrok, żeby się rozejrzeć i poszukać źródła dźwięku. Wtedy jej spojrzenie padło na reprodukcję *Krzyku* wiszącą na przeciwległej ścianie. Wisiała krzywo. Inaczej niż wczoraj. Weronika była tego pewna. Przyglądała się obrazowi, kiedy o nim rozmawiały. Ktoś musiał go poruszyć. Sam chybaby się tak nie przesunął.

Podeszła ostrożnie do ściany.

– Dlaczego ktoś cię ruszał? – szepnęła najciszej, jak umiała. Zwerbalizowanie swoich myśli pomagało jej się skupić.

Postać z reprodukcji patrzyła na nią przerażonymi oczami w niemym krzyku. Dzieło Muncha zawsze budziło w niej niepokój. Tym razem jeszcze większy. Czuła, że serce bije jej coraz szybciej.

– Dobra – oznajmiła pustemu domowi.

Chwyciła ostrożnie czarną ramę reprodukcji i zsunęła ją z haka wkręconego w ścianę. Jej oczom ukazało się coś, czego zupełnie się nie spodziewała. Za obrazem ukryte było zdjęcie. I nie tylko to.

ROZDZIAŁ 89

Komenda Powiatowa Policji w Brodnicy.
Niedziela, 23 lutego 2020. Godzina 15.00.
Aspirant Daniel Podgórski

Zobacz – powiedział Ziółkowski, kiedy usiedli przed komputerem w jego pokoju w piwnicach komendy. – Tu mam zdjęcie z aparatu Beniamina Kwiatkowskiego. A tu jest to, które zrobiłem na miejscu zbrodni.

Daniel spojrzał na zdjęcia otwarte w dwóch oknach. Przedstawiały dokładnie to samo miejsce. Dziką polankę nad jeziorem Strażym. Kiedyś była tam plaża, ale już zarosła. Daniel dawno tam nie był. Nie licząc oczywiście konieczności pojechania tam na oględziny po morderstwie. Jako dziecko chodził kąpać się na inną dziką plażę nad Strażymem. Tamta położona była przy południowym krańcu jeziora, a więc nieco bliżej Lipowa.

– Widzisz różnicę? – zapytał szef techników, wyrywając policjanta z zamyślenia.

Podgórski spojrzał raz jeszcze na zdjęcia. Różnica była dość oczywista. Na pierwszym, zrobionym prawdopodobnie przez Beniamina Kwiatkowskiego, głównym motywem był zimowy krajobraz. Zdjęcie było artystyczne i piękne. Daniel musiał przyznać, że zamordowany chłopak miał talent. Drugie zdjęcie było brutalne i ostre. Zrobione bez szczególnego artyzmu. Nie służyło podziwianiu, tylko udokumentowaniu tego, co grupa z wydziału kryminalnego zastała na miejscu zbrodni po tym, jak Klementyna, Maria i Weronika po nich zadzwoniły. Tematem przewodnim nie był krajobraz, lecz martwe ciało Beniamina Kwiatkowskiego. Zhańbione dziwną inscenizacją.

Z protokołu doktora Koterskiego wynikało, że rany Beniaminowi zadano aż trzema różnymi narzędziami. Nożem, czymś w rodzaju szpikulca, a na koniec, już po śmierci, całość potraktowano siekierą. Prawdopodobnie tą, którą znalazł na ścieżce i podniósł Paweł Krupa. Zamiast dłoni i stóp były kurze łapki. Takie same jak te, które potem znaleźli u Roberta Janika w pokoju. A wcześniej pod kanapą, na której leżał Sadowski.

– No? – ponaglił policjanta Ziółkowski. – Widzisz?

– No różnica rzuca się w oczy – mruknął Daniel. – Trup, nie ma trupa.

Wiadomo, że technikowi musiało chodzić o coś innego, ale Podgórski nie miał siły przyglądać się fotografiom i szukać jakichś drobnych szczegółów. Myślał tylko o Trawińskim i o tym, co mu zrobi. Zemsta.

– Spójrz tu – powiedział technik, najeżdżając kursorem myszki na zdjęcie zrobione przez Beniamina Kwiatkowskiego. – Widzisz?

– Kamienie? – spróbował zgadnąć Daniel. Na krańcu polanki leżała sterta mniejszych i większych kamieni.

Szef techników westchnął ciężko.

– Chyba nie jesteś w formie – powiedział cierpko. – I nie mam na myśli brzucha. Który byś swoją drogą lepiej zrzucił. Zbója nie dogonisz. Policjant nie powinien…

– Nie możesz po postu kurwa powiedzieć? – przerwał mu Daniel. Nie lubił komentarzy na temat swojej tuszy, choć czasem sam z niej żartował.

– Halo, halo. Może jednak grzeczniej?

– To przedszkole czy co? – warknął Podgórski. – Brzydkich słów nie słyszałeś? Ojej. Bo się wzruszę.

– Nie. Właśnie to nie jest przedszkole – odparł z godnością technik. – To jest Komenda Powiatowa Policji w Brodnicy i osobiście życzyłbym sobie, żeby była tu zachowana kultura.

– Pojebało cię, Ziółek? Po prostu powiedz, co znalazłeś.

Technik przyglądał się Danielowi spod oka wyraźnie zniesmaczony jego wybuchem. Podgórski czuł, że faktycznie przesadził, ale coraz trudniej było mu trzymać nerwy na wodzy, a głupi komentarz o brzuchu niepotrzebnie go zirytował.

– Gdyby jaśnie pan zechciał się przyjrzeć, to zobaczyłby, że tu leży papierek – poinformował technik wyraźnie urażony. – Widzi?

Daniel pochylił się w stronę ekranu. Pod kamieniem z prawej strony rzeczywiście leżał zgnieciony papierek po jakimś batonie. Był brązowo-żółty, ale policjant nie mógł odczytać nazwy.

– I co? – zapytał spokojniej, żeby zdystansować się od swojego wcześniejszego wybuchu złości.

– A zobacz teraz na moim zdjęciu z miejsca zbrodni. Tu jest ten sam kamień.

Ziółkowski znów najechał kursorem na odpowiedni punkt. To było to samo miejsce. Ta sama górka kamieni. Obok ciało. Ale...

– Papierka nie ma – stwierdził Daniel. – I?

– I nic – odparł nadal kwaśno technik. – Przejrzałem moje pozostałe zdjęcia i nigdzie nie ma tego papierka. Zniknął. Jest tylko na zdjęciach, które są w aparacie fotograficznym ofiary.

Podgórski westchnął. To była strata czasu.

– Może Beniamin usunął papierek, żeby mieć lepszy kadr na kolejne zdjęcia – powiedział. – Nie wiem, w jaki sposób to odkrycie przybliżałoby nas do rozwiązania zagadki. Powiedz lepiej, czy w aparacie są zdjęcia ofiary? Aparat ustawiono przecież tak, jakby sprawcy chcieli sfotografować ciało.

– Nie ma. Ani jednego.

– Możliwe, że zrobili zdjęcia, ale je potem wykasowali? Zostałyby jakieś ślady po takiej ingerencji? I czy możemy odzyskać wykasowane zdjęcia?

– Gadałem o tym z Marianem Ludkiem. Ba, nawet zaniosłem mu kartę pamięci do sprawdzenia.

Ludek był informatykiem i pracownikiem cywilnym komendy.

– I? – zapytał Daniel.

Czuł, że znów traci cierpliwość. Tym razem jednak starał się nie powtarzać zachowania sprzed chwili.

– Ludek mówi, że o ile zdjęcia nie zostaną nadpisane, to można by je odzyskać. Zwykłe formatowanie nie niszczy ich zapisu. Zresztą jeśli masz dane na telefonie i chcesz go sprzedać albo komuś oddać, to też o tym pamiętaj. Bo zwykłe formatowanie nie usuwa danych, tylko jakby zwalnia miejsce dla nowych plików. Informatyczny bełkot, jeśliby mnie ktoś pytał. W każdym razie dopiero jak wstawia się kolejne pliki, to stare dane są właśnie nadpisywane. Tak to działa. Stare dane, które nie zostały nadpisane, można bardzo łatwo przywrócić, używając specjalnych programów...

– Użyliście ich? – przerwał mu Daniel. Zapowiadało się na poważną dyskusję, a nie mieli teraz na to czasu. Za chwilę zacznie się odprawa i musieli iść na górę.

– Oczywiście – odparł znów z urazą Ziółkowski. – Były tam jakieś stare zdjęcia, ale też głównie przyroda. Żadnych zdjęć ciała. Czyli nikt Beniamina nie fotografował.

– To po co ustawili aparat w ten sposób? – zastanawiał się Podgórski głośno.

– Nie wiem. Może kręciło ich patrzenie przez obiektyw na ciało tego chłopaka. Różni są zboczeńcy. Przy ciele znalazłem ślad na piachu. Pamiętasz?

– Jo.

Klementyna też wspominała Danielowi o tym śladzie, kiedy rozmawiali ostatnio.

– Myślałem może, że aparat wcześniej był ustawiony obok ciała. Ale ślad nie pasuje do nóżki statywu. Zaryzykowałbym tezę, że aparat nie był ruszany. Na całej polanie nie znalazłem śladów trójnoga. Na aparacie nie ma paluchów nikogo innego poza Beniaminem.

– Mogli mieć rękawiczki – zasugerował Daniel.

Ziółkowski wzruszył ramionami.

– Ja stawiałbym na to, że nikt tego aparatu nie ruszał – powtórzył. – Za to ktoś ruszył papierek.

Daniel znów westchnął.

– Uczepiłeś się jakiegoś śmiecia. Mówię, że może sam Beniamin go zabrał, żeby nie psuł mu kadru.

– Ale na wszystkich zdjęciach, które są na aparacie, papierek jest.

– Może usunął papierek. Chciał zrobić kolejne zdjęcia, ale nie zdążył, bo przyjechali sprawcy.

– Wtedy papierek leżałby gdzieś obok. Albo Beniamin wsadziłby go do kieszeni. A papierka nie ma. Nigdzie go nie widziałem. A jestem dokładny. Porobiłem zdjęcia całej polany. Teraz przejrzałem to wszystko i nie ma.

– Zostawmy ten głupi papierek – zdecydował Daniel z naciskiem. – On nie ma znaczenia. Mamy ważniejsze sprawy.

– Jak chcesz – mruknął Ziółkowski. – Skoro nie interesuje cię moja inicjatywa, to pewnie nie chcesz wiedzieć, co jeszcze odkryłem, a to jest związane z tym nagraniem na dyktafonie, który leżał na ciele.

ROZDZIAŁ 90

Mieszkanie Kaliny Pietrzak przy ulicy Matejki.
Niedziela, 23 lutego 2020. Godzina 15.00.
Klementyna Kopp

Czekaj. Stop. Zjawa był w zajeździe, kiedy trwała ta
impreza, co? – zapytała Kopp.

Nie znała tego proroka* osobiście. Przyszedł do prokuratury rejonowej kilka lat temu. W tym czasie ona już
była cywilem. Natomiast słyszała opowieści. Wszyscy
mówili o jego charakterystycznym wyglądzie, a ona akurat podejrzewała, że wie, jak Zjawa się czuje. Sama nie
raz słyszała komentarze o swoich tatuażach i ogolonej
na łyso głowie.

Ale! Słyszała też, że Zjawa bywał nieprzyjemny.
To oczywiście nie musiała być prawda. Policjanci i prokuratorzy nie zawsze się lubili. Opinia mogła być więc
mocno stronnicza.

– Jo. Był tam. Chciałam zejść na dół do toalety – wyjaśniła Kalina. – Wolę te na dole. Są czyściejsze. Tych
na górze ostatnio w ogóle nie sprzątali. Sadowski zapuścił

* Potocznie prokurator.

558

zajazd. W każdym razie jak byłam u szczytu schodów, to zobaczyłam, że Zjawa akurat wychodził z budynku.

– Nie masz pojęcia, co tam robił, co? – zapytała Kopp. Czuła, że Kalina nie wszystko im powiedziała.

– Nie mam pojęcia – zapewniła blondyna twardo. – Resztę opowiedziałam. Jeżeli o mnie chodzi, to uważam, że Beniamina zabiła ta okropna Hanna. Powinniście zobaczyć tę jej opuszczoną restaurację. Ona zgromadziła tam jakieś okropieństwa. Trochę zabrała, jak sobie meblowała dom. Jakieś wypchane ptaki, wrzeciono... A właśnie. Zobaczcie skalę jej wariactwa. Paweł mi opowiadał, że Hanna miała obsesję na punkcie tego wrzeciona. Że nie można go dotknąć, bo dźwięk kołowrotka przynosi nieszczęście. Chore to było.

Kopp poczuła na sobie spojrzenie Marii.

– Klementynko, pamiętasz ten dźwięk? – ekscytowała się matka Daniela. – Takie stukanie i szum! To mógł być kołowrotek. Nie znam się na przędzeniu, ale wydaje mi się, że to możliwe.

Klementyna skinęła głową. Ona w każdym razie zupełnie się nie znała. Nie zamierzała więc lekceważyć słów Marii.

– Wiesz, gdzie jest ta działka, co? – zapytała, odwracając się do Kaliny. – Chętnie sobie to sprawdzę.

Kopp nie poznała jeszcze Hanny Kwiatkowskiej. Ale! Co szkodzi najpierw zobaczyć jej składzik okropności. Może to coś więcej powie o niej samej. I pozwoli stwierdzić, kto siedział w samochodzie obok Sławomira Kwiatkowskiego. Jego żona czy też może Kalina.

– Byłam tam może raz – wyjaśniła blondyna. – I to dawno. To blisko stąd, ale nie wiem, czy bez Pawła trafię.

– Zaryzykujemy – zdecydowała Kopp.

ROZDZIAŁ 91

Dom Malwiny Górskiej w Lipowie.
Niedziela, 23 lutego 2020. Godzina 15.15.
Weronika Podgórska

Weronika patrzyła na ścianę zaskoczona. Za reprodukcją *Krzyku* przyklejone było nieco ziarniste zdjęcie Emilii Strzałkowskiej. Chyba jedno z tych, które ukazały się w mediach po jej samobójstwie. Wydrukowane zostało na zwykłym papierze. Najpewniej na domowej drukarce. Obok zdjęcia ktoś narysował znak. To był dokładnie taki sam symbol, jaki Malwina Górska miała wytatuowany na dłoni. Litera Y z dodatkową kreseczką pośrodku.

Podgórska wzdrygnęła się, omal nie upuszczając reprodukcji. Oparła obraz na stopie i wyciągnęła telefon. Chciała udokumentować to, co zobaczyła, i odwiesić go na miejsce. Zupełnie nie rozumiała, co tu robi zdjęcie Emilii. To dziwne odkrycie przyprawiało o ciarki i sprawiało, że Podgórska zaczynała znów mieć podejrzenia, że być może to pisarka odgrywała jakąś rolę w wydarzeniach.

Weronika zrobiła kilka zdjęć. Kiedy uniosła obraz, żeby odwiesić go na miejsce, zauważyła coś jeszcze. Z tyłu reprodukcji ktoś przykleił kopertę. Nie była zaklejona, więc Podgórska zajrzała do środka. Pusta. Dziwne.

Nagle usłyszała skrzypnięcie. Teraz nie było już żadnych wątpliwości. Nie wydawało jej się. Odgłos był jak najbardziej realny. I mógł oznaczać tylko jedno. W tym domu był jeszcze ktoś oprócz niej. Chyba na górze, bo dźwięk dochodził od strony schodów.

ROZDZIAŁ 92

Komenda Powiatowa Policji w Brodnicy.
Niedziela, 23 lutego 2020. Godzina 15.15.
Aspirant Daniel Podgórski

Zaczynajmy – oznajmił naczelnik Urbański. – Zjawa napisał mi, że go nie będzie, więc jesteśmy w komplecie. Tym razem zebrali się w salce konferencyjnej. Podgórski, Trawiński, Ziółkowski, Fijałkowska i Urbański. Mieli podsumować to, co do tej pory udało się ustalić. To, że prokurator nie zaszczycił ich swoją obecnością, Daniela nie zaskoczyło. Kolejny przykład, że oni zrobią całą robotę, a Zjawa zbierze laury.

– Mamy trzy trupy i jedno pobicie – powiedział, zbierając siły. – Być może obecne zabójstwa łączą się ze sprawą, którą zajmowała się Emilia Strzałkowska.

Daniel spojrzał na Trawińskiego, żeby zobaczyć, jak on zareaguje na te słowa. Zakłamany sukinsyn uśmiechnął się ze współczuciem. Kiedyś Daniel brał to za objaw przyjaźni i zrozumienia. Teraz wiedział, że to kłamstwo mające na celu tuszowanie zbrodni. No ale dziś to się skończy. Bo Podgórski postanowił, że nie będzie czekał dłużej. Zabije tego kłamliwego kutasa już dziś.

– Doktor Koterski zrobił sekcje i przygotował protokoły – dodał policjant, kładąc na stole plik kartek. Podjął decyzję i czuł się z tym lekko. – Koterski też nie mógł dziś przyjechać, ale zapoznałem się z tym, co odkrył.

– Streść to – poprosił naczelnik Urbański.

– W czwartek, dwudziestego lutego, umierają Izabela Pietrzak i Franciszek Sadowski. W piątek znalezione zostają ich ciała. Ginie także Beniamin Kwiatkowski. Nieco wcześniej tego samego dnia zostaje brutalnie pobita Zofia Dąbrowska. Wszystkie te osoby związane są z branżą budowy domów drewnianych. Przypominam, że dwa lata temu została zamordowana córka Zofii, Julia Szymańska. Te zabójstwa łączą pewne podobieństwa, ale istnieją też różnice.

– Czy według Koterskiego możemy mówić o tym samym sprawcy? – zapytała Fijałkowska ostrożnie.

Jej zainteresowanie było zrozumiałe, nie tylko dlatego, że to było pierwsze logiczne pytanie, jakie się nasuwało, ale również dlatego, że to właśnie Fijałkowska zamknęła śledztwo dotyczące śmierci Julii. Po tym, jak Trawiński zamordował Emilię. Pewnie chciała wiedzieć, czy popełniła błąd.

– Koterski nie odpowiedział na to jednoznacznie – odparł Daniel. – Ale nie można wykluczyć, że tak. A to z kolei może oznaczać, że Ryszard Pietrzak od dwóch lat garuje za nic. To samo może zdarzyć się teraz z Pawłem Krupą.

Podgórski nie wierzył w winę Krupy. Ale nie wiedział, kto mógł być zabójcą.

– Kurwa – mruknął naczelnik Urbański. – Niepotrzebna nam kolejna wtopa. Rzucą się na nas. Zjawa twierdzi, że on wątpliwości nie ma, ale jak się okaże, że jednak Pietrzak i Krupa są niewinni, winę zwali na nas.

– Ale to chyba nie oznacza, że zostawimy niewinnego człowieka w więzieniu – powiedział Daniel. Starał się zachowywać naturalnie, żeby Trawiński ani przez chwilę się nie domyślił, że coś jest nie tak. – Może najpierw wskażę podobieństwa łączące te wszystkie sprawy, żebyśmy sobie to ułożyli w głowach. Odcięte dłonie i stopy pojawiają się zarówno w sprawie Julii Szymańskiej, jak i Beniamina Kwiatkowskiego. Ale o dziwo również w sprawie Izabeli Pietrzak.

– Ona przecież miała dłonie – zdziwiła się Fijałkowska.

– Sama widziałam.

Mówiła takim tonem, jakby osobiście spędziła pół dnia na miejscu zdarzenia, a nie zwinęła się z zajazdu, jak tylko przyjechał Trawiński.

– Tak, ale Koterski znalazł nacięcia próbne – wytłumaczył Daniel, unosząc protokoły spisane przez medyka sądowego. – Wyglądało to tak, jakby ktoś chciał odciąć dłoń nożem. Albo planował użycie innego narzędzia, ale tego nie zrobił. Dłonie i stopy Julii i Beniamina zostały odrąbane. Łączy te zbrodnie również narzędzie – siekiera. Użyto jej do zamordowania Julii Szymańskiej, a także zadano nią pośmiertne rany Beniaminowi Kwiatkowskiemu. Siekierą zaatakowano też Zofię Dąbrowską. Tyle że obuchem, nie ostrzem. Nawiasem mówiąc, dzięki zeznaniom Zofii Dąbrowskiej wiemy, że prawdopodobnie mamy do czynienia z dwójką sprawców. Mężczyzną i kobietą. Dwójkę osób widziała także moja matka w pobliżu miejsca, gdzie zginął Kwiatkowski. Więc ta informacja się potwierdza.

– Zajmijmy się narzędziami zbrodni – zdecydował Urbański. – Pamiętam dobrze śmierć Julii Szymańskiej. Tam siekiera była bezpośrednią przyczyną zgonu. To znaczy źle się wyraziłem. Obrażenia zadane siekierą były przyczyną zgonu. Ale wiecie, o co mi chodzi.

– Jo – potwierdził Daniel. – Tak jak wspomniałem, tu było inaczej. Rany od siekiery na ciele Beniamina zadano po śmierci. Izabela Pietrzak została zadźgana, ale przedtem uderzono ją w tył głowy. Prawdopodobnie młotkiem, który należał do niej. Być może została zaskoczona, kiedy się odwróciła. Na miejscu zbrodni znaleźliśmy też rozbitą butelkę. Myślałem, że to tak zwany *tulipan*, ale doktor Koterski nie uważa, żeby to było narzędzie zbrodni.

Podgórski musiał sam przed sobą przyznać, że trochę zapomniał o tej butelce. Teraz znów o niej pomyślał. Dlaczego była rozbita? Może po prostu upadła? A może ofiara próbowała się nią bronić, więc jeden ze sprawców albo nawet oboje mają na ciele rany zadane właśnie tulipanem? To mogłoby pomóc ich namierzyć.

– Na butelce nie znalazłem krwi – wtrącił się Ziółkowski, jakby przyszło mu do głowy to samo co Danielowi. – Nawiasem mówiąc, na siekierze, która leżała pod łóżkiem Sadowskiego, też nie. Więc to raczej ślepy zaułek.

– Beniamin też został zaatakowany nożem – podjął Podgórski, kiwając głową. – O ranach od siekiery mówimy do znudzenia, ale po śmierci zaatakowano go jeszcze czymś w rodzaju szpikulca.

– Po co? – zastanawiała się głośno Fijałkowska. Bawiła się kosmykiem włosów. – Skoro już nie żył, to nie ma sensu.

– Wszystkie te osoby zaatakowano bardzo brutalnie – powiedział Daniel. – Być może w grę wchodziło sporo emocji.

– Zemsta? – zasugerował Trawiński.

Daniel spojrzał na niego spod oka. Ciekawe, co Trawiński by powiedział, gdyby wiedział, że zemsta spadnie także na niego.

– Tak naprawdę tylko ciało Franciszka Sadowskiego jest nietknięte – mruknął Daniel, żeby skupić się na temacie. Nie chciał, żeby kolega zauważył, że coś jest nie tak, i zaczął cokolwiek podejrzewać.

– Co było przyczyną jego zgonu? – zapytał technik.

– W strzykawce znalazłem pozostałości heroiny. Przypomnę, bo może nie wszyscy wiedzą lub pamiętają, że w sprawie Julii Szymańskiej też pojawiły się narkotyki. Dziewczyna w domu miała ponad siedemset gramów białego. A pamiętam, jak rozmawiałem z Emilią o Beniaminie Kwiatkowskim, że chłopak kiedyś miał problemy przez zielone.

– Trudno powiedzieć, czy to ma jakieś znaczenie – powiedział Urbański. – Niestety sporo osób korzysta z narkotyków.

– Faktycznie – zgodził się Daniel. – Ale musimy mieć na uwadze kolejne podobieństwa. Nasz rynek narkotykowy to przecież nie Warszawa. Nie działa tu nieskończona liczba dilerów. A nagle mamy trzy osoby, które używały narkotyków. I nie tylko marihuany, ale mocniejszych środków. Bo faktycznie doktor napisał, że przyczyną śmierci Franciszka Sadowskiego było przedawkowanie heroiny. No ale nie możemy wykluczyć, że celowe. Na przykład jeżeli ktoś dostarczył mu trefny towar. Tak samo jak nie możemy wykluczyć samobójstwa.

– Co w takim razie łączy Sadowskiego z pozostałymi denatami? – zapytała Fijałkowska.

Daniel był pewny, że w tym momencie Emilia przewróciłaby oczami. Nie lubiła, kiedy ktoś był nieprzygotowany do odprawy. A Fijałkowska najwyraźniej skupiała się zupełnie na innych rzeczach niż praca, skoro nie wiedziała, co znaleźli pod kanapą w zajeździe.

– Obok ciała leżały ptasie nóżki – wyjaśnił policjant. Znów miał przed oczami twarz syna, który go o tym informował. – Takie same jak te, których użyto do inscenizacji przy ciele Beniamina. No i identyczne z tymi, które znaleziono w pokoju Roberta Janika.

– Zakładamy, że to on jest sprawcą? – zapytała Fijałkowska.

Tym razem naczelnik Urbański odchrząknął.

– Nic nie zakładamy na tym etapie – powiedział tonem, jakby mówił do przedszkolaka. – Staramy się odkryć prawdę. Ale fakt faktem, że chłopak wzbudza podejrzenia. Pomijając ptasie łapki, jest też jedynym spadkobiercą Franciszka Sadowskiego. Mógł chcieć przejąć biznes nieco wcześniej, niż planowała natura.

– Podejrzany twierdzi, że to smakołyki dla psa – odezwał się szef techników. – Poszukałem w sieci. Faktycznie jest tego sporo. I wyglądają jak te na miejscu zbrodni. Nie mówię, że on jest niewinny, ale to jest ogólnodostępny produkt. Raczej nie sprawdzimy wszystkich stron, na których można je zamówić. Poza tym można je kupić również w sklepach dla psów. Stacjonarnych. Podejrzewam, że w naszym mieście też. Oczywiście sprawdziłem te łapki, ale nic szczególnego nie znalazłem.

– Po co w ogóle ktoś położył te nóżki przy ciele? – zapytała Fijałkowska.

– Dobre pytanie – zgodził się z nią Trawiński. – Mnie kojarzy się to z Hanną Kwiatkowską. Jak byliśmy u niej z Danielem, to opowiadała o jakimś słowiańskim duchu, który miał chyba ptasie nóżki zamiast stóp. Dobrze mówię?

Podgórski potwierdził.

– Też o tym myślałem. Kikimora. Hanna Kwiatkowska mówiła, że ten demon przędzie na wrzecionie. Kiedy poruszyłeś tym kołowrotkiem w domu Kwiatkowskich, wydawało mi się, że to jest bardzo podobny dźwięk do tego z dyktafonu. Więc to by się nam łączyło w całość.

Hanna powiedziała wtedy, że Trawińskiego spotka coś złego, bo dotknął wrzeciona. Daniel uśmiechnął się. No i proszę, może się jednak okazać, że miała rację, skoro Podgórski zamierzał go zabić.

– Jeśli chodzi o ptasie łapki, zwróciłem jeszcze uwagę na jeden szczegół – dodał policjant. – Ta pisarka, Malwina Górska, ma na dłoni tatuaż, który wygląda jak odcisk ptasiej nóżki. A wczoraj pisarka zniknęła.

– Jak to? – zapytał ostro Urbański.

Daniel był ciekaw, co naczelnik wie. Weronika powiedziała, że Górska była kiedyś kochanką Urbańskiego, a jego żona groziła pisarce. Być może teraz ją śledziła. Prowadząc swoje dochodzenie, kobiety pojechały sprawdzić dom Urbańskich. Ciekawe, czy Daria opowiedziała o tym mężowi. Podgórski próbował wyczytać coś z twarzy naczelnika, ale nie wyrażała żadnych emocji.

– Moja była żona była z Malwiną na mieście – wyjaśnił Daniel. Na wszelki wypadek nie zamierzał precyzować, co się stało. Może jednak żona naczelnika wolała zachować wizytę Klementyny i pozostałych kobiet dla siebie.

– Pisarka oddaliła się w pewnym momencie. I nie wróciła do domu. Może to nie ma związku ze sprawą, ale wolałem o tym wspomnieć.

– Gorzej, jeżeli to znaczy, że będziemy mieli kolejnego trupa. Zwłaszcza jeśli ktoś ją śledził – zmartwiła się Fijałkowska. – Może powinniśmy cokolwiek zrobić?

– Nikt nie zgłosił zaginięcia – włączył się do rozmowy Trawiński. – Poczekajmy jeszcze.

– Jak długo jej nie ma? – zapytał naczelnik.

Podgórski wyczuł zdenerwowanie w jego głosie. Weronika wspomniała, że Górska i Urbański już się nie spotykali. Chyba jednak naczelnik nadal się martwił o dawną kochankę. Dobrze. Daniel miał inne sprawy na głowie niż szukanie pisarki. Niech Urbański się tym zajmie.

– Od wczoraj. Aha – przypomniał sobie nagle Podgórski, podnosząc znów protokoły Koterskiego. – Zapomniałem wspomnieć. Wprawdzie ciało Franciszka Sadowskiego było właściwie nietknięte, ale Koterski znalazł na jego ciele zadrapania. Nie wiem, jak to tak szybko ustalił, ale już wie, kto go podrapał. Dopisał to ołówkiem na marginesie, więc to chyba informacja z ostatniej chwili.

– Kto go podrapał? – zapytał naczelnik.

– Pod paznokciami Izabeli Pietrzak był naskórek Sadowskiego.

Nikt się nie odezwał. Daniel zapomniał nawet o planie zemsty. Na tym etapie, kiedy wymyślił pewną hipotezę i wszystko zaczynało się składać w całość, ten nowy fakt nie pasował do tych założeń.

– Broniła się przed Sadowskim? – zapytała w końcu Fijałkowska.

– Możliwe – powiedział Daniel w zamyśleniu. – Tylko dlaczego on zginął?

Podgórski odwrócił się do Trawińskiego i zadał mu to pytanie prosto w twarz. Ciekawe, czy zdrajca coś o tym wiedział? Bardzo możliwe, że tak. Zwłaszcza jeśli tym wszystkim kierował człowiek, który zlecił zabójstwo Emilii. Wtedy być może Trawiński był jedyną osobą w salce konferencyjnej, która dokładnie wiedziała, co tu się działo.

Przez chwilę Daniel bardzo chciał go zdemaskować. Powiedzieć wszystkim zgromadzonym w tym pokoju, że Trawiński to zdrajca i morderca, który prawdopodobnie zna rozwiązanie całej tej zagadki, a tylko udaje, że jest zdezorientowany.

– Ja już się w tym gubię – oznajmił Trawiński, wzruszając ramionami. Kłamliwy sukinsyn. – Jeżeli to Sadowski zaatakował Izabelę Pietrzak, zanim przedawkował, to jak to się ma do tego, że dwójka świadków twierdzi, że sprawców było dwoje? Zofia Dąbrowska i twoja matka to zupełnie niezależne od siebie osoby. Możemy więc chyba wykluczyć, że któraś z nich kłamie. Jeżeli mamy dwójkę osób, to jak doszło do zadrapań na ciele Sadowskiego? A skoro już o dwójce mowa, to: K w i a t k o w s c y.

Trawiński wymówił to nazwisko z wyraźnym namaszczeniem.

– Co z nimi? – zapytał naczelnik Urbański.

– Zeznali, że kiedy Beniamin pojechał robić zdjęcia, oni udali się do sklepu – wyjaśnił Trawiński. – Sprawdzałem dziś monitoringi z różnych miejsc. Między innymi udało mi się uzyskać ten sklepowy. Jaka była godzina zgonu Beniamina?

– Koterski ocenia, że chłopaka zabito koło jedenastej – przypomniał Daniel.

– No właśnie. – Trawiński uśmiechnął się. – Ale oni twierdzili, że w sklepie byli od dziesiątej. Tymczasem przejrzałem dokładnie nagranie z kamery wiszącej przy wejściu. Koło dziesiątej w ogóle ich tam nie było. Byli tam po dwunastej.

– Oszukali nas? – zapytał Podgórski powoli. – Jesteś pewien?

Trawiński pokiwał głową.

– Jak poszedłeś na dół do Zofii Dąbrowskiej, skończyłem to oglądać. Kwiatkowscy kłamali.

– Czyli mogli zabić Beniamina – dodał Daniel. – Wracamy znów do Hanny i jej opowieści o tych wrzecionach i tak dalej. No i właśnie. Ziółek, ty odkryłeś coś o tym nagraniu, które sprawcy zostawili na ciele chłopaka.

Chodziło o to, co technik opowiedział mu o zaginionym papierku i swoim odkryciu dotyczącym nagrania. Podgórski czuł się w obowiązku o tym wspomnieć. Mimo że jedno i drugie nie wydawało mu się szczególnie istotne. Kwestię zaginionego śmiecia miał zamiar pominąć, ale uznał, że warto wspomnieć choć o nagraniu.

– Sami posłuchajcie – powiedział Ziółkowski.

Technik otworzył klapę swojego laptopa i włączył odtwarzanie dźwięku. Stukająco-szeleszczący dźwięk wypełnił salkę konferencyjną. Im więcej razy Daniel tego słuchał, tym bardziej był pewny, że brzmiało to jak kołowrotek u Hanny Kwiatkowskiej.

– Teraz się skupcie – poinstruował Ziółek. – Puszczę wam kilkakrotnie samą końcówkę, bo wcale nie tak łatwo to wyłapać. Ja po prostu jestem bardzo dokładny. Zwróćcie uwagę na kliknięcie na koniec.

Wsłuchiwali się w nagranie w milczeniu.

– Myszka komputerowa? – zdziwił się naczelnik Urbański.

– Miałem to samo skojarzenie – potwierdził Ziółkowski. – Potem troszkę pomógł mi Marian Ludek z informatyki. Najpierw zwróciłem uwagę, że na nagraniu są szumy. Oczywiście to mogła być wina jakości dyktafonu i tak dalej. Ale wpadło mi do głowy, że to może być nagranie nagrania. Wiecie… Tak jak kiedyś, kiedy się nagrywało coś z radia. Przed erą cyfrową. Że sprawca czy też sprawcy położyli dyktafon obok źródła dźwięku, z którego odtwarzano nagranie. A nie dajmy na to obok prawdziwego kołowrotka. Bardzo możliwe, że dźwięk był odtwarzany z komputera. Kiedy nagranie na komputerze dobiegło końca, ten ktoś je zatrzymał. Właśnie klikając myszką. Dopiero potem wyłączył nagrywanie na dyktafonie. A nie na odwrót. Dlatego na dyktafonie słyszymy to charakterystyczne kliknięcie komputerowej myszy. Pewnie nawet nie zwrócił na to uwagi. Potem to zapętlił i gotowe. Zdradza go tylko kliknięcie.

– Czyli ta osoba wcale nie musiała mieć bezpośredniego dostępu do wrzeciona – podsumowała Fijałkowska.

Daniel skinął głową. Faktycznie, to była trafna uwaga. Nie pomyślał o tym wcześniej.

– Ale to nie wyklucza Hanny Kwiatkowskiej – powiedział. – Poza tym teraz wpadł mi do głowy dość szalony pomysł. Ten szpikulec, o którym mówiliśmy, a którym zadano rany Beniaminowi, może miał symbolizować wrzeciono? Przecież wrzeciono to szpikulec. Może to jest powód, dla którego użyto tylu narzędzi zbrodni. Każde miało jakieś symboliczne znaczenie. Siekiera z kolei może mieć związek po prostu z profesją. Przecież oni wszyscy pracują z drewnem.

– Czyli to, co odkryłem, jednak uważasz za ważne – uśmiechnął się z satysfakcją technik. – Nie, to nie wyklucza Hanny Kwiatkowskiej. Ale otwiera nowe możliwości. Że to niekoniecznie jest ona.

– Nikt nie powiedział, że to ona – mruknął Daniel. – No i jeszcze jedna sprawa. Udało mi się zdobyć informację, że nie tylko Sadowski spisał testament w ostatnim czasie. Zrobił to też Sławomir Kwiatkowski.

Daniel zerknął znów na Urbańskiego w oczekiwaniu na jakąś reakcję. Przecież to jego żona zdradziła wczoraj tę tajemnicę Klementynie i reszcie. Kopp napisała mu rano wiadomość. Naczelnik odpowiedział pustym spojrzeniem, jakby nic o tym nie wiedział.

– Skąd wiesz? – zapytała Fijałkowska.

– Sławomir Kwiatkowski spisał testament na rzecz Kaliny Pietrzak – poinformował Daniel zamiast odpowiedzi. – To wydaje się mocno interesujące. Zwłaszcza że zrobił to dzień po śmierci syna. Skoro Beniamin już nie żył, to po śmierci Kwiatkowskiego spadkobierczynią byłaby Hanna. Tymczasem on przepisał wszystko, co ma, Kalinie.

– Majątek nie jest wspólny? – zapytała Fijałkowska.

– Nie znam szczegółów. Może mieli jakąś intercyzę.

– Ale wygląda na to, że chciał zapewnić byt Kalinie – zastanawiała się głośno koleżanka. – Czyżby Sławomir obawiał się, że coś się stanie? Bo dlaczego spisywałby testament tak nagle, i to teraz? Może boi się żony? Znów Hannę można uznać za podejrzaną.

– Wszyscy się zdają ze sobą powiązani i podejrzani – odezwał się naczelnik. – Ton jego głosu wskazywał wyraźnie, że Urbański chce już skończyć odprawę. Może zamierzał zająć się szukaniem swojej zaginionej kochanki. – Potrzebujemy chyba więcej czasu. Pogadam z prokuratorem, żeby tak was nie cisnął.

– Omówmy może jeszcze motywy – zaproponowała nieoczekiwanie Fijałkowska. Chyba się rozkręcała. – Tam doszło do jakichś kradzieży, prawda?

– Tak – przyznał Daniel. – Pobicie Zofii Dąbrowskiej zakończyło się zabraniem jej naszyjnika, który dostała właśnie od Hanny Kwiatkowskiej. Wiedźmi kamień. Skradziono też kasetkę z drobnymi pieniędzmi z recepcji w zajeździe. Zginęła też najprawdopodobniej sukienka Izabeli Pietrzak, ale nie wiem, czy to ma jakieś znaczenie. Właściwie żadna z tych rzeczy nie ma obiektywnie dużej wartości. Chyba była cenna dla sprawców. No i nie mamy żadnego z narzędzi zbrodni. Oprócz siekiery, którą trzymał Paweł Krupa. Czyli zostały zabrane. Brakuje też dłoni i stóp Beniamina Kwiatkowskiego...

– Za to pod materacem jednej z ofiar Zjawa znalazł dziesięć tysięcy złotych – przypomniał Ziółkowski. – Owinięte w gazetę z okresu śmierci Julii Szymańskiej.

– Jakieś odciski palców? – zapytała Fijałkowska.

– Odbitki linii papilarnych – poprawił ją technik. – Bardzo dużo. Głównie samej ofiary. Ale widać, że gazety dotykało wiele osób. Tak samo pieniędzy. Byłoby to szukanie igły w stogu siana, gdybym chciał wszystko sprawdzić. Natomiast trudno mi mimo wszystko uwierzyć, że tylko przypadkiem gazeta pochodziła z okresu śmierci tej Julii. No ale nie chciałbym wychodzić przed szereg.

– Przejrzę notatki Emilii Strzałkowskiej – powiedziała Fijałkowska. – W końcu ja prowadziłam potem tę sprawę. Wtedy wszystkie dane wskazywały na Ryszarda Pietrzaka. A teraz...

Wzruszyła ramionami. Jej głos brzmiał niemal przepraszająco. Daniel miał ochotę zaprotestować. Powiedzieć, że on to zrobi. Z drugiej strony sam planował morderstwo. Jeżcli noga mu się powinie, trafi za kraty. Niech Fijałkowska dokończy, co zaczęła, i przejrzy notatki Emilii.

– Głupio mi, że Krupa został wywieziony do Świątek – dodała jeszcze koleżanka. – Zobaczcie, jak było z tymi dłońmi i stopami Beniamina. Nie ma ich. Przecież gdyby Krupa przed chwilą je odrąbał siekierą, to gdzieś by tam leżały. Ale ich nie było. Zresztą podobnie rzecz się miała w przypadku Julii Szymańskiej. Też brakowało stóp i dłoni, a my uznaliśmy, że winny jest Ryszard Pietrzak. Mimo że nie miałby czasu się ich pozbyć. Też zaczynam myśleć, że to nie Krupa zabił.

– Zastanawiam się, dlaczego sprawcy porzucili siekierę – powiedział Daniel. – Jeżeli założymy, że odjeżdżali samochodem, to dlaczego zostawili ją na ścieżce, gdzie znalazł ją Krupa? Leżała w bardzo widocznym miejscu.

– Kurwa – mruknął naczelnik. – Mamy tu zajebisty bałagan. Zróbcie z tym coś.

– Istotne wydaje mi się to spotkanie w zeszłą sobotę, które zorganizowano w zajeździe. Chociażby to, że wszyscy mówili wtedy o swoich zainteresowaniach. Czyli każdy z obecnych wiedział, że Beniamin będzie na plaży. Zebrałem od Kaliny Pietrzak numery do jej hostess. Będę musiał porozmawiać również z nimi.

– Ja to załatwię – powiedział Urbański. – Ty już masz na głowie dużo osób do sprawdzenia.

Daniel z dużą ulgą przedyktował naczelnikowi numery. Naprawdę miał sporo na głowie. O tak.

– Ja sprawdzę tę opaskę fitness, którą przyniosła Zofia Dąbrowska – oznajmił Ziółkowski. – Może tam coś znajdę.

– Na razie wszystkie poszlaki wskazują na Kwiatkowskich – podsumował Daniel. – Chociaż Kalina Pietrzak też mogła mieć motyw, żeby zabić Beniamina, bo ją zgwałcił. Z kolei Robert Janik uciekł. Pisarka też zniknęła. Może ta dwójka współpracuje.

– Ona chyba nie jest podejrzana? – zapytał naczelnik, jakby było mu wszystko jedno, czy ktoś się domyśli ich dawnej relacji.

– Skąd mogę wiedzieć – odpowiedział Daniel delikatnie. Nie chciał teraz kłótni i dobrze rozumiał, co musiał czuć Urbański. – Natomiast jedno mnie nadal interesuje. I myślałem, że może przejedziemy się znów z Radkiem do zajazdu. Sprawcy być może byli zainteresowani pokojem numer jeden, który przedtem zajmowała właśnie Malwina Górska. Najwyraźniej szli tam i potem wymyli podłogę, żebyśmy się tego nie dowiedzieli. Chciałbym jeszcze raz obejrzeć ten pokój. Jedziemy?

Daniel czekał w napięciu na odpowiedź kolegi. To był właśnie plan. Podgórski zamierzał zabić go w zajeździe. Miejsce było odosobnione. A teraz, kiedy Roberta Janika tam nie było, a Izabela Pietrzak i Franciszek Sadowski nie żyli, tym bardziej było opustoszałe. Nikt nie usłyszy strzału. Potem Daniel pozbędzie się ciała i będzie twierdził, że wracali stamtąd oddzielnie. Skoro sprawdzanie miejskiego monitoringu wokół zajazdu nic nie dało, to miejsce było wprost idealne. Tym bardziej że Robert Janik wyłączył wcześniej kamery wewnątrz.

– Jasne – zgodził się Trawiński.

Nie wiedział, że podpisuje właśnie na siebie wyrok śmierci.

ROZDZIAŁ 93

Opuszczona restauracja U Hanny.
Niedziela, 23 lutego 2020. Godzina 16.00.
Klementyna Kopp

Klementyna przekręciła kluczyk i wyłączyła silnik. Właściwie bez problemu trafiły na miejsce. Najpierw jechało się Lidzbarską. Potem skręcało w prawo w Boczną i potem długo, długo jechało prosto. Prawie do miejsca, gdzie Boczna łączyła się z Krańcową. Opuszczona restauracja znajdowała się przy polnej drodze ukryta pomiędzy drzewami.

Dawna restauracja U Hanny wyglądała trochę jak amerykański motel: parterowy budynek z opartym na wąskich kolumienkach daszkiem z przodu. Nad wejściem smętnie powiewała resztka dawnego szyldu. Fasada zrobiona była z sidingu, obecnie mocno zwichrowanego. Odpadał w kilku miejscach. Szyby były brudne. Część z nich została wybita. Dziury pozasłaniano dyktą. Może w nadziei, że nikt nie będzie wchodził do środka, a może w marnej próbie ochrony przed śniegiem i deszczem. Wszędzie panoszyło się zielsko, pozostałość po zeszłorocznym lecie i jesieni, teraz szare i gnijące. Ale! Nadal sprawiało, że miejsce przypominało nieco dżunglę.

– Uroczo – podsumowała Kopp, przyglądając się opuszczonemu budynkowi. Dobrze, że pokruszony beton podjazdu nadawał się, żeby zaparkować samochód. – Mieli tu kiedykolwiek jakichś klientów, co? To raczej nie jest miejsce, gdzie bywa sporo osób.

– Nie wiem – przyznała Kalina. – Może goście byli im niepotrzebni. Bardziej chyba chodziło o przykrywkę dla miejsca kultu wiedźm.

– Miejsca kultu? – powtórzyła za nią Maria.

Matka Daniela wydawała się przestraszona otaczającym je rozpadem. Dzień powoli zmierzał ku końcowi i chociaż zmierzch jeszcze nie zapadł, a słońce miało zajść chyba koło piątej, wiszące nisko chmury sprawiały, że robiło się już szarawo. Potęgowało to ponury nastrój, który wisiał nad tym terenem. Nawet Klementyna czuła narastający niepokój. A wiele już w życiu widziała.

– Z tego, co mi opowiadał Paweł, matka Hanny Kwiatkowskiej też nazywała się Hanna. Babcia też i prababcia – kontynuowała Kalina Pietrzak. – To była ich tradycja: wiedźmy przekazujące sobie magiczne imię z pokolenia na pokolenie.

– Wiedźma o imieniu Hanna, co? – zapytała Klementyna. Niezbyt jej to pasowało.

Kalina wzruszyła ramionami.

– Chyba chodziło o to, że Hanna to prawie Anna. A imię Anna czyta się tak samo od przodu i wspak. Dlatego jest magiczne.

– Spoko – mruknęła Kopp. Teraz to ona wzruszyła ramionami. – A ty skąd tyle o tym wiesz, co?

– Od Pawła. Opowiedział mi, jak mnie tu kiedyś przywiózł, żeby mi pokazać, gdzie Hanna kazała mu mieszkać. Już mówiłam.

– Nie mogę uwierzyć, że pozwoliła tu mieszkać dziecku – obruszyła się Maria.

O dziwo, nie wyjęła jeszcze jedzenia. Chyba naprawdę była zszokowana tym, co tu zastała. Kopp wyciągnęła z plecaka butelkę coli. Ona na odwrót. Miała potrzebę uzupełnić poziom cukru. Obejrzenie tego miejsca może zająć trochę czasu.

– Właściwie Paweł nie był już wtedy dzieckiem – uściśliła Kalina. – Raczej starszym nastolatkiem. No ale i tak. Hanna tylko to mu zaproponowała po śmierci dziadka. Na całe szczęście Paweł potem szybko trafił do Sadowskiego, a na koniec do Dąbrowskich. Nie mieszkał tu długo.

Kopp zgniotła butelkę. Planowała kilka łyków, a wypiła całą zawartość duszkiem. Spojrzała raz jeszcze na opuszczony budynek. Wyobrażała sobie nastoletniego chłopaka, który mieszkał tu sam. Z dala od wszystkich. Najbliższe zabudowania zostawiły co najmniej kilometr za sobą. Latem może i nie byłoby to nic nadzwyczajnego. Ale! Zimą musiało być tu bardzo samotnie.

– Chodził stąd na piechotę do liceum – tłumaczyła dalej Kalina. – W sumie nie jest stąd daleko do trójki. Dawał radę. Ale i tak uważam, że Hanna to suka. Pewnie wściekła się, jak Sadowski zaczął sypiać z moją matką.

Kopp odwróciła się w stronę blondyny.

– Czekaj. Stop. Sadowski i twoja matka sypiali ze sobą, co? – zapytała. – I Hanna Kwiatkowska była o to zła, co? Dlaczego?

Zarówno Izabela Pietrzak, jak i Franciszek nie żyli. Ta informacja mogła być potencjalnie ważna. Od miłości do nienawiści, a przede wszystkim do zazdrości zawsze było niedaleko.

– Ano tak – odparła Kalina. – To wkurwiało też Roberta Janika. Bo on chciał przejąć zajazd i firmę. Nawet podobno był zapisany w testamencie. Matka wymyśliła, że na to nie pozwoli. To była jedna z nielicznych akcji, które w życiu podjęła, bo była raczej bierna. Ale Sadowski się staczał i uznała, że póki szef jeszcze żyje, może jej się udać coś uzyskać. Czyli używała seksu, by odnieść korzyść. Już wam mówiłam, że to u nas rodzinne.

Kalina miała chyba potrzebę powtarzania tego non stop, jakby dokonywała rozliczenia ze swoim życiem.

– Uroczo – mruknęła Kopp.

– Cóż, trzeba sobie radzić. No i matka znosiła wszystkie zachcianki Sadowskiego. A on lubił na ostro. Tylko inaczej niż Sławomir Kwiatkowski. Już mówiłam, że on matkę zgwałcił. Jest brutalny. Z kolei Sadowski lubił podobno być bierny i żeby jemu zadawano ból. Matka musiała go na przykład drapać. I to go jarało. Chciał, żeby go karano. Bo on był niby filantropem, a nie wiem, czy słyszałyście plotki o nim?

– Nie – zapewniła Maria i przechyliła się pomiędzy fotelami samochodu, żeby lepiej słyszeć.

– On pomagał młodzieży, ale nicktórych wykorzystywał seksualnie. Paweł przyznał mi się kiedyś, że jego też. I zasugerował, że nie tylko. Podobno mojego kuzyna Oliwiera tak samo. I Jakuba Dąbrowskiego.

– Czekaj. Stop – przerwała jej Kopp. – Sadowski wykorzystywał Dąbrowskiego, co?

– Podobno tak.

To stwarzało motyw. Kopp pomyślała, że z Dąbrowskim też powinna sobie porozmawiać. Nie tylko z Hanną.

– Okej. No dobra. Ale! Dlaczego Hanna Kwiatkowska mogła być wściekła na twoją matkę, że sypia z Sadowskim, co?

– Dlatego że Franciszek i Hanna kiedyś się spotykali. I zdaje się, nigdy nie przestali, ale ona go nie chciała. Popadał we frustrację i wykorzystywał tych chłopaków. Tak to tłumaczył mojej matce. Hanna chyba była jedyną kobietą, którą kochał. Ona z kolei jest jak pies ogrodnika. Jest niby ze Sławomirem, ale nie chciała, żeby Franciszek spotykał się z kimkolwiek innym. Podobno go szantażowała. Z tego też zwierzył się mojej matce.

– Jak szantażowała, co?

– Że powie o tym, co robił tym chłopakom. Widać wiedziała. Chciała go mieć dla siebie. Chyba jako plan B. Jakby coś ze Sławomirem nie wyszło, to zawsze miała Franciszka i na dodatek pracującą firmę. Albo prawie pracującą.

Przez chwilę siedziały cicho. Kopp odpięła pas. Dosyć już sterczenia w aucie. Trzeba było działać. W pierwszym odruchu chciała, by zostały w samochodzie. Ale! Zapewne i tak nie posłuchają. Maria na pewno nie. Kalina też nie wyglądała na taką, która będzie siedzieć z założonymi rękoma. Klementyna otworzyła więc drzwi skody bez słowa. Będzie, co ma być.

– Ja też idę – zawołała Maria z wyraźną determinacją.

Kalina, nic nie mówiąc, również wysiadła z samochodu. Zimowe powietrze sprawiało, że ich oddechy zmieniały się w parę. Kopp pierwsza ruszyła przez zwiędłe badyle do głównego wejścia restauracji. Widać było, że ktoś tędy wcześniej szedł, bo część z uschniętych traw była połamana i przygnieciona do ziemi. To sprawiło, że niepokój, który wywoływało to miejsce, jeszcze wzrósł.

Podeszła do drzwi restauracji. Nasunęła rękaw na dłoń i nacisnęła klamkę. Nie chciała ryzykować. Może dotykał jej ktoś, kogo ślady powinny być zachowane. Drzwi ustąpiły, skrzypiąc głośno. Nie były zamknięte ani na klucz, ani na kłódkę.

W środku zdawało się jeszcze zimniej niż na dworze. Na ścianach widać było plamy grzyba wystające spod obłażącej farby. Stoliki leżały poprzewracane i połamane. Wśród tego bałaganu porozrzucano jakieś inne stare meble. Wszystko bez ładu i składu. Do tego różne ustrojstwa, których przeznaczenia Kopp nie umiała sobie wyobrazić. Część z nich faktycznie można by wziąć za narzędzia tortur. Kołowrotka z wrzecionem nigdzie nie widziała.

– Zaplecze jest w nieco lepszym stanie, bo tam są zamknięte drzwi – poinformowała Kalina. – Ale wiem, gdzie powinien być klucz. Chyba że Hanna go zabrała. Chodźcie.

Blondyna prowadziła je w głąb sali. Stłuczone butelki i resztki okien chrzęściły im pod nogami. Mijały właśnie kontuar, kiedy Kopp zauważyła coś interesującego.

– Czekaj. Stop. Patrzcie – powiedziała. – Chyba mamy narzędzie zbrodni.

ROZDZIAŁ 94

Dom Malwiny Górskiej w Lipowie.
Niedziela, 23 lutego 2020. Godzina 16.00.
Weronika Podgórska

Nie było wątpliwości. Ktoś był na piętrze i właśnie schodził po schodach. Za późno było, żeby uciekać przez okno.
Weronika zastygła z reprodukcją *Krzyku* w dłoniach, jakby
obraz mógł stanowić jakąś broń albo ochronę. Czekała.
Kroki były teraz bardziej słyszalne. Serce biło jej coraz
szybciej.

– Co do…?

U dołu schodów stanął blady mężczyzna. To był ten
prokurator, którego na komendzie nazywano Zjawą. Weronika nie pamiętała dokładnie nazwiska. Chyba Krajewski,
ale mogła się mylić. Przyglądał jej się zza grubych szkieł
okrągłych okularów. Jego tęczówki miały różowawy odcień.

– Co do cholery… – powtórzył. – Co pani tu robi?

Weronika widziała kaburę przy jego pasku. Wiedziała,
że niektórzy prokuratorzy noszą broń. To nie było chyba
przewidziane ustawowo, jak w przypadku policjantów.
Musieli wyrobić sobie pozwolenie. Najwyraźniej Zjawa to

zrobił. Może chodziło tylko o ewentualną obronę własną, spróbowała pocieszyć się w duchu. Wcale jej to nie uspokoiło. Teraz już nie była pewna, czy Mariusz usłyszy jej krzyk w dworku. A jeżeli Zjawa strzeli, i tak nic to nie da. Nie chciała umierać. Miała maleńką córeczkę. Musiała się nią zająć! Choć może nie była idealną mamą.

– Mogłabym pana zapytać o to samo – zaatakowała. Uniosła obraz, żeby wiedział, że ma czym się bronić. To było głupie, ale nie mogła się powstrzymać. – To dom mojej przyjaciółki.

Przyjaciółka – nie do końca to było prawdą, zważywszy na to, że czuła niechęć do pisarki. Ale musiała jakoś wyjaśnić, dlaczego tu jest.

– Przyjechałem po rzeczy Malwiny – odparł zdawkowo prokurator.

– Niby czemu?

– Bo jestem jej przyjacielem – poinformował z naciskiem.

Weronika opuściła obraz. Górska wspominała jej, że ma tu jedną bliską osobę. Może chodziło o prokuratora? Podgórska czuła, że musi w to wierzyć, żeby choć na moment uspokoić bicie serca. Nic się nie stanie. Zjawa jej nie zabije.

– Gdzie ona jest? – zapytała łagodniej. Nie chciała go prowokować.

– Czeka w moim samochodzie. Zaparkowałem przy głównej drodze i przyszedłem tu pieszo. Mam nisko zawieszone auto.

To akurat brzmiało sensownie. Żeby dojechać do ich domów z drogi asfaltowej, trzeba było jechać kawałek dziurawą szutrówką. Dlatego ona miała starego jeepa. Był sfatygowany, ale radził sobie z wybojami doskonale. Kiedy Daniel mieszkał z nią w dworku, zawsze miał problemy, żeby przejechać swoim subaru.

– A czemu Malwina tu nie przyszła? – zapytała mimo wszystko. Na wszelki wypadek.

– Nie chciała. Na razie jest strasznie przygnębiona tym, że Bolesław z nią po raz kolejny zerwał. To znaczy potwierdził, że ostatecznie zerwał dwa lata temu. To skomplikowane. Nocowała u mnie, ale potrzebne są rzeczy na zmianę.

Czy tylko jej się wydawało, czy jego dłoń powędrowała w stronę kabury? Podgórska znów poczuła się nieswojo. *Krzyk* stanowił marną ochronę. Ale gdyby Zjawa chciał ją zabić, już by strzelił.

– A po co pani ten obraz? – Teraz to w jego głosie zabrzmiała podejrzliwość. – Chciała pani zabrać monetę? Taka z pani przyjaciółka?

– Jaką monetę? – zdziwiła się Weronika.

– Skoro pani nie wie, to nie zamierzam mówić. Ale czuję, że pani kłamie.

– Nie mam pojęcia, o czym pan mówi! Poza tym czemu tu jest ten dziwny rysunek i zdjęcie Emilii Strzałkowskiej?

Zjawa nie odpowiedział. Czuła jednak, że prokurator wie, o co chodzi. Przez chwilę patrzyli sobie w oczy w jakiejś niemej walce. W końcu Weronika spuściła wzrok.

– Czy z Malwiną wszystko w porządku? – zapytała.

– Zależy, co uznamy za w porządku – mruknął prokurator. – Bolesław zostawił ją po raz chyba setny. Była zupełnie rozbita.

– Chcę wiedzieć, czy pan mówi prawdę – zebrała się na odwagę Weronika. – Chcę ją zobaczyć.

– Ona woli być sama.

– A może pan coś jej zrobił? – zapytała Weronika wprost.

Wydawało się, że nienaturalnie blada twarz prokuratora stała się jeszcze bielsza.

– Dobrze. Niech pani pójdzie ze mną do samochodu, to sama pani z nią porozmawia. Zamknę tylko okno – dodał Zjawa cierpko. – Bo jeszcze ktoś inny się tu włamie. Chodźmy.

Domyślił się chyba, że wdrapała się przez okno, i chciał podkreślić, że on w przeciwieństwie do niej wszedł tu drzwiami. To dodało Weronice odwagi. Miał klucz, czyli na pewno Malwina mu go dała.

Ruszyli szybkim krokiem szutrową drogą. Dworek Weroniki stał na szczycie wzgórza. Drewniany domek pisarki nieco niżej. Podgórska już z daleka zobaczyła, że na poboczu szosy faktycznie stoi czerwone bmw. Zawieszenie zdawało się dotykać niemal podłoża. Zjawa faktycznie miałby problem, żeby wjechać tym autem na górę. Nie kłamał.

Tylko jedno się nie zgadzało. Samochód był pusty. Malwiny Górskiej tam nie było.

ROZDZIAŁ 95

Przed Komendą Powiatową Policji w Brodnicy.
Niedziela, 23 lutego 2020. Godzina 16.10.
Aspirant Daniel Podgórski

Może pojedziemy prywatnymi samochodami? – zaproponował Trawiński. – Nie będziemy musieli wracać
do bazy, tylko po wizycie w zajeździe od razu pojedziemy do domu. Każdy do siebie. Ja się spieszę, bo jestem
umówiony. A jeszcze muszę zrobić zakupy. Takie tam
różne. Chociaż może najpierw pojadę na działkę, trochę
tam sprzątnę. A potem na małe zakupy. W każdym razie
chyba pojedźmy oddzielnie.

– Dobra – rzucił Daniel.

Był zadowolony. Jeżeli samochód Trawińskiego będzie
pod ręką, otworzy to trochę więcej możliwości zatuszo-
wania morderstwa, które planował.

– Dobra. – Kolega wskazał swoją srebrną astrę. – Ja
stoję tu. To jadę i widzimy się w zajeździe, tak?

– Jo.

Daniel ruszył do swojego samochodu. Kawałek dalej
zobaczył czerwone mini Emilii. Poczuł ból. Wiedział, że

to Łukasz jeździ teraz samochodem Strzałkowskiej, ale i tak obudziło się w nim coś w rodzaju nadziei, że zaraz zobaczy Emilię. Ile razy stali na tym parkingu i rozmawiali. Ile razy chciał ją po prostu objąć i pocałować, ale wolał tego nie robić, żeby Weronika się nie dowiedziała. Teraz czuł tylko wściekłość na samego siebie.

Odetchnął głębiej, żeby się uspokoić. Cel. Teraz musi myśleć o celu. Zabije Trawińskiego. Już niedługo. I będzie po wszystkim.

Nagle rozdzwonił się telefon. Podgórski zatrzymał się w pół kroku.

– Wyszedłeś już? – zapytał Ziółkowski, kiedy policjant odebrał.

– Jestem na parkingu. A co?

– To już powiem ci przez telefon. Pomyślałem, że przed wyjściem sprawdzę jeszcze tę opaskę fitness, którą dała ci Zofia Dąbrowska.

– I?

– Opaska sama w sobie wiele nie wnosi. Natomiast to, co mierzy, chyba może cię zainteresować.

– To znaczy?

Daniel podszedł do subaru. Przez chwilę walczył sam ze sobą. W końcu wyciągnął paczkę papierosów i zapalniczkę. Miał je tak na wszelki wypadek, bo nie palił przecież, odkąd zginęła Emilia. Do tej pory wspomnienie, jak Strzałkowska przewracała oczami, kiedy sięgał po papierosy, skutecznie uniemożliwiało mu wrócenie do nałogu. Teraz po raz pierwszy od dwóch lat miał ochotę zapalić. Włożył papierosa do ust i oparł się plecami o auto.

– Z tego, co pamiętam, atak na Zofię Dąbrowską był nieco przed dziesiątą w sobotę? – upewniał się technik.

– Jo. No i co z tego?

Zapalił zapalniczkę i powoli, z namaszczeniem zbliżył ją do papierosa. Koniuszek zaiskrzył się pomarańczowo. Policjant zaciągnął się głęboko. Spodziewał się, że po tak długiej abstynencji zakaszle, a tymczasem to było tak, jakby nikotyna znajdowała w jego ciele dobrze znaną sobie ścieżkę. Niepokojąco łatwo.

– Jak ktoś cię atakuje, to się bronisz – ciągnął Ziół-kowski. – Aktywnie.

– I? – zapytał Daniel, wydmuchując dym przed siebie.

– Znów zero zainteresowania. Wiesz, że ja naprawdę nie musiałem tego robić? – warknął niemal technik. – Ty powinieneś nad tym siedzieć, a ja tylko sprawdzić, czy nie ma na tym paluchów i tak dalej. To nie jest czarna magia. Robię ci przysługę, że się staram.

– Tak, wiem.

– Spierdalaj, Daniel.

Podgórski poczuł wyrzuty sumienia. Drobny element normalności w tym, co planował zrobić.

– Przepraszam. Możesz powiedzieć, co znalazłeś?

– No więc jak się aktywnie bronisz, to skacze ci tętno. Takie opaski między innymi mierzą tętno. Czyli skok powinien być widoczny koło dziesiątej, tak?

– Jo.

– No właśnie. A przyspieszenie tętna widać później. Koło dziesiątej dwadzieścia – poinformował technik. – Albo Zofia Dąbrowska się pomyliła przy pierwszym zeznaniu, albo z jakiegoś powodu cię oszukała.

Daniel znów zaciągnął się papierosem. Nie smakował już tak dobrze. Mimo to palił nadal. Zofia, zdaje się, mówiła, że to było koło dziewiątej pięćdziesiąt. Policjant zastanawiał się, czy pół godziny robi jakąś różnicę? Chyba nie oszukała go celowo, bo wtedy nie przyniosłaby mu opaski. Sama coś nawet wspominała o sprawdzaniu tętna. Dlaczego tak jej zależało, żeby mu ją dać?

– Dzięki, Ziółek. Jutro się tym zajmę – obiecał i się rozłączył.

Za dużo pytań. Daniel nie chciał się rozpraszać. Teraz powinien myśleć tylko o zabiciu Trawińskiego. O niczym innym.

– Znów palisz, panie aspirancie?

Daniel odwrócił się natychmiast. Łukasz stał za jego plecami z rękami splecionymi na piersi. Patrzył na Podgórskiego wrogo.

– Cześć, synu.

– Cześć, synu? – powtórzył Łukasz drwiąco. – No naprawdę?

Daniel znów rozważał, czy nie powinien powiedzieć Łukaszowi, że Emilia się nie zastrzeliła. Nie popełniła samobójstwa. Odebrano jej życie. Nie zostawiła ich. Daniel może i zrobił wiele złego, ale ona się przez niego nie zabiła. Zabili ją ludzie, którzy za to odpowiedzą. Możliwość podzielenia się tą informacją z synem była bardzo kusząca.

– Twoja mama nie popełniła… – zaczął Podgórski.

Zamilkł jednak w pół zdania. To chyba nie był dobry pomysł. Nie będzie Łukasza tym obarczał. Chłopak miał całe życie przed sobą. Dopiero zaczął służbę. Jeszcze wiele będzie mógł osiągnąć. Policyjna droga Daniela powoli dobiegała końca. No i życie bez Emilii nie miało sensu. Mógł zrobić to, co zamierzał. Ale jego syn… Nie, Łukasz musi pozostać niewinny. Tak długo, jak się da. Bo niestety niewinne spojrzenie na świat traci się bardzo szybko, kiedy człowiek musi oglądać to wszystko, co jeszcze chłopaka czekało na służbie.

– Co z mamą? – warknął syn.

– Koniec służby na dziś? – zapytał Podgórski, siląc się na wesołość.

– Tak.

– Myślałem, że macie dwunastki*.

Syn wzruszył ramionami zamiast odpowiedzi.

– Czego mama nie popełniła? – naciskał.

Daniel miał ochotę podejść do niego, objąć go i się pożegnać. Brał pod uwagę, że jeszcze dziś trafi do więzienia i mogą długo się nie zobaczyć. A jeżeli nawet nie stanie się to dziś, to może za kilka dni. Jeżeli nie uda mu się zatuszować śmierci Trawińskiego, tak się stanie. Podgórski nie był nawet pewny, czy chciałby ją tuszować. Może po prostu sam się zgłosi na komendę, kiedy będzie po wszystkim.

– Jedź do domu, synu – powiedział tylko.

– Co ty z tym synem? Popierdoliło cię, t a t u s i u? – syknął Łukasz. – Co z mamą?

– Nic – powiedział Daniel z westchnieniem. – Wszystko będzie dobrze. Jeszcze muszę coś załatwić i będzie dobrze. Zobaczysz.

Rzucił niedopałek na ziemię i wsiadł do subaru. Trawiński na pewno był już w zajeździe. Zaraz wszystko się skończy.

* Służby dwunastogodzinne.

ROZDZIAŁ 96

Opuszczona restauracja U Hanny.
Niedziela, 23 lutego 2020. Godzina 16.40.
Klementyna Kopp

Czekaj. Stop. Patrzcie – powiedziała Kopp. – Chyba mamy narzędzie zbrodni!

Kopp patrzyła na półeczkę ukrytą za kontuarem. Leżały tam częściowo zardzewiałe łyżki, noże i inne narzędzia. Oprócz tego szpikulec do lodu. Przywodził na myśl film, który kiedyś oglądały z Teresą. *Nagi instynkt*. Chyba taki był tytuł. Potem kochały się długo. Powoli i czule. Co nie było do końca zgodne z treścią filmu. Ale! Wcale im to nie przeszkadzało. Kopp przez cały czas myślała o szpikulcu do lodu, którym główna bohaterka mordowała swoje ofiary. W końcu nie wytrzymała i powiedziała o tym Teresie. Kochanka śmiała się głośno i wesoło. Niedługo później okazało się, że lekarz wykrył u niej raka. Tego wesołego śmiechu nie było już wiele.

– Mówisz o nożach? – zapytała Maria.

– Szpikulec do lodu – poprawiła ją Kopp. – Przecież doktorek mówił, że rany zadano Beniaminowi też jakimś szpikulcem. To może być to. Idźcie we dwie obejrzeć zaplecze. Ja wezmę z samochodu torebkę i to zabezpieczę.

Klementyna znów była pewna, że nie powstrzyma Marii i Kaliny przed dalszym przeszukaniem opuszczonej restauracji.

Wróciła szybkim krokiem do skody i wyjęła z bagażnika kilka foliowych torebek. Stary zwyczaj, którego nigdy się nie pozbyła.

– No – mruknęła do siebie zadowolona. – Wreszcie się przydały.

Nagle powietrze przeszył krzyk. To był krzyk strachu. M a r i a. Kopp rzuciła się do restauracji. Wpadła do głównego pomieszczenia. Jej ciężkie buty chrzęściły na potłuczonym szkle.

Nikogo tu nie było, więc Maria i Kalina musiały już dostać się na zaplecze. Rozejrzała się. Z tyłu zawalonej klamotami sali błyszczało światło. Pobiegła w tamtą stronę. Drzwi były otwarte. Zaplecze faktycznie prezentowało się dużo lepiej niż główne pomieszczenie. Podłączono tu nawet prąd. Pod sufitem migała jarzeniówka. Stały tu łóżko, biurko i szafa ze sklejki. Na ścianach wisiało kilka plakatów, które przykleił tu pewnie nastoletni Paweł Krupa.

Do tego było też sporo rzeczy, których można się spodziewać na zapleczu restauracji. Szafy na zapasy, jakieś sprzęty, piece i wiele innych, których Kopp nie umiała nazwać. Kalina i Maria stały obok dużej zamrażarki. Obie żywe. Do tego całe i zdrowe.

– Co się dzieje, co? – zapytała Klementyna zdyszana. – Po co te krzyki, co?

Maria pokazała głową zamrażarkę. Klapa była otwarta.

– Zobaczyłyśmy krew i zajrzałyśmy – wyjąkała Kalina. Faktycznie na podłodze było sporo krwi. Kopp zrobiła kilka kroków w tamtą stronę i spojrzała prosto w martwe oczy kolejnego trupa.

I w równie martwe oczy mniejszego.

ROZDZIAŁ 97

Leśna szosa przy wyjeździe z Lipowa.
Niedziela, 23 lutego 2020. Godzina 16.40.
Weronika Podgórska

Gdzie jest Malwina? – zapytała Weronika ostro, choć
czuła tylko lęk. – Mówił pan, że czeka w samochodzie.
Oszukał mnie pan.

Obejrzała się. Dworek stał sobie w najlepsze na szczycie
wzgórza. Dawał poczucie bezpieczeństwa.

– Nie oszukałem – zapewnił Zjawa. – Malwina przyjechała ze mną. Miała czekać w samochodzie, kiedy ja
pójdę po rzeczy. Już mówiłem. Nie wiem, gdzie ona jest!

Oboje patrzyli na pusty samochód prokuratora.

– To gdzie może być?

– Nie mam pojęcia. Przecież mówię.

Weronika spojrzała na prokuratora Krajewskiego podejrzliwie.

– Tam! – powiedział nagle, wskazując skraj lasu i nie-
odległą szosę. Można nią było dojechać do ośrodka wcza-
sowego Słoneczna Dolina albo na skróty do Brodnicy.
Na poboczu stał słup starego przystanku autobusowego.

Weronikę ogarnęło nieprzyjemne uczucie déjà vu. Kiedy kilka lat temu wprowadziła się do Lipowa, w pobliżu leżał trup zakonnicy. Zima była wtedy śnieżna i sroga. Nie taka jak w tym roku. Ale podobnie jak wtedy i dziś trup wyglądał równie przerażająco. Leżał sobie jakby nigdy nic na obsypanym starymi liśćmi i igliwiem poboczu szosy.

– Malwina? – zawołał prokurator zdławionym głosem.

Pisarka stała nad ciałem z dzikim wyrazem twarzy. Ubranie miała całe we krwi.

ROZDZIAŁ 98

Zajazd Sadowskiego. Niedziela, 23 lutego 2020.
Godzina 16.50.
Aspirant Daniel Podgórski

Nie wiem, Daniel – powiedział Trawiński. – Nie przychodzi mi do głowy, co tu można byłoby znaleźć.

Przeszukiwali pokój numer jeden. Jak długo, Daniel nie potrafił określić. Kiedy przyjechał do zajazdu, Trawiński był już w środku. Podgórski dołączył do niego i razem metodycznie przeczesywali pomieszczenie. Ale cały czas czuł, jak gniew w nim narasta. W tym pokoju spędził szczęśliwe chwile ze Strzałkowską. I postanowił, że tu umrze człowiek, który ją zabił.

– Trochę starych mebli, nic niewarte obrazy, zniszczona łazienka – wyliczał Trawiński. – Nie rozumiem, czego tu szukali.

Daniel sięgnął powoli po służbową broń. To był glock. Szkoda, że nie miał dostępu do walthera Emilii. Historia zatoczyłaby koło.

– Daniel? – zdziwił się Trawiński, widząc gnata w dłoniach Podgórskiego.

– Podejdę do ciebie bardzo powoli i oddasz mi swoją klamkę* – powiedział Daniel. – Nic nie kombinuj.

– Daniel, popierdoliło cię?

Podgórski uśmiechnął się półgębkiem. Niedawno zapytał go o to samo Łukasz. Teraz wydawało się to lata temu.

– Podejdę do ciebie bardzo powali i oddasz mi swoją klamkę – powtórzył.

Gdzieś na obrzeżach świadomości słyszał jakieś poruszenie. Nie zamierzał się tym przejmować. Zrobił kilka kroków w stronę Trawińskiego. Kolega trzymał posłusznie ręce w górze. Daniel wyjął mu broń z kabury. Na wszelki wypadek usunął magazynek. Zaraz będzie po wszystkim.

– Wiem, że zabiłeś Emilię, gnoju.

Daniel sam był zaskoczony, jak spokojnie zabrzmiały te słowa. Jakby zupełnie nic już nie czuł.

Zaraz będzie po wszystkim.

A Podgórski dowie się, jak to jest zamordować człowieka.

Z zimną krwią.

Czuł, że z tej ścieżki nie będzie już odwrotu.

* Slang. pistolet.

* * *

2020
Gdzieś… Niedziela, 23 lutego 2020.
Godzina 15.00.
Hanna Kwiatkowska

Hanna Kwiatkowska od dłuższego czasu miała wrażenie,
że jej umysł ulatuje…
Gdzieś...
Daleko…
– Jeszcze kurwa żyjesz?
Żyła. Ale to był koniec. Wiedziała o tym. Z tą dziwną
świadomością nie przyszedł wcale lęk. Była jak pijana z bólu.
Może upływ krwi też zrobił swoje.
Wiedziała, że zaraz dostanie ostateczny cios.
– Mylisz się – wyjąkała tylko. Choć wiedziała, że jest
za późno. – Chciałam dobrze. Nie zabiłam…
– Zamknij się, kurwo. Umrzesz za to, co zrobiłaś.
Chciała coś powiedzieć, ale poczuła, że świadomość
ulatuje gdzieś dalej...
Jeszcze dalej…
Może i dobrze. Nie będzie już bólu.
A kto wie… Na szyi miała przecież wiedźmi kamień…
Może poleci gdzieś do sióstr…

* * *

CZĘŚĆ 9
2020

ROZDZIAŁ 99

Zajazd Sadowskiego. Niedziela, 23 lutego 2020.
Godzina 17.00.
Aspirant Daniel Podgórski

Wiem, że zabiłeś Emilię – powtórzył Podgórski, mierząc
do Trawińskiego z glocka.

Sam był zdziwiony, dlaczego nie strzela, tylko gada.
Czuł, że ręce mu się pocą. Przeładował. Wystarczyło nacisnąć spust. A jednak się wahał. Trawiński trzymał ręce
uniesione do góry. Był zupełnie bezbronny.

– Daniel, o czym ty do cholery jasnej mówisz? Skąd
przyszło ci do głowy coś takiego? To jakieś szaleństwo. Nie
zabiłem Emilii! Byłem przecież przy tym, jak popełniła
samobójstwo. Widziałem na własne oczy, jak pociągnęła
za spust! Próbowałem ją ratować!

– Nie przyszło mi to do głowy – odpowiedział Podgórski.
– Tylko mam świadka, który widział, że to zrobiłeś.

Daniel starał się wyczytać prawdę z twarzy kolegi, ale
nie umiał. Niepotrzebnie w ogóle z nim rozmawiał. Powinien był mu strzelić w plecy, jak Trawiński zajęty był

przeszukiwaniem pokoju. Byłoby po wszystkim. A tymczasem bez sensu gadali.

– Emilia popełniła samobójstwo – powtórzył Trawiński. Teraz głos lekko mu drżał. – Byłem przy tym i widziałem na własne oczy. Nikogo oprócz nas tam nie było, bo Strzałkowska zabiła przedtem tamtą kobietę. Nie ma żadnych świadków.

– A jednak – upierał się Daniel.

Prawdę mówiąc, Robert Janik nie powiedział mu, że był na miejscu osobiście. O tym, co się stało, wiedział z drugiej ręki. Od człowieka, dla którego pracował. I dla którego pracował także Trawiński. Tak więc nie było mowy o pomyłce.

– Niby kto? – zapytał Trawiński zrezygnowanym tonem.

– Boisz się? – zadrwił Daniel i zaraz opanowała go złość, bo zabrzmiało to głupio. I przede wszystkim słabo. Gdyby miał w sobie siłę, to po prostu by strzelił. Powinien strzelić. Powinien dokonać zemsty. Cały dzień był pewny, że to zrobi. A jednak zabicie człowieka, nawet mordercy osoby, którą się kochało, nie było takie proste ani oczywiste, jak mu się wydawało. Uniesione dłonie Trawińskiego drżały lekko. Podgórski widział każdy szczegół. Miał po prostu go zastrzelić?

– Oczywiście kurwa, że się boję – zawołał kolega. – Celujesz do mnie z klamki. Opuść broń i porozmawiajmy. Oddałem ci przecież moją. Nic ci nie mogę zrobić.

Daniel nie zamierzał opuścić broni.

– Zabiłeś ją – powtórzył. Sam jednak czuł, że bez wcześniejszego przekonania.

– Kurwa, Daniel, wiem, co czujesz. Widziałem, jak ona umiera. Ale to nie jest powód, żeby tracić głowę. Mam dwójkę małych dzieci i żonę. Nieważne, że Maja mnie teraz nienawidzi. Moje dzieciaki mnie kochają. Chcę zobaczyć, jak dorastają. Nie rób im tego. Nie zabieraj im ojca. Zwłaszcza że ja nic Emilii nie zrobiłem. Próbowałem ją ratować. Ktokolwiek powiedział ci inaczej, próbuje ci namieszać w głowie i żeruje na twoich emocjach. Zrozumiałych, ale jednak emocjach. Człowieku, ty prawie nie śpisz. Lecisz na oparach. Dzień w dzień w robocie. Myślisz, że twój osąd jest teraz trzeźwy? Kurwa, Daniel. Weź się w garść. Uciekł ci ten gówniarz z blizną. Aż ciężko mi uwierzyć, że tak cię zrobił. Zastanów się. Może się po prostu mylisz co do mnie.

Podgórski pomyślał o Robercie Janiku. Może Trawiński miał rację? Chłopak z blizną był niezłym cwaniakiem. Chciał uciec. Mógł chwycić się tego, co jego zdaniem mogło łatwo zadziałać. Czyżby Daniel dał się nabrać? A jeżeli tak, to Robert Janik faktycznie mógł być zabójcą. Podgórski miał ochotę kląć. Chyba dał się nabrać. Gdzie Robert Janik teraz był?

– Rozumiem twoje emocje – powtórzył Trawiński. – Ale chyba przez dwa lata bym cię nie oszukiwał? Siedzimy kurwa w jednym pokoju. Chyba mi ufasz? To nie jest film. To jest życie. Tu się nie łazi z rewolwerem i nie zabija swoich na prawo i lewo.

Daniel poczuł się głupio. Uwierzył jakiemuś zbirowi, a nie koledze, z którym tak dużo go przez ostatnie dwa lata łączyło. Trawiński był dobrym gliną. Pomysł, że mógł zamordować Emilię, był doprawdy niedorzeczny. Poza tym morderstwo na zlecenie? To nie Los Angeles ani nawet Warszawa. To cicha i spokojna Brodnica.

Podgórski uświadomił sobie coś bardzo nieprzyjemnego. Może uwierzył bezkrytycznie w to, co mówił Robert Janik, bo tak bardzo chciał pozbyć się własnego poczucia winy. Bo jeżeli Emilia nie zabiła się sama, nie on był winny jej śmierci. A jeżeli popełniła samobójstwo, winowajcą był on, bo to on ją porzucił. Po raz kolejny. Myśl, że ktoś ją zabił, oczyściłaby jego sumienie. Ale to nie była prawda. Trawiński miał rację. Daniel czuł się zmęczony. Bardzo zmęczony. Nie potrafił trafnie ocenić sytuacji.

Kolega wyczuł chyba jego wahanie, bo podszedł powoli i klepnął go po ramieniu. Nie zważał na wycelowaną w siebie broń.

– Oddaj mi mój pistolet i o tym zapomnimy. Okej? Nie mam zamiaru nikomu o tym incydencie mówić. Nie martw się.

Daniel skinął głową. Czuł się jak idiota.

– Przepraszam – mruknął.

– No coś ty. Nic się nie stało. Chcesz pogadać? – zaproponował Trawiński, wkładając z powrotem magazynek do swojego pistoletu. – Dobrze, że zrobiłem sobie sejf na działce. Nie muszę tego odwozić. Ale nieważne, dosyć o strzelaniu. Możemy gdzieś pojechać na miasto. Napijemy się czegoś bezalkoholowego. Albo mocniejszego, jeśli chcesz.

– Nie. Za długo nie piję, żeby teraz to rozwalić – powiedział Daniel, siląc się na lekki ton, choć nie było to łatwe, bo dopiero co chciał Trawińskiego zabić. Teraz wydawało się to zupełnie niedorzeczne. – Mówiłeś, że jesteś z kimś umówiony. Jedź. Ja tu się jeszcze rozejrzę.

Przecież mieliśmy sprawdzić, po co sprawcy szli do tego pokoju. Może coś wymyślę.

– Daj spokój. To był długi dzień. Powinieneś odpocząć.

– Zostanę – powiedział Daniel stanowczo.

– Masz klucz i zamknij potem, żeby łobuzy nie powłaziły – zaśmiał się kolega.

Podał Danielowi klucz od głównego wejścia do zajazdu. Na razie był w rękach policji.

– Jo.

Daniel poczekał, aż Trawiński wyjdzie. Dało się słyszeć trzaśnięcie drzwi wyjściowych. Potem jakby jeszcze jedno, ale cichsze. Policjant zastanawiał się, czy kolega wróci. Może czegoś zapomniał. Ale ku jego uldze nic takiego się nie stało. Był tu sam.

– Kurwa – szepnął. – Ja pierdolę. Naprawdę mi kurwa odjebało!

Miał ochotę walnąć w coś z całej siły. Rzecz jasna, to nie był najlepszy pomysł. Pokój co prawda był już poddany oględzinom, ale niszczenie miejsca, gdzie mogły znajdować się jeszcze dowody, nie wchodziło w grę.

– Kurwa – warknął znów do siebie.

Czy naprawdę przez cały dzień nosił się z zamiarem zabicia człowieka? N a p r a w d ę? Chwycił poduszkę i cisnął nią z wściekłością w przeciwległą ścianę. Trafił akurat w obraz. Widoczek przekrzywił się i upadł z trzaskiem na ziemię. Daniel o mało znów nie zaklął, kiedy zobaczył, że z tyłu obrazu przyklejona jest koperta.

Podszedł szybko, zapominając o wcześniejszym gniewie i emocjach. Tego wcześniej nie zauważyli. Chyba nikomu nie przyszło do głowy, żeby zajrzeć za obrazy. Koperta nie była zapieczętowana, policjant zajrzał ostrożnie do środka. Pusto. Dziwne, pomyślał rozczarowany. A jednak ktoś przykleił tę kopertę z tyłu obrazu. Nie robi się tego ot tak. Chyba że chce się na przykład coś ukryć, przebiegło mu przez myśl.

Przygładził brodę w zamyśleniu. Czy tego szukali sprawcy w pokoju numer jeden? Policja przeoczyła kopertę, ale oni najwyraźniej nie, bo w środku nic już nie było. Co tam się mogło wcześniej znajdować? Najwyraźniej coś niewielkiego, bo nic dużego nie zmieściłoby się w kopercie. Na pewno nie wiedźmi kamień. Przecież obraz nie mógłby wtedy prosto wisieć. Kto przykleił tę kopertę? Franciszek Sadowski? Izabela Pietrzak? A może Malwina Górska, skoro zajmowała ten pokój?

Nagle zadzwonił telefon Daniela, wyrywając go z zamyślenia.

– Halo?

– Wiem, że już skończyliście na dziś, ale mamy dwa kolejne trupy – poinformował dyżurny. – Zajmiecie się tym z Trawińskim czy dać to komuś innemu? Wydaje się, że to coś w twoim guście. Przy jednym jest twoja matka i Klementyna Kopp. A przy drugim twoja była żona i Zjawa. Więc masz swoich tu i tu.

Dyżurny zaśmiał się zadowolony z dowcipu. Danielowi wcale nie było do śmiechu. Poczuł, że zaczyna mu się kręcić w głowie od nadmiaru informacji i emocji.

– Trawiński już pojechał, ale ja dam radę – zapewnił mimo to. – Powiedz, gdzie jechać najpierw.

– Najpierw jedź do opuszczonej restauracji, bo przy trupie Hanny Kwiatkowskiej jest Zjawa. On tam zacznie czynności. Ty się zajmij drugim denatem.

610

– Hanna Kwiatkowska została zamordowana? – zapytał Daniel zaskoczony.

Przecież dopiero co była jedną z jego podejrzanych. Miał już teraz tylu podejrzanych, że mógł właściwie przebierać w nich do woli. Podejrzewał już chyba wszystkie osoby z listy Emilii.

– Jo.

– A ten drugi trup? Kto to jest?

Daniel nie mógł uwierzyć, kiedy dyżurny wymienił nazwisko.

ROZDZIAŁ 100

Leśna szosa przy wyjeździe z Lipowa.
Niedziela, 23 lutego 2020. Godzina 17.05.
Weronika Podgórska

Co tu się stało? – zapytał prokurator, kiedy skończył rozmawiać z dyżurnym z komendy. – Malwa, co tu się stało? Zaraz tu przyślą ludzi, ale chcę na spokojnie usłyszeć twoją wersję.

Pisarka nie odpowiedziała. Wyglądała, jakby była w szoku. Nic dziwnego. Ciało kobiety leżącej na poboczu wyglądało prawie tak makabrycznie jak ciało Beniamina Kwiatkowskiego na polance przy jeziorze Strażym. Weronika nie znała ofiary, ale Zjawa powiedział, że to Hanna Kwiatkowska. Macocha zabitego chłopaka. Ona też nie miała dłoni i stóp, a jej ciało pokrywały liczne rany. Brakowało tylko kurzych łapek i dyktafonu odtwarzającego dziwny dźwięk.

– Ja... – wydusiła Malwina Górska.

Weronika ledwie się powstrzymała, by nie otrzeć jej twarzy z krwi i nie przytulić. Pisarka zdawała się taka bezbronna i przerażona. Przetarła zapłakane oczy i Podgórska znów zobaczyła dziwny tatuaż na jej dłoni. Czy mogła ufać Malwinie? Co oznaczało zdjęcie Strzałkowskiej i dziwny znak narysowany obok? Dokładnie taki jak na tatuażu. I koperta przyklejona do obrazu?

A teraz trup Hanny Kwiatkowskiej...

– Opowiedz, co się stało – odezwał się znów prokurator. – Nie było mnie dosłownie moment. Powinnaś czekać w aucie.

– Było mi duszno – szepnęła pisarka. – Pomyślałam, że zanim wrócisz z rzeczami, przejdę się, i znalazłam ją... Wydawało mi się, że ona jeszcze żyje... Chciałam ją reanimować... Dlatego...

Malwina zatoczyła ręką po swoim zakrwawionym ubraniu. Bransoletki i kolczyki brzęczały, wygrywając nieco złowrogą melodię.

– Już spokojnie – powiedział prokurator.

Wyglądało na to, że chce przytulić pisarkę, ale potem się cofnął. Ciężko powiedzieć, czy nie chciał zabrudzić eleganckiego ubrania, czy też nie był pewny, czy Malwina mówi prawdę. Jak długo go nie było w samochodzie z pisarką? Czy Malwina zdążyłaby zabić tę kobietę? Gdzie było narzędzie zbrodni? Nie, nie mogła tego zrobić, zdecydowała Weronika. Z pewnością mówiła prawdę. Po prostu znalazła ciało.

– A niech to – mruknęła Podgórska i podeszła do pisarki.

Objęła ją szybkim ruchem. Ciało Malwiny stężało. Dopiero po chwili pisarka się rozluźniła. Stały objęte w jakimś zupełnie niepasującym do sytuacji uścisku. Podgórska czuła, że ciało Malwiny zaczyna drżeć w rytm cichego łkania. Wtedy zorientowała się, że ona sama też płacze. To było dziwnie oczyszczające uczucie.

Nagle Weronika usłyszała kliknięcie przeładowywanej broni. Kątem oka zobaczyła pistolet w dłoni Zjawy. Na nowo opanował ją pierwotny lęk. Przecież szukali dwójki osób. A jeśli zarówno prokurator, jak i Górska ją oszukali i byli tu we dwójkę dużo wcześniej? Narzędzie zbrodni mogło nadal leżeć w czerwonym bmw prokuratora. Tak samo jak dłonie oraz stopy Hanny Kwiatkowskiej.

ROZDZIAŁ 101

Opuszczona restauracja U Hanny.
Niedziela, 23 lutego 2020. Godzina 18.10.
Klementyna Kopp

Podobno to niejaki Robert Janik – powiedziała Kopp do Podgórskiego. – Ty, zdaje się, go znasz. Ale! Ja nie miałam przyjemności. No i ten mały pies... Psa to skurwiele mogli oszczędzić.

W opuszczonej restauracji krzątali się już technicy. Zjawili się nieoczekiwanie szybko. Kopp myślała, że trzeba będzie na nich czekać. Zwłaszcza że druga grupa musiała pojechać do Lipowa, bo tam też był trup. Klementyna rozejrzała się. Wokół widziała same młode i nieznajome twarze.

Wzdrygnęła się. Cywil. Oni przypuszczalnie też nie wiedzieli, kim ona była. Dawno pewnie o niej zapomniano w jednostce. Kopp cieszyła się, że chociaż Ziółkowski był tu z nimi. Nigdy go nie lubiła. Z wzajemnością. Raz nawet trafiła przez niego do psychiatryka. Groziła mu co prawda bronią. Ale! Czy to był powód, co? Przewrażliwiony i tyle. Natomiast nie ulegało wątpliwości, że Ziółek był specjalistą w swoim fachu. Może więc on coś tu znajdzie. Oddała mu szpikulec do lodu, który być może został użyty, żeby zadać rany Beniaminowi Kwiatkowskiemu.

– Tak, znam go – mruknął Daniel. – Uciekł mi. Szczerze mówiąc, był jednym z moich głównych podejrzanych. A pies to Filemon, zdaje się.

Kopp przyjrzała się Podgórskiemu krytycznie. Nie wyglądał najlepiej.

– Spoko. Ale! Z tobą to wszystko w porządku, co? Mamusia cię zaraz zobaczy, to dopiero będziesz miał wałkowanie.

Maria i Kalina Pietrzak czekały na dworze za restauracją. Kopp uznała, że lepiej oszczędzić im dalszego widoku martwego mężczyzny i jego niewielkiego pieska. Nienawidziła przemocy wobec kobiet. Ale! Odkąd miała kota, wszelkie przejawy agresji wobec zwierząt też ją bulwersowały. Człowiek człowiekowi umiał zrobić najgorsze rzeczy. Widziała to. Zwierzęta były tu niewinne.

– Przynajmniej niczego nie amputowano – mruknęła. Ciało Roberta Janika pokrywały rany. Ale dłoni i stóp nie usunięto. – Mniej szukania. Przyjechałyśmy, bo Kalina Pietrzak naopowiadała sporo o Hannie Kwiatkowskiej i chciałam się rozejrzeć. Maria i ta cycata Pietrzak poszły sprawdzić zaplecze. Jak zajrzały do zamrażarki, to znalazły jego. No i psa. To cała historia.

Podgórski nie odpowiedział.

– Danielku, jesteś głodny? – rozległo się z głównej sali opuszczonej restauracji.

– Ups, mamusia chyba nie chce czekać na dworze – uśmiechnęła się słodko Kopp.

Technicy pracujący w pomieszczeniu też zdawali się rozbawieni. Podgórski zaczerwienił się.

– Chodźmy na dwór – zaproponowała Kopp.

Daniel wyglądał na zupełnie rozbitego. Postanowiła więc przejąć inicjatywę. Tu na razie więcej się nie dowiedzą. Chłopaka z blizną ktoś zabił w tym pomieszczeniu, a potem wsadził do zamrażalnika, żeby jak najdłużej nikt nie poczuł zapachu. Krwią sprawca niezbyt się przejmował. Był widocznie na tyle doświadczony, że wiedział, jak nie zostawić śladów. Chociażby w nią nie wdepnąć. Ale! Psa mógł puścić wolno, pomyślała raz jeszcze z oburzeniem.

Wyszli na zewnątrz. Zimowa noc dawno już wzięła świat w swoje władanie. Ale! Było całkiem jasno. Technicy porozstawiali reflektory. Maria i Kalina Pietrzak stały pod daszkiem otaczającym dawną restaurację. Zaczął prószyć delikatny śnieżek, raczej śnieg z deszczem. Pewnie nie chciały moknąć.

Daniel wyjął z kieszeni paczkę papierosów i zapalił.

– Co ty robisz, synku? – obruszyła się Maria. – Przecież tak długo nie paliłeś.

– Ale już palę. Zadowolona?

Kopp nie mogła oprzeć się wrażeniu, że sam Daniel na zadowolonego nie wygląda. Coś widać się stało.

– Zamiast palić, zjadłbyś herbatnik. Mam trochę.

– A to co? – zapytał policjant, ignorując matkę.

Kopp podążyła wzrokiem za jego ręką. Na pokrytym śmieciami betonie widać było ciemną plamę.

– Jak tu byłam kiedyś z Pawłem, to stał tu taki grat – wtrąciła się Kalina Pietrzak. – Chyba na olej albo coś. Dopiero co zauważyłam, że go nie ma.

– Grat? – zdziwił się Daniel.

– Taki stary samochód. Coś takiego, jak jeździli hippisi.

– Volkswagen ogórek, co? – podrzuciła Kopp.

– No chyba tak. Paweł opowiadał mi, że samochód należał do rodziny Hanny. Jak jeszcze działała restauracja, służył do wożenia towarów. Fajnie opowiadał o samochodach. Zna się na tym. Paweł mówił, że dałoby się tego volkswagena uruchomić, ale to był taki rzęch. Kto mógł chcieć ukraść coś zupełnie bezwartościowego?

ROZDZIAŁ 102

Leśna szosa przy wyjeździe z Lipowa.
Niedziela, 23 lutego 2020. Godzina 19.00.
Weronika Podgórska

Jeszcze raz przepraszam – powiedział prokurator Krajewski, podchodząc do Weroniki i Malwiny.

Stały nieco z boku, przyglądając się technikom, którzy uwijali się wokół ciała Hanny Kwiatkowskiej. Na miejscu nie było Ziółkowskiego, ale Weronika miała nadzieję, że pozostali też wiedzą, co i jak robić. Przyjechał już doktor Koterski. Podobno niedługo miał zjawić się Daniel. Weronika usłyszała, że Podgórski na razie jest gdzieś w Brodnicy przy drugim trupie.

– Musiałem napędzić wam niezłego strachu – dodał Zjawa.

Weronika nie kryła przerażenia, kiedy prokurator wyciągnął broń i ją przeładował.

– Nic się nie stało – zapewniła mimo to.

– Po prostu zauważyłem ślady opon na ziemi i za bardzo się wczułem – tłumaczył się dalej. – Wydawały się świeże, więc pomyślałem, że ten ktoś mógł tu gdzieś się przyczaić.

Na poboczu widać było ślady opon. Technicy z komendy stwierdzili już, że zabójstwa Hanny Kwiatkowskiej nie dokonano najprawdopodobniej w tym miejscu. Było więc możliwe, że ślad opony zostawili sprawcy.

– No trochę cię poniosło, Bastek – zaśmiała się Malwina Górska.

Twarz miała zapłakaną i nadal całą we krwi, ale była już w lepszym stanie. Weronika zastanawiała się, czy nie pójść do dworku i nie przynieść chociaż trochę wody, żeby pisarka mogła obmyć policzki. Postanowiła jednak, że poczeka na Daniela. Nie paliło się.

– Pójdę do techników. Poradzicie sobie? – zapytał Zjawa.

– Jasne – zapewniła Weronika.

Chciała zostać sam na sam z Malwiną, by wyjaśnić kilka niejasności. Poczekała, aż prokurator zajął się rozmową z technikami. Po jego minie widać było, że jest dumny jako osoba, która tu wszystkim zarządzała.

– Możesz mi wytłumaczyć, gdzie i dlaczego zniknęłaś? – zapytała Podgórska, kiedy upewniła się, że nikt ich nie usłyszy. – Martwiłyśmy się o ciebie.

– Przepraszam – odpowiedziała Malwina i wyglądało na to, że naprawdę jej przykro. – To się stało tak szybko. Nie poszłam za wami, bo nie chciałam być za blisko Darii Urbańskiej. Siedziałam w samochodzie, kiedy akurat przejeżdżał Bolek Urbański. Wracał z pracy. Zobaczył mnie w aucie Klementyny. Myślał, że przyjechałam przekonywać go do powrotu, i chciał porozmawiać. Zanim zdążyłam mu cokolwiek wyjaśnić, kazał mi wsiąść do samochodu. Uległam. Nie wiem. Tak długo go nie widziałam. Dwa lata. Chyba chciałam być przez chwilę blisko niego.

– Znalazłyśmy twój kolczyk.

Malwina szczelniej owinęła się kurtką.

– Sama nie wiem. Rzuciłam go na wypadek, gdyby coś się stało.

– Podejrzewałaś, że kochanek może coś ci zrobić? – zdumiała się Weronika.

Nie znała naczelnika Urbańskiego zbyt dobrze. Rozmawiała z nim kilka razy, bo wrócił pomysł, żeby Podgórska wspierała komendę swoją wiedzą psychologiczną. Na razie nic nie zostało ustalone. Urbański sprawił na niej wrażenie spokojnej i kulturalnej osoby. Nie miała okazji wyrobić sobie bardziej szczegółowej opinii.

Malwina wzruszyła ramionami. Widać nie chciała wchodzić w szczegóły.

– A potem?

– Pojechaliśmy za miasto porozmawiać. Bolek po raz kolejny powiedział mi, że to koniec. Nie wiem. Ja chyba jednak się łudziłam, więc strasznie mnie to zdołowało. Nie chciałam wracać do domu. Wysiadłam i zadzwoniłam po Bastiana. – Malwina skinęła głową w stronę prokuratora. – Wiele osób go nie lubi, ale to porządny człowiek. Czasem wydaje się w gorącej wodzie kąpany. I niezbyt lubi swoją pracę, więc chce te wszystkie śledztwa zakończyć najszybciej, jak się da, i wrócić do książek. W ich towarzystwie czuje się najlepiej. Tak się poznaliśmy i zaprzyjaźniliśmy. Teraz to moja jedyna bliska osoba w tych stronach.

Weronika skinęła głową. Pisarka wspominała jej już, że ma tu przyjaciela.

– Bastian pomagał mi też przy załatwianiu budowy domu – kontynuowała Malwina. – Jeździł ze mną na targi budowlane i tak dalej. Odwiedzał mnie w zajeździe, żeby nie było mi smutno. Ostatnio był w zeszłą sobotę. Przywoził praktyczne, ale też słodkie rzeczy. Wiele spraw załatwiał za mnie. Wiem, że jest mną zauroczony. I jak Bolek mnie zostawił, Bastian myślał, że zwiążę się z nim. I kiepsko się czuję z tym, że pozwalam mu opiekować się sobą, a wiem, że nie umiem odpowiedzieć na jego uczucie. Jestem już tak zmęczona, że czasem nie daję rady i po prostu chcę mieć koło siebie życzliwą duszę. Znam tyle osób, ale na niewielu mogę naprawdę polegać. Tak więc zadzwoniłam do Bastiana i zabrał mnie do siebie. U niego przenocowałam. Dziś przyjechaliśmy po rzeczy. Resztę już znasz. Czekałam w samochodzie. Wysiadłam, żeby się przewietrzyć, i znalazłam trupa Hanny Kwiatkowskiej.

– A nie przyszło ci do głowy, żeby dać nam znać, że wszystko jest w porządku? – zaatakowała ją Weronika.

– Przepraszam – powtórzyła Malwina Górska. – Naprawdę byłam skołowana. Nie powinnam była tak znikać. To prawda. To było nie fair wobec was. Miło mi bardzo, że wzięłaś sobie do serca mój los. Naprawdę. Przepraszam, że cię zawiodłam.

Weronika spojrzała na pisarkę uważniej. W jej głosie było teraz tyle smutku, że znów miała ochotę ją przytulić i pocieszyć. Powstrzymała się. Były jeszcze dwie rzeczy do wyjaśnienia.

– Kiedy pierwszego dnia podeszłyśmy pod twój dom, słyszałam jakiś odgłos – zaczęła. Postanowiła mówić bez ogródek. – Taki szum i kołatanie. Coś podobnego słyszałyśmy na miejscu zbrodni.

– Szum i kołatanie? – zdziwiła się Malwina. – Nie wiem, o co ci chodzi. Suszyłam sałatę, kiedy was usłyszałam. To wszystko. Może chodzi o to, że suszarka tak szumi.

Weronika poczuła, że się czerwieni. Czy możliwe, że odpowiedź była aż tak prosta i prozaiczna? Suszarka do sałaty. Sama taką miała. Trzeba było kręcić korbką, a w środku urządzenia poruszał się koszyk z liśćmi warzywa. Czyli to był mylny trop. Jakoś nie potrafiła sobie wyobrazić, że ktoś mógłby nagrać suszenie sałaty i zostawić to na trupie.

Teraz powinna zapytać o coś znacznie bardziej niepokojącego.

– Dlaczego powiesiłaś zdjęcie Emilii Strzałkowskiej za obrazem? – zapytała. – I co to za znak, który masz na ręce i narysowałaś przy fotografii?

ROZDZIAŁ 103

Przed Komendą Powiatową Policji w Brodnicy.
Niedziela, 23 lutego 2020. Godzina 22.30.
Aspirant Daniel Podgórski

Daniel wsiadł do samochodu. Wyjął napoczętą paczkę
papierosów i zapalił kolejnego. Zaciągnął się głęboko.
Wcale nie było to tak przyjemne, jak pamiętał. Mimo to
powtórzył to kolejny i kolejny raz. Uchylił okno, kiedy
samochód wypełnił się dymem.

To był bardzo długi dzień i emocjonalny rollercoaster.
Najpierw Podgórski chciał zabić człowieka. Potem z tego
pomysłu zrezygnował. Później pojawiły się dwa następne
trupy: Hanna Kwiatkowska i Robert Janik. Trupy, które
musiały wiązać się z prowadzoną przez niego sprawą. Dwa
miejsca zbrodni do obrobienia. Na koniec jeszcze powia-
domienie Sławomira Kwiatkowskiego o śmierci jego żony.
To też Daniel załatwił osobiście. Robert Janik, zdaje się,
nie miał żadnej rodziny, którą można by poinformować.
I szczerze mówiąc, Podgórski nie miał siły dziś już o tym
myśleć.

W pewnym momencie zadań nagromadziło się tyle,
że zadzwonił do Trawińskiego, ale kolega nie odebrał.

Wspominał, że był z kimś umówiony, więc pewnie był zajęty. Podgórski z całym tym chaosem musiał radzić sobie sam. Oficjalne przesłuchania Malwiny Górskiej, Weroniki, Marii i Klementyny zostawił sobie na jutro. Mimo że już dowiedział się trochę ciekawych rzeczy. Teraz chciał pojechać do domu zmęczony krążeniem w tę i z powrotem. Był w Lipowie przy trupie, ale musiał przyjechać na komendę. Teraz znów wrócić do domu. I tak w koło Macieju.

Przekręcił kluczyk i silnik subaru zabulgotał głośno. Policjant włączył odtwarzacz. Samochód wypełniły pierwsze dźwięki *Master of Puppets**, opowieści o uzależnieniu. Rozumiał ją aż za dobrze. Zwłaszcza fragment o czołganiu się. Mimo to lubił słuchać tej piosenki. Metallica sprawiała, że czuł się trochę lepiej. Właśnie tego teraz potrzebował.

Wrzucił bieg wsteczny, chcąc wycofać z miejsca parkingowego. Wtedy zaczął dzwonić jego telefon.

– O tej porze? – powiedział sam do siebie.

O mało nie odrzucił połączenia, ale zobaczył na wyświetlaczu, że to numer Zofii Dąbrowskiej. Westchnął. Poczucie obowiązku wygrało ze zmęczeniem. Przecież musiał wyjaśnić dziwne odkrycie Ziółkowskiego, dotyczące opaski fitness i podwyższonego tętna o innej godzinie, niż mogliby się tego spodziewać. Atak na Zofię nastąpił prawdopodobnie później, niż zeznała za pierwszym razem.

– Halo? – powiedział, odbierając.

Ściszył trochę muzykę.

– Pan Podgórski? – zapytała Zofia, jakby spodziewała się kogoś innego.

* Autorzy utworu: Clifford Lee Burton, James Alan Hetfield, Kirk Lee Hammett, Lars Ulrich.

– Tak, to ja.

Daniel skończył manewr cofania. Włączył tryb głośnomówiący i położył sobie telefon między nogami, jak to miał w zwyczaju. Emilia zawsze się z tego śmiała, ale jemu było w ten sposób wygodnie rozmawiać. Poza tym nie trzymał telefonu w dłoni.

– Dzwonię, bo… Bo słyszałam, co się stało…

– Słucham?

– No na portalu w Internecie napisano, że są dwa nowe trupy… I że to Hanna Kwiatkowska i Robert Janik nie żyją.

Daniel zaklął w myślach. Znów ta prasa! Niezbyt mu się podobało, że ta informacja wyciekła. I to tak szybko! Podejrzewał, że niektórzy policjanci po prostu sprzedają mediom informacje. Według niego było to niedopuszczalne.

– To prawda? – zapytała jeszcze Zofia.

– Na tym etapie nie mogę udzielać informacji.

– Bo wie pan… Ja o tym myślałam i teraz wydaje mi się, że to mogli być oni.

– Słucham?

– Ci, co mnie zaatakowali.

Daniel wytężył słuch. Zahamował w ostatniej chwili, kiedy światło zmieniło się na czerwone. Opony subaru zapiszczały.

– Jacy oni? – zapytał powoli.

– No Hanna Kwiatkowska i Robert Janik. To oni mnie chyba zaatakowali.

– Jest pani pewna?

Daniel czuł, że ogarnia go frustracja. Hanna Kwiatkowska i Robert Janik mieli być zamaskowaną parą, która brutalnie pobiła Zofię obuchem siekiery? Jeżeliby tak było, to kto ich zabił? Gdzie zniknął stary volkswagen, który powinien stać przed opuszczoną restauracją U Hanny? Czy ten fakt mógł mieć jakieś znaczenie dla sprawy? Co tu kurwa się działo?!

– Właściwie tak…

– Ale przecież mówiła pani, że dostała naszyjnik od Hanny Kwiatkowskiej – powiedział, siląc się na spokój. – Potem panią napadła, żeby go odebrać?

– Tak. Wiem, że to brzmi dziwnie. Sama tego nie rozumiem. Ale teraz jestem prawie pewna, że to byli oni. Ich głosy… Wtedy tego nie skojarzyłam, bo to było takie dziwne. Nawet właśnie to, co pan mówi, że najpierw dała mi naszyjnik, a potem zaatakowała. Poza tym ona i Janik? Zupełnie mi ta dwójka do siebie nie pasowała. Nawet nie sądziłam, że mogą się dobrze znać. Dopiero jak czytałam ten artykuł na portalu i zobaczyłam ich nazwiska obok siebie, to jakby przeskoczył mi taki trybik w głowie. Że w ogóle dopuściłam do siebie, że oni razem… No ale jestem teraz na sto procent pewna. To oni mnie pobili.

Światło zmieniło się na zielone i Podgórski skręcił w Dworcową. Po wyczerpującym dniu nie miał już siły zastanawiać się nad tym, co usłyszał. Trawiński miał rację. Daniel był przepracowany i zmęczony. Bardzo zmęczony. Może nie dostrzegał tego, co było na wyciągnięcie dłoni. Ta myśl powodowała jeszcze większą frustrację. Tak samo jak to, że Trawiński nie odbierał telefonu. Bo czego Daniel się spodziewał? Przecież kilka godzin wcześniej mierzył do niego ze służbowej broni.

– Według opaski fitness, którą pani mi przyniosła, wydaje nam się, że zaatakowano panią później, niż pani mówiła – zagadnął. – Mogła się pani pomylić?

Zofia milczała. Daniel przejechał przez przejazd kolejowy. Opony stukały o szyny. Minął supermarkety po lewej stronie i znalazł się na rondzie.

– Naprawdę? – zdziwiła się w końcu Zofia, kiedy wjeżdżał w Sikorskiego. – Musiałam się w takim razie pomylić. Nie mam pojęcia, jak to się mogło stać.

Daniel czuł, że być może jest zgoła inaczej.

* * *

2020
Opuszczona restauracja U Hanny.
Sobota, 22 lutego 2020. Godzina 15.50.
Robert Janik

– *Pozbyłem się całego towaru, zanim go znaleźli. Szkoda, bo było tego sporo* – wyjaśnił Robert Janik przepraszającym tonem. – *Ale rozumiesz. Nie było wyjścia. Gdyby mnie znaleźli z tym wszystkim, byłoby jeszcze gorzej.*

– *Tak. Dobrze zrobiłeś.*

Te słowa dodały Robertowi otuchy. Bo mimo wszystko trochę się stresował, kiedy pędził przez miasto z Filemonem na rękach. Prosto do b e z p i e c z n e g o m i e j s c a. Tak nazywali ruinę starej restauracji. Wszystko wyglądało tam jak z jakiegoś horroru. To znaczy oprócz pomieszczenia z tyłu. Mimo to właśnie tę odosobnioną ruderę ustalili jako miejsce spotkania w razie jakichś problemów. Mieli tu nawet ukryty telefon zarejestrowany na jakiegoś słupa. Jednego z tych meneli, którzy wysiadują w mieście przy Kauflandzie.

Robert zadzwonił z niego, jak tylko dotarł na miejsce. Opowiedział, że ledwie wymknął się policji. Nie był pewien, czy powinien wspominać, że przehandlował swoją wolność za informację o śmierci Strzałkowskiej. Powiedział Podgórskiemu, że jego kobieta została zamordowana. Tylko tyle. To chyba nie było zbyt wiele? Nie zdradził nikogo. No oprócz Trawińskiego. Ale on przecież i tak był już na spalonym.

– Do ciebie na pewno nie trafią – zapewnił Robert na wszelki wypadek. – Twojego nazwiska nie wspomniałem. Ani się nie zająknąłem.

– Jasne, że nie. Wiem. Ufam ci.

Spokój. Robert poczuł, jak i jemu to podejście się udziela. Choć przez moment miał irracjonalne poczucie, że powinien mieć ze sobą coś do obrony. Jak cholerny Sadowski, który od dwóch lat trzymał siekierę pod łóżkiem i myślał, że Robert nie zauważył. To było idiotyczne.

Strach Roberta teraz też był idiotyczny.

– To co teraz? – zapytał, głaszcząc Filemona i myśląc o tym, by tylko powybijane szkło nie powchodziło mu w łapki. Lepiej wziąć pieska na ręce. Przynajmniej póki są w głównej sali restauracji. – Przewieziesz mnie gdzieś, żeby mnie ukryć na jakiś czas? Jak to działa? Bo przecież nie mogę pokazać się w Brodnicy. Na pewno mnie szukają.

– Długo będą szukać.

Robert Janik zaśmiał się z ulgą. Czuł się teraz jak mały chłopiec, który wreszcie dostał od kogoś trochę opieki i uwagi. Wszystko będzie dobrze.

– Chodźmy to obgadać na zaplecze – zaproponował boss. – Tu jest strasznie zimno.

Robert skinął głową. W głównej sali starej restauracji faktycznie panowała nieprzyjemna atmosfera. Nieogrzewany budynek cuchnął wilgocią i rozkładem. Poszedł więc pospiesznie do pomieszczenia z tyłu. Tam było ciepło. Działała farelka. Ustawili ją na wielkiej zamrażarce, pozostałości z dawnych czasów, kiedy restauracja jeszcze funkcjonowała.

Pochylił się, żeby postawić psa na ziemi.

Nagle kątem oka zobaczył poruszenie.

Nóż pędził w jego stronę ze, zdawałoby się, zawrotną prędkością. Jednocześnie świat jakby zwolnił.

Robert Janik spróbował się uchylić, ale cios był szybszy.

Bezpieczne miejsce.

* * *

CZĘŚĆ 10
2020

ROZDZIAŁ 104

Dom Podgórskich w Lipowie.
Poniedziałek, 24 lutego 2020. Godzina 6.15.
Aspirant Daniel Podgórski

Daniel miał wrażenie, że głowa mu pęka. Nieprzyjemna suchość w gardle przypominała czasy, kiedy budził się na podłodze z pustą butelką obok siebie. W kałuży własnych sików albo rzygów. Ale nie. Teraz był zupełnie trzeźwy. Zmęczenie z dnia wczorajszego dziś jakby się wzmogło, mimo że przespał kilka godzin.

Wstał z łóżka i poszedł szybko do niewielkiej łazienki. Mieszkanko w suterenie domu matki było małe, ale jemu wystarczało. Po co mu większe, skoro i tak był tu sam. Umył zęby i przepłukał twarz. Uporządkował brodę i przeczesał włosy. Starał się nie patrzeć na siebie w lustrze, bo własne podkrążone oczy zdawały wpatrywać się w niego oskarżycielsko.

Z ulgą opuścił łazienkę i niebezpieczny rejon lustra. Wtedy usłyszał pukanie do drzwi. Pewnie matka niosła śniadanie. W pierwszej chwili chciał udać, że go nie ma. Ale to był idiotyczny pomysł. Samochód stał na podjeździe i Maria doskonale widziała, że jeszcze nie wyszedł.

– Idę, mamo – zawołał.

Otworzył drzwi. W progu stała Malwina Górska. Był tak zaskoczony, że przez chwilę nie zorientował się, że stoi przed nią w samych bokserkach. Dopiero jej równie zaskoczone spojrzenie uświadomiło mu, że należałoby pewnie zakryć te partie ciała, z których zdecydowanie nie był dumny. Na przykład nieco za bardzo zaokrąglony brzuch. Chwycił kurtkę z wieszaka i zarzucił na siebie. Musiał wyglądać co najmniej idiotycznie w zimowym okryciu i z gołymi nogami, ale postanowił się tym nie przejmować. Bądź co bądź to ona do niego przyszła. I to z samego rana. Słońce nawet jeszcze nie wstało.

– Tak? – zapytał niezbyt uprzejmie.

– Chciałam porozmawiać.

– Przesłuchanie odbędzie się na komendzie.

Wczoraj wieczorem rozmawiał z nią przelotnie, jak wreszcie dojechał do Lipowa z opuszczonej restauracji. Dopiero dziś miało odbyć się oficjalne przesłuchanie. Czekało go też spisanie zeznań Weroniki, Klementyny, Marii i Kaliny Pietrzak.

– Niech pan się nie martwi. Przyjadę na komendę i będzie miał pan oficjalne zeznania do kwitów – zapewniła Malwina Górska. – Mogę wejść?

Podgórski miał na końcu języka pytanie „po co", ale tylko odsunął się, żeby wpuścić ją do środka. Robiła teraz wrażenie zagubionej i bardzo drobnej, mimo że była równie wysoka jak Weronika. Pierwszy raz widział ją bez makijażu. Wyglądała dużo młodziej, chociaż twarzy nie miała tak idealnej jak na zdjęciach. Zdjęła czapkę. Różowe włosy sterczały w lekkim nieładzie, naelektryzowane od wełny. Dziś nie była obwieszona kolczykami i bransoletkami. Nic nie brzęczało i nie dzwoniło jak zazwyczaj.

– Co się stało? – zapytał.

Zdjęła powoli kurtkę. Miała na sobie czarną bluzkę i krótką spódniczkę. Do tego wysokie buty. Chyba chodziła w tym ubraniu tak często jak Klementyna w uniformie z bojówek i skórzanej kurtki.

– Pan się nie rozbierze? – zapytała, jakby nieświadoma dwuznaczności pytania. Ani tego, że Podgórski de facto nie był ubrany.

– Dobrze mi tak, jak jest – zapewnił szybko. Czuł się głupio. Odchrząknął.

– Jak pan chce.

Co pisarka tu robiła? Czy może jej ufać? Ogarnęła go złość. Zdjął kurtkę i znów stanął przed nią półnagi. Proszę bardzo. Nie będzie się przejmował. Ani tym, jak wygląda, ani tym, gdzie mieszka. To ona tu przyszła. Poza tym nawet nie wiadomo, czy nie jest sprawczynią. Może ona i Zjawa rozkręcili tę machinę zła? Albo ona i jej były kochanek Urbański? Albo ona i Trawiński. Kurwa, pomyślał Daniel. Wymyślał coraz bardziej szalone konfiguracje sprawców. Musi się uspokoić i zacząć funkcjonować logicznie.

– Więc? – zapytał.

– Jednak było panu za ciepło? – zapytała Malwina, znów patrząc mu w oczy w irytujący sposób.

– Jo – odparł. – Czemu zawdzięczam wizytę tak znamienitego gościa w moich skromnych progach? I to przed świtem?

Pisarka westchnęła i spojrzała na swoje dłonie. Tatuaż z dziwnym znakiem przyciągał jego wzrok. Weronika powiedziała mu wczoraj, że za obrazem w domu pisarki było zdjęcie Emilii i ten właśnie znak. Do tego koperta przyklejona do obrazu. Podobną kopertę znalazł w zajeździe. Właśnie w pokoju, który zajmowała wcześniej Malwina.

– Przyszłam do pana, bo chciałam powiedzieć, że w swoich oficjalnych zeznaniach opuszczę wątek, że byłam kochanką Bolka Urbańskiego – poinformowała go cicho.
– Pewnie Weronika przekazała to panu. Widziałam, jak rozmawialiście, kiedy pan wczoraj przyjechał na miejsce. Więc wolałam przyjść, żebyśmy sobie to wyjaśnili. Proszę, żeby mnie pan o to nie pytał. Nie chcę Bolkowi robić problemów. Tym bardziej że to nie ma związku ze sprawą. Sam pan wie, jak to jest w takich sytuacjach. Jeżeli ma pan w tej kwestii jakieś pytania, to chętnie odpowiem tu. Ma pan?

Podgórski czuł się lekko zbity z tropu i zupełnie nieprzygotowany do zadawania jakichkolwiek pytań o relacje Urbańskiego i Górskiej. Choć faktycznie Weronika powiedziała mu o tym wczoraj. No i nie tylko o tym.

– Weronika znalazła w pani domu zdjęcie Emilii... Sierżant sztab...

– Tak, Emilii – przerwała mu Malwina. – Niech mi pan wierzy. Wyobrażam sobie, ile ona dla pana znaczyła. Wiem, ile dla mnie znaczył Bolek. Znaczy. Nadal. Mimo sytuacji, w jakiej się znajdujemy. Mimo że mnie odrzucił tyle razy.

Nieoczekiwanie wyciągnęła ręce i objęła dłoń Daniela swoimi.

– Wszystko będzie dobrze – szepnęła.

– I rysunek przypominający ptasią łapkę – dokończył Daniel. Czuł gulę rosnącą w gardle. Nie chciał wchodzić w te tematy. – Co to za tatuaż? Czemu schowała pani zdjęcie Emilii za obrazem i narysowała tam ten symbol?

Skinął głową w kierunku jej lewej dłoni. Pisarka zaśmiała się głośno. Po raz pierwszy naprawdę była w tym wesołość.

– Ptasią łapkę? – powtórzyła rozbawiona. – To jest runa. Runa algiz. Runa ochronna. Pochodzi z najstarszego alfabetu runicznego. Zapewnia siłę i opiekę.

– Ale dlaczego pani to tam narysowała? – nie ustępował.

– Kiedy poznałam plotki na temat relacji pana i Emilii, poczułam z nią bliskość. Może przez nasze nieco podobne historie. Ona nie żyje, ale chciałam jej zapewnić ochronę. Tylko tyle. To nie jest czarna magia, tylko biała. I niech pan na mnie nie patrzy jak na wariatkę. Są siły, których do końca nie rozumiemy, ale one gdzieś w nas drzemią. W nas, w naturze i tak dalej. A ponieważ wiedziałam, jaki większość osób ma do nich stosunek, schowałam to za obrazem, żeby nikt nie widział. To była prywatna sprawa pomiędzy mną a Emilią. Tyle.

Daniel wzruszył ramionami.

– Pan mi nie wierzy? – zapytała wprost.

– Nie, nie do końca – odparł zgodnie z prawdą.

– Raz tylko oszukałam policję. I to właśnie pańską Emilię. Może nie oszukałam, ale nie powiedziałam jej wszystkiego – uściśliła Malwina. – Aha, no i raz panu też nie wszystko powiedziałam. Teraz mi się przypomniało. Nie powiedziałam panu, że w piątek, jak znaleźliśmy

Izabelę Pietrzak, zanim zadzwoniliśmy po was, Robert Janik poszedł do swojego pokoju. Wyglądało na to, że to dla niego ważne, choć mówił, że tylko idzie do toalety. Podejrzewam, że spuszczał w toalecie narkotyki...

– Narkotyki? – zainteresował się Daniel, pamiętając, że temat narkotyków przewijał się w sprawie kilkakrotnie.

– Tak. Wydawało mi się, że raz go widziałam z narkotykami. Nie chciałam wychodzić na nadgorliwą i uznałam, że niech się ich pozbędzie. Poza tym trochę się bałam. Niech mnie pan nie wini. A jeśli chodzi o to, czego nie powiedziałam Emilii, to ona wtedy zajmowała się śmiercią Julii Szymańskiej. Pewnie pan zna sprawę.

Daniel skinął głową, mimo że nadal jeszcze nie przeczytał ani akt, ani notatek Emilii.

– I teraz znowu powiem coś, co nie powinno wyjść poza pańskie mieszkanie. Obiecuje pan?

– Nie wiem. Zależy, co pani powie.

– Kalina Pietrzak dokonała aborcji – poinformowała z westchnieniem pisarka. Chyba zdecydowała się mu zaufać. – Nie chciała o tym mówić, bo to przecież nielegalny zabieg, czyż nie? Emilia pytała mnie o pewną niedzielę na targach budowlanych. Julia miała odebrać Kalinę od lekarza po pracy na targach, ale samochód jej się zepsuł i zadzwoniła do mnie. Ja tam byłam w towarzystwie Bastiana. Zabraliśmy ją. Bastian też milczał na ten temat. To są dwa fakty, które ukryłam przed policją. Niech mi więc pan wierzy, że to zdjęcie Emilii i runa algiz nie miały na celu niczego złego.

– Czyje to było dziecko, które usunęła? – zapytał Podgórski.

Najbardziej idiotyczne pytanie, jakie mógł zadać. Czuł jednak zupełną pustkę w głowie. Do tego stał na wpół rozebrany przed właściwie obcą kobietą. Patrzyła na niego wielkimi niebieskimi oczami, a on miał ochotę włożyć z powrotem kurtkę. Ukryć wszelkie mankamenty swojej figury, a nie paradować rozebrany tuż przed jej nosem. Poprawił się na krześle boleśnie świadomy każdej fałdy na brzuchu. Niewątpliwie trzeba się wziąć za siebie.

– Pawła Krupy. Z tego, co wiem – powiedziała Malwina. – Wtedy Kalina z nim zerwała. I niedługo potem dowiedziała się, że jest w ciąży. No i nawet go nie poinformowała, że usuwa. Moim zdaniem to było trochę nie w porządku, ale cóż. Nie moja sprawa. Teoretycznie mógł Kalinę odebrać jej kuzyn, ale ona nie chciała go informować o aborcji. Wtedy firma, której ona jest obecnie właścicielką, należała do niego. Nazywał się Oliwier. Potem zginął w wypadku. Chociaż z tego, co wiem, to były chyba jakieś przesłanki, żeby myśleć, że to nie był wypadek. Bolek mi wtedy o tym wspominał. Następnego dnia zadzwoniłam do Julii, bo chciałam wypytać, czy z Kaliną wszystko w porządku. Ona tę aborcję bardzo przeżywała. Cały czas mówiła o trupie dziecka. To było makabryczne.

– Pani zna Kalinę Pietrzak dość dobrze – powiedział Daniel i zapytał: – Jakie są jej relacje ze Sławomirem Kwiatkowskim?

Przecież nadal nie wiedzieli, dlaczego Kwiatkowski przepisał cały majątek Kalinie. Kobiecie, która twierdziła, że nie chce mieć z nim nic wspólnego.

– Nie wiem. Nie znam jej aż tak dobrze, jak pan chyba myśli. Dlaczego pan pyta?

– Ta impreza w ostatnią sobotę. Ta, która była w zajeździe – zagadnął zamiast odpowiedzi. – Pamięta pani coś interesującego? Wiem, że pani tam była.

– Najpierw odwiedził mnie Bastian. Potem, jak już poszedł, byłam tylko na dole w kuchni, jak Izabela, Hanna i Zofia już zeszły. Nie chciało mi się siedzieć samej. Na górze nie byłam. Nic szczególnego nie zaobserwowałam. Żadnych tajemnic.

Pokój numer jeden, który zajmowała pisarka, krył przecież jedną tajemnicę. Pustą kopertę, którą Daniel odkrył przypadkiem za obrazem. A Weronika wspomniała mu wczoraj, że podobną znalazła za reprodukcją *Krzyku* w domu pisarki. Policjant zastanawiał się, czy powinien Malwinę o to zapytać. Wczoraj nie chciała wyjaśnić tego Weronice. Jemu pewnie też się nie zwierzy. Postanowił podejść do tematu od końca i zobaczyć jej reakcję.

– Ruszała pani któryś z obrazów w pokoju w zajeździe?

Mina pisarki wskazywała, że trafił w samo sedno. Malwina wyraźnie zorientowała się, do czego zmierza. W tym momencie otworzyły się drzwi.

– Danielku! Śniada…

Matka zatrzymała się w pół kroku i w pół słowa. Dopiero w tym momencie do Daniela dotarło, że on i Malwina Górska nadal trzymają się za ręce. To było dziwnie naturalne podczas całej tej rozmowy.

– Śniadanie – dokończyła Maria. Wyglądała na nieco urażoną. – Możesz zaprosić swoją dziewczynę.

Pisarka zaśmiała się cicho, kiedy puścił jej dłoń.

ROZDZIAŁ 105

Zakład Karny w Starych Świątkach.
Poniedziałek, 24 lutego 2020. Godzina 7.00.
Klementyna Kopp

Klementyna szła korytarzem więzienia, słuchając własnych kroków. Klawisz, który prowadził ją do sali, gdzie miała spotkać się z Pawłem Krupą, stąpał tak lekko, że jego ciężkie buty zdawały się nie wydawać żadnego odgłosu.

– Nie wstyd pani wnosić tu broń? – zapytał tonem podekscytowanym, a jednocześnie karcącym.

– Spoko. Ale! To była tylko atrapa.

Gad* doskonale o tym wiedział. Mimo to pokręcił głową z przesadną dezaprobatą, jakby jej nie wierzył. Szczerze mówiąc, Kopp miała taką samą minę, kiedy dziś rano zabrała wnukowi zabawkę. Nie podobało jej się, że Marta kupiła malutkiemu chłopczykowi atrapę broni. Tłumaczyła, że chce go zachęcić do późniejszej służby w policji. Żeby wdał się w babcię, a nie w nią i ojca. Kopp może by się wzruszyła takim postawieniem sprawy, gdyby nie wiedziała, że wcale nie o to chodziło. Marta po prostu

* Potocznie strażnik więzienny.

643

wcisnęła chłopcu cokolwiek. I tyle. Klementyna nie chciała, żeby maluszek bawił się bronią. Nawet jej atrapą. Na to przyjdzie czas, kiedy dorośnie. Dlatego niewiele myśląc, zabrała zabawkę ze sobą, kiedy wychodziła z domu, żeby pojechać do Starych Świątek.

– Ma pani znajomości, że pozwolili pani to wnieść – kontynuował gad ni to z zazdrością, ni z dezaprobatą. Nie dało się tego wyczytać z jego postawy.

Kopp wzruszyła ramionami. Owszem. Nadal miała w Starych Świątkach trochę znajomości i dlatego udało jej się z samego rana dostać na widzenie z Pawłem Krupą. Chciała jeszcze raz dokładnie usłyszeć, co ma do powiedzenia.

Przyszła tu też na prośbę Marii i Kaliny. Obie uważały, że ktoś przyjazny powinien przekazać Pawłowi wiadomość o śmierci macochy. Może Hanna Kwiatkowska nie chciała się nim zajmować. Ale! Nadal była jego rodziną. W sumie obecnie jedyną. Kopp uznała, że mają rację.

Chociaż Kalinie nie ufała. Czuła, że dziewczyna nie jest z nimi do końca szczera. I tak łatwo zabrała je na tę działkę. Tak chętnie. A tam proszę. Trup. I testament, który spisał Sławomir Kwiatkowski na jej rzecz. Jeśli współpracowała z Kwiatkowskim, to można by doszukać się motywu zamordowania Beniamina i Hanny. Ale! Co z pozostałymi? Dlaczego zabiliby Izę Pietrzak, matkę Kaliny. Dlaczego pobiliby Zofię Dąbrowską, co? I ten Sadowski? Przedawkował sam? Ktoś go zmusił?

– Tu – powiedział klawisz, kiedy dotarli na miejsce. – Przypominam, że nie ma pani dużo czasu.

Kopp skinęła głową bez słowa i weszła do pomieszczenia. Nie trzeba jej było przypominać. Musiała przecież być na komendzie w Brodnicy na oficjalnym przesłuchaniu. Nie chciała się spóźnić.

Paweł Krupa siedział na metalowym krześle przyśrubowanym do podłogi. Wydawał się przygaszony. To, rzecz jasna, nie było nic dziwnego. Każdy byłby zdołowany, gdyby tu trafił. Już sama stęchlizna wisząca w powietrzu dobijała. Czuć ją było, kiedy tylko przekraczało się próg. A to był przecież dopiero początek. Potem człowiek miał wrażenie, że to zatęchłe powietrze to esencja cudowności.

– No i co? – zapytała młodego mężczyznę.

– Dzień dobry – przywitał się Paweł Krupa, mimo że ona pominęła wstępy.

Czuła, że ponura mina to tylko maska. Chłopak naprawdę ucieszył się na jej widok. Może spodziewał się, że Kopp go stąd zabierze. Może i tak się niedługo stanie, pomyślała. A może nie. Nie zamierzała niczego obiecywać. Miała za to specjalną przesyłkę.

– Maria to przygotowała.

Kopp wyjęła z plecaka pakuneczek, który dała jej wczoraj wieczorem Maria. Matka Daniela tak naciskała, że Klementyna specjalnie musiała pojechać po wypiek. Teraz położyła go na stole. To był kawałek szarlotki. Pozwolili jej go wnieść właściwie bez problemu. Chociaż musiała przyznać, że spowodował większe poruszenie niż nieszczęsna zabawkowa broń. Dwóch klawiszy chciało bardzo dokładnie sprawdzić, czy Kopp czegoś w środku nie przemyca. W każdym razie tak to tłumaczyli. Tymczasem Klementyna miała swoje podejrzenia. Chcieli po prostu sami zjeść to ciasto. Nie pozwoliła im. Dała przecież słowo Marii.

– Naprawdę mogę? – zapytał Paweł. Wyglądał na zachwyconego.

– Spoko.

Kopp dała mu chwilę, żeby chociaż przełknął kilka kęsów. Ciasto pachniało słodko. Pieczonym jabłkiem, cynamonem i rodzynkami. To był zapach, który większości osób przywodził pewnie na myśl dom. Albo wyobrażenie o nim, za którym tęsknili całe życie.

– Hanna Kwiatkowska nie żyje – powiedziała cicho. Cóż. Nie było co owijać w bawełnę. – Pewnie poinformują cię oficjalną drogą. Ale! Pomyślałyśmy…

Nie dokończyła. Paweł Krupa zachłysnął się ostatnim kęsem ciasta. Zastanawiała się, czy nie wstać i nie klepnąć go w plecy. Ale! Dość szybko udało mu się złapać oddech.

– Jak… Jak to? Co się stało?

– Została zamordowana. Bardzo podobnie jak Beniamin, więc nie będę wdawać się w szczegóły. Sam go widziałeś. Dłoni i stóp nie ma. Tylko tych suszonych nóżek zabrakło. Plusem jest, że nikt już ciebie nie podejrzewa, bo siedziałeś tu. Całkiem niezłe alibi.

Wiedziała, że zabrzmiało to obcesowo. Nigdy nie umiała dobierać słów. Oczy młodego mężczyzny się zaszkliły. Zrobiło się jej go żal.

– Kto mógł to zrobić? – wykrztusił Paweł Krupa. – I dlaczego?

– Spoko. Ale! Liczyłam, że ty będziesz miał jakiś pomysł.

– Nie wiem… Miałem tylko sporadyczny kontakt z Hanią w ostatnim czasie. Jeżeli miała jakichś wrogów, to ja o nich nie wiem. Musicie zapytać jej męża. Ostatni raz widziałem ją na sobotniej imprezie i potem na charytatywnym pieczeniu pączków w czwartek, bo wiozłem tam szefową. A przedtem nie widzieliśmy się kilka lat. Nie mam pojęcia, co u niej się działo przez ten czas.

Przez chwilę żadne z nich nic nie mówiło.

– Zaraz! – odezwał się nagle Krupa. – Coś mi się przypomniało! Wtedy na tych pączkach!

– Co z nimi, co?

– Niechcący podsłuchałem kłótnię – w głosie chłopaka słychać było emocje. – Może to nieważne.

– Po prostu powiedz – ucięła Kopp. Nie lubiła, kiedy ludzie zabierali się do gadania zbyt długo. Jak gadać, to gadać.

– Czekałem na szefową i w pewnym momencie wysiadłem z samochodu, żeby odetchnąć świeżym powietrzem. Wtedy usłyszałem, jak się kłócą. Hania i ona.

– Czekaj. Stop. Kto? Kto się kłócił z twoją macochą, co?

ROZDZIAŁ 106

Dom Podgórskich. Środa, 26 lutego 2020.
Godzina 6.45.
Aspirant Daniel Podgórski

Teraz, skoro już jesteśmy wszyscy ubrani, to możemy coś zjeść – powiedziała Maria z cierpkim uśmiechem, stawiając na stole talerz z pokrojonym w grube pajdy chlebem. – Miło, że zostałaś z nami na śniadanie.

Daniel zastanawiał się, czy matka mówi to z przekąsem, czy naprawdę cieszy się z tego, że Malwina Górska siądzie z nimi do stołu. Przytyk do tego, że zastała go z pisarką nieubranego, był, rzecz jasna, oczywisty. Ale bardziej chodziło jej chyba o to, że lubiła plotkować i zawsze pierwsza chciała wszystko wiedzieć, niż miała mu za złe, że się z kimś spotyka. Uważała chyba, że robił to za jej plecami. No i żadne tłumaczenia teraz pewnie nie pomogą. Maria i tak będzie przekonana, że Daniel ma nową dziewczynę.

Usiedli we trójkę przy stole w części domu zajmowanej przez Marię. Dominował tu wystrój pamiętający młode lata rodziców Daniela. Z widoczkami namalowanymi przez jakiegoś lokalnego artystę i dzierganymi przez matkę serwetkami. Wszystko było nieco kiczowate, ale zawsze ogarniała go tu fala spokoju i nostalgia za dzieciństwem.

– Bardzo dziękuję za zaproszenie – powiedziała Malwina Górska.

Daniel zerknął na pisarkę. Nie protestował przeciwko temu nieoczekiwanemu wspólnemu śniadaniu, bo bardzo chciał spokojnie wybadać, po co została przyklejona koperta za obrazem. Na oficjalnym przesłuchaniu być może Malwina nabierze wody w usta. Tu w domu mógł zająć się pracą operacyjną.

– Zaczęliśmy mówić o obrazie – zagadnął.

Uznał, że równie dobrze może poruszyć tę kwestię przy matce. Przecież Maria i tak była zorientowana w sprawie.

– A tak – powiedziała tylko Malwina.

Czekał, by coś dodała, ale najwyraźniej nie zamierzała. Wzięła kawałek chleba i w zamyśleniu zaczęła odrywać skórkę palcami. Chleb pachniał świeżo. Kolejny domowy zapach. Daniel też sięgnął po ciepłą jeszcze kromkę. Odgryzł kawałek. Skórka chrupała przyjemnie. A teraz do rzeczy, najlepiej zagrać w otwarte karty.

– Znalazłem pustą kopertę przyklejoną do pleców obrazu. W pokoju, który pani zajmowała. Weronika powiedziała mi wczoraj, że podobną znalazła u pani za reprodukcją *Krzyku*.

Malwina spojrzała na niego spod oka. Myślał, że nie odpowie, ale w końcu skinęła głową.

– Tak. To moja skrytka na monetę – wyjaśniła.

– Monetę? – zdziwił się policjant.

– Tak. To moneta z czasów piastowskich. Nie jest jakaś niesamowicie cenna, ale trochę kosztuje. Dla mnie ma wartość sentymentalną. Dlatego z reguły ją chowam, jeśli gdzieś się osiedlam – wyjaśniła. – Już tak z przyzwyczajenia za obrazem. Dlatego jak nocowałam w zajeździe, zrobiłam to samo. Dostałam ją od Bolka Urbańskiego. Chciał mnie jakoś zabezpieczyć. Tak powiedział.

Daniel posmarował kolejną kromkę świeżego chleba masłem i położył na niej kawałek sera.

– Ukradziono ją pani? W tamtej kopercie nic nie było. Weronika mówiła, że koperta w pani domu również była pusta.

To był interesujący nowy trop. Może sprawcy szukali właśnie tej monety w pokoju numer jeden i dlatego do niego prowadziły ślady.

– Nie. Bastian ją dla mnie wziął, kiedy przyjechaliśmy do mojego domu. Potem poszedł na górę po resztę rzeczy, a w tym czasie przyszła Weronika. To naprawdę miłe, że tak się zainteresowała moim zniknięciem. Mało kto się mną przejmuje. Ludzie chyba nie postrzegają mnie jako człowieka, tylko jako autorkę książek. Na tym koniec. A monetę mam w portfelu. Przepraszam, że nic nie powiedziałam. Nie sądziłam, że to może pana zainteresować.

Podgórski jadł kanapkę w zamyśleniu. Monety nie ukradziono, ale być może sprawcy nie wiedzieli, że już jej tam nie było.

– Ktoś wiedział, że ma pani zwyczaj chować tę monetę za obrazem?

– Nie. Tylko Bastian.

Zjawa wiedział o kryjówce. Czyżby był jednym ze sprawców? Daniel miał wrażenie, że sprawa zaczyna wymykać mu się spod kontroli. Czuł, że po raz pierwszy od dwóch lat będzie musiał wziąć wolne. To, że zapracuje się na śmierć, nie przywróci mu Emilii. Oczywiście o wolnym będzie można pomyśleć, dopiero jak skończy to dochodzenie. Nie mógł wycofać się w połowie śledztwa. A zwłaszcza jak było tyle wątków i tyle trupów.

– Mogłoby mu zależeć na tej monecie? – zapytał policjant ostrożnie.

– Bastianowi? – zdziwiła się Malwina. Przez chwilę wydawało się, jakby rozważała tę możliwość. – Nie wiem. Chyba raczej nie. On co prawda jest zły na Bolka, że mnie tak potraktował, i najchętniej by mu przyłożył. Chociaż Bastian w ogóle nie umie się bić.

Daniel zastanawiał się, czy zauważył jakąś niechęć czy wrogość pomiędzy Zjawą a naczelnikiem. Prokurator ogólnie wydawał się niechętnie nastawiony do całego świata. Podobnie jak szef techników. A ponieważ rzadko zjawiał się na komendzie, trudno było cokolwiek stwierdzić z całą pewnością.

Podgórski zaklął w duchu. Dopiero co podejrzewał Trawińskiego o zdradę. A teraz uczepi się prokuratora? Nie może znów wyskoczyć z czymś takim jak wczoraj. Swoją drogą ciekawe, co będzie, jak spotkają się dziś z Trawińskim. Kolega twierdził, że potrafią o tym zapomnieć, ale wczoraj nie odbierał telefonów od Daniela. Być może atmosfera będzie napięta. Nie będzie łatwo prowadzić dalsze dochodzenie.

– Nie gadajcie, tylko jedzcie – zarządziła Maria. – Trzeba nabrać sił.

Reszta śniadania minęła w spokoju. Poruszali jakieś niezobowiązujące tematy. Maria opowiedziała im kilka lokalnych plotek. W końcu czas było się zbierać. Wszyscy przecież mieli być na komendzie. Daniel jako śledczy, one, żeby oficjalnie złożyć zeznanie.

– Uważaj na siebie, Danielu – powiedziała pisarka cicho, kiedy odprowadzał ją do drzwi. Nawet nie zauważył, kiedy przeszli na ty.

– Co masz na myśli?

Malwina wyciągnęła dłoń i palcem nakreśliła mu na piersi znak runy, którą miała wytatuowaną na dłoni.

– Z pewnymi ludźmi nie powinno się zadzierać – szepnęła.

– O czym ty…?

Zanim zdążył dokończyć pytanie, Malwina zbiegła z ganku i pobiegła w swoją stronę.

ROZDZIAŁ 107

Przed Komendą Powiatową Policji w Brodnicy.
Poniedziałek, 24 lutego 2020. Godzina 11.15.
Weronika Podgórska

Weronika skinęła głową Łukaszowi Podgórskiemu, który wysiadł z samochodu i szedł w stronę komendy. Syn Daniela udawał, że jej nie widzi. Westchnęła. Jego zachowanie było do pewnego stopnia zrozumiałe, ale i tak czuła dyskomfort. Nawet wolała nie przypominać sobie awantury, jaką chłopak zrobił, kiedy dowiedział się, że córeczka Daniela i Weroniki ma nazywać się Emilka. Wyzwał Weronikę od nienormalnych, a tymczasem ona myślała, że dla niego to też może będzie coś istotnego. Przecież mała Emilka była jego przyrodnią siostrą. Podgórska chciała nawiązać relacje z Łukaszem. Chciała też pomóc Danielowi, bo widziała, że syn i ojciec są na wojennej stopie.

Może za bardzo wszystkiego chciała. I to był jej problem. Bywa, że jak się za bardzo chce, to rodzą się tylko problemy.

– Paweł Krupa opowiedział mi, że w czwartek zawiózł Zofię Dąbrowską na jakieś charytatywne pieczenie pączków i wtedy usłyszał kłótnię – odezwała się Klementyna.

Zebrały się w pięć na parkingu przed komendą po tym, jak wszystkie zostały już oficjalnie przesłuchane po odkryciu przez nie wczoraj kolejnej ofiary. Weronika, Klementyna, Maria, Kalina Pietrzak i Malwina Górska. Kopp właśnie referowała im swoją poranną wizytę w zakładzie karnym w Starych Świątkach.

– To była kłótnia pomiędzy Hanną Kwiatkowską a Darią Urbańską – mówiła Klementyna. – Kłóciły się, bo naczelnikowa podobno zwinęła jakąś kasę uzyskaną z pieczenia pączków i nie chciała, żeby to się wydało. Krupa sugeruje, że mogła ukatrupić Hannę, żeby to ukryć.

– Uważasz, że to by mógł być motyw? – zapytała Weronika sceptycznie.

– Uważam, że powinnam sobie pogadać z naczelnikową jeszcze raz – odparła Kopp. Wyjęła z plecaka butelkę coli i napiła się, nie częstując nikogo.

– Jedziemy wszystkie – zarządziła Maria.

Zabrzmiało to tak naturalnie, że o dziwo nawet Kopp nie zaprotestowała.

– A tu masz swój kolczyk – dodała jeszcze Maria w stronę Malwiny Górskiej. W jej głosie czaiła się uraza. Matka Daniela najwyraźniej jeszcze nie wybaczyła pisarce tego zniknięcia bez słowa. – Zapomniałam ci oddać przy śniadaniu. Swoją drogą niepotrzebnie robiłaś makijaż. Wyglądasz tak naturalnie bez.

Górska skinęła głową w podziękowaniu. Pozostałe kolczyki zadźwięczały głośno. Nie skomentowała uwagi o makijażu.

– Spoko. Ale! Jedziemy w dwa samochody – zarządziła Kopp. – Nawiasem mówiąc, Paweł Krupa nie ma pojęcia, co mogło stać się z tym ogórkiem. O to też spytałam, kiedy już wychodziłam.

– Ogórkiem? – zdziwiła się Malwina.

– Chodzi o samochód – wyjaśniła Kalina Pietrzak. – Stary volkswagen. Zniknął z działki Hanny Kwiatkowskiej.

Weronika odwróciła się do Klementyny.

– Myślisz, że to ważne? – zapytała.

Kopp wzruszyła ramionami.

– A czemu jedziemy w dwa samochody? – zdziwiła się Maria. – W twoim jest chyba pięć miejsc.

Weronika zauważyła, że Klementyna uśmiecha się krzywo.

– Bo będziemy być może potrzebowały jeszcze jednego miejsca – wyjaśniła emerytowana komisarz enigmatycznie. – Mam specjalne plany wobec naczelnikowej.

ROZDZIAŁ 108

Komenda Powiatowa Policji w Brodnicy.
Poniedziałek, 24 lutego 2020. Godzina 11.15.
Aspirant Daniel Podgórski

Daniel wyszedł na korytarz. Zaraz zacznie się odprawa.
Był zmęczony po przesłuchaniu pięciu kobiet, ale najważniejsze, że udało mu się zdążyć. Wszystkie zeznały zasadniczo to samo, co wczoraj. Kalina dodatkowo wyjaśniła mu
zadrapania na ciele Franciszka Sadowskiego. Powiedziała,
że jej matka i Sadowski uprawiali seks z dodatkami.
Czyli wyjaśnienie przynajmniej tej kwestii mieli z głowy.
Malwina Górska przemilczała to, co zapowiedziała, że
przemilczy. Wszystko właściwie się zgadzało.

Oprócz jednej rzeczy. Trawiński nie przyszedł do pracy.
Normalnie całą robotę zrobiliby we dwóch. Może wczorajsze
wydarzenia tak na niego wpłynęły. Daniel znów poczuł
się idiotycznie, a służbowa broń zaciążyła mu w kaburze.
A może kolega zabalował? Przecież mówił, że ma się z kimś
spotkać. Może dlatego wczoraj nie odbierał telefonów?
Czyżby po prostu popił?

– To co? Trawiński łaskawie pojawił się w pracy?

Naczelnik Urbański szedł korytarzem. Nie miał zadowolonej miny. Daniel początkowo chciał kryć kolegę przed szefem, ale niestety Urbański się zorientował, że Trawińskiego nie ma.

– Może źle się czuje – zasugerował Podgórski.

– Dzwoniłem do niego i nie odbiera – powiedział naczelnik z irytacją.

– Zajmę się tym – obiecał Daniel. – Zadzwonię zaraz do jego żony. Mam numer. Nawiasem mówiąc, wiesz, że Malwina się odnalazła, prawda?

– Tak. A potem widzę cię na odprawie – powiedział naczelnik i ruszył szybkim krokiem w kierunki salki konferencyjnej. Musiał wiedzieć, przecież znalazła jedno z ciał.

Daniel wrócił do pokoju, który dzielił przez prawie dwa lata z Trawińskim. Zamknął drzwi i spojrzał na uporządkowane biurko kolegi. Młody policjant zawsze był systematyczny, nie opuszczał pracy, nie rezygnował z obowiązków. Naprawdę dziwne, że się dziś nie zjawił.

Podgórski wyciągnął sfatygowaną paczkę papierosów. Otworzył okno i przysiadł na parapecie, zapalając jednego. W budynku obowiązywał zakaz palenia, ale co tam. Skoro znów rujnował swoje zdrowie, mógł równie dobrze złamać głupi zakaz.

Najpierw zadzwonił do Trawińskiego. Może kolega po prostu nie chciał odebrać telefonu od szefa, a Daniel dziś jeszcze do niego nie telefonował. Czekał do końca sygnału, aż aparat sam się rozłączył. No dobrze, czyli już wiadomo, Trawiński nie odbiera też od niego. Pora w takim razie zadzwonić do żony kolegi, choć tego Daniel wolał nie robić. Tym bardziej że Trawiński mówił, że on i Maja się pokłócili. Nie było jednak innego wyjścia. A może się pogodzili i Trawiński właśnie był u niej, przebiegło Podgórskiemu przez myśl. Były przecież ważniejsze sprawy niż praca.

– Daniel? – zdziwiła się Maja Trawińska, odbierając.

Podgórski miał wrażenie, że w jej głosie słyszy nutę niepokoju. Być może wszystkie policyjne żony tak miały, kiedy dzwonił kolega męża z pracy. Podejrzliwość i ostrożność, czy nie usłyszy się złej nowiny.

– Radek jest u ciebie? – zapytał Daniel, siląc się na lekki ton.

– Nie – przyznała Maja. – Dlaczego pytasz?

Znów podejrzliwość w głosie. Najgorsze, że Daniel nie mógł jej zapewnić, że nic się nie stało. Przecież nie wiedział, co się dzieje z Trawińskim. Ani z kim miał się spotkać wczoraj wieczorem. Może z kimś, z czyjej obecności w życiu męża nie cieszyłaby się Maja. Trawiński wyraził się dość enigmatycznie, kiedy mówił Danielowi o spotkaniu. A przecież z reguły był raczej otwarty. Oczywiście to mogło nic nie znaczyć. Przecież kilka chwil wcześniej Daniel chciał go zabić. Trudno oczekiwać w takiej chwili zwierzeń.

Nie, na pewno nic się nie stało, pomyślał Daniel, żeby się niepotrzebnie nie denerwować. Trawiński musiał zabalować i tyle.

– Nie przyszedł dziś do pracy – przyznał Podgórski. – Zastanawiałem się, czy nie jest chory.

– Pokłóciliśmy się. Pojechał nocować na działkę.

Daniel nie znał zbyt dobrze Mai. Zawsze była elegancka i dobrze ubrana. Może za krzykliwie. Lubiła chyba prezentować dobrze widoczne logo znanych marek. Daniel nie wiedział, skąd Trawińscy mają na to pieniądze. Raz nawet zażartował z tego, a wtedy Radek się zmieszał. Daniel wcale by się nie zdziwił, gdyby tego dotyczyła małżeńska kłótnia.

Podgórski rozważał przez chwilę pytanie, czy Maja miała dziś kontakt z mężem. Uznał jednak, że nie będzie jej niepokoił.

– Jaki tam jest adres? – zapytał więc zamiast tego. Trawiński wspominał, że to Kuligi, ale Daniel chciał mieć pewność. Zanotował na skrawku papieru numer domu, który podała mu Maja. – Dobra. Dzięki.

Zgasił papierosa o parapet i zamknął okno. Wewnątrz oczywiście nadal było czuć dym. Tak długo nie palił, że teraz chętnie czuł ten zapach. Może nie powinien znów zaczynać. Pomyślał o Emilii. Na pewno przewracałaby teraz oczami. Daniel poczuł, że jego własne wilgotnieją. Stłumił przekleństwo, które cisnęło mu się na usta. W przypływie wściekłości zgniótł paczkę i otworzył okno. Wyrzucił ją na dwór. Nawet nie patrząc, czy ktoś tam jest.

– Daniel, kurwa! – rozległo się z dołu. – Rozumiem kurwa, że rzucasz palenie, ale nie musisz rzucać we mnie.

Daniel stłumił śmiech i wyjrzał przez okno. To był jeden z przewodników psa. Najwyraźniej ćwiczył ze swoim podopiecznym na dziedzińcu za komendą.

– Sorry – zawołał.

Uśmiechnął się pod nosem, dostrzegając komiczny element sytuacji.

No i proszę. Trafienie w kogoś bez celowania wydawało mu się niemożliwością. A jednak tak właśnie się stało. Wprawiło to Podgórskiego w dobry humor. Z nową determinacją ruszył do drzwi. Nie wróci do palenia, bo zaraz pewnie by wrócił też do picia. Emilia by tego nie chciała. Musi się skupić na pracy tak, jak robił to dotychczas. Pójdzie na odprawę. Załatwi, co trzeba, a potem zajrzy do Trawińskiego na działkę, by zorientować się, co się dzieje.

Brzęknął sygnał esemesa. Daniel sięgnął po telefon. O wilku mowa, pomyślał. To była wiadomość od Trawińskiego. Policjant odblokował ekran.

Jesteś debilem, że nie uwierzyłeś Robertowi Janikowi, napisał Trawiński.

ROZDZIAŁ 109

Przed domem Urbańskich.
Poniedziałek, 24 lutego 2020. Godzina 11.35.
Weronika Podgórska

Podjechały pod dom Urbańskich skodą Klementyny i jeepem Weroniki. Podgórska czuła się bezpieczniej, wiedząc, że ma do dyspozycji swój samochód i w każdej chwili może wrócić do domu, biorąc pod uwagę, że plany Kopp wobec Urbańskiej nadal były niejasne.

– A ona w ogóle jest normalna? – zapytała Kalina Pietrzak, kiedy Weronika zaparkowała za samochodem emerytowanej komisarz.

Klementyna wysiadła właśnie ze skody i zamknęła drzwi z delikatnością, której pewnie nikt by u niej nie podejrzewał. Weroniki to akurat nie zaskoczyło. Kopp potrafiła być grubo ciosana, ale o samochód zawsze dbała. Nigdy też nie przekraczała dozwolonej prędkości, jeżeli nawet to było pięćdziesiąt kilometrów na godzinę na zupełnie pustej drodze, co powodowało irytację innych kierowców. Tak więc Kopp prowadziła jak babcia. Jednocześnie robiła, co chciała, wyglądała, jakby wczoraj wyszła z więzienia, i w sumie chyba niczym się nie przejmowała. Klementyna pełna była sprzeczności i paradoksów.

– Raczej nie jest – uśmiechnęła się Malwina.

Weronika rzuciła pisarce szybkie spojrzenie. Chciała w gruncie rzeczy odpowiedzieć to samo, czuła jednak, że kiedy powiedziała to Górska, która Klementyny tak naprawdę nie znała, to było zupełnie nie na miejscu.

– Chodźmy – rzuciła więc tylko Weronika. Nie chciała prowokować kłótni.

– A jeżeli Urbańska nie będzie chciała z nami pojechać? – pytała właśnie Maria, kiedy do nich dołączyły.

– O czym mowa? – zapytała Weronika.

Eksteściowa jechała samochodem z Klementyną i widać Kopp zdradziła jej w trakcie jazdy, jaki konkretnie miała plan wobec Darii Urbańskiej.

– Klementyna powiedziała, że zabierzemy tę Urbańską na miejsce zbrodni i zobaczymy, jak zareaguje – wyjaśniła Maria.

– Na które miejsce zbrodni? – zapytała Malwina Górska. – Trochę ich się nazbierało.

– Tam, gdzie był ślad laski – wyjaśniała Maria, jakby nagle stała się rzeczniczką Klementyny. – Czyli na miejsce śmierci Beniamina Kwiatkowskiego. Ciebie tam nie było.

– Ślad laski? – zdziwiła się Kalina. Ona jedna nie wiedziała, co odkryła Kopp.

– Ślad, który może być śladem laski – uściśliła Klementyna.

– No dobrze. Ale chyba nie chcesz Urbańskiej porwać? – zażartowała Weronika. – Nie sądzę, żeby pojechała z nami ot tak sobie.

– Mam to – odparła Kopp z krzywym uśmieszkiem. Wysunęła z kieszeni pistolet i szybko wepchnęła z powrotem.

– Mówiłam – powiedziała Malwina Górska. Najwyraźniej odnosiła się do ich wcześniejszej rozmowy na temat normalności bądź nienormalności Kopp.

– Klementyna… – zaczęła Weronika, ale emerytowana komisarz szła już w stronę domu Urbańskich.

– Zostańcie tu – poprosiła Weronika pozostałe kobiety, sama biegnąc za Kopp. – Spróbuję przemówić jej do rozumu.

Podgórska nie chciała takiej samowolki. Przecież w domu mógł być naczelnik Urbański albo ich córka. Jak Klementyna zacznie wymachiwać bronią, będą kłopoty.

– Nie sądzisz, że trochę przesadzasz? – szepnęła, kiedy dogoniła Klementynę.

– To atrapa – odparła równie cicho Kopp. – Zabawka mojego wnuka. Ale! Jeżeli powiesz to którejkolwiek z tamtych… Nie ufam ani cycatej blondi, ani różowej w kolczykach. Zabieram je z nami tylko dlatego, że chcę zobaczyć nie tylko reakcję żonki naczelnika. Ale! Też jak one zareagują i co zrobią. Upieczemy trzy pieczenie na jednym ogniu. Mam przeczucie, że coś się wydarzy.

Weronika spojrzała w stronę kobiet. Maria wydawała się malutka w towarzystwie Kaliny Pietrzak i Malwiny Górskiej. Obie były wysokie. Obie łatwo mogły użyć siekiery, przebiegło Weronice przez myśl. Zwłaszcza gdyby miały do pomocy jakiegoś mężczyznę.

ROZDZIAŁ 110

Komenda Powiatowa Policji w Brodnicy.
Poniedziałek, 24 lutego 2020. Godzina 11.35.
Aspirant Daniel Podgórski

Daniel zupełnie nie mógł skupić uwagi na odprawie. Cały czas miał przed oczami esemesa, którego przysłał mu Trawiński. Co kolega chciał osiągnąć? Wyraźnie z Danielem pogrywał. Wysyłając taki tekst, przyznawał się de facto, że zabił Emilię. Kurwa. Kurwa. Kurwa. Podgórski znów miał ochotę zapalić. Szkoda, że wyrzucił papierosy za okno.

Co planował Trawiński? Skoro to napisał, chyba nie obawiał się, że Daniel komuś o tym powie. Można by to potraktować jak przechwałkę. *Jesteś debilem, że nie uwierzyłeś Robertowi Janikowi.* Faktycznie był debilem, skoro uwierzył Trawińskiemu w jego zapewnienia o niewinności. I co teraz?

Podgórski wiedział już, że nie zabije Trawińskiego. Wczoraj dobitnie zrozumiał, że nie był mordercą. Snucie dalszych planów zemsty w postaci zabójstwa to była głupota. Szaleństwo wręcz. Ale Daniel nadal chciał pomścić

Emilię. Tylko jak? Najlepiej byłoby oczywiście znaleźć dowody winy Trawińskiego.

Tylko jak? Minęły dwa lata. A skoro Radek tak się tym chełpił, to pewnie takowych nie było. Może inaczej. Dowody zbrodni zawsze zostawały, ale niestety trudno je było znaleźć. Co nie znaczyło, że Daniel zamierzał się poddać. Tylko zupełnie nic nie rozumiał, jaki cel miał Trawiński w przyznaniu się, i niepokoiło go to bardzo.

Jeden pomysł Daniel już miał. Zanim wszedł na odprawę, napisał do znajomego z komendy wojewódzkiej. Bez wyjaśniania czegokolwiek. Poprosił o numer do sprawdzonej osoby, która prowadziła postępowania wewnętrzne. Dzwonienie do BSW to była ostateczność. Jak większość policjantów Podgórski czuł przed tym opór.

Biuro Spraw Wewnętrznych to był jeden z najbardziej nielubianych pionów wśród policjantów. Podgórski nie spotkał chyba jeszcze nikogo wśród kolegów, kto miałby o nich dobre zdanie. Wiadomo, byli potrzebni, jeżeli ktoś zrobił coś naprawdę złego. Na przykład Trawiński. Ale jak dotąd Daniel wiedział, że w czasie prowadzenia wewnętrznego śledztwa zajmowali się donosami, niszcząc niektórym funkcjonariuszom karierę i życie. Tak czy inaczej, przezorny zawsze ubezpieczony, jak to się mówiło. Wolał mieć ten numer już teraz.

Dostał go natychmiast do jakiejś Mari Carmen Sikory. Córki Hiszpana z polskim dowodem i Polki, jak dopisał jeszcze kolega z wojewódzkiej, tłumacząc jej obco brzmiące imiona. Nazwisko zaś miała po byłym mężu. Też policjancie z wojewódzkiej. Mari Carmen podobno była osobą wyjątkowo skuteczną, ale należało też na nią uważać.

– Daniel, jesteś z nami czy się zakochałeś? – zapytał naczelnik cierpko. – Rozmawiamy o dość istotnych sprawach, jeżeli nie zauważyłeś. Mówiłem właśnie, że przesłuchałem hostessy, które były obecne na sobotniej imprezie firm budowlanych, ale nic ciekawego z tego nie wynikło. Nie znalazłem nic nowego. Tylko to, co i tak już wiemy. Widać, że dziewczyny będą siedziały cicho.

– Tak. Przepraszam – mruknął policjant, chowając telefon.

– Może nie powinien pan prowadzić sprawy – zasugerował Zjawa, poprawiając okulary. – Już wczoraj wyglądał pan na zmęczonego.

Daniel rzucił mu spojrzenie. Prokurator odwzajemnił mu się tym samym. Przez chwilę patrzyli sobie prosto w oczy. Ich wczorajsze spotkanie na miejscu zdarzenia w Lipowie przebiegło dość chłodno. Zjawa nie lubił uczestniczyć w czynnościach i z reguły ich unikał, ale jak już był na miejscu, to chciał pokazać, jak wielką władzę dzierży w swojej bladej prokuratorskiej ręce.

– Mógłbym powiedzieć o panu to samo – stwierdził Daniel, nie cackając się.

– Ja nie jestem zmęczony. Wręcz przeciwnie. Jestem bardzo wypoczęty.

– Ale jedna z osób występujących w zdarzeniach to pańska bliska przyjaciółka. Mówię o Malwinie Górskiej.

Zjawa zaśmiał się krótko.

– Na pana miejscu nie uderzałbym w takie tony – powiedział. – Zwłaszcza że pańska matka coś ostatnio znajduje same trupy. A pańska była żona włamuje się do cudzych domów. Natomiast pańska bliska przyjaciółka też wszędzie wtyka nos w nie swoje sprawy, mimo że od dawna jest na emeryturze. Coś dużo tych znajomych osób kręci się przy tej sprawie.

– Panowie – upomniał ich naczelnik Urbański. – Mamy ważniejsze kwestie na głowie niż słowne utarczki.

Daniel skinął głową. Zjawa zrobił to samo. Podgórski usiłował dopatrzyć się niechęci prokuratora do naczelnika, o której wspomniała Malwina, ale nie zauważył nic szczególnego. Zjawa po prostu był, jaki był.

– Skupmy się, dobrze? – wtrąciła się Fijałkowska, jakby chciała podkreślić słowa szefa.

Była jedyną kobietą w salce konferencyjnej i teraz patrzyła na nich z wyraźną dezaprobatą. Nawet z lekką wyższością. Jakby byli niegrzecznymi chłopcami z piaskownicy. Takie Daniel odniósł wrażenie.

– Może w takim razie ja zacznę. Ten szpikulec do lodu, który znalazła wczoraj pani Kopp w opuszczonej restauracji – odezwał się Ziółkowski. – Sprawdziłem go. Skonsultowałem to też z doktorem Koterskim.

Daniel uśmiechnął się pod nosem. Gdyby Klementyna usłyszała określenie *pani Kopp*, zapewne już zrobiłoby się tu gorąco. Podgórski podejrzewał, że Ziółek dobrze o tym wiedział i dlatego zawsze tak ją nazywał. Nawet kiedy nie było jej w pobliżu. Jakby mogło to do niej dotrzeć i utrzeć jej nosa. Szef techników chyba nigdy nie zapomniał zaszłości.

– I jak? – zapytała Fijałkowska, jakby to ona przejęła dowodzenie. Daniel tylko czekał, co będzie dalej. – To jest to tajemnicze narzędzie zbrodni, którym ugodzono Beniamina Kwiatkowskiego?

– Doktor Koterski potwierdził, że rany faktycznie mogły zostać zadane takim szpikulcem. Rozmiar się zgadza. Wszystko pasuje…

– Ale? – podchwycił Podgórski.

– Ale ja zbadałem ten szpikulec bardzo dokładnie. Nie ma na nim śladu krwi. Albo ktoś naprawdę postarał się go wyczyścić, albo to nie jest to narzędzie zbrodni.

– Cholera – mruknęła Fijałkowska.

– Ja mam wstępne protokoły Koterskiego, dotyczące naszych dwóch nowych nieboszczyków. Ależ mamy z nim dobrze, że tak szybko to zrobił – powiedział naczelnik. Uniósł dokumenty nad głowę. – Hanna Kwiatkowska zadźgana. Dłonie i stopy odrąbane. Kurzych łapek brak, nagrań na dyktafonie nie ma. Robert Janik zadźgany. Koterski uważa, że nie tym samym nożem. Dłonie i stopy nienaruszone. Kurwa, co tu się dzieje? Ktoś mi wyjaśni?

Nikt się nie odezwał.

– Odrąbania dłoni i stóp dokonano tym razem jeszcze za życia ofiary, to jest Hanny Kwiatkowskiej. Czyli inaczej niż w przypadku Beniamina Kwiatkowskiego i Julii Szymańskiej – dodał naczelnik. – Tam, gdzie ją znalazła Malwina Górska, tego nie zrobiono. Ktoś tylko porzucił ciało w Lipowie.

– Co ze śladem opony, który zauważyłem? – zapytał Zjawa, jakby chciał podkreślić swój wybitny udział w sprawie.

– Potwierdzam, że to mogło być auto terenowe – powiedział szef techników. – Szerokość opony mniej więcej dwieście sześćdziesiąt pięć milimetrów. Spore.

– Dlaczego ktoś podrzucił Hannę do Lipowa? – zapytała Fijałkowska.

Daniel zadawał sobie to samo pytanie. Ciało leżało w lesie na końcu wsi, blisko dworku Weroniki. No i oczywiście domu Malwiny Górskiej. Czy ten fakt mógł mieć związek z pisarką?

– Trudno powiedzieć. – Technik skrzywił się. – A już na pewno nie ja muszę odpowiadać na to pytanie.

– Robert Janik został zamrożony, tak? – zapytała Fijałkowska, wzdrygając się.

– Tak – potwierdził naczelnik. Uniósł znów plik kartek i od razu położył go na stole z dużą siłą. Jakby chciał nimi trzasnąć, ale się zmitygował. Nie wydały żadnego odgłosu. Było ich zbyt mało. – To utrudni określenie czasu zgonu.

– Ale wiemy, że uciekł mi w sobotę – przypomniał Daniel. Właściwie pozwoliłem mu uciec w poniedziałek, pomyślał, ale nie zamierzał tego mówić. – Znaleziony został wczoraj. Czyli zabójca miał dobę, żeby go zabić. A nawet mniej, bo ciało jeszcze musiało mieć czas, żeby zamarznąć. Więc Robert Janik pewnie zginął tego samego dnia, kiedy uciekł.

– No właśnie – podchwycił prokurator. – Uciekł panu i pana koledze Trawińskiemu. Którego nawet dziś tu z nami nie ma.

– Właśnie. Danielu, ustaliłeś, co z Trawińskim? – zapytał naczelnik.

– Jeszcze nie. Podjadę potem do niego.

Daniel rozważał, czy opowiedzieć szefowi o Trawińskim oraz o pomyśle wezwania BSW. Ale byli z nimi prokurator, Ziółek i Fijałkowska, dlatego Daniel postanowił najpierw pomówić z Trawińskim. Nie dawało mu spokoju, że zachowanie kolegi wydawało się zupełnie nieracjonalne.

669

Ale może Trawiński coś planował. Coś, co Podgórskiemu zdecydowanie się nie spodoba.

– Wróćmy do tematu – wtrąciła się znów Fijałkowska.

– Hanna Kwiatkowska została zabita tego samego dnia, kiedy Malwina Górska ją znalazła. Aha, byłbym zapomniał – dodał naczelnik. – Robert Janik ma rany na plecach. Bardzo możliwe, że został zaatakowany od tyłu. Może to był atak z zaskoczenia? Trochę jak w przypadku Izabeli Pietrzak i rany od młotka, którą miała na głowie.

– Mnie zastanawia co innego – powiedział Daniel. – Ta stara restauracja należała do Hanny Kwiatkowskiej. Co więc robił tam Robert Janik? Dlaczego był ukryty w zamrażarce na terenie należącym do Kwiatkowskiej? A ona z kolei leżała porzucona w Lipowie?

– Idealny dobór słownictwa. P o r z u c o n a – odezwał się nieoczekiwanie Zjawa. Tym razem Daniel nie czuł w jego słowach kpiny ani agresji. – Widziałem ciało. Moim zdaniem naprawdę Hanna została tam porzucona. Jakby ktoś po prostu wyrzucił ją na śmietnik. Czyli nie było takiej dokładnej inscenizacji jak w przypadku Beniamina Kwiatkowskiego.

– Ale wróćmy jeszcze na moment do Kwiatkowskich – poprosił Daniel. – Trawiński odkrył, że Kwiatkowscy kłamali, mówiąc o swoim alibi. Wcale nie byli w sklepie, kiedy Beniamin został zamordowany. Dopiero później…

– Pan, zdaje się, wczoraj informował Sławomira o śmierci żony – przerwał mu Zjawa. – Zauważył pan coś podejrzanego w jego zachowaniu?

– Trudno mi stwierdzić. Ale fakty są takie, że już dwie osoby z jego rodziny nie żyją. Oraz jego konkurent biznesowy. No i wiemy, że od razu po śmierci syna spisał testament.

– Danielu, porozmawiasz z nim dzisiaj raz jeszcze – zarządził naczelnik. – Jak Trawiński nie raczy się zjawić, to weźmiesz chłopaków z patrolówki. Twój syn chyba jest na służbie, to niech się chłopak wdraża.

Daniel powstrzymał się przed głośnym westchnieniem. Miał nadzieję, że Łukasz będzie na jakiejś innej interwencji. I nie miał ochoty jechać do Kwiatkowskiego. Bardzo chciał natomiast sprawdzić, czemu pierdolony Trawiński z niego drwi.

– Jedno jest pewne, Paweł Krupa tego nie zrobił, bo siedzi w więzieniu – powiedziała Fijałkowska. – Niezbyt mi się to podoba, bo już wsadziłam najwyraźniej jednego niewinnego, Ryszarda Pietrzaka. Wolałabym, żeby nie było powtórki.

Policjantka spojrzała wymownie na prokuratora. Zjawa wzruszył ramionami.

– Jeszcze nie wiemy, czy Krupa jest niewinny – powiedział naczelnik. Ale słychać było w jego głosie, że sam nie wierzy już w winę pracownika Dąbrowskich. – Trzeba to wszystko wyjaśnić. I to szybko. Daniel, pojedziesz natychmiast porozmawiać jeszcze raz ze Sławomirem Kwiatkowskim. W razie czego go zgarniasz.

– Martwię się trochę o Trawińskiego – mruknął Podgórski. – Może pojadę najpierw sprawdzić, co u niego?

– Żartujesz sobie? – zapytał Urbański powoli. – Trawiński to będzie miał szczęście, jak go nie wypierdolę na zbity pysk za to, że się nie pojawił w robocie. A ty masz jechać pogadać ze Sławomirem Kwiatkowskim. Bo tylko on pozostaje przy życiu, a wszyscy wokół niego umierają.

– Czy nie było mowy o dwóch osobach? – zapytała Fijałkowska. – Dwójka sprawców?

– No to jest przecież Kalina Pietrzak – przypomniał Urbański. – Przecież to jej Sławomir wszystko zapisał. Ktoś wie, gdzie ona jest? Może być niebezpieczna.

ROZDZIAŁ 111

Dzika plaża nad jeziorem Strażym.
Poniedziałek, 24 lutego 2020. Godzina 12.35.
Klementyna Kopp

Polanka, gdzie w piątek znalazły ciało Beniamina Kwiatkowskiego, wyglądała dziś nad wyraz spokojnie. Nad wodą unosiła się delikatna mgiełka wilgoci. Nadawała otoczeniu jakiś mistyczny wygląd. Przypominało to Klementynie niegdysiejszą wizytę w Utopcach. Patrząc na tę mgiełkę, Kopp miała wrażenie, jakby dusza czarnowłosego chłopaka unosiła się nad nimi i jakby obserwowała je w oczekiwaniu na odpowiedzi. Kiedyś może śmiałaby się z tych przesądów. Ale! Życie zdążyło nauczyć ją, że śmiać można się dużo przedwcześnie.

Ruszyła do sterty kamieni, przy której w piątek leżało ciało. Liczyła na to, że dziwny ślad, który zauważyła tam wtedy, jakimś cudem się zachował. Technicy skończyli pracę w piątek, a oni raczej celowo by go nie zamazywali. Miejsce nie było uczęszczane. Istniała więc szansa, że ślad nadal tam był. A potrzebowała go do porównania.

– Dajcie ją tu – powiedziała Kopp do kobiet. Jakby Weronika, Kalina, Malwina i Maria stanowiły teraz jej gwardię przyboczną, a Daria Urbańska była ich więźniem. Ta myśl nawet Klementynę bawiła.

– Sama umiem dojść – odparła Daria Urbańska z godnością.

Żona naczelnika nie była zachwycona pomysłem udania się z nimi gdziekolwiek. Ruda miała rację. Ale! Atrapa broni ostatecznie naczelnikową przekonała. Kopp nie mogła uwierzyć, że tyle osób uważało tę dziecinną zabawkę za prawdziwą broń. Chyba nie widzieli nigdy prawdziwej klamki.

Emerytowana komisarz przykucnęła i zaczęła szukać śladu. Uśmiechnęła się krzywo. Miała szczęście. Naprawdę miała szczęście. Może faktycznie dusza Beniamina nad nimi czuwała. Ślad się zachował.

– Pokaż no tę laskę, co?

– Niby po co? – żachnęła się Daria Urbańska, ściskając ją kurczowo.

– Sprawdzimy sobie, czy pasuje i czy byłaś tu wcześniej.

– Porwałyście mnie tu, grożąc bronią. Co zamierzacie? Zabrać mi jeszcze laskę? Inwalidce? Przetrzymywać mnie? Myślicie, że mój mąż puści wam to płazem? Albo córka? Pojechała do sklepu, ale zaraz wróci. Zawiadomi Bolka.

– Spoko. Ale! Daj mi laskę, co? O gadanie cię nie prosiłam.

Twarz Darii przybrała dziwny wyraz. Kopp poczuła niepokój. Czas jakby zwolnił. Potem Daria ruszyła w jej stronę całkiem żwawym krokiem. Nie opierała się już na lasce. Uniosła ją i nagle ta jej podpora jakby rozpadła się na dwie części.

– To ukryty nóż – krzyknęła Maria piskliwie.

Kopp nie trzeba było dwa razy powtarzać. Widziała kątem oka, że nóż Darii Urbańskiej leci prosto w jej stronę. Pokonanie nożownika w walce wręcz jest bardzo trudne. O ile nie niemożliwe. A Kopp miała tylko plastikowy zabawkowy pistolet. W ostatniej chwili odskoczyła, unikając zranienia. Daria znów się zamachnęła. Klementyna zachowała jednak bezpieczną odległość. Przez chwilę tańczyły wokół siebie w tej dziwnej walce. W końcu Klementyna dostrzegła kątem oka, że Weronika chwyta jakiś kij i próbuje uderzyć nim naczelnikową.

– Morderczyni! – zawołała Maria. Kopp była zdziwiona.

– Tym ukrytym nożem musiała zaatakować Beniamina!

Kalina i Malwina też chwyciły jakieś kije. Były nieco mniej okazałe niż ten, który znalazła ruda. Ale! Z trzema kobietami Urbańska chybaby sobie nie poradziła, bo przestała wreszcie wymachiwać nożem.

– Wszystkie oszalałyście! – krzyknęła. – Nie chcę wam nic zrobić. Bronię się tylko. Porwałyście mnie! To wy mi robicie krzywdę!

– Jeździłaś za mną! – zawołała pisarka. – Chciałaś mnie zabić! Groźby ci nie wystarczyły?

Zaaferowana Kopp prawie zapomniała, że ktoś śledził pisarkę.

– Niby kiedy za tobą jeździłam, zdziro? – warknęła Daria Urbańska. – Nie zniżyłabym się nawet do tego poziomu, bo i po co? Tylko faktycznie wysłałam ci wiadomość. Ale dawno jestem już ponad to.

Naczelnikowa zaśmiała się głośno.

– Przestań udawać – krzyknęła pisarka. – Śledziłaś mnie w ostatnich dniach. Widziałam twój samochód.

– To pewnie nie był mój. Myślisz, że tylko ja jeżdżę toyotą? I nie pochlebiaj sobie. Niby po co miałabym cię śledzić? Mój mąż cię nie chce. Nigdy cię nie kochał.

– Kochał! – wrzasnęła Malwina Górska. Była w tym krzyku jakaś rozdzierająca nuta. Kopp aż się wzdrygnęła.

– Nie chce – podkreśliła jeszcze raz z satysfakcją Urbańska.

Kopp przez chwilę miała wrażenie, że Malwina Górska rzuci się na naczelnikową. Już nawet nie z kijem, tylko z pazurami. Klementyna postanowiła wykorzystać moment nieuwagi ich wszystkich i rzuciła się na Urbańską, żeby odebrać jej nóż. Może i dawno przekroczyła sześćdziesiątkę. Nawet nie zamierzała wspominać kiedy. *Głupia-stara-baba*. Ale! Pewnych rzeczy się nie zapomina. Daria upadła na ziemię pod jej ciężarem.

– Zabierzcie nóż – rozkazała Kopp, przytrzymując ręce Urbańskiej. Jej oddech był świszczący. Może i nie zapomina się pewnych rzeczy. Ale! Kondycja zdecydowanie spada z wiekiem.

Malwina Górska podbiegła i wyrwała nóż z dłoni rywalki. Na jej twarzy malował się teraz wyraz triumfu. Tak jakby Urbański tu był i wyznał, że woli ją niż żonę. Kopp pokręciła głową, zbierając się z ziemi. Kobiety bywały takie głupie. A najgłupsze wtedy, kiedy walczyły o mężczyznę. Żaden na to nie zasługiwał. Tego nauczyło ją życie.

Zdjęła pasek i obwiązała ręce Urbańskiej.

– No – powiedziała.

– Powariowałyście wszystkie. Wiecie, kim jest mój mąż? – zapytała gniewnie naczelnikowa. Nadal nie traciła rezonu.

– Najwyraźniej kimś, kogo sama się bardzo boisz – podpowiedziała Kopp ze słodkim uśmieszkiem. – Lecznicza marihuana, ukradzione pieniążki z pieczenia charytatywnych pączków. Bardzo nie chciałaś, żeby szanowny małżonek się dowiedział, co?

Żona naczelnika wyglądała na kompletnie zaskoczoną tym, że Kopp wie o ukradzionych pieniądzach. Czyli Paweł Krupa się nie mylił.

– Te pieniądze pożyczyłam. To nic takiego. Oddałabym. Pamiętajcie, kim jest mój mąż. Pożałujecie, że mnie tknęłyście.

– A ty wiesz, kim jest twój mąż? – zapytała nieoczekiwanie Malwina Górska.

Pisarka mówiła bardzo cicho. Ale! Czasem szept jest donośniejszy niż krzyk. Wszystkie umilkły, skupiając uwagę na Górskiej. Zdawało się, że ma do powiedzenia coś bardzo ważnego.

– Jest zdrajcą – oznajmiła cicho. Jakby z największym trudem przychodziło jej wyartykułowanie tych słów. – Bolek Urbański jest zdrajcą.

– Spoko. Ale! To już wszyscy wiemy. Sama przyznałaś, że z nim sypiałaś – mruknęła Kopp.

– Nie o tym mówię – odpowiedziała pisarka równie cicho jak wcześniej.

– Co masz na myśli? – zapytała Weronika. Nadal zaciskała w rękach kij.

Malwina Górska zaczerwieniła się. Policzki miała teraz prawie w kolorze swoich różowych włosów.

– Nie znam szczegółów – zastrzegła. – Ale wiem, że współpracuje z kimś z drugiej strony. Już w Warszawie to robił. A teraz tu chyba też. Ostrzegłam Daniela…

– Daniela? – zdziwiła się Weronika.

Kopp westchnęła. Znów się zaczyna. Czy one nigdy się nie nauczą? Naprawdę miała dość kobiet walczących o mężczyzn.

– Czekaj. Stop. Czy ty właśnie powiedziałaś, że Urbański współpracuje z bandziorami, co?

– Tak – szepnęła Malwina. – Niestety. Ale nie wiem, z kim dokładnie.

Kopp odwróciła się do Darii Urbańskiej.

– A żonka wie, co?

Daria pokręciła głową. Ale! Kopp widziała w jej oczach, że naczelnikowa kłamie. Urbańska wiedziała, że jej mąż się sprzedał. I wiedziała, kto go opłaca. Kopp nie miała wątpliwości.

ROZDZIAŁ 112

Przed domem Kwiatkowskich.
Poniedziałek, 24 lutego 2020. Godzina 12.40.
Aspirant Daniel Podgórski

Daniel czuł za plecami oddech chłopaków z OPI*. Można powiedzieć, że naczelnik Urbański wysłał z nim całą armię. To było dziwne, że tak nagle uznał, że ich głównym podejrzanym jest Sławomir Kwiatkowski. Daniel wprawdzie nie wykluczał, że mąż i ojciec dwóch z tej całej gromady ofiar może być zabójcą, wręcz sam to zasugerował, ale w zachowaniu szefa wyczuwał coś niepokojącego. Jakby Urbański szukał kozła ofiarnego zamiast Pawła Krupy. Pewnie chciał rzucić jakiś ochłap dziennikarzom.

– Poczekajcie tu – poprosił Daniel umundurowanych kolegów. – Nie róbmy przedstawienia, okej?

Wszystko byłoby w porządku, gdyby wśród patrolowców nie było Łukasza. Niestety syn musiał się na to wszystko załapać. Daniel już wolał wejść tam sam, na wypadek gdyby znów trafili na jakieś trupy. To oczywiście było idiotyczne

* Ogniwo Patrolowo-Interwencyjne.

podejście. Przecież jeżeli Łukasz zostanie w tej robocie, zobaczy jeszcze niejednego martwego człowieka.

– Spoko, panie aspirancie – powiedział syn zjadliwie.

Podgórski znów tak bardzo chciał mu powiedzieć o Trawińskim. I o tym, że Emilia nie popełniła samobójstwa. Jeżeli to prawda, syn musi się dowiedzieć. Najpierw jednak Podgórski zamierzał wyjaśnić to wszystko z Trawińskim. Sam. Szybko rozmówi się z Kwiatkowskim i pojedzie na działkę kolegi.

Ruszył po skrzypiących schodkach domu Kwiatkowskich. Zadzwonił do drzwi. Nikt nie odpowiadał. Daniel poczekał chwilę i zadzwonił znowu. Kiedy był tu wczoraj, żeby zawiadomić Sławomira o śmierci żony, Kwiatkowski zdawał się roztrzęsiony. Mimo to nie chciał żadnej pomocy. Daniel miał nadzieję, że nie doszło do jakiejś katastrofy i nie znajdą Kwiatkowskiego na przykład z pętlą samobójcy na szyi.

– Panie Kwiatkowski! – zawołał, pukając energicznie.

Całe szczęście po drugiej stronie drzwi dało się słyszeć zgrzytnięcie klucza w zamku. Podgórski poczuł falę ulgi.

– Mogę z panem chwilę porozmawiać? – zapytał, kiedy Sławomir wyjrzał na zewnątrz.

– Tak – mruknął Kwiatkowski.

Nie wyglądał dobrze. Miał chyba na sobie ten sam garnitur co wczoraj. Koszula była na wpół rozpięta. Krawat przekrzywiony. Zaczeska na środku głowy nieco się zsunęła, odsłaniając łysinę i fragment nieopalonej sztucznie skóry. Kwiatkowski wyglądał jak wrak człowieka.

Mężczyzna przesunął się, żeby wpuścić Daniela do środka. Policjant rozważał przez chwilę, czy powinien wejść sam. Nie było to zbyt profesjonalne zachowanie i mogło skutkować jakimiś na przykład pomówieniami. Nie lubił takich sytuacji.

Zerknął na syna i przywołał go ręką. Łukasz podszedł bez słowa. Daniel czuł, że powinien go chronić, ale też dawać dobry przykład w robocie. Nie wchodzi się nigdzie samemu. Syn był dorosły. Wybrał taki zawód, a nie inny. Trzeba go było przygotować do dalszej drogi, a nie chuchać na niego i dmuchać.

Weszli do przedpokoju. Kwiatkowski zatrzymał się w niewielkim pomieszczeniu. Nagle zaczął płakać.

– Przyszliście mnie aresztować, tak? Mogę się chociaż spakować?

Danielowi zrobiło się go żal.

– Najpierw chcemy porozmawiać. Nikogo tak od razu nie aresztujemy. Spokojnie. Ale interesuje mnie na przykład, dlaczego państwo oszukali mnie w sprawie alibi w piątek. Mówili państwo, że byli w sklepie koło jedenastej, a nawet dziesiątej. Tymczasem to było dużo później.

– To był pomysł Hanny – zawodził Sławomir. – Żebyście nie myśleli, że zabiliśmy Beniamina. My tam byliśmy.

– Gdzie?

– Na polanie. W piątek! Widzieliśmy jego ciało!

– Zaraz. Po kolei.

– Pojechaliśmy, bo wiedzieliśmy, że Beniamin robi tam zdjęcia... Pojechaliśmy. A on... on leżał zamordowany. Ja chciałem zadzwonić na policję, ale Hania powiedziała, że będą nas podejrzewać. I że musimy jak najszybciej stamtąd odjechać. Jak jechaliśmy, to szła taka starsza pani...

– Moja matka. Tak.

Daniel sam nie wiedział, po co to powiedział. Wyrwało się jakoś samo. Sławomir skinął głową.

– Ale Hania powiedziała, że to nie szkodzi. Nie mogła nas rozpoznać. Przyciemniana szyba i tak dalej. Oczywiście w dozwolony sposób!

Daniel skinął głową. Zupełnie go nie interesowało, kto ma jaką szybę w samochodzie.

– A potem... Potem pan nas przesłuchiwał i Hania powiedziała, że byliśmy w sklepie. No, żeby... żeby nas pan nie podejrzewał. To okropne...

Głos Sławomira Kwiatkowskiego się załamał.

– My go znaleźliśmy na tej polanie. Musi mi pan uwierzyć. Ja go nie zabiłem! To był mój syn. Kochałem go! Wierzy mi pan?! Niech mi pan uwierzy!

– Wierzę – powiedział Daniel, mimo że nie powinien. Zwłaszcza że obok stał Łukasz.

– Chociaż Hania... Hania... Ona to zrobiła.

Sławomir Kwiatkowski powiedział to tak cicho, że Daniel pomyślał, że się przesłyszał.

– Pańska żona zabiła Beniamina?

– Hania zabiła Beniamina – zapłakał Sławomir.

ROZDZIAŁ 113

Dzika plaża nad jeziorem Strażym.
Poniedziałek, 24 lutego 2020. Godzina 12.55.
Weronika Podgórska

A teraz wszystko nam ładnie opowiesz, co?

Weronika z przerażeniem patrzyła, jak Kopp przykłada nóż do gardła Darii Urbańskiej. Żona naczelnika próbowała co prawda zaatakować nim Klementynę, ale mimo wszystko. Podgórska wiedziała, że z emerytowaną komisarz nigdy nie wiadomo. Bywało już, że Kopp posuwała się za daleko. O wiele za daleko.

– Niech pani jej lepiej powie – poradziła Maria Darii. O dziwo, matka Daniela nie wyglądała na poruszoną obrotem spraw. – Potem spokojnie usiądziemy i coś zjemy.

– Naprawdę myślisz teraz o jedzeniu, mamo? – zdenerwowała się Weronika.

Były na opustoszałej dzikiej plaży. Ze związaną kobietą, której Kopp przykładała nóż do szyi. Tymczasem była teściowa zamierzała proponować im poczęstunek.

– Trzeba się dobrze odżywiać, żeby mieć siłę – odparła Maria z godnością.

– Wszystkie powariowałyście – krzyknęła Urbańska. – Jesteście bandą szalonych bab.

– Banda szalonych bab, co? – Kopp uśmiechnęła się krzywo. – Chwytliwa nazwa dla naszej ekipy.

– Możesz krzyczeć. Tu cię nikt nie usłyszy – włączyła się do rozmowy Malwina Górska. – Wiesz, ile razy sobie o tym myślałam, jak za mną jeździłaś. Że mnie nikt nie usłyszy, jak mnie zabijesz. I kto tu zwariował?

– Na pewno nie ja – warknęła Daria Urbańska.

– Spoko. Ale! Nie traćmy czasu na pogawędki – oznajmiła Kopp.

Mówiła takim tonem, że zarówno Malwina, jak i Daria natychmiast zamilkły.

– Z kim współpracuje naczelnik, co? – zapytała raz jeszcze Klementyna. – Odpowiadaj, póki mam cierpliwość.

Mocniej przycisnęła nóż do szyi Darii. Weronikę korciło, by podejść i jej go wyrwać, ale wyglądało na to, że w tym szaleństwie jest metoda. Żona naczelnika chyba zaczęła się łamać. Tym bardziej że atrapa broni wystawała teraz z kieszeni Klementyny w niepokojący sposób. Mimo że Podgórska wiedziała już, że to tylko zabawka, i tak wcale jej to nie uspokajało.

– Bolek współpracuje z tutejszą grupą od narkotyków – wykrztusiła w końcu Daria. – To od nich podłapał ten sposób na nóż ukryty w lasce. Znaczy ja podłapałam. Zawsze go mam ze sobą. I mogę się bronić. Bolek się ze mnie śmiał, ale okazało się, że miałam rację. W każdym razie Bolek nic nikomu nie zrobił. On tylko sprzedawał informacje i ułatwiał kontakty.

– Tylko – zaśmiała się Kopp. – Sprzedawał informacje i ułatwiał kontakty kryminalistom. To przecież zupełnie nic złego, co?

– Od naprawdę złych rzeczy jest Trawiński – broniła się niezdarnie żona naczelnika. – To on zabił tę policjantkę dwa lata temu. Tę Emilię Strzałkowską. Właśnie na zlecenie tych ludzi, dla których pracuje mój mąż.

Słowo mój podkreślała, rzucając spojrzenia Malwinie Górskiej. Nawet w tym momencie chciała zaznaczyć, że jej mąż nie należy do kochanki, tylko do niej. Weronika doskonale ją rozumiała.

– Emilia została zamordowana?! – krzyknęła Maria.

Weronika dopiero w tym momencie zrozumiała, co przed chwilą powiedziała Urbańska. Emilia została zamordowana przez Trawińskiego! Jeżeli to prawda, to nie popełniła samobójstwa! To zmieniało tak wiele. Podgórska czuła, że serce bije jej jak szalone. Musi powiedzieć Danielowi! Może nie będzie się już tak zadręczał. I Łukaszowi. Może nie będzie ich wszystkich tak winił. Cholera jasna! Emilia została zamordowana! Weronika nie mogła w to uwierzyć!

– Tak. Trawiński to zrobił – powtórzyła dobitnie Daria Urbańska. – Na zlecenie tej grupy narkotykowej. To niewielka grupa, ale współpracująca z Warszawą. Przykrywką jest budowa domów drewnianych. W ten sposób piorą pieniądze.

– Wszystkie te trzy firmy, co?

– Nie. Jedna z nich. Pozostali budują domy i nic o tym nie wiedzą.

– W takim razie która to firma? – zapytała Maria.

– Dąbrowscy. To znaczy Jakub Dąbrowski tym zarządza. Czasem nawet nazywają go bossem, jakby był nie wiadomo jakim gangsterem. No i Trawiński pomagał zatuszować sprawę śmierci jego pasierbicy. Tej Julii Szymańskiej. Dwa lata temu. I właśnie dlatego Dąbrowski kazał zabić tę policjantkę. Bo za bardzo węszyła.

– Zabili własną córkę? – wykrzyknęła znów Maria.

– Nie wiem. Mąż mi nie powiedział – przyznała Urbańska. Zerknęła na Kopp. – Wszystko powiedziałam. Nie wiem nic więcej. Czy może już pani zabrać ten nóż?

– Jeszcze nie – odparła Kopp spokojnie.

– A Paweł Krupa? – zapytała znów Maria. – On przecież pracuje u Dąbrowskich. On też zajmował się narkotykami? Nie mogę uwierzyć!

Weronika też nie mogła uwierzyć. Przecież zajęły się tą sprawą, dlatego że uważały, że Paweł Krupa jest niewinny. A właściwie eksteściowa była tego pewna, a potem przekonała je wszystkie. Weronika miała mętlik w głowie.

– Paweł Krupa jest przecież prawą ręką Jakuba Dąbrowskiego, więc co pani sobie myśli? Że nie wie? Na pewno siedzi z nimi w narkotykach. Nie wiem, czy morduje, ale o narkotykach wie na pewno. A ten chłopak z blizną, który pracował u Sadowskiego, też był od nich. Robert Janik się nazywał. Był dilerem. To on mi dostarczał leczniczą marihuanę.

– Leczniczą – zaśmiała się Maria. – Pani to powinno być wstyd. Żona policjanta! I to jeszcze zdrajcy! Znam Pawła Krupę praktycznie od dzieciństwa. Nie uwierzę, że to zły chłopak.

– A jednak. Tak się panie wściekły, że mój mąż sprzedaje informacje. A proszę. Sama pani jest związana z kryminalistami. Krupa tak samo jest zaangażowany w sprzedaż tych dragów jak jego szef. Nie uwierzę, że nie.

– Czyli nie jest pani pewna! – zawołała z triumfem Maria. – Skoro pani mówi, że pani nie uwierzy.

– Dąbrowski chce ich wszystkich po kolei zniszczyć – ciągnęła żona naczelnika, ignorując komentarz starszej pani. – Mąż mówił mi, że Dąbrowski specjalnie uzależnił Franciszka Sadowskiego od narkotyków. Zrobił to przy pomocy Roberta Janika.

– Po co? – zapytała Weronika.

– Proste. Żeby firma Sadowskiego upadła. Teraz pewnie Dąbrowski wymyśli też, jak zniszczyć firmę Kwiatkowskich. Bo on chce zarabiać i na narkotykach, i na domach. To jest typ człowieka, który niczego nie zmarnuje. Nawet jeżeli nie doprowadzi pozostałych do ruiny, to wsadzi tam swojego człowieka. Tak jak podkupił Roberta Janika. Zapamiętajcie moje słowa.

– Ty o tym wszystkim wiedziałaś? – zapytała Weronika, odwracając się w stronę Malwiny Górskiej.

– Tylko się domyślałam. Nie znałam skali tego wszystkiego.

– Czemu nie powiedziałaś Danielowi?

– Bo kocham Bolka. Może i mnie zostawił, ale to nic nie zmienia. Tego nie da się tak wyłączyć. Czego nie rozumiesz, Weronika? Nie chciałam mu robić problemów. Możemy Danielowi powiedzieć, jak chcesz. Już go ostrzegłam, nie podając konkretów. Ale możemy zadzwonić i wszystko mu powiedzieć.

– A ty… – zaczęła Weronika.

Była ciekawa, czy Kalina Pietrzak wiedziała o narkotykach. Przecież podobno jakiś czas spotykała się z Pawłem Krupą.

– Kaliny nie ma – powiedziała Podgórska zaskoczona.

Rozejrzała się. Na tonącej w delikatnej mgle polanie były tylko we czwórkę. Kalina zniknęła.

ROZDZIAŁ 114

Dom Kwiatkowskich. Poniedziałek, 24 lutego 2020.
Godzina 12.55.
Aspirant Daniel Podgórski

Twierdzi pan, że pańska żona zamordowała Beniamina?
– upewnił się Daniel.

Sławomir Kwiatkowski potwierdził. Podgórski zerknął
na Łukasza, ale syn patrzył w ziemię. Nie odwzajemnił
spojrzenia. Kwiatkowski zapłakał rzewnie. Wyglądało to
dość teatralnie, ale Daniel czuł, że emocje mężczyzny są
prawdziwe.

– Tak – wykrztusił w końcu Sławomir. – To znaczy tak
podejrzewałem i potem pojechałem do Darii Urbańskiej,
żeby się upewnić. Wtedy właśnie zmieniłem testament
i przepisałem wszystko na Kalinę Pietrzak. Bo nie chciałem, żeby morderczyni mojego syna cokolwiek dostała.

– Po kolei – poprosił Podgórski. Natłok nowych informacji sprawiał, że zaczynał się gubić. – Dlaczego zapisał
pan majątek Kalinie Pietrzak?

– Bo Beniamin ją zgwałcił… Ja czułem się winny,
bo go trochę podpuszczałem – przyznał Kwiatkowski.

– Pomyślałem, że to będzie zadośćuczynienie... Wiem, że to nie wymaże tamtego zdarzenia, ale tak postanowiłem.

Daniel miał wrażenie, że temperatura w maleńkim korytarzyku gwałtownie rośnie. Rozpiął zamek kurtki. Wobec takiego obrotu spraw nie było sensu rozmawiać tutaj. Lepiej było zabrać Kwiatkowskiego od razu na komendę. Mimo to Podgórski zapytał:

– A dlaczego to właśnie po wizycie u Darii Urbańskiej nabrał pan pewności, że to pańska żona zabiła Beniamina?

– Bo Daria Urbańska potwierdziła, że Hanna wyszła z pieczenia pączków o tej porze, o której miała wyjść. Oczekiwałem jej o dwudziestej pierwszej w domu. A ona przyjechała, zdaje się, przed dwudziestą drugą. I powiedziała, że wyszła później z tego pieczenia. I to było dziwne, bo byłem pewien, że wychodziła w spodniach, a wróciła w sukience. Takiej czarnej, wiązanej w pasie. Tak że to chciałem sprawdzić u Darii Urbańskiej. Udawałem, że chcę obejrzeć zdjęcia z pieczenia pączków, i zobaczyłem, że moja Hanna faktycznie była w spodniach. A wróciła w czarnej sukience. Nie swojej.

Ta opowieść to był zupełny chaos, ale Daniel poczuł, że serce bije mu szybciej. Sukienka. Przecież Kalina Pietrzak mówiła, że z pokoju Izabeli zginęła czarna sukienka. Najlepsza, jaką jej matka miała. Uznał to wtedy za mało znaczący i niezrozumiały fakt.

Teraz wydarzenia nabierały sensu. Sławomir powiedział, że Hanna zabiła Beniamina. Zofia Dąbrowska była pewna, że Hannę rozpoznała jako jedną z atakujących ją osób. A teraz wychodziło na to, że Kwiatkowska zabiła także Izabelę Pietrzak. Czyżby Daniel zbliżał się do rozwiązania?

– Proszę mówić dalej – poprosił.

– No więc po kolei. W czwartek wieczorem moja żona pojechała na charytatywne pieczenie pączków. Wróciła później, niż się jej spodziewałem. W nie swoim ubraniu. Próbowała mi wmówić, że to była jej sukienka. Na tym etapie oczywiście o nic jeszcze jej nie podejrzewałem, tylko się zdziwiłem. Ale następnego dnia wszyscy już dudnili o tym, że zabito Franciszka Sadowskiego i jego menelkę, Izabelę Pietrzak. I skojarzyłem tę sukienkę. Bo ta pijaczka miała ją na naszej imprezie w zeszłą sobotę. Tylko dlaczego moja żona była ubrana w jej sukienkę? Takie pytanie sobie zadałem, wie pan. Odpowiedź od razu przyszła mi do głowy. Ano dlatego, że pewnie jej własne ubranie było całe we krwi. Chociaż z pełną świadomością zacząłem o tym wszystkim myśleć, dopiero jak „odkryliśmy" ciało Beniamina.

Mówiąc o d k r y l i ś m y, Sławomir zrobił palcami cudzysłowów w powietrzu.

– Czyli uważa pan, że Hanna wiedziała, że Beniamin będzie tam leżał martwy? – upewnił się Daniel.

– Tak.

– O której byli państwo na polanie?

– Koło dwunastej.

– A przedtem żona wychodziła z domu?

– Nie wiem. Nie siedzieliśmy razem. Byłem zajęty dokumentami, aż przyszła i powiedziała, że powinniśmy jechać pomówić z Beniaminem.

Podgórskiemu te fakty nie zgadzały się w czasie. Koterski określił zgon Beniamina na mniej więcej jedenastą. Hanna miałaby za mało czasu, żeby go zabić, wrócić do domu, namówić męża, żeby pojechał z nią na polanę, i jeszcze tam dojechać. Wszystko w niecałą godzinę.

– I dlatego zabiłem ją – oznajmił Sławomir Kwiatkowski zupełnie nieoczekiwanie. – Ale panowie już to wiedzą. Dlatego panowie przyjechali po mnie, prawda?

Daniel usłyszał za swoimi plecami gwałtowniejszy oddech Łukasza. Sam starał się nie pokazać po sobie, że jest tak samo zaskoczony jak syn tym nagłym przyznaniem się do winy. Postanowił kuć żelazo, póki gorące.

– Gdzie pan to zrobił? – zapytał.

– Tu w domu. Na pewno znajdą panowie ślady, więc nie będę zaprzeczał. Potem wywiozłem ją do Lipowa i porzuciłem w lesie przy drodze.

Daniel widział przed wejściem do domu zaparkowanego mercedesa klasy G. Duże opony, o których mówili wcześniej technik i Zjawa, faktycznie pasowałyby do śladów znalezionych przy ciele Hanny Kwiatkowskiej.

– Odrąbałem jej dłonie i stopy tak jak ona Beniaminowi. Chora na te swoje opowieści o kikimorze i wrzecionie przynoszącym nieszczęście. No i zabiła jeszcze tę menelkę od Sadowskiego. Nawet mówiła, że próbowała odciąć jej dłoń, żeby jej śmierć upodobnić do śmierci Julii, ale potem zrezygnowała.

To by wyjaśniało nacięcia próbne, które Koterski znalazł na nadgarstku Izabeli.

– A Sadowskiego też zabiła?

– Twierdziła, że nie. Ale wiem, że od lat się potajemnie spotykali. Więc może to też była jakaś zemsta. Tak czy inaczej, należało jej się, żebym ja ją zabił.

Teraz na twarzy mężczyzny pojawił się gniew.

– Jest pan pewien, że Hanna zabiła te wszystkie osoby? – zapytał Daniel powoli.

Zgodnie z procedurami powinno się Kwiatkowskiego po prostu aresztować, zawieźć na komendę i tam oficjalnie przesłuchać w obecności Zjawy. Ale Daniel chciał się dowiedzieć. Zwyczajnie i po ludzku.

– Do zabicia Izabeli w końcu się przyznała. Zdradziła mi nawet szczegóły – wyjaśnił Sławomir. – Do zabicia Beniamina nie, ale pewnie do końca myślała, że jak będzie zaprzeczała, to jej nie zabiję. Ale to Hanna musiała to zrobić. Bo kto inny?

Daniel nie umiał odpowiedzieć na to pytanie, ale z niejasnego powodu czuł, że Hanna mówiła prawdę, kiedy zaprzeczała, że zabiła Beniamina. Zrobił to z pewnością ktoś inny.

ROZDZIAŁ 115

Dzika plaża nad jeziorem Strażym.
Poniedziałek, 24 lutego 2020. Godzina 13.05.
Klementyna Kopp

Któraś z was zauważyła, jak długo nie ma Kaliny, co?
– zapytała Kopp.

Była na siebie wściekła. Tak bardzo skupiła uwagę
na naczelnikowej, że przestała obserwować pozostałe
podejrzane. A przecież przyjechała tu z zamiarem przyj-
rzenia się także Malwinie i Kalinie. *Trzy-pieczenie-na-
-jednym-ogniu*. Chyba naprawdę robiła się za stara do tej
roboty. *Stara-głupia-baba*.

Weronika, Maria i Malwina po kolei pokręciły gło-
wami. Mgła wokół nich zaczynała gęstnieć. Napływała
od spokojnej tafli jeziora Strażym i sprawiała, że powietrze zdawało się białe jak mleko. Klementyna usiłowała
coś dojrzeć. Ale! Widoczność była co najwyżej na kilka
metrów. Okolica sprzyjała ucieczce Kaliny.

– A ja widziałam – mruknęła Daria Urbańska. Nadal leżała związana na ziemi. – Jak zaczęłyśmy mówić

o poważniejszych sprawach, to się szybko zwinęła. Przypadek? Wy oczywiście się nie zorientowałyście.

– Czemu pani nic nie powiedziała? – zapytała Maria z dezaprobatą. Na jej pulchnej twarzy malowały się rumieńce.

– Może dlatego, że ta wariatka rzuciła mnie na ziemię i przykłada mi nóż do gardła?

Klementyna uśmiechnęła się słodko i znów mocniej przycisnęła nóż do szyi Urbańskiej.

– Gdzie ona poszła, co?

– Tamtą drogą – powiedziała Urbańska z westchnieniem i wskazała głową główną ścieżkę, która prowadziła do szerszej leśnej drogi.

– Ma któraś pasek, co?

– Ja – powiedziała Malwina Górska.

– Dawaj.

Pisarka uniosła poły parki i zaczęła zdejmować pasek z czarnej dżinsowej mini. Podała go Klementynie. Miał okrągłe ćwieki. Nie szkodzi. Kopp szybko związała nim nogi naczelnikowej. Ręce już były zabezpieczone. Pora to samo zrobić z nogami. Przezorny zawsze ubezpieczony i tak dalej. Tym bardziej że Kopp musiała Urbańską tu zostawić. I to z niezbyt wykwalifikowanym stróżem. Klementyna podała nóż zaskoczonej Marii.

– Zostaniesz tu z nią – oznajmiła starszej pani. – Poczekacie tu we dwie, aż wrócimy. Będziesz jej pilnowała.

– Ale ja… – zaczęła wzbraniać się Maria.

Kopp przyłożyła palec do ust i odwróciła się do Weroniki i Malwiny.

– Wy dwie ze mną.

Kopp ruszyła, nie patrząc, czy ruda i pisareczka w ogóle jej posłuchają. Chwilę później ją dogoniły. Obie wysokie i młode. Tylko ona pokraczna i stara. *Głupia-stara-baba*. Wspięły się na wzgórze pomiędzy drzewami i wyszły na szeroką leśną drogę.

– Co teraz? – zapytała Weronika.

Klementyna rozejrzała się wokoło. Mgła była nieco rzadsza. Ale! I tu delikatna biel zaczynała wypełniać powietrze. Kaliny nigdzie ani śladu.

– Musimy się rozdzielić – zarządziła Klementyna. Teraz można było pójść w prawo lub w lewo. I to musiały właśnie zrobić. – Wy pójdziecie tam, ja tu.

Kopp specjalnie wysłała Weronikę i Malwinę razem. Nie chciała pokazać, że czuje się słabsza. Ruszyła w prawo, nie czekając na odpowiedź którejkolwiek z nich.

Bieganie w ciężkich wojskowych butach nie było łatwe. Mimo to starała się nadać sobie równy rytm. Kamienie leśnej ścieżki wyskakiwały spod nóg. Oddech stawał się coraz cięższy. Ale! Nie zwalniała. Kalina uciekła już jakiś czas temu. Jeżeli chciały ją dogonić, to trzeba było się pospieszyć.

Nagle Klementyna zobaczyła niezbyt daleko przed sobą błysk blond włosów. To była Kalina. Też biegła. Musiała usłyszeć Kopp. Skręciła z głównej drogi w mniejszą, oznaczoną tablicą *Ostoja zwierzyny*. Pod spodem jeszcze wyraźniej dla tych, którzy jeszcze nie zrozumieli, dodano mniejszymi literami: *Zakaz wstępu*.

Kopp przyspieszyła. Biegły przez zupełnie cichy las. Wiatru nie było. Drzewa stały niczym kolumny w bielejącym od gęstej mgły powietrzu. Kalina skręciła gdzieś pomiędzy nie. Klementyna o mało nie przegapiła węższej drogi. Zawróciła. Kiedy wybiegła zza zakrętu, Kalina stała obok starego volkswagena ogórka. Ktoś, kto go tu zaparkował, zdecydowanie nie chciał, żeby został znaleziony.

ROZDZIAŁ 116

Stacja paliw Orlen przy ulicy Sikorskiego.
Poniedziałek, 24 lutego 2020. Godzina 13.30.
Aspirant Daniel Podgórski

Daniel zatankował subaru i ruszył do sklepiku, żeby zapłacić. Zamierzał kupić też coś do jedzenia, bo od rana nie miał czasu nic przekąsić. Przechadzał się pomiędzy półkami w poszukiwaniu czegoś najlepiej niezdrowego i cholernie tuczącego, co da mu dużo energii do dalszego działania.

Kiedy Sławomir Kwiatkowski przyznał się do zabicia żony, Daniel uznał, że należy trzymać się procedur. Obok przecież stał Łukasz, który z minuty na minutę stawał się bardziej nieswój. Podgórski chciał dać mu dobry przykład. Dlatego zdecydował się zatrzymać mężczyznę, żeby wyjaśnić okoliczności, o których ten opowiadał. Trzeba przeprowadzić oficjalne przesłuchanie na komendzie. Jutro. Na spokojnie.

Tak to wszystkim wyjaśnił. Urbański był chyba zadowolony, że jego nowy podejrzany nieoczekiwanie sam się przyznał. Pozwolił Danielowi pojechać i sprawdzić, co dzieje się z Trawińskim. A to było właśnie dokładnie to, co Podgórski chciał zrobić, odkąd dostał esemesa od kolegi. *Jesteś debilem, że nie uwierzyłeś Robertowi Janikowi*. Teraz zobaczymy, o co chodzi.

Daniel wziął z półki puszkę napoju energetycznego i butelkę coli, ciastko i kanapkę. Nie chciało mu się czekać na tę podgrzewaną.

– Szóste stanowisko? – zapytała kasjerka.

– Jo. I jeszcze te rzeczy.

Daniel położył zakupy na ladzie. Dziewczyna zaczęła kasować je z powolną metodycznością. Miał ochotę wyrwać jej produkty i sam je podsunąć pod skaner. Chciał jak najszybciej dojechać na działkę Trawińskiego w Kuligach i sobie z nim pogadać. Choć istniało duże prawdopodobieństwo, że po wysłaniu Danielowi wiadomości kolega po prostu się ulotnił.

– Coś jeszcze? – zapytała dziewczyna uprzejmie. – Zachęcam do rozejrzenia się po półkach. Mamy dużo dobrych rzeczy.

Podgórski spojrzał na słodkości wystawione przy kasie. Robiono to specjalnie, żeby zachęcić klientów do kupienia czegoś dodatkowego w ostatniej chwili. Co tam. Nic nie jadł przez cały dzień. Sięgnął po spory baton. Wtedy zauważył znajomy brązowo-pomarańczowy papierek. Pawełek duo.

– Nowy smak. Całkiem dobry – powiedziała kasjerka, kiedy policjant wziął batonik do ręki.

Podgórski bez słowa dołożył pawełka do swoich zakupów. Ten znikający papierek, który zauważył Ziółkowski, musiał być właśnie z tego batonika. Na zdjęciach zrobionych przed śmiercią przez Beniamina Kwiatkowskiego papierek leżał pomiędzy kamieniami. Na zdjęciach technika papierka w tym miejscu nie było. Ziółkowski upierał się, że śmieć nie mógł odlecieć sam, więc ktoś go stamtąd zabrał celowo.

Daniel wrócił do samochodu. Rzucił zakupy na siedzenie pasażera i zamyślony rozpakował batonik. Ugryzł niewielki kęs, jakby smak czekolady mógł mu cokolwiek powiedzieć.

– E tam – mruknął w końcu.

Nadal nie mógł zrozumieć, dlaczego ten papierek mógł być ważny. Miał teraz inne sprawy na głowie. Musiał pogadać z Trawińskim.

ROZDZIAŁ 117

Ostoja zwierzyny. Poniedziałek, 24 lutego 2020.
Godzina 13.30.
Klementyna Kopp

Czemu uciekasz, co? – zapytała Klementyna.

Starała się uspokoić oddech. Ale! Jej sześćdziesięcioszcześcioletnie ciało boleśnie pokazywało, że powinna więcej ćwiczyć. Nigdy tego nie robiła. Do tej pory samo jakoś się działo. Teraz chyba będzie musiała włożyć w to więcej wysiłku. Każdy mięsień zdawał się protestować po szaleńczym biegu przez las. *Głupia-stara-baba*.

Kalina nie odpowiedziała.

– To ten samochód, który zniknął z działki Hanki Kwiatkowskiej, co? – zapytała Kopp, podchodząc do Kaliny powoli. – Skąd wiedziałaś, że tu jest, co?

– Nie wiedziałam, że tu stoi. Nie jestem pewna, ale to chyba ten sam – powiedziała Kalina. Blond włosy miała teraz rozrzucone wokół napompowanej nowoczesnymi specyfikami twarzy. – Ale jest zamknięty.

Klementyna rzuciła jej szybkie spojrzenie. Trudno było wyobrazić sobie, że trafiły tu zupełnym przypadkiem.

I dlaczego Kalina uciekała, jeśli nie miała niczego na sumieniu.

– Dlaczego dałaś nogę, co?

– Przestraszyłam się – wyjaśniła blondyna cicho.

– Niby czego, co? Wilka złego?

– Przestań żartować. Przestraszyłam się ciebie. Że też zrobisz mi to, co tej Urbańskiej. Myślisz, że jestem głupia. Wiem, że cały czas podejrzliwie na mnie patrzysz. To, że mam blond włosy, nie znaczy, że nie mam rozumu.

Kopp rozważała jej słowa. Ale! Co tam. Podejmie ryzyko i zaufa Kalinie. Spojrzała na volkswagena.

– Próbowałaś go otworzyć, co?

– Tak, ale jest zamknięty... Tam w środku chyba coś jest!

Kalina odsunęła się od samochodu przerażona. Oparła się o rosnącą nieopodal sosnę, potykając się o spory kamień, który leżał na skraju drogi. Klementyna podeszła, żeby zajrzeć do starego auta i zobaczyć, co tak bardzo przestraszyło blondynę.

Wtedy kątem oka zobaczyła poruszenie i zrozumiała, że popełniła błąd. Nie doceniła Kaliny. Zanim Klementyna zdołała odskoczyć, Pietrzak schyliła się i sięgnęła po kamień.

Kopp poczuła uderzenie, a przed oczami zrobiło jej się ciemno.

ROZDZIAŁ 118

Las nad jeziorem Strażym.
Poniedziałek, 24 lutego 2020. Godzina 13.30.
Weronika Podgórska

Weronika i Malwina szły szybkim krokiem leśną drogą. Otaczała je coraz gęstsza mgła. Podgórska mogła się zorientować, gdzie jest pisarka, tylko dlatego, że słyszała pobrzękiwanie jej biżuterii. Trudno będzie znaleźć Kalinę w tych warunkach. Zwłaszcza jeśli ta postanowiła się ukryć.

Weronika miała uczucie déjà vu. Jakby znów była w towarzystwie Emilii, mimo że pisarka wyglądała zupełnie inaczej niż Strzałkowska. Ale obie były czyimiś kochankami. Czyż nie robiło to z nich takich samych… Weronika nie potrafiła znaleźć odpowiedniego słowa. Czuła, że ogarnia ją gniew. Sama przecież też nie była bez winy. Nie potrafiła zająć się córeczką. To po pierwsze. Po drugie alkohol, który swojego czasu podrzuciła Danielowi. By znów zaczął pić. I potrzebować jej. Nie. Nie była bez winy. Nikt nie był bez winy.

– Wszystko będzie dobrze – powiedziała nagle Malwina Górska.

Podeszła bliżej do Weroniki. Końcówki jej różowych włosów wystawały spod kaptura parki. W tonie Malwiny była dziwna, nieznosząca sprzeciwu nuta. Jakby musiała mieć rację. Oczy pisarki błyszczały, kiedy nakreśliła palcem na piersi Weroniki symbol. Ten sam, który narysowała przy zdjęciu Emilii.

– Runa ochronna – wyjaśniła Malwina, widząc jej spojrzenie.

– Nie wierzę w takie rzeczy – mruknęła Weronika.

W sumie nie miała pojęcia, czemu to powiedziała. Czuła dziwny spokój. W tych okolicznościach Malwina przypomniała jej Wierę. Przyjaciółkę, która prowadziła w Lipowie sklep. Wiedźmę, jak wielu o niej mówiło. Podgórska poczuła, jak łzy napływają jej do oczu. Brakowało jej Wiery. Choć dzieliło je wszystko, to właśnie ona pierwsza wyciągnęła do Weroniki przyjazną dłoń, kiedy ta przyjechała do Lipowa z Warszawy.

– Wszystko będzie dobrze – powtórzyła uparcie pisarka. Jasnoniebieskie oczy stanowiły kontrast z ostrą czernią makijażu na powiekach. – Zobaczysz. Ale czuję, że nie powinnyśmy zostawiać Klementyny samej.

– Tak, ale już chyba wiesz, jaka ona jest… Znaczy może nie wiesz. W każdym razie Klementyna ma swoje zdanie i nie podporządkowuje się. Chce znaleźć Kalinę. Im szybciej zlokalizujemy Kalinę, tym szybciej poradzimy sobie z Darią Urbańską. Bo mam wrażenie, że sytuacja zaczyna wymykać się spod kontroli.

– Ja pójdę dalej szukać Kaliny – zaproponowała Malwina – a ty zawróć i sprawdź, co jest z Klementyną.

Weronika zastanowiła się.

– Dobrze – zgodziła się w końcu. – Ale jesteśmy w kontakcie.

Już wcześniej wymieniły się numerami telefonów, żeby nie doszło do powtórki z soboty.

– Jasne.

Weronika ruszyła z powrotem. Kiedy dobiegała do bocznej drogi, którą się tu wspięły z dzikiej plaży, zobaczyła nadchodzącą stamtąd Marię.

– Żona naczelnika mi uciekła! – zawołała była teściowa, kiedy ją zobaczyła. – Daria Urbańska mi uciekła! Przepraszam!

ROZDZIAŁ 119

Działka Trawińskiego w Kuligach.
Poniedziałek, 24 lutego 2020. Godzina 13.50.
Aspirant Daniel Podgórski

Daniel zjechał na wybrukowaną kocimi łbami drogę. Z Jajkowa na działkę Trawińskiego było już bardzo blisko. Policjant jechał powoli. Trochę żeby uważać na zawieszenie, trochę dlatego, że nie był jeszcze pewien, jak powinien się zachować. Jak rozmawiać z Trawińskim? Jeżeli będzie na działce oczywiście. Czy znów miał wymachiwać bronią?

A jeżeli kolega tylko czekał, by Podgórski się zjawił? Na pewno miał przy sobie broń. Nie zostawił jej wczoraj na komendzie. Daniel minął ciąg szeregowych budyneczków stojących pośrodku pól. Z przodu majaczył zadrzewiony kompleks starego opuszczonego dworu. Obok niego postawiono w czasach Peerelu pegeer. Teraz wszystko było opustoszałe. Ale policjant widział już, że tuż obok ruin znajduje się działka z pojedynczym domem. To musiał być ten adres. Nie było czasu na zastanawianie się ani snucie planów czy strach. Będzie, co ma być.

Zaparkował przy otwartej bramie osamotnionego domu. Nie było to zbyt przyjemne miejsce. Okna wychodziły na zrujnowane ściany opuszczonego dworu i dalej na teren dawnego pegeeru. Jego zabudowania były młodsze niż dworek, ale ząb czasu nadgryzł je zdecydowanie mocniej.

Daniel miał ochotę zapalić, ale przecież wyrzucił paczkę za okno. Po raz kolejny tego pożałował. Ale nawet nie pomyślał, żeby kupić papierosy, kiedy był na stacji. To był dobry znak.

Sięgnął ręką, żeby wyłączyć radio. Dopiero wtedy zorientował się, że nie włączył muzyki, kiedy wyruszał ze stacji. To był chyba zły znak. Rzadko jeździł w ciszy.

– Głupoty – mruknął Daniel do siebie.

Wysiadł z samochodu i ruszył w stronę domu. Srebrna astra Trawińskiego stała zaparkowana niedbale pośrodku podjazdu. Obok widać było starą studnię, a dalej ciężką drewnianą ławkę i pieniek.

W pieniek wbita była siekiera. Ot, zwykły wiejski widoczek, ale Podgórski poczuł dziwny niepokój. Miał broń w kaburze, ale coś mu mówiło, że zostawienie siekiery na widoku to nie jest dobry znak. Zwłaszcza jeżeli miał przejść przez podwórko. Drzwi domu były z tyłu. Musiał go okrążyć. Jeżeli ktoś tu był, ktoś o złych zamiarach, to lepiej nie zostawiać mu pod nosem gotowej broni. Podgórski nie chciał zostać zaskoczony od tyłu, jak Izabela Pietrzak i Robert Janik.

W ostatnim czasie dużo widział poodrąbywanych fragmentów ciała. A właściwie kikutów, które po nich zostały. Nie mógł zignorować siekiery. Wyszarpnął ją z pieńka. Nie miał rękawiczek, ale wolał zanieczyścić ewentualne narzędzie zbrodni niż dostać nim po głowie.

Nagle zobaczył kątem oka poruszenie. Odwrócił się gwałtownie. Jego oczy spotkały się z pełnym niepokoju spojrzeniem lisa. Zwierzak zawinął się szybko i czmychnął. Podgórski odetchnął głębiej. Fałszywy alarm. Wiedział jednak, że nie może tracić czujności.

Ruszył ostrożnie z siekierą w dłoniach. Minął astrę i poszedł w głąb podwórka.

Wtedy zobaczył ciało.

Zaklął w duchu. Na głos nie chciał ryzykować. Zrobił kilka kroków w kierunku trupa. W tym momencie usłyszał dźwięk silnika. Odwrócił się. Reflektory starego volkswagena ogórka zaświeciły mu prosto w twarz. Zdawały się błyszczeć groźnie w szarzyźnie zimowego dnia.

* * *

2020

Komenda Powiatowa Policji w Brodnicy.
Poniedziałek, 24 lutego 2020. Godzina 23.00.
Sławomir Kwiatkowski

Sławomir leżał na podłodze. Bał się położyć na zawszonym materacu. Obsikany, zarzygany przez setki zatrzymanych, którzy przewinęli się przez areszt na komendzie. Wolał podłogę. Pewnie była od czasu do czasu myta. Nie przeszkadzało mu, że jest twarda.

Przed chwilą przesłuchała go niska kobieta o urodzie z południowej Europy. Wydawała się niegroźna. Powiedział jej wszystko. C h c i a ł. To była prawdziwa ulga. Poczuł ją, już kiedy powiedział temu wysokiemu policjantowi, że zabił Hannę. Sławomir chciał wyrzucić to wszystko z siebie. Nie miał siły dusić tego w sobie ani chwili dłużej.

Już kiedy mordował Hannę, miał ochotę krzyczeć na całe gardło. Do końca nie chciała się przyznać, że to zrobiła. Przyznała się do uśmiercenia innych, ale nie Beniamina. Widocznie się bała. Musiało tak być. Musiało. Zabiła go…

– Skąd pan wie, że pańska żona zabiła pańskiego syna? – zapytała ta niska policjantka podczas przesłuchania.

Sławomir nie umiał odpowiedzieć. To było przeczucie. Przeczucie poparte obserwacją. Już w czwartek zauważył, że coś się stało. Hanna pojechała na charytatywne pieczenie pączków. Wróciła później, niż jej się spodziewał. Do tego w cudzym ubraniu. Sławomir był pewny, że żona wybrała

709

się tam w spodniach. Wróciła w czarnej sukience. Już mówił to temu Podgórskiemu.

Oczywiście Hanna próbowała go przekonać, że to on się myli, i zbagatelizować sprawę. Ale Sławomir się nie mylił. Potem, kiedy usłyszał o morderstwach w zajeździe, był prawie pewien. A jak trafili na ciało Beniamina, to podejrzenia graniczyły z całkowitym przekonaniem. Hanna była winna.

W sobotę Sławomir pojechał sprawdzić swoje domysły do żony Urbańskiego. Przecież Daria też była na tym pieczeniu pączków. Przy okazji spisał testament. Żeby dziwka, która zabiła jego syna, niczego nie odziedziczyła. Mieli rozdzielność majątkową, ale w poprzednim testamencie wszystko miało być jej. I Beniamina. Tylko że syna już nie było.

Sławomir wolał przepisać wszystko zupełnie obcej kobiecie, niż żeby majątek przeszedł w ręce morderczyni jego syna. W tym, że Kalina Pietrzak wszystko dostanie, było pewne przewrotne piękno. Została przez nich skrzywdzona. Sławomir nie był ślepy. Wiedział, że Beniamin ją zgwałcił. Zresztą tylko po to, żeby jego zadowolić. No i proszę, uczyni Kalinie zadość, odbierając jednocześnie wszystko Hannie.

– Ale po kolei – poprosiła wtedy ta policjantka.

Chyba gubiła się w jego opowieści. Nic dziwnego. To było zawiłe. I trzeba było tak naprawdę zacząć od początku, żeby wszystko zrozumieć.

– Czyli od czego? – zapytała Mari Carmen. O, tak się nazywała. Teraz pamiętał.

Od początku, czyli od tego, co wydarzyło się dwa lata temu, wyjaśnił jej Sławomir. Kiedy zginęła ta cholerna Julia Szymańska. A Hanna, po obejrzeniu portretu pamięciowego, który przygotowała policja, stwierdziła, że to była *podróż w czasie. Cały czas powtarzała, że zamordowana dziewczyna to ona sama. Tylko jej młodsza wersja. To były brednie i Sławomir myślał, że zapadnie się pod ziemię, kiedy przyjechała ta Emilia Strzałkowska. Co gorsza, kilka dni wcześniej próbował podkupić Julię i nie chciał, żeby to się wydało.*

A z tą Julią i jej przebraniem to był żart Beniamina. Syn nie miał nigdy z Hanną dobrych relacji. Szydził z jej wiary w moce nadprzyrodzone, podróże w czasie, magiczne wiedźmie kamienie i niosące nieszczęście wrzeciono kikimory. Beniamin chciał z niej zakpić. To był głupi żart.

Przynajmniej tak im to wyjaśnił, kiedy zjawił się u nich szantażysta. Dziewczyna miała przyjść pod ich dom tuż przed urodzinami Hanny. Mieli wtedy gościć ważnych dla siebie ludzi. Julia miała zakłócić spokój Hanny, tak by ta wyszła na głupią. Tylko że Julia nie pojawiła się w umówionym czasie. Syn twierdził, że nie wie, co się stało ani kto mógł ją zabić.

Sławomir nie był pewny, czy mu wierzy. Hanna w każdym razie Beniaminowi nie uwierzyła. Kwiatkowski widział to w jej oczach. Ale oczywiście nic nikomu nie powiedzieli. Wtedy pojawił się ten prawdziwy przebieraniec. Mężczyzna ubrany jak kobieta. Oliwier Pietrzak. Chciał ich szantażować. Najwyraźniej też uważał, że to Beniamin zamordował Julię. Zażądał pieniędzy za milczenie.

Kwiatkowski obiecał mu te cholerne pieniądze, ale tylko dla zyskania na czasie. Musiał przemyśleć, jak to rozegrać. Bo nie zamierzał szantażowania tolerować. Inna sprawa, że nie zamierzał tego człowieka zabić. Stało się. To było tego dnia, kiedy znów zjawiła się u nich ta Strzałkowska. Wybierali się właśnie na spotkanie z Oliwierem Pietrzakiem. Skłamali jej oczywiście. Powiedzieli, że jadą do kina do Torunia i dlatego się spieszą.

No i stało się, pomyślał Sławomir raz jeszcze. To była wina Hanny. Bo to ona prowadziła samochód i to ona zepchnęła golfa Oliwiera Pietrzaka z szosy. Facet zginął na miejscu. Może by do tego nie doszło, gdyby miał sprawne auto i poduszka powietrzna by się otworzyła.

W każdym razie skończyło się szantażowanie. Niby dobrze, ale oni mieli traumę. Przynajmniej Sławomir i Beniamin. Bo Hanna była w miarę spokojna. Chciała chyba wyprzeć ze świadomości to, co się stało. No i pewnie by wyparła. Gdyby nie to, że w zeszłą sobotę wszystko wróciło...

– A co się stało w zeszłą sobotę? – zapytała Mari Carmen.

Podobno przyjechała z Bydgoszczy. Z komendy wojewódzkiej. Wcale nie zamierzała czekać do rana z przesłuchaniem Sławomira, jak to zaplanowali tutejsi policjanci. Wyglądała na kobietę z jajami. Hanna też taka była. Jeśli wykreśliło się te wszystkie jej dziwactwa. To właśnie Sławomir w niej pokochał. Ale to też sprawiło, że musiał ją zabić.

– Co się stało w zeszłą sobotę? – powtórzyła.

Sławomir wytłumaczył jej, że mieli spotkanie branżowe trzech firm budowlanych. Zmieniło się w orgię. Pieprzyli te hostessy na prawo i lewo. Alkohol lał się strumieniami. Były też narkotyki. Kwiatkowski nie wiedział, skąd się wzięły ani kto je przyniósł. Ale podejrzewał, że pewnie ten chłopak z blizną. On się zajmował takimi rzeczami. Przez niego Beniamin miał kiedyś z tego powodu kłopoty.

No właśnie. W zeszłą sobotę Beniamin chyba próbował się wymknąć z imprezy. Tylko że trafił akurat na Hannę. Była na dole, bo w pewnym momencie kobiety wycofały się

712

do kuchni. *Ale Hanna akurat wyszła na papierosa do palarni pod schodami. I zobaczyła, że Beniamin ucieka. Zatrzymała go. Nie tolerowała słabości.*

Sławomir westchnął. Musiał przyznać, że jego syn nie był silnym człowiekiem. Może z czasem by się wyrobił. Słuchał tej swojej strasznej muzyki, a bał się wszystkiego. Ot, taki był z niego chojrak. Ale trzeba przyznać, że trudno zapomnieć, że było się w samochodzie, który zepchnął z drogi inny samochód. Przez te dwa lata to naprawdę była trauma. Beniamin dusił to w sobie i dusił. No i w tamtą sobotę wybuchnął. Kiedy Hanna próbowała go zatrzymać przed ucieczką z zajazdu, wypalił jej bez ogródek, co myśli o tamtej sprawie. Kłócili się o śmierć Oliwiera. Beniamin postraszył ją nawet, że powie policji.

– Skąd pan to wie? – zapytała funkcjonariuszka, kiedy *Sławomir dotarł do tego momentu w historii.*

– Wydusiłem to z niej, zanim ją zabiłem – wyjaśnił.

Zanim ją zabił, żona wszystko mu opowiedziała. O tym, jak kazała Beniaminowi wrócić do sali na górze. Beniamin zrobił to posłusznie. A to dlatego, że oboje się przestraszyli. Usłyszeli trzaśnięcie drzwi. Ktoś chyba był w pobliżu i słyszał ich kłótnię o wypadek sprzed dwóch lat. Hanna była pewna, że to musiała być któraś z kobiet, które były wtedy w kuchni. Izabela Pietrzak lub Malwina Górska. To mogła być tylko jedna z nich. Hanna bardziej stawiała na Izabelę, bo Górska przyszła nieco później.

Dlatego właśnie Hanna zabiła tę menelkę jako pierwszą. Żeby nic nie wygadała. To nie było trudne, bo zajazd stał pusty, a wszyscy wiedzieli, że Sadowski ostatnio jest ciągle naćpany. Praktycznie nie trzeźwiał. Problemem mógł być

713

tylko Robert Janik, ale Hanna najpierw upewniła się, że w jego pokoju i w biurze jest ciemno. Musiało go nie być na miejscu.

Walnęła Izabelę w głowę młotkiem, bo on się jej nawinął pod rękę. Powiedziała menelce, żeby polała alkohol, a jak tamta się odwróciła, Hanna ją zaatakowała znienacka. Potem użyła noża kuchennego, żeby ją zabić. Wszystko było na miejscu. Hanna wiedziała o tym po swoim ostatnim pobycie w zajeździe.

Po dokonaniu morderstwa cała była we krwi, więc musiała jakoś się oczyścić. Był na to łatwy sposób. Przecież była w zajeździe. Tu w każdym pokoju jest łazienka. Ruszyła do jedynki, bo ten pokój był najbliżej. Ale wtedy zorientowała się, że zostawia ślady zakrwawionych butów. Zdjęła je szybko, żeby nie zostawiać śladów, i wymyła podłogę detergentami z kuchni.

Potem uznała, że nie musi już nawet brać prysznica. Ryzykowałaby zostawienie jakichś swoich śladów w pokoju. Wystarczy zmyć krew z rąk w kuchni. I zdjąć zakrwawione ubranie. Ale nie mogła przecież wyjść z zajazdu naga. Wróciła więc do pokoju Izabeli, żeby zabrać jakieś ubranie na zmianę. Wybrała najlepszą sukienkę, jaką znalazła. Nie chciała się ubierać w jakieś wstrętne łachmany, jak sama to określiła, kiedy opowiadała o tym Sławomirowi. Ale nie miała wyjścia i coś musiała wybrać. Tę sukienkę właśnie.

Hanna zabrała narzędzia zbrodni. Sławomir sprawdził. Nadal były w jej toyocie. Nie wyrzuciła ich jeszcze. Bała się, że ktoś zobaczy. Chciała pozbyć się ich potem, kiedy sprawa trochę ucichnie.

No i wróciła do domu, twierdząc, że piekła pączki.

– Wspomniał pan, że następnego dnia natknęli się państwo na ciało Beniamina – przypomniała Mari Carmen.

Tak. W piątek rano, kiedy Beniamin pojechał robić zdjęcia, Hanna powiedziała Sławomirowi o kłótni z zeszłej soboty i o tym, jak syn się stawiał. Przedstawiła to w ten sposób, że Kwiatkowski naprawdę się przestraszył, że syn może pójść na policję.

Hanna przekonała Sławomira, że powinni pojechać nad Strażym i pogadać z Beniaminem. Kwiatkowski mówił, że lepiej poczekać, aż syn wróci, ale Hanna się uparła, że lepiej zrobić to od razu, bo i tak od soboty minęło sporo czasu. Była zdania, że Beniamin będzie bardziej skłonny do rozmowy, jak przydybią go na plaży. Tam nie będzie mógł uciec do swojego pokoju, by założyć na uszy słuchawki z tą swoją muzyką. Przekonywała, że trzeba mu wytłumaczyć, żeby milczał.

Tylko że jak przyjechali na plażę, to syn już był martwy. Ta straszliwa inscenizacja… Sławomir wzdrygnął się na samo wspomnienie. Miał ją dotąd przed oczami. Hanna też wyglądała na przestraszoną. Ale myślała nieoczekiwanie trzeźwo. Powiedziała, że muszą natychmiast stamtąd odjechać, bo ktoś pomyśli, że to oni to zrobili. Zawsze podejrzewa się najbliższą rodzinę. Potem zarządziła wyjazd do sklepu, żeby mieli alibi.

Sławomir biernie wykonywał wszystkie jej rozkazy. Był tak skołowany, że po prostu nie potrafił znaleźć w sobie siły, żeby się sprzeciwić. A Hanna cały czas klarowała mu, że nie pomogą już Beniaminowi. I że przed policją muszą udać zaskoczonych. Mimo że ta starsza kobieta, która szła tamtędy, ich widziała. Mieli iść w zaparte. Przecież ich nie rozpoznała.

715

Sławomir cały czas o tym wszystkim myślał. Myślał i myślał. Jak Hanna mogła tak od razu wpaść na pomysł z alibi w sklepie. Może miała czas, żeby to przemyśleć. A jeśli tak, to może wiedziała, że znajdą Beniamina martwego. Może sama go zabiła?

Im więcej Sławomir o tym myślał, tym bardziej się upewniał, że to Hanna zabiła Beniamina. W końcu nie wytrzymał i pojechał do Urbańskiej, żeby ją wypytać. Oczywiście pretekstem był testament, który i tak chciał spisać. Tak więc dwa w jednym.

– O tym już pan mówił – upomniała go policjantka.

Tak, zapętlił się może w swojej opowieści. W każdym razie od soboty myślał tylko o tym, żeby się na Hannie zemścić. Beniamin był idealny. Był strachliwym wymoczkiem, ale był jego synem. Jedynym i pierworodnym. A Hanna go zabiła, bo bała się, że zostanie oskarżona o śmierć Oliwiera. Tylko dlatego.

– Dlaczego skatował pan tak jej ciało? – zapytała policjantka.

Odpowiedź była banalna. Skoro Hanna skatowała jego syna, to Sławomir zamierzał zrobić z nią dokładnie to samo. Zabił ją. Odrąbał jej dłonie i stopy. Nie wiedział, skąd wzięła kurze łapki, ale uznał, że mniejsza o to. Potem porzucił ciało w Lipowie. Kiedyś czytał, jak dużo tam się działo. Jeden trup w tę czy w tamtą nie sprawi różnicy.

Porzucił ją jak worek śmieci i odjechał. Chciał, żeby była zhańbiona. Żeby była niczym.

– Ale jest pan pewien, że ona zabiła Beniamina? – zapytała Mari Carmen z uśmiechem.

Sławomir zadrżał. Hanna do końca wypierała się, że zabiła pasierba. Przyznała się, że zabiła Izabelę Pietrzak. A nawet że śledziła pisarkę i jej też chciała się pozbyć. Tylko jeszcze nie zdążyła tego zrobić. Do Oliwiera Pietrzaka przyznawać się nie musiała. Sławomir przecież był tam na miejscu. O Sadowskiego Kwiatkowski nie pytał.

Ale Hanna faktycznie do końca przeczyła, że ma cokolwiek wspólnego ze śmiercią Beniamina. Do końca.

Kwiatkowski znów zadrżał. Wolał wierzyć, że to ona zabiła Beniamina. Bo jeżeli nie? To by oznaczało, że on zamordował ją z zimną krwią.

Niewinną.

Tego nie zamierzał nawet brać pod uwagę.

* * *

CZĘŚĆ 11
2020

ROZDZIAŁ 120

Działka Trawińskiego w Kuligach.
Poniedziałek, 24 lutego 2020. Godzina 14.00.
Aspirant Daniel Podgórski

Daniel przyglądał się staremu volkswagenowi, ściskając siekierę w dłoniach. Zdawał sobie sprawę, jak to musi wyglądać. Odrzucił siekierę na ziemię, żeby pokazać, że ma pokojowe zamiary. Nie wiedział, co Kalina Pietrzak tu robiła. Zwłaszcza w starym volkswagenie. Przecież to mogło być auto, które zniknęło spod opuszczonej restauracji U Hanny.

Kobieta zastygła, przypatrując mu się zza wielkiej kierownicy. Kiedy zaczął iść w jej stronę, najwyraźniej się spłoszyła. Próbowała wrzucić wsteczny bieg i wycofać z podjazdu, ale skrzynia biegów tylko zazgrzytała głośno.

– Spokojnie – zawołał Daniel.

Nie był nawet pewien, czy go w ogóle słyszała. Podszedł szybko i zapukał w szybę.

– Co pani tu robi? – zapytał, kiedy w końcu uchyliła okno.

– Przyjechałam do pana Trawińskiego. – Wyglądała na zestresowaną, mimo że mówiła z pozornym spokojem. – Jeżeli go nie ma, to pojadę.

Podgórski nie miał zamiaru tłumaczyć jej, że przed chwilą znalazł ciało Trawińskiego za domem. Porąbane siekierą. Być może tą, którą dopiero co trzymał w dłoniach. I to bez rękawiczek. Nie wyglądało to najlepiej. Ale wytłumaczy to przecież kolegom. Jakoś.

– To ten samochód, który zaginął? – zapytał policjant.

Teraz sam silił się na spokój. Wolał, żeby Kalina nie zobaczyła trupa. Chciał zawiadomić dyżurnego i zająć się tym na swoich zasadach. Ale nie chciał też pozwolić jej odjechać. Coś w jej zachowaniu mocno go niepokoiło.

Nie odpowiedziała. Znów próbowała wrzucić bieg, ale sfatygowana skrzynia biegów potrzebowała chyba większej precyzji. Daniel szarpnął za klamkę. Kalina chwyciła ją z drugiej strony. Siłowali się. W końcu Podgórski otworzył drzwi kierowcy.

– Niech pani wysiądzie – poprosił.

– Boję się pana – powiedziała Kalina defensywnie.

– Niech pani nie mówi głupot.

– To niech pan pozwoli mi odjechać, skoro nie chce mnie pan skrzywdzić.

– Proszę wysiąść z samochodu – poprosił już bardziej stanowczym głosem. – Ja zaraz zadzwonię na komendę, więc nie będzie pani musiała się martwić, że coś się stanie.

Kalina Pietrzak szarpnęła drzwi. Nie pozwolił jej. Chwyciła więc znów dźwignię zmiany biegów. Tym razem wsteczny wskoczył na swoje miejsce i volkswagen zaczął toczyć się do tyłu. Nadszedł czas na bardziej drastyczne metody. Podgórski sięgnął do kabury po broń.

ROZDZIAŁ 121

Las nad jeziorem Strażym.
Poniedziałek, 24 lutego 2020. Godzina 14.00.
Weronika Podgórska

Jak to uciekła ci Daria Urbańska, mamo?! – zawołała Weronika. – Przecicż była związana!

Podgórska nie była przekonana, żeby to, co zrobiła Klementyna, było dobrym pomysłem, ale czuła, że ucieczka Darii Urbańskiej może mieć konsekwencje. Niekoniecznie dobre.

– Ona… Powiedziała, że te paski ją uwierają – wyjaśniła Maria przepraszającym tonem. – Faktycznie była mocno związana. Pomyślałam, że jak trochę poluzuję…

Nie dokończyła. Wzruszyła tylko bezradnie ramionami. Jej pulchna twarz zrobiła się cała czerwona.

– Kiedy to się stało? – zapytała Weronika. Przecież żona naczelnika nie mogła chyba uciec zbyt daleko.

– Popatrz tam! – powiedziała Maria zamiast odpowiedzi.

Weronika się odwróciła. Pośród gęstej białej mgły nadal płynącej znad jeziora drogą nadchodziła Kopp. Szła nieco chwiejnym krokiem. Najwyraźniej coś się stało. Pobiegły szybko w jej stronę. Klementyna trzymała się za głowę. Na ogolonej na łyso czaszce widać było spory krwawy ślad. Chyba ktoś ją uderzył.

– Co się stało?! – zawołała Weronika. Sprawy zaczynały przybierać zły obrót.

Kopp odburknęła coś niezrozumiale.

– Trzeba ją zabrać do lekarza – zakomenderowała Maria. – Może mieć wstrząs mózgu albo coś takiego!

– Nie trzeba – zaprotestowała Kopp, ale zabrzmiało to dość słabo. Emerytowana komisarz chyba nie czuła się najlepiej. – Gdzie naczelnikowa, co? I gdzie pisareczka?

– Maria właśnie mi tłumaczyła, że Daria uciekła. Chciałam jej szukać. A Malwina dalej szuka Kaliny.

– Spoko. Ale! Już nie ma co jej szukać. Uciekła mi samochodem. Musimy znaleźć naczelnikową…

– Nic nie musimy! – przerwała jej nieoczekiwanie twardo Maria. Jej głos nie znosił sprzeciwu. – Trzeba cię zabrać do szpitala, żeby sprawdzili co i jak. I to natychmiast. Uderzenia w głowę to nie są przelewki. Straciłaś przytomność?

– Może na sekundę – przyznała Kopp z wyraźną niechęcią. – Gdzie dokładnie jest pisareczka, co?

Weronika miała właśnie wyjaśnić, że się rozdzieliły, kiedy kątem oka zauważyła jakiś ruch. Odwróciła się. Malwina Górska nadchodziła szybkim krokiem. Na ich widok uniosła czarny worek na śmieci, który trzymała w ręce.

– Musicie to zobaczyć – zawołała już z daleka.

ROZDZIAŁ 122

Działka Trawińskiego w Kuligach.
Poniedziałek, 24 lutego 2020. Godzina 15.00.
Aspirant Daniel Podgórski

Na działce Trawińskiego zrobiło się tłoczno. Przyjechała grupa z komendy. Zjawił się nawet naczelnik Urbański. Przecież nie żył jeden z jego ludzi. Ziółkowski zabezpieczał ślady, a doktor Koterski pracował przy martwym ciele Trawińskiego. Tymczasem Fijałkowska rozmawiała z Kaliną Pietrzak. Daniel wiedział, że wkrótce też będzie musiał się tłumaczyć. Każde użycie lub wykorzystanie broni tego wymagało.

Kiedy Kalina próbowała uciec, Daniel sięgnął po swojego służbowego glocka. Oczywiście nie żeby do niej strzelać. Chciał unieruchomić samochód, żeby nie mogła uciec. Trafił w oponę. Potem wyciągnął kobietę z samochodu i zadzwonił na komendę.

– Daniel, co tu się kurwa odjebało? – zapytał Urbański.

Stali z boku, obserwując uwijających się kolegów. Podgórski zdążył już nakreślić naczelnikowi przebieg sytuacji, swój przyjazd tu i to, że wziął siekierę w ręce. Wolał mieć to już za sobą.

Streścił też pokrótce, dlaczego tu przyjechał. Powiedział o esemesie, który otrzymał. I o tym, co go poprzedzało. Czyli że Trawiński był zdrajcą. Przemilczał fakt, że sam wypuścił Roberta Janika. Skłamał, że chłopak z blizną ot tak po prostu powiedział mu o Trawińskim, zanim uciekł. Przemilczał, że podczas konfrontacji groził Trawińskiemu bronią. Lepiej nie być zbyt szczerym w takich sytuacjach.

Opowiadał to wszystko z nadzieją, że szef będzie po jego stronie. Podgórski już miał kiedyś spore kłopoty. Wtedy ukrywał się, aż sprawa się wyjaśniła. Nie zamierzał powtarzać tego po raz kolejny. Poza tym ufał Urbańskiemu.

– Nie wiem – przyznał policjant. – Nie wiem też, dla kogo pracował Trawiński.

– Kurwa, Daniel. Wiesz, że trzeba będzie dzwonić po wojewódzką?

Podgórski skinął głową. Sprawa zaczynała robić się naprawdę poważna.

– Na razie jedziemy do żony Trawińskiego zawiadomić ją, że Radek nie żyje – zakomenderował Urbański. – I ani słowa o tym. N i k o m u, dobrze? Do czasu, aż zdecydujemy co i jak. Trzeba się rozeznać. Nie wiadomo, komu ufać, a komu nie.

– Jo.

Daniel spojrzał w stronę Fijałkowskiej, która przesłuchiwała Kalinę Pietrzak. Ogarnęła go naprawdę nieprzyjemna myśl. Obecna zastępczyni naczelnika nigdy nie lubiła Emilii. Właściwie nie lubiła jej od czasu, kiedy Strzałkowska zajęła jej miejsce w wydziale. Czy Laura posunęłaby się do zlecenia Trawińskiemu morderstwa? Teraz miała bardzo silną pozycję. Gdyby Emilia nadal żyła, na pewno Laura nie znajdowałaby się w tym miejscu. Daniel wcale nie zdziwiłby się, gdyby ona też była zdrajcą. A może znów mieszało mu się w głowie ze zmęczenia.

– Ty się dobrze czujesz? – zapytał naczelnik.

– Tak, oczywiście. Jedźmy do Mai Trawińskiej. Należy jej się informacja o tym, co się stało. Od nas, a nie od mediów. Nawet jeżeli Trawiński był zdrajcą. Ona przecież nie jest temu winna.

Poszli do subaru. Naczelnik przyjechał tu jednym z radiowozów, więc uznali, że pojadą samochodem Daniela, a Podgórski podwiezie potem szefa do domu. To miało jeszcze jeden plus. Podjadą pod blok na Świętokrzyskiej bez budzenia niepotrzebnego zainteresowania.

– Kto to kurwa mógł zrobić? – zastanawiał się naczelnik, kiedy włączali się do ruchu na krajowej piętnastce.

– Nie wiem. Ale skoro jeszcze dziś rano Trawiński wysłał mi esemesa, to musiało stać się w międzyczasie. Nie wiem, dlaczego się przyznał i co planował. Musiał czuć się pewnie, skoro mi to wysłał. Może ta pewność go zgubiła.

Naczelnik pokiwał głową i westchnął.

– Tylko kto go zabił? – zastanawiał się Daniel. Czuł ulgę, że wreszcie może z kimś o tym otwarcie porozmawiać. – Ci, którzy mu to zlecili?

– No i znów mamy martwego gliniarza – powiedział Urbański grobowym tonem. Wyglądał na zdenerwowanego. Nic dziwnego. – To dopiero prasa będzie miała używanie, jak się dowiedzą. Masz fajki?

– Nie palę. Dawno temu rzuciłem.

O krótkotrwałym powrocie do nałogu Podgórski nie zamierzał wspominać.

– Szkoda – westchnął naczelnik. – Wejdziesz do Trawińskiej i jej to przedstawisz, a ja w tym czasie podzwonię.

– Nie powinno być tak, że wejdziemy do niej we dwóch? I chyba warto by sprowadzić psychologa – powiedział Daniel. – Trawiński zdradził, ale jego żonie należy się chyba…

– Tak, tak – westchnął po raz kolejny Urbański. – Masz rację. Zróbmy to, jak należy. Potem będę gasił pożary. Twoja była żona jest, zdaje się, psychologiem. Widziałem się z nią jakiś czas temu. Rozmawialiśmy wstępnie, że mogłaby z nami współpracować jako pracownik cywilny. Zadzwoń do niej.

– Jasne.

Podgórski ucieszył się z tego pomysłu. Obecność Weroniki może i jemu dobrze zrobi. Czuł się roztrzęsiony, choć oczywiście nie zamierzał nikomu tego pokazać. To było, rzecz jasna, niesprawiedliwe wobec Weroniki, bo nie mógł jej przecież nic dać w zamian. Ale potrzebował jej w tej chwili bardziej niż kiedykolwiek.

ROZDZIAŁ 123

Szpital w Brodnicy. Poniedziałek, 24 lutego 2020.
Godzina 15.00.
Klementyna Kopp

Kopp czekała na badanie mocno zirytowana. Wcale nie chciała tu przyjeżdżać. Ale! Maria się uparła, że trzeba zbadać jej głowę. A przecież Klementyna z głową miała wszystko w porządku. No może była trochę słaba i wściekła na siebie, że dała się podejść Kalinie. No i miała lekką ranę w miejscu, gdzie Pietrzak trafiła ją kamieniem. To wszystko. Wielkie halo. Żadnych omdleń, zaników pamięci ani nic.

Na przykład wprost idealnie pamiętała, jak nachyliła się nad czarnym workiem, który przytargała Malwina Górska.

– Kiedy się rozdzieliłyśmy, ja poszłam dalej szukać Kaliny – tłumaczyła pisarka. – Niedaleko była boczna droga. Jak nadchodziłam, to właśnie wyjechał stamtąd samochód. Volkswagen. A wy kilka razy o takim mówiłyście. Pomyślałam, że auta nie dogonię na piechotę, ale sprawdzę, o co chodzi, bo wydawało mi się, że przez chwilę tam stał i coś wyleciało przez okno.

Kopp wiedziała, że droga, na której ukryty był volks-wagen ogórek, prowadziła dalej przez ostoję dla zwierząt i można nią było wyjechać z powrotem na główny trakt. Tak musiała zrobić Kalina, kiedy ogłuszyła Klementynę. Tylko skąd miała kluczyki, zastanawiała się emerytowana komisarz. To było bardzo dziwne. Chyba że Kalina Pietrzak miała kluczyki cały czas ze sobą i doskonale wiedziała, gdzie auto stoi. Tylko po co w takim razie zwróciła im uwagę na zniknięcie samochodu, co?

– Kawałek dalej znalazłam to – dodała Malwina, poka-zując torbę na śmieci, którą ze sobą przyniosła. – Strasznie nie lubię, jak ktoś śmieci w lesie. Dlatego ją podniosłam. Nie była zamknięta i… Same zobaczcie. Tylko ostrzegam…

Pisareczka otworzyła szerzej torbę. W środku były jakieś ubrania. Pokrywały je brunatne plamy. Kopp głowę by dała, że to krew. Pomiędzy łachami leżał szpikulec do lodu. Identyczny z tym, który znalazła wczoraj w opuszczonej restauracji. Sądząc z jego wyglądu, tym razem wątpliwości nie było. Miały przed sobą narzędzie zbrodni.

A jeśli ktokolwiek jeszcze był sceptyczny, pozostała zawartość torby rozwiewała wszelkie obiekcje. To były odrąbane dłonie i stopy. Kopp słyszała za swoimi plecami, jak Maria i Weronika mówią coś do siebie przestraszone.

– Spoko. Ale! Nie powinnaś była tego dotykać – mruk-nęła Klementyna. Choć sama na miejscu Malwiny też zabrałaby ten worek ze sobą.

– A co miałam zrobić? – zapytała pisarka. – Zostawić to tam?

– To muszą być ubrania, w których zaatakowano Be-niamina. Chyba męskie – powiedziała Weronika. – I jedno

z narzędzi zbrodni. Sprawca się przebrał po ataku. No i...
jego...

Kopp skinęła głową i zaraz tego pożałowała. Zawroty znów powróciły. Ale! Ruda miała rację. Tak mogło być. Co więcej, najprawdopodobniej te rzeczy znajdowały się w volkswagenie. A jeśli tak, to skoro Kalina Pietrzak miała dostęp do samochodu, to musiała być jednym ze sprawców. Bo jak inaczej to wytłumaczyć, co?

Zadzwonił telefon Weroniki. W ciszy lasu zabrzmiał nieprzyjemnie głośno.

– To Daniel – powiedziała Podgórska, odbierając.

– Daniel! Dobrze, że dzwonisz. Muszę...

Kopp usłyszała, że Podgórski po drugiej stronie linii nie daje rudej dokończyć. Mówił coś szybko. Klementyna nie bardzo mogła rozróżnić słowa. Czuła, że zaraz straci przytomność. W ostatniej chwili oparła się o Marię.

Otworzyła oczy w szpitalu. Pozostawało czekać na badanie. A przecież aż rwała się do działania.

ROZDZIAŁ 124

Przed blokiem Trawińskich.
Poniedziałek, 24 lutego 2020. Godzina 16.30.
Aspirant Daniel Podgórski

No to po wszystkim – powiedział naczelnik Urbański,
wzdychając. – Miałem nadzieję, że nigdy nie będę musiał
już tego robić.

Szef rozpiął marynarkę.

– Masakra – dodał.

– Takie rzeczy nigdy nie są łatwe – powiedziała Weronika.

Daniel potwierdził głową. Nigdy wcześniej nie musiał informować rodziny zmarłego kolegi o jego śmierci.
Oczywiście zdarzało mu się powiadamiać rodziny ofiar,
ale nigdy bliskiej osoby. I mimo że był prawie pewien, że
to Trawiński zabił Emilię, rozumiał ból, który zobaczył
na twarzy Mai Trawińskiej. Właściwie Daniel powinien
się cieszyć, że Radosław nie żyje, ale mimo wszystko nie
potrafił.

Kiedy zadzwonił do Weroniki, okazało się, że kobiety
też nieźle sobie poczynały. Jeśli można to tak określić.

Znalazły worek z istotnymi dowodami. Były tam też odrąbane stopy i dłonie. A właściwie to, co z nich zostało. Z dużą dozą prawdopodobieństwa należały one do Beniamina Kwiatkowskiego.

Tym nowym znaleziskiem trzeba się było oczywiście zająć, ale postanowili zacząć od powiadomienia Mai Trawińskiej. Zabezpieczyli torbę, którą znalazła pisarka. Na miejsce dojechała Laura Fijałkowska, żeby tym się zająć. A potem udali się na Świętokrzyską już razem z Weroniką. Maria i Malwina obiecały zabrać Klementynę na badanie do szpitala. Kopp wyglądała na wściekłą, że nie może uczestniczyć w dalszych czynnościach. W końcu jednak się poddała.

Rozmowa z Mają Trawińską przebiegła nadspodziewanie dobrze. Z tego, co Daniel zrozumiał, naczelnik Urbański był jakoś z nią spokrewniony. Chyba był jej wujem. Może czuła się lepiej w tej sytuacji, niż gdyby rozmawiała z całkiem obcymi ludźmi, i dlatego jej reakcja była całkiem wyważona. Pełna bólu, ale nie histeryczna. Na koniec Maja uspokoiła się na tyle, że zdecydowali się zostawić ją pod opieką sąsiadki. To była stara policyjna żona. Wiedziała, co robić. Trawińscy mieszkali w bloku z mieszkaniami służbowymi. Większość osób nosiła tu mundury.

Rozdzwonił się telefon naczelnika. Urbański spojrzał na wyświetlacz.

– Żona – wyjaśnił. – Przepraszam was. Odbiorę, żeby się nie martwiła. Miałem wyciszony telefon, wiadomo. Daria już próbowała kilkakrotnie się dodzwonić. To pewnie coś ważnego.

Naczelnik odszedł kawałek, zostawiając Daniela i Weronikę samych. Była żona chwyciła Podgórskiego za rękę. Na jej piegowatej twarzy pojawił się pełen napięcia wyraz.

– Co się stało? – zapytał Daniel.

Właściwie odkąd odebrali Weronikę znad jeziora Strażym, była żona wyglądała, jakby chciała mu coś powiedzieć. Być może o tym, co tam się wydarzyło, bo na chybcika trudno było wszystko wyjaśnić.

– Daniel, musisz kogoś zawiadomić – szepnęła gorączkowo Weronika. – Nie wiem. Chyba BSW. Oni się zajmują takimi rzeczami.

– O czym ty mówisz? – zapytał.

– Urbański! – Weronika spojrzała w stronę rozmawiającego nieopodal naczelnika. – On jest zdrajcą! Malwina powiedziała, że on z kimś współpracuje. Potem jego żona to potwierdziła. Powiedziała, że Trawiński robi brudną robotę. A Urbański załatwia różne sprawy i tak dalej. A teraz Daria do niego dzwoni! Na pewno mu powie, że ją porwałyśmy i wiemy wszystko! Musisz kogoś zawiadomić, zanim on zacznie działać i robić swoje!

– Porwałyście żonę naczelnika?! – zawołał Daniel.

– Nieważne. Musisz coś zrobić! Bo skoro Daria do niego dzwoni, to chyba żeby go ostrzec. Bo uciekła twojej matce. Jak dzwoniła tyle razy, to na pewno! Zrób coś!

Opowieść była chaotyczna, ale Daniel czuł wielką determinację w głosie Weroniki.

– Pójdę go zagadać – dodała. – A ty dzwoń do tego BSW, zanim Urbański ci narobi kłopotów!

– Weronika, nie planuję kontaktów z BSW... – zaczął Daniel, mimo że właśnie dziś zdobył numer tej słynnej

734

Mari Carmen Sikory i chciał dzwonić do niej w sprawie Trawińskiego.

– Nie bądź idiotą – przerwała mu Weronika. – Zrób to, cholera jasna! Czuję, że to grubsza sprawa. Zrób to!

Oboje spojrzeli na naczelnika. Urbański kończył rozmowę z żoną. Na jego twarzy pojawił się wyraz dziwnej obojętności. Jakby w wystudiowany sposób chciał pokazać, że nic wielkiego się nie stało.

– Zrób to! – szepnęła jeszcze raz z naciskiem Weronika.

Daniel patrzył, jak była żona podchodzi do naczelnika i zaczyna długą tyradę o śmierci na służbie, mimo że zupełnie nie to się przed chwilą wydarzyło. Musiał przyznać, że grała swoją rolę świetnie. Urbański zaciskał telefon w ręce, jakby chciał zadzwonić. Nadal utrzymywał pozory, że nic się nie stało.

Ten wystudiowany wyraz całkowitej obojętności na twarzy... Podgórski zaklął w myślach. Co zrobić? Zadzwonić do Mari Carmen i rzucić podejrzenia na szefa? Daniel nawet dokładnie nie wiedział, co się wydarzyło nad jeziorem. Czy ma uwierzyć w chaotyczną opowieść Weroniki, z której zupełnie nic nie rozumiał? Oczernić człowieka, z którym pracował? Łatka zdrajcy zostaje potem na zawsze. A jeśli Urbański był w porządku i nic złego nie zrobił?

Daniel był zdania, że ludzie z BSW nieco za często posługują się zaledwie poszlakami. Policjant musi mieć dowody, żeby kogoś zatrzymać. Ktoś ma narkotyki, jest zatrzymany. Nie ma ich ze sobą – nawet jeżeli wiesz, że się tym zajmuje – to nie możesz go zatrzymać. Proste.

Ale z BSW było inaczej. Potem często taki pomówiony policjant zostawał uniewinniony, ale co przeszedł, to

735

przeszedł. Czasem oskarżenie rujnowało mu życie. Może Daniel powinien najpierw porozmawiać z Urbańskim i dać mu wyjaśnić?

Z drugiej strony już raz zrobił coś takiego. Z Trawińskim. I jak to się skończyło? Nie najlepiej...

Podgórski wyciągnął telefon z kieszeni. Odnalazł numer, który dostał wcześniej. Mari Carmen Sikora. Nacisnął zieloną słuchaweczkę. Kolega z wojewódzkiej powiedział co prawda, żeby na nią uważać, ale będzie, co ma być.

* * *

2020
Działka Trawińskiego w Kuligach.
Poniedziałek, 24 lutego 2020. Godzina 15.00.
Kalina Pietrzak

Kalina czuła, że cała drży, mimo że była ubrana całkiem ciepło. Drżała tak właściwie od momentu, kiedy kula przebiła oponę i stary volkswagen stał się już zupełnie bezużyteczny. Cały ten dzień to było szaleństwo.

Najpierw nieoczekiwany telefon od Pawła Krupy. Powiedział, że zdołał się z nią skontaktować przez przekupnego klawisza. W Starych Świątkach to była norma. Paweł zapytał, czy Kalina mu pomoże. Była mu winna przysługę po tym, jak zabrał ją z sobotniej imprezy. Nie powiedział tego wprost. Nie musiał. Sama tak czuła.

Paweł był jedyną osobą, która wtedy się nią zainteresowała. Był też ojcem jej dziecka. Dziecka, które usunęła dwa lata temu, ale czy to cokolwiek zmieniało? Ona bardzo przeżywała aborcję. Był czas, kiedy wszędzie widziała trupa dziecka. Nie słodkie ciałko. Trupa. Wyobraźnia podsuwała jej coraz krwawsze obrazy. Dopiero niedawno trochę się uspokoiła. Żałowała, że mu o tym nie powiedziała.

– Czyli zdecydowała się pani pomóc panu Krupie? – zapytała policjantka, która przesłuchiwała Kalinę.

Nazywała się chyba Fijałkowska. Wyglądała jak Kleopatra. Z czarnymi włosami obciętymi do brody i podwiniętymi do środka. Blada twarz z mocniejszym makijażem oczu dopełniała efektu.

– Tak – przyznała Kalina. – Wytłumaczył mi, że w lesie stoi samochód. Powiedział gdzie. Poprosił, żebym się pozbyła rzeczy, które są w środku. W bezpieczny sposób. Żeby policja ich nie znalazła. A jeżeli miałabym problemy, to żebym tu przyjechała.

Kalina zatoczyła ręką po działce. Paweł wyjaśnił jej, że Trawiński jest policjantem, ale w razie czego jej pomoże. Obiecała Krupie, że zrobi to, o co prosił, ale nie sądziła, że to się stanie dziś. Pomysł wpadł jej do głowy, kiedy pojechała z kobietami na polanę nad jeziorem Strażym. Była przecież tak blisko. Nie musiałaby sama tam jechać.

Potem zaczęła się szamotanina z Urbańską. Kalina podjęła decyzję pod wpływem chwili. Spełni prośbę Pawła natychmiast. One nawet się nie zorientują, że zniknęła. Skoro pisarka mogła się tak oddalać, to Kalina też.

Gdzieś podświadomie błysnęła myśl, że to dość idiotyczny pomysł. Mimo to wymknęła się skrywana przez napływającą znad jeziora mgłę. Nawet jeśli zauważą, to ona będzie już daleko.

Tylko że pobiegła za nią Klementyna Kopp. Wtedy jeszcze Kalina zamierzała trzymać się swojego planu. A właściwie improwizacji. Dobiegła do samochodu i znalazła kluczyki za oponą. Tak jak mówił Paweł. Wtedy nadbiegła Kopp. Kalina usiłowała ją zagadać. Wpadła na pomysł, że powie, że coś jest w środku. Jak Kopp się odwróciła, uderzyła ją w głowę.

– Czy Klementynie Kopp nic się nie stało? – zapytała z autentyczną nadzieją.

Nie chciała Klementyny zabić. Po prostu była już tak zafiksowana na tym, że musi pomóc Pawłowi i odjechać tym samochodem, że nie dopuszczała do siebie innej możliwości. Teraz tego żałowała.

– Ja na razie nie mam wiadomości na ten temat – wyjaśniła Fijałkowska. – Ale podejrzewam, że pewnie jest w porządku. Skoro Podgórski nic nie mówi.

Obie spojrzały na wysokiego policjanta. Rozmawiał z naczelnikiem Urbańskim. Kalina wiedziała od Pawła, że Urbański też zdradził. Powinna o tym powiedzieć Fijałkowskiej czy zatrzymać tę informację dla siebie?

– Przepraszam, że ją zaatakowałam – wydukała niepewnie.

Tylko to przyszło jej do głowy. Kiedy jechała przez las, porzuciwszy ogłuszoną Kopp, czuła, że coś jest nie tak. Nawet dosłownie c z u ł a. Zapach w starym volkswagenie był naprawdę dziwny. W końcu zatrzymała się na leśnej drodze i przedostała na tył. Leżał tam czarny worek. Zwykły worek na śmieci.

Ale kiedy zajrzała do środka...

Prawdę mówiąc, kiedy Paweł poprosił ją o pozbycie się samochodu, nie spodziewała się niczego dobrego. Ale kiedy zobaczyła te dłonie i stopy... Po prostu spanikowała i wyrzuciła torbę za okno. Nie mogła na to patrzeć.

Potem pojechała dalej. Nie wiedziała, co robić. Pomyślała, że pojedzie do Trawińskiego. Mimo że nie miała już rzeczy, których zapewne najbardziej chciał się pozbyć Paweł Krupa.

Jak dojechała na miejsce, zobaczyła Daniela Podgórskiego z siekierą w dłoniach. Próbowała uciec, ale skrzynia biegów w starym gruchocie się zacięła. A kiedy nieoczekiwanie zaskoczyła, policjant zatrzymał ją, strzelając w oponę.

– Ja nic nie zrobiłam – dodała Kalina cicho. – Chciałam tylko pomóc Pawłowi. Bo on pomógł mnie, kiedy ja tego potrzebowałam. To wszystko.

Czuła niechęć do samej siebie. Nienawidziła policji, a teraz opowiadała wszystko tej Fijałkowskiej. Wszystko. Ale chodziło o morderstwo. Za dużo już przelewu krwi, pomyślała Kalina z nagłym przekonaniem. Trzeba to jakoś zakończyć.

– Paweł zabił tego chłopaka – szepnęła. – Ale ten naczelnik... On się sprzedał.

Podjęła decyzję. Zamierzała też powiedzieć, komu Urbański się sprzedał, bo to również wiedziała.

Jak mówić wszystko, to wszystko. Niech Jakub Dąbrowski ma problemy.

* * *

CZĘŚĆ 12
2020

ROZDZIAŁ 125

Komenda Powiatowa Policji w Brodnicy.
Wtorek, 25 lutego 2020. Godzina 8.20.
Aspirant Daniel Podgórski

Napięcie na komendzie było wyraźnie wyczuwalne. Kiedy
Podgórski szedł korytarzem, miał wrażenie, że wszyscy
na niego patrzą. A może nie na niego. Może na niewyso-
ką kobietę, która szła obok. W butach na zdecydowanie
wysokich koturnach. Policjant zastanawiał się, jak podinspektor Mari Carmen Sikora może w tych butach chodzić.
Najwyraźniej opanowała tę sztukę nad wyraz dobrze, bo
z trudnością mógł dotrzymać jej kroku.

Przyjechała wczoraj. Prawie od razu, jak zadzwonił. Na rozgrzewkę wzięła na przesłuchanie Sławomira
Kwiatkowskiego. Ale najlepsze, jak powiedziała, zamierzała zostawić na dziś. Z zeznań Kaliny, które uzyskała
Fijałkowska, wyłaniał się podobno bardzo ciekawy obraz
sytuacji. Wiadomo już było, dla kogo prawdopodobnie
pracował Urbański. Jakub Dąbrowski. Podobno to on
prowadził narkotykowy interes pod przykrywką budowy
domów drewnianych.

– No więc, panie Danielu – powiedziała Mari Carmen, nie przejmując się, że wszyscy na nich patrzą i być może ich słuchają. – Powiem tyle. Ma pan szczęście. Gdyby nie zeznania Kaliny Pietrzak na temat komisarza Bolesława Urbańskiego, myślę, że miałby pan duże kłopoty. Chwilowo będę przyglądać się pana być może już byłemu przełożonemu. Oczywiście zatrzymamy dziś także pana Jakuba Dąbrowskiego. Ale wszystko w swoim czasie.

Policjantka z Biura Spraw Wewnętrznych była córką Hiszpana. Tak też wyglądała. Ciemna oprawa oczu i włosy, oliwkowa skóra. Do tego kształty, których pewnie zazdrościły jej inne kobiety. Jak cień towarzyszył jej milczący mężczyzna, jednak widać było, że on się w tym duecie nie liczy. Podgórski nawet nie zapamiętał jego imienia. Funkcjonariusz zaraz gdzieś sobie poszedł, ku wyraźnemu zadowoleniu Mari Carmen.

– Pan będzie współpracował ze mną przy tej sprawie – kontynuowała. – Póki się nie rozeznam. Potem zobaczymy. Rozumiemy się?

Mówiła bez śladu obcego akcentu, co wydawało się dziwne, zważywszy na jej egzotyczną urodę. Oczekiwało się, że jej polszczyzna będzie łamana. Ale ona przecież mieszkała w Polsce od urodzenia.

– Jo.

– Zawsze mnie bawi to jo – powiedziała. – Na razie ma pan chwilę, żeby pogadać z być może byłym szefem.

Uśmiechnęła się nieco złowrogo, podkreślając użyte już wcześniej określenie. Szczerze mówiąc, Daniel nie zazdrościł Urbańskiemu. I czuł wyrzuty sumienia, że zadzwonił.

Ale biorąc pod uwagę zeznania Kaliny Pietrzak, chyba dobrze zrobił. Urbański zdradził. Tak jak Trawiński.

– Nie mam ochoty z nim gadać – mruknął Daniel zgodnie z prawdą. – Poza tym nie rozumiem po co.

– Ale on najwyraźniej chce panu coś powiedzieć – odparła z rozbawieniem Mari Carmen. – Niedługo zaczniemy odprawę. Niech pan się nad biedakiem zlituje. Spotkamy się w sali konferencyjnej. Ja tymczasem omówię kilka spraw z prokuratorem. Widział pan, jak on wygląda. Jak z filmu grozy.

Mari Carmen zaśmiała się głośno. Najwyraźniej nie należała do osób, które owijają w bawełnę. Chociaż wszyscy nazywali tu prokuratora Zjawą, nikt tak naprawdę nie dyskutował wprost o tym, że Krajewski cierpi na albinizm.

Daniel patrzył, jak policjantka z komendy wojewódzkiej odchodzi, stukając obcasami niebotycznie wysokich butów. Potem poszedł do gabinetu naczelników. Sekretarka Urbańskiego i Fijałkowskiej skinęła mu głową ze smutkiem. Odpowiedział tym samym i odwrócił się w stronę drzwi pokoju szefa. Nie wiadomo skąd pojawił się tam bezimienny policjant, który towarzyszył Mari Carmen. Teraz zajmował się pilnowaniem pomieszczenia, w którym przebywał naczelnik Urbański. Szef nie trafił jak na razie do hotelu*. Oszczędzono mu tego. Ciekawe, co będzie dalej.

– Mogę? – zapytał Daniel.

Bezimienny skinął głową. Podgórski minął go szybko. Lepiej mieć to już za sobą.

– I po co ci to było? – zapytał naczelnik, kiedy tylko Daniel zamknął drzwi gabinetu.

* Potocznie: pomieszczenie dla osób zatrzymanych.

Urbański siedział przy biurku i popijał herbatę z jaskrawo różowego kubka z napisem *Policja*. W tych okolicznościach wydawało się to tak groteskowe, że aż śmieszne. Daniel uśmiechnął się pod nosem.

– Bawi cię coś? – zaatakował Urbański.

– Nie, niezbyt – odparł Daniel, poważniejąc. – Szczerze mówiąc, w ogóle. Zwłaszcza że ci ufałem. I tobie, i Trawińskiemu. A zajebaliście osobę, którą kochałem. Do tego dobrą policjantkę, która wypełniała swoje obowiązki. Więc nie, nie jest mi ani trochę do śmiechu.

– Nic nikomu nie zrobiłem.

– Mamy świadka, który mówi inaczej.

Daniel liczył na to, że Paweł Krupa potwierdzi zeznanie Kaliny. Wiedział, że Mari Carmen zarządziła sprowadzenie mężczyzny ze Starych Świątek. Odkryto już wiele wątków i zaczynały one tworzyć bardziej spójną całość. Najwyraźniej matka, a przez to i on sam postawili na złego konia, bo Paweł Krupa jednak był winien. Przynajmniej części zbrodni.

– Wierzysz w to? – zapytał Urbański, zmieniając ton. Teraz mówił łagodnie i po przyjacielsku.

– Nie wiem, w co wierzę – odparł zgodnie z prawdą Podgórski.

Nie chciał uwierzyć, że dwójka policjantów zdradziła firmę. A teraz jeden z nich nie żył, a drugi siedział przed nim. Naprawdę nie chciał w to wierzyć. Ale wobec faktów to nie miało znaczenia.

– Jestem tuż przed emeryturą – mówił Urbański. – Uważasz, że bawiłbym się we współpracę z grupami przestępczymi? Specjalnie się tu przeniosłem, żeby mieć spokój na te ostatnie lata. Gdybym chciał robić kasę na przekrętach, tobym został w Warszawie. Tam jest więcej okazji.

– Tu, jak widać, też są – odparł cierpko Podgórski.

– Biorąc pod uwagę twoją współpracę z Jakubem Dąbrowskim.

– Czyli wierzysz w te brednie.

W głosie Urbańskiego znów pojawił się ostrzejszy ton. Na jego zazwyczaj gładko ogolonej głowie widać było cień odrastających włosów. Naczelnik przejechał ręką po czaszce, jakby zauważył wzrok Podgórskiego.

– Prawie trzydzieści lat jestem w firmie – powiedział. – Uważasz, że bym się zeszmacił? Teraz? Na sam koniec? Zanim pojechałem robić do Warszawy, to jeszcze kojarzę, jak twój ojciec służył…

– Po co chciałeś ze mną rozmawiać? – przerwał mu Daniel. – Mojego ojca w to nie mieszaj.

Wcale nie chciał tego słuchać. Zwłaszcza o ojcu. Roman Podgórski zginął w dziewięćdziesiątym ósmym roku i z miejsca został uznany za lokalnego bohatera. Podczas rozwiązywania sprawy Trzydziestej Pierwszej Podgórski dowiedział się kilku rzeczy na ten temat. O niektórych wolałby zapomnieć.

– Rozumiem, że przeżywasz, bo twoja kobieta się zabiła – zaatakował na nowo Urbański. – A pomyślałeś o swoim synu? Łukasz będzie miał tu przejebane. Ojciec kapuś, co wzywa BSW. Zaraz się okaże, że to ja mówię prawdę i nie zdradziłem.

– Jasne. To wszystko, co masz do powiedzenia?

– Nic nie rozumiesz, Podgórski. Nie jestem zdrajcą. Działałem pod przykrywką. Rozpracowywałem ich, idioto, a ty wszystko popsułeś. Góra z wojewódzkiej zaraz się dowie, wyciągną mnie z tego. A ta babka, która tu przyjechała, dobrze o tym wie. To jest niebezpieczna sucz. Lepiej uważaj. Bo ona robi ludziom wodę z mózgu. Na przykład tobie. Że niby będziesz prowadził sprawę razem z nią? Tak ci powiedziała? Widziałem tę Mari Carmen kilka razy w akcji. To dla niej nie pierwszyzna. A my pracujemy razem. Ja i ty. Komu powinieneś wierzyć?

O ile Podgórski początkowo był skłonny wziąć pod uwagę, że naczelnik mówi prawdę o działaniu pod przykrywką, o tyle ostatnie zdanie sprawiło, że aż cały się najeżył. Podobnie rozmawiał z nim Trawiński. Też odwoływał się do wspólnej pracy.

– Nie wierzę ci – powiedział więc spokojnie.

– Żebyś się nie przeliczył.

Na twarzy Urbańskiego pojawił się uśmieszek, a w jego tonie wyraźnie pobrzmiewała groźba. I pewność siebie, która niezbyt pasowała do sytuacji, w której się obecnie znalazł. Podgórski poczuł, że nawet jeśli Urbański kłamie w sprawie rozpracowywania szajki, to ma jeszcze jakiegoś asa w rękawie.

ROZDZIAŁ 126

Przed blokiem Trawińskich. Wtorek, 25 lutego 2020.
Godzina 8.30.
Klementyna Kopp

Kopp nadal czuła się słabo. Mimo to nie miała zamiaru odpuścić. Siedziały w jej skodzie we cztery. Weronika, Maria i Malwina Górska. Brakowało Kaliny Pietrzak, która nadal przebywała na terenie komendy. Pewnie zamknęli ją w hotelu, póki prokurator nie zdecyduje inaczej.

– Wiemy, że jedna żonka sporo ukrywała – powiedziała Klementyna. – Teraz zajmiemy się tą drugą.

– Dobrze, że Urbańska nie zgłosiła, że ją porwałyśmy – mruknęła Weronika. Chociaż z drugiej strony to budziło podejrzenia, że może ma jeszcze jakiś plan w zanadrzu. – No i dobrze, że Daniel zadzwonił do BSW. Może jeszcze jakoś to będzie.

– Nie dramatyzuj – odparła Kopp ze słodkim uśmieszkiem.

Weronika znów zostawiła córeczkę z dredziarzem. Może stąd dodatkowe emocje.

– Klementynka, ja też nie wiem, czy to dobry pomysł – powiedziała Maria. – Zjedzmy ciasteczka orzechowe. Zrobiłam wczoraj w nocy, bo nie mogłam spać. To nas wzmocni. Wtedy zdecydujemy, czy powinnyśmy.

Starsza pani wydobyła z kieszeni papierową torebkę. Zapachniało pieczonymi migdałami.

– Spoko. Ale! Przyjechałyście tu ze mną i co? Nagle obleciał was strach, co?

– Nie strach, tylko rozsądek – odparła Maria. – Masz ciasteczko.

Kopp pokręciła głową.

– Wiemy już co nieco. Ale! Zawsze możemy wiedzieć więcej. Im więcej wiemy, tym mamy mocniejszą kartę przetargową, gdyby Daniel wpadł w kłopoty. Nie chcecie ratować swojego Danielka, co?

– Ale jego nie trzeba ratować – mruknęła Weronika. – Udało mi się go namówić, żeby wezwał tych ludzi z BSW. Nie komplikujmy wszystkiego, bo jeszcze mu zaszkodzimy.

– Nawet BSW będzie potrzebować świadków i ich zeznań – mruknęła Klementyna.

– No to niech je sami zbiorą…

Kopp pokręciła głową nad naiwnością rudej.

– Ja uważam, że powinnyśmy sprawdzić Maję Trawińską. Klementyna ma rację – odezwała się cicha dotąd Malwina Górska. Wielkie kolczyki w jej uszach znów pobrzękiwały. – I mam nawet propozycję. Ja tam do niej pójdę. Trawińska to rodzina Bolka. Wiem, że mieszka pod siedemnastką. Nie mam pojęcia, czy wie o moim związku z nim, ale wydaje mi się, że Bolek kiedyś wspomniał, że tak. Mówił, że jest z nią całkiem blisko. Mnie w każdym razie o niej opowiadał, więc może ona też coś wie o mnie. Jeżeli wie, to nawet lepiej, bo prędzej mnie wpuści i się przede mną otworzy. Spróbuję wybadać, co ona wie o tym wszystkim.

Kopp skinęła głową. Przy tym ruchu znów poczuła zawroty. Odetchnęła głębiej. Kalina naprawdę mocno jej wczoraj przyłożyła. Nie ma co. Blondi miała krzepę.

– O nie – zawołała Maria. Chrupnęła ciastko. – Zobacz, co się stało Klementynce, jak poszła wczoraj sama. Albo nie idziemy, albo idziemy wszystkie razem.

– Nie – zaoponowała Malwina Górska. – Jak zjawimy się wielką grupą, to Trawińska raczej nie zacznie mówić, że jej mąż jest, znaczy był, zabójcą. Musi mi zaufać. Żebyśmy z kolei nie popełniły błędu jak z Urbańską. Będę podwójnym szpiegiem.

Kopp spojrzała na pisarkę uważniej. Malwina sama powinna zeznać przeciwko Urbańskiemu. Ale! Chyba nie była na to jeszcze gotowa. Kopp do pewnego stopnia ją rozumiała. Jej samej też zdarzało się kochać nieodpowiednie osoby.

– Okej. No dobra. Plan jest niezły. Pójdziesz sama – zdecydowała. – Ale! Będziesz miała włączony telefon. Tak żebyśmy cię słyszały. I będziesz nagrywać, co mówi Trawińska i my tu też.

– Może tak być – powiedziała pisarka.

Weronika i Maria nie wyglądały na przekonane.

– Słuchajcie, chcę pomóc Danielowi – powiedziała Malwina. Zaczęła zaplatać swoje różowe włosy w krótki warkoczyk. – Powinnam była go bardziej ostrzec, a czuję, że z Bolkiem nie ma przelewek. Kocham go, ale wiem, jakim jest człowiekiem. Jak trzeba, to będzie szedł po trupach. A dojścia na pewno ma i je wykorzysta.

– Skąd taka nagła chęć niesienia pomocy Danielowi? – zapytała Weronika. Odwróciła się do Klementyny.

– Przepraszam, że to mówię. I nie myślcie, że chodzi mi o to, że jestem zazdrosna. Nie ufam jej. Sama powiedziała, że jest podwójnym szpiegiem.

– Ona jest tu obok – powiedziała z przekąsem Malwina.

– Z tym podwójnym szpiegiem tak jakoś mi się powiedziało. Rozumiem, że możesz mi nie ufać, ale będę miała włączony telefon. Usłyszycie, co robię. Powiedziałam już. Nie chcę twojego mężczyzny. Wyluzuj.

– Mówicie o moim synu – wtrąciła się Maria.

– Głosujemy – powiedziała Kopp, ignorując starszą panią. Miała dość przekomarzanek. – Kto jest za tym, żeby różowa poszła do Trawińskiej sama i spróbowała wybadać, co żonka wie o przekrętach męża, co?

Klementyna uniosła dłoń. Pisarka zrobiła to samo. Maria i Weronika nie wyglądały na przekonane. A więc dwa do dwóch. Komu byłaby potrzebna większość.

– Okej. No dobra. Idziesz – mruknęła Kopp do Malwiny.

– Teraz zadzwonię do ciebie. Ty włożysz telefon do kieszeni bez rozłączania się. I włącz dyktafon. Zrozumiano?

– Tak.

Pisarka skończyła zaplatać włosy i otworzyła drzwi skody.

– Gotowa.

Kopp sięgnęła po telefon i wybrała jej numer. Górska odebrała połączenie. Uniosła kciuk do góry na znak, że wszystko jest okej. Potem zablokowała ekran swojego telefonu i włożyła go do kieszeni parki.

– Odejdź kawałek i odezwij się – poinstruowała ją Kopp. – Sprawdzimy, czy w samochodzie cię dobrze słyszymy.

Malwina Górska oddaliła się szybkim krokiem w kierunku klatki.

– Zaraz nacisnę domofon – powiedziała.

Kopp włączyła tryb głośnomówiący. Głos pisarki słychać było dość wyraźnie, mimo szelestów kurtki, w której ukryła telefon. Klementyna wyłączyła mikrofon swojego telefonu, żeby nie pojawiły się jakieś dźwięki z samochodu w najmniej odpowiednim momencie. Komunikacja była więc chwilowo jednostronna.

– Myślicie, że to dobry pomysł? – zapytała Maria. Była wyraźnie przejęta. Chrupała orzechowe ciastko z wyjątkową zaciekłością.

– Nie – odparła zdecydowanie Weronika. – To jest bardzo zły pomysł.

– Cicho, co?

Kopp starała się nie zwracać na nie uwagi. Chciała słyszeć, co dzieje się z Malwiną. Już i tak ledwie słyszała rozmowę pisarki z Trawińską przez domofon. Nie spodziewała się szczególnych problemów. Ale! To nieraz mogło zgubić najlepszych. Chociażby ją samą wczoraj.

Z telefonu dało się słyszeć bzyczenie otwieranego domofonu. Najwyraźniej Trawińska zdecydowała się wpuścić pisarkę do środka. Malwina Górska zniknęła za drzwiami bloku. Usłyszały donośne echo kroków na pustej klatce. Trawińscy zajmowali mieszkanic na trzecim piętrze, więc chwilę trwało, zanim pisarka wspięła się po schodach. Weronika i Maria wreszcie przestały gadać. Jak siedziały cicho, to dobrze słychać było nawet coraz cięższy oddech Malwiny pokonującej kolejne piętra.

Potem dało się słyszeć skrzypnięcie.

– Wiem, po co tu przyszłaś – rozległo się z oddali.

To mógł być głos Trawińskiej stojącej w drzwiach.

– O co jej chodzi? – zapytała Maria przejęta.

Kopp uciszyła ją spojrzeniem.

– Wejdź – dodała jeszcze kobieta.

Dało się słyszeć stuknięcie zamykanych drzwi i zgrzyt zamka, kiedy wdowa po Trawińskim zamknęła pewnie drzwi za Malwiną.

– Wiem, po co tu przyszłaś – powtórzyła kobieta. Musiała teraz stać bliżej pisarki, bo jej głos był wyraźnie słyszalny w telefonie Klementyny. – Wuj Bolek mnie na to przygotował.

– Powinnyśmy tam pójść – powiedziała Weronika. – To brzmi, jakbyśmy jednak nieopatrznie uwierzyły Malwinie. Przecież słychać, że Trawińska jej oczekiwała. A tego Malwina nam nie powiedziała.

Kopp też się to nie podobało. Na co przygotował Trawińską naczelnik, co?

– Ona chyba zdejmuje kurtkę – szepnęła Maria.

Faktycznie słychać było szelesty. Kopp zaklęła w duchu. Telefon Malwina włożyła do kieszeni parki. Jak zdejmie kurtkę, nie będą słyszały, co się dzieje w mieszkaniu Trawińskiej. W co pisarka pogrywała? Słuchały szeleszczących odgłosów, które być może były przekazywaniem kurtki z rąk do rąk.

Potem usłyszały coś dziwnego. Szum pomieszany z delikatnym stukaniem.

– To jest chyba to samo co na nagraniu – szepnęła Weronika. – Albo bardzo podobne. Klementyna?

Emerytowana komisarz znów musiała przyznać rudej rację. Ale! Odgłos faktycznie zdawał się bardzo podobny. Siedziały tak przez dłuższą chwilę. Wszystkie trzy skupione na telefonie Klementyny. W małym głośniczku dało się słyszeć jakieś głosy z oddali. Rozmowa. Ale! Rozróżnienie, co albo kto mówił, było praktycznie niemożliwe. Potem rozległo się jakby trzaśnięcie.

– Nieee – krzyknął ktoś przeciągle.

Pośród szumów i przez mikrofon ukrytego w kurtce telefonu nie udało się stwierdzić, kto krzyczał.

– Idziemy tam – zdecydowała Kopp.

Nieistotne, kto krzyczał. W mieszkaniu Trawińskich coś się działo.

ROZDZIAŁ 127

Komenda Powiatowa Policji w Brodnicy.
Wtorek, 25 lutego 2020. Godzina 8.40.
Aspirant Daniel Podgórski

Siedzieli w salce konferencyjnej jak na gwoździach. Przynajmniej Daniel tak się czuł. Może dlatego, że miał wrażenie, że chwilowo jest wprawdzie dobrze, ale zaraz może być znacznie gorzej. Mari Carmen Sikora traktowała go przyjaźnie, ale co, jeśli zmieni zdanie?

A dlaczego miałaby zmienić, przebiegło mu przez myśl. Podgórski nie chciał pozwolić, żeby słowa Urbańskiego zadomowiły się w jego głowie. Naczelnikowi być może o to chodziło. Trzeba było zachować jasność umysłu.

– Kiedy zginął sierżant sztabowy Radosław Trawiński? – zapytała Mari Carmen.

Wszyscy patrzyli na nią z mieszanką ciekawości i niechęci. Nie robiła sobie z tego nic. Daniel rzadko widywał osoby, które były tak pewne siebie jak ta maleńka ciemnowłosa kobieta.

– W niedzielę wieczorem – powiedział doktor Koterski.

Tym razem medyk sądowy przybył na odprawę. Może też być ciekawy Mari Carmen. Uśmiechał się jak zwykle, ale nawet on zdawał się spięty.

– W niedzielę? – zdziwił się Daniel, zapominając na chwilę o własnych obawach. – Przecież wczoraj dostałem od niego esemesa. Mówiłem już...

Chciał powiedzieć, że mówił o tym naczelnikowi. Ale teraz, skoro wiedzieli już, że Urbański jest zdrajcą, to nie miało znaczenia. Daniel pokrótce opowiedział więc wszystkim to samo co wcześniej szefowi. Że zanim Robert Janik uciekł, powiedział mu, że Trawiński zabił Emilię. Podgórski przemilczał, że pomógł uciec chłopakowi z blizną. Potem mówił o swojej konfrontacji z Trawińskim w zajeździe. Przemilczał, rzecz jasna, wygrażanie bronią. Nie podobało mu się, że musi posługiwać się półprawdami, ale wiedział, że opowiadanie z detalami nikomu nie pomoże, a jemu może zaszkodzić. Zwłaszcza jeżeli Urbański się nie mylił i Mari Carmen miała na oku także i jego.

– Wtedy Trawiński zaprzeczył. Rozstaliśmy się w zajeździe. Miał jechać do domu. To znaczy na działkę. A wczoraj dostałem od niego esemesa, w którym napisał, że powinienem był uwierzyć Robertowi Janikowi – zakończył swoją opowieść Daniel. – Czyli musiał jeszcze żyć w poniedziałek.

– Ja ci mówię, że nie żył – powiedział Koterski. – Rzadko się tak mylę.

– O której był wysłany esemes? – zainteresowała się Mari Carmen.

– Jakoś przed wpół to dwunastej – wyjaśnił Daniel. – Zaraz potem mieliśmy odprawę.

Sikora odwróciła się do doktora Koterskiego.

757

– Jest pan pewien, że sierżant sztabowy Radosław Trawiński zginął w niedzielę wieczorem?

Z uporem maniaka powtarzała pełną tytulaturę Trawińskiego.

– Tak. Medycyna sądowa oczywiście może się mylić, ale nie aż tak – odparł Koterski wesoło. – Bez przesady. Choć chyba powinienem się obrazić, że mi tak nie dowierzacie.

– Telefon Trawińskiego był przy jego ciele – włączył się do dyskusji szef techników. – W kieszeni spodni. Faktycznie wiadomość wyszła z jego telefonu. Widziałem. Natomiast mogę tylko dodać, że można ustawić opóźnienie wysłania wiadomości. Może w tym wypadku właśnie tak było i wiadomość wysłała się sama automatycznie w poniedziałek.

– Trawiński ustawił wysłanie wiadomości do Daniela, a potem ktoś go zabił? – zapytała Fijałkowska.

Ona jako jedyna nie patrzyła w stronę Mari Carmen. Była zastępczynią naczelnika i może bała się, że część jego winy spłynie na nią. Albo że Mari Carmen będzie próbowała wmówić jej, że coś zrobiła. Szczerze mówiąc, Daniel wcale by się nie zdziwił. Nadal nie lubił Fijałkowskiej, ale teraz opanowało go dziwne przekonanie, że ona chyba o zdradzie Urbańskiego nie wiedziała. Zdawała się zaskoczona nią równie mocno jak wszyscy inni. Chyba nie była aż tak dobrą aktorką.

– Mógł to zrobić sprawca – powiedziała Mari Carmen, poprawiając burzę ciemnych włosów. – A potem zabić sierżanta sztabowego Radosława Trawińskiego.

Wstała od stołu i zaczęła przechadzać się po sali. Obcasy jej butów stukały donośnie. Daniel wcale by się nie dziwił, gdyby można je było usłyszeć na dole w dyżurce.

– Mógł chcieć, żebyśmy myśleli, że Trawiński żyje – zgodził się.

– Esemes był wysłany do pana, Danielu – powiedziała Mari Carmen, podchodząc do policjanta.

Oparła mu dłonie na ramionach i pochyliła się niemal do jego twarzy. Podgórski czuł z jej ust miętowy zapach. Najwyraźniej chwilę wcześniej żuła gumę.

– Czyli ten, kto to zrobił, chciał, żeby pan tak myślał. Nie my – dodała cicho, jakby szeptała mu czułe słówka.

– Albo jest jeszcze jedna opcja.

Kobieta puściła jego ramiona i wróciła na swoje miejsce.

– Jaka? – zapytała Fijałkowska.

– To pan Daniel sam ustawił tego esemesa, żebyśmy my myśleli, że on myślał, że Trawiński żyje – powiedziała funkcjonariuszka BSW, uśmiechając się do Podgórskiego. – Dobre, co? Niezła próba zapewnienia sobie alibi.

Policjant poczuł dreszcz przemykający po ciele. Nie było to wcale przyjemne. Zdecydowanie nie chciał wracać do bycia podejrzanym. I to bardzo nie chciał. Niepotrzebnie przyznał się, że konfrontacja z Trawińskim w ogóle miała miejsce.

– Spokojnie – zaśmiała się Mari Carmen, zanim Daniel zdążył zaprzeczyć. – Na razie pana nie podejrzewam. Choć takiej opcji nie możemy wykluczyć.

Przez chwilę nikt nic nie mówił. Jakby każdy obawiał się, że teraz na niego padnie. Podgórski nie mógł oprzeć się wrażeniu, że zachowują się jak uczniowie, którzy unikają spojrzenia nauczyciela, żeby ich nie wywołał do tablicy.

To skojarzenie byłoby nawet zabawne, gdyby nie to, że Mari Carmen faktycznie mogła każdemu z nich uprzykrzyć życie. No może oprócz Koterskiego, bo on nie był policjantem. Choć pewnie i na niego Mari Carmen znalazłaby sposób. W odprawie nie brał udziału prokurator Krajewski. Ciekawe, jak poradziłaby sobie ze Zjawą. I czy on też by się jej bał. Daniel miał wrażenie, że Mari Carmen faktycznie była ostrą zawodniczką. Mimo swojej niewielkiej postury.

– Wróćmy do pana – powiedziała, wskazując Koterskiego, jakby pomyślała o tym samym, co Daniel przed chwilą. – Co z obrażeniami na ciele sierżanta sztabowego Radosława Trawińskiego?

Medyk sądowy odchrząknął.

– Trawiński został zarąbany siekierą, mówiąc kolokwialnie – wyjaśnił. – O ile w przypadku Beniamina Kwiatkowskiego siekiery użyto po śmierci, o tyle tu siekiera była właśnie narzędziem zbrodni. Jedynym.

– Siekierą, na której znajdziemy piękne odbitki linii papilarnych pana Daniela? – Mari Carmen znów się uśmiechnęła.

Podgórski poczuł kolejny dreszcz.

– Tłumaczyłem już, że wziąłem siekierę, bo obawiałem się, że ktoś może mnie nią zaatakować. Nie chciałem jej tam tak po prostu zostawić. Obawiałem się o swoje bezpieczeństwo.

Mari Carmen posłała mu kolejny z gamy swoich spokojnych uśmiechów. Uśmiechów, które nie uspokajały obdarowanego.

– Nie mogę wykluczyć, że to była ta siekiera – odpowiedział Koterski, odchrząkując.

– A pan? – zapytała Mari Carmen w stronę Ziółkowskiego.

– Na siekierze była krew. Chociaż ją spłukano – wyjaśnił szef techników. – Udało mi się pozyskać grupę krwi z niezmytego fragmentu. Odpowiada grupie krwi Trawińskiego. Będziemy czekać oczywiście na DNA.

– Tak po prostu ktoś wziął i go zarąbał siekierą? – zapytała Fijałkowska. Zrobiła się zupełnie blada na twarzy.

– Nie bronił się nawet?

– Na nadgarstkach i kostkach są ślady więzów – wyjaśnił Koterski. – Sądzę, że Trawiński był związany, kiedy go zaatakowano.

– Jak go znalazłem, więzów nie było – powiedział Daniel. – Leżał na podwórku. Po co ktoś miałby je usuwać?

– Nie wiem – powiedział Koterski, wzruszając ramionami. – Natomiast znalazłem też na ciele zadrapania powstałe już po śmierci. Być może ciało ciągnięto. Może z miejsca, gdzie było przywiązane, do miejsca, gdzie je znalazłeś.

– Na tej ławce z przodu domu były ślady krwi – włączył się technik. – Może tam go przywiązano. Wygląda na to, że też spłukano je wodą. Ale z takimi rzeczami sobie radzimy. Trzeba by się bardziej postarać, żeby ukryć, że była tam krew. Nie użyto żadnych detergentów. Więc nie wiem, po co ktoś w ogóle to zrobił.

– Może chodziło o to, żeby jak ktoś podjedzie pod dom, nie zobaczył, co tam się stało – powiedział Daniel w zamyśleniu. – Musiałem wejść dalej. Dopiero wtedy go zauważyłem. Skoro ta osoba zmyła krew, ale nie starała się zrobić tego porządnie, to być może chodziło tylko o to, żeby nikt nie zorientował się za szybko, że doszło tam do morderstwa.

– Chyba że ta osoba nie wiedziała, czym dysponujemy – powiedziała Fijałkowska. – I myślała, że użycie samej wody wystarczy.

– Teraz chyba każdy wie, czym dysponujemy. – Ziółkowski się skrzywił. – Wystarczy obejrzeć pierwszy lepszy serial kryminalny, więc podstawy to chyba każdy laik zna. Spójrzcie chociażby, jak zmyto krew w zajeździe. Teraz wiemy już, że to Hanna zrobiła.

Tak, wiedzieli już, że w zajeździe mordowała Hanna. Jak to się miało do hipotezy, że było dwóch sprawców?

– Ale wracając jeszcze do siekiery, którą prawdopodobnie zabito Trawińskiego – kontynuował technik. – Chciałbym zwrócić waszą uwagę na fakt, że była nowa. Nie wiem, czy zauważyliście, ale ta, którą trzymał Michał Krupa, to była siekiera, której ktoś wcześniej używał. A ta wygląda mi na zupełnie nową.

– Czyli ktoś kupił ją specjalnie, żeby zabić Trawińskiego? – zastanawiał się Daniel.

– Ja nie wiem. Tylko mówię. – Ziółkowski znów się skrzywił. – Ale jak dla mnie jo. Nowa siekiera z antypoślizgowym trzonkiem. Są na niej głównie twoje paluchy. Zdjąłem też odbitki linii papilarnych jeszcze jednej osoby. Mam wrażenie, że ktoś próbował je zetrzeć. Ale w jednym miejscu ordynarnie mu się nie udało. Więc jeżeli nie ty go rąbałeś, to może mamy ślady sprawcy. Jak mi powiecie, z kim mam to porównywać, to sprawdzę jedne i drugie paluchy i będziemy wiedzieli. Tylko musicie mi dać podejrzanego.

Ziółkowski zaśmiał się z satysfakcją.

– Tej osoby nie ma w systemie? – zapytał Podgórski.

– Nie – odpowiedział szef techników. – Jakby była, to już bym wam powiedział, kto to.

– A w domu było coś ciekawego? – zapytała Fijałkowska.

– Nie. Trzymałbym się wersji, że Trawiński zginął na tej ławce – powiedział technik. – W domu nic szczególnego. Chociaż była tam jego broń. Zabezpieczyliśmy ją. Nawet jej nie schował. Będę jeszcze ją sprawdzał. Ale w każdym razie magazynek pełny. Leżała po prostu na stole. W samochodzie za to było ciekawiej.

Daniela opanowało bardzo nieprzyjemne uczucie. Wiedział, że Trawiński miał ze sobą klamkę. Przecież sam mu ją odebrał podczas konfrontacji. A to z kolei oznaczało, że na pistolecie są jego paluchy. Dotykał go przecież bez rękawiczek. Podgórski zaklął w duchu, bo i z tego będzie musiał się tłumaczyć. Na razie jednak postanowił się tym nie przejmować.

– To znaczy? – zapytał. – Co było w samochodzie?

– Trochę dobrych świeżych owoców – zaśmiał się Ziółkowski. Chyba technikowi zebrało się na żarty. – Kilka piw. Całkiem niczego sobie zakupy.

Podgórski miał ochotę przewrócić oczami, jak to robiła Emilia. Jemu wcale nie było do śmiechu.

– Zastanawiam się nad Mają Trawińską – powiedział cicho. Nie był pewien, jaka będzie ich reakcja na jakiekolwiek podejrzenia względem świeżej wdowy. Choć Mari Carmen nie wyglądała na osobę, która ma takie skrupuły. – Trawiński mówił mi, że się pokłócili. Warto by może zapytać ją o co. No i w ogóle co wie o jego współpracy z grupą przestępczą Jakuba Dąbrowskiego.

– I czy nie zabiła swojego męża – uśmiechnęła się znów Mari Carmen tym swoim niepokojącym uśmiechem. – Zależy panu, panie Danielu, żeby znaleźć sprawcę, prawda? Znów zabrzmiało to, jakby mu to wypominała.

– Oczywiście, że mi zależy. Trawiński mówił też, że ma się z kimś spotkać tamtego wieczoru. Może to ta osoba go zabiła. Być może Maja wie, z kim było to spotkanie. Wiemy, że Trawiński zdradził. Urbański też. Wiemy, że prawdopodobnie pracowali dla Jakuba Dąbrowskiego. Ale nie wiemy, kto zabił Trawińskiego. Któryś z nich? Urbański albo Dąbrowski?

– A może pan? – zaśmiała się znów Mari Carmen.

Daniel postanowił zignorować zaczepkę. A przynajmniej spróbować, bo czuł, że lada chwila te komentarze wyprowadzą go z równowagi. Może taka była jej taktyka. Nie mógł dać się sprowokować.

– Ale przynajmniej dłonie i stopy są na miejscu – powiedziała Mari Carmen. – Bo zdaje się, że mieliście kłopot z ich odnalezieniem.

Zabrzmiało to, jakby to była ich wina, że sprawcy bądź sprawca obcinali niektórym ofiarom dłonie i stopy.

– Uporządkujmy może, co wiemy – zaproponował Daniel. – Mam na myśli, kto kogo zabił.

Podgórski nie miał ochoty przejmować inicjatywy, ale wolał to niż kolejny prowokujący komentarz ze strony Mari Carmen. Odwrócił się do Fijałkowskiej.

– Przesłuchiwałaś Kalinę Pietrzak – powiedział. – Zacznijmy od tego.

– Jo… To znaczy tak – poprawiła się zastępczyni naczelnika, jakby nagle zawstydziła się ich lokalnej gwary.

– Kalina Pietrzak przyznała, że Paweł Krupa skontaktował się z nią z więzienia poprzez przekupionego klawisza. Poprosił ją o przysługę. To była przysługa za przysługę. On jej pomógł, kiedy została zgwałcona. Ona miała teraz pomóc jemu. Powiedział jej, żeby zabrała samochód i pozbyła się dowodów, które były w środku. Jeżeli coś pójdzie nie tak, miała pojechać do Trawińskiego. On miał jej pomóc. Faktycznie dowody mamy, bo i prawdopodobne narzędzie zbrodni, i… ekhm, kończyny. Kalina nie wie tego na pewno, ale jej zdaniem Beniamina zamordował Paweł Krupa albo Paweł Krupa na zlecenie Jakuba Dąbrowskiego.

– Coś długa jest ta kolejka do mordowania Beniamina Kwiatkowskiego – zaśmiała się Mari Carmen. – Ja sobie wczoraj ucięłam pogawędkę ze Sławomirem Kwiatkowskim. Przyznał, że Kwiatkowscy zabili niejakiego Oliwiera Pietrzaka, bo Pietrzak chciał ich szantażować, że Beniamin zabił Julię Szymańską. Teraz z kolei doszło do kłótni i Hanna przestraszyła się, że pasierb ich zdradzi i przez to we trójkę odpowiedzą za morderstwo Oliwiera Pietrzaka. Ponieważ rozmowę podsłuchała Izabela Pietrzak, Hanna postanowiła ją zabić, żeby zlikwidować świadka. A Sławomir uważa, że jego żona potem pozbyła się Beniamina. Śledziła także Malwinę Górską, bo nie była pewna, czy pisarka również nie usłyszała rozmowy. A potem Sławomir zabił żonę. W odwecie za to, że zabiła mu syna.

Daniel skinął głową. Kwiatkowski przyznał się przecież i jemu, zanim Podgórski pojechał na działkę Trawińskiego.

– W toyocie Hanny Kwiatkowskiej nadal były narzędzia zbrodni – powiedziała Mari Carmen i odwróciła się do Ziółkowskiego. – Zbadał je pan?

– Jo – skinął głową technik. – Nóż i młotek. Grupa krwi zgadza się z grupą krwi Izabeli Pietrzak. Będziemy musieli czekać na DNA, ale myślę, że możemy założyć, że faktycznie te przedmioty zostały użyte do zamordowania Izabeli. Natomiast nie zabito nimi Beniamina. Ani Franciszka Sadowskiego.

– Jeśli chodzi o Franciszka Sadowskiego, to Sławomir nie był pewny, czy jego żona maczała w tym palce, więc faktycznie możemy mieć zwykłe przedawkowanie – wyjaśniła Mari Carmen. – Sławomir twierdzi, że Beniamina zabiła Hanna Kwiatkowska. Natomiast Kalina Pietrzak uważa, że zrobił to Paweł Krupa. Z własnej inicjatywy lub na polecenie Jakuba Dąbrowskiego.

– Ja mimo wszystko uważam, że Beniamina zabił Krupa – odezwał się Daniel. Był zły na siebie, że uwierzył w niewinność chłopaka. – Przecież w volkswagenie były i narzędzia zbrodni, i kończyny chłopaka. A Paweł Krupa kazał się pozbyć samochodu. Wydaje mi się, że Sławomir niesłusznie podejrzewał żonę. Przynajmniej w kwestii tego morderstwa.

– Całe szczęście – wykrzyknęła niemal Fijałkowska. – Przynajmniej nie mamy niewinnego w więzieniu. Bylibyśmy w dup…

Zamilkła, widząc, że wszyscy na nią patrzą.

– Już w każdym razie wysłałam ludzi, żeby Jakub Dąbrowski został zatrzymany – dodała Fijałkowska.

Mari Carmen uśmiechnęła się szeroko.

– Świetnie. Z nim również sobie porozmawiamy.

Daniel poczuł nagle, że do tej pory umykało mu coś oczywistego.

– Pobicie Zofii Dąbrowskiej – powiedział.

– Co z nim? – zdziwiła się Fijałkowska.

Daniel opowiedział pokrótce, jak Zofia przyniosła opaskę fitness na komendę.

– Tętno skoczyło nie o tej porze, o której jakoby według jej zeznań nastąpił atak. Ona chyba chciała, żebyśmy to zauważyli, bo tak naprawdę z tego modelu wiele więcej nie da się wyczytać. Nie ma GPS ani nic. Teraz się zastanawiam, czy nie zaatakował jej Jakub. Może sugerowanie dwóch sprawców to była zwykła zmyłka. Jakub cały czas z nią był. Podczas wszystkich zeznań. Wydawało mi się, że dobrze robię, zgadzając się na to, bo ona będzie lepiej się czuła. Ale może bała się powiedzieć, że zaatakował ją mąż.

– Tak jak mówiłam – wtrąciła się Fijałkowska – chłopaki już po niego jadą.

– To niech przywiozą też tę Zofię. Pomówimy z nią raz jeszcze – powiedziała Mari Carmen. – Pan Paweł Krupa też odwiedzi tutejsze progi, więc sobie wszystko powolutku wyjaśnimy.

Daniel poczuł na sobie jej spojrzenie. Nie był pewien, czy ostatnie zdanie nie było skierowane prosto do niego. Znów pomyślał o tym, co powiedział wcześniej naczelnik. Mari Carmen go obserwowała? Kłamała, że pozwala mu prowadzić sprawę, a tak naprawdę go podejrzewała? Może Daniel sam sobie strzelił w stopę, sprowadzając ją tutaj. Tym bardziej jeśli Urbański nie kłamał i rozpracowywał szajkę Dąbrowskiego, a nie sprzedawał prawdziwych informacji.

ROZDZIAŁ 128

Blok Trawińskich. Wtorek, 25 lutego 2020.
Godzina 9.20.
Klementyna Kopp

Kopp zapukała do drzwi zdecydowanym ruchem. Nie było to **walenie**. O nie. Ot, intensywne pukanie. Nie chciała robić afery. To był blok z mieszkaniami służbowymi. Na każdym piętrze mieszkał policjant. Z większą stanowczością trzeba było poczekać, aż wejdą do mieszkania. O ile wejdą.

Na dole przy domofonie Klementyna skłamała, że jest kurierem. To jej po prostu przyszło do głowy. Trawińska od razu otworzyła. Ciekawe, czy teraz zrobi to samo? Przecież musiała widzieć przez wizjer, że została oszukana.

O dziwo, drzwi się uchyliły. Stanęła w nich średniej budowy kobieta. Cała wydawała się średnia i jakby niewidoczna. Tylko jej ubrania krzyczały nazwami znanych marek. Klementyna nie była znawczynią mody. Ale! Nawet ona rozpoznawała takie nazwy jak Chanel. To był tylko dres. Ale! Kopp podejrzewała, że musiał kosztować fortunę.

Pewnie więcej niż wszystkie rzeczy razem wzięte, które miała na sobie emerytowana komisarz.

– Witam – powiedziała Klementyna, wpychając kobietę do środka.

– Mamusiu! – krzyknął mały chłopiec.

Dopiero teraz Klementyna zobaczyła, że w mieszkaniu jest dwójka dzieci. Trudno.

– Wchodzimy – rzuciła Kopp do Weroniki i Marii, które trzymały się nieco z tyłu.

– O co paniom chodzi? – zapytała Trawińska, kiedy Kopp zamknęła za nimi drzwi. – Dopiero co zamordowano mojego męża, a…

– Gdzie jest Malwina Górska? – przerwała jej Weronika nieoczekiwanie. Jakby nagle zaczęło jej zależeć na losie pisarki.

– Nie wiem, o czym…

– Spoko. Ale! Co jej zrobiłaś, co? – zapytała Kopp. Nie chciała tracić czasu na dyskusję ani tłumaczenie. – Słyszałyśmy krzyk.

– Malwina? – zawołała Maria. – Malwina, jesteś tu?

– Krzyk? – zapytała Trawińska.

– Tak. Przed chwilą – powiedziała Weronika.

– Aaa… Już wiem, o czym panie mówią. To ja krzyknęłam, bo Karolek o mało nie wsadził rączki do wrzątku. Właśnie robię obiad.

Chłopiec z powagą pokiwał głową.

– Trzeba uważać z gorącą wodą, bo może być kuku – powiedział, wsadzając palec do ust.

W mieszkaniu faktycznie pachniało gotowanie. Może Trawińska już teraz zaczęła szykować obiad. Kopp nigdy by nie pomyślała, żeby przygotowywać coś z takim wyprzedzeniem. Z reguły wystarczało jej podgrzanie czegoś w mikrofalówce. To zajmowało pięć minut.

– Skąd panie wiedzą, że krzyknęłam? – zapytała Trawińska. – Co panie tu robią?

– Sprawdźcie mieszkanie – zakomenderowała Klementyna, ignorując jej pytania.

Weronika i Maria rozeszły się.

– Tu jest kurtka! – krzyknęła ruda z łazienki. – Telefon Malwiny jest nadal w kieszeni.

Kopp weszła do pomieszczenia. Pracowała tu głośno pralka. Szum i stukania przez telefon przypominały nieco nagranie, które słyszały przy ciele Beniamina Kwiatkowskiego. Ale! Na żywo to już było zupełnie coś innego. Pomyliły się.

– Spoko. Sprawdź resztę mieszkania.

Kopp wróciła do przedpokoju. Trawińska stała dokładnie w tym miejscu, gdzie wcześniej. Jakby zmieniła się w słup soli. Klementyna uśmiechnęła się do niej słodko.

– No i co? – powiedziała tylko.

Przez chwilę można było pomyśleć, że to nie zadziała. Ale! W końcu żona zamordowanego *policjanta-zdrajcy* westchnęła głośno. Najwyraźniej podjęła decyzję.

– Malwina jest w piwnicy – wyjaśniła Trawińska. – Zeszła chwilę temu. Pewnie się minęłyście, skoro jej nie spotkałyście na schodach.

Kopp pomyślała o odgłosie zamykanych drzwi, który zdołały jeszcze usłyszeć. Widocznie Malwina wychodziła wtedy z mieszkania.

– A co niby miałaby robić w piwnicy? – zapytała Weronika, wracając do przedpokoju.

– To dłuższa historia – mruknęła Trawińska.

ROZDZIAŁ 129

Komenda Powiatowa Policji w Brodnicy.
Wtorek, 25 lutego 2020. Godzina 9.20.
Aspirant Daniel Podgórski

Dziwnie było siedzieć ramię w ramię z Mari Carmen Sikorą w pokoju przesłuchań. Mimo to Daniel zaakceptował jej prośbę, żeby jej towarzyszyć. Nie miał innego wyjścia. Poza tym chciał wyjaśnić kilka niejasności z Zofią Dąbrowską. Tylko ciekawe, czy kobieta zechce mówić. Gdyby zeznała przeciwko mężowi, mieliby dobry punkt zaczepienia. Gdyby.

– Cieszę się, że zgodziła się pani z nami porozmawiać – powiedziała Mari Carmen do Zofii.

Jakub Dąbrowski został już zatrzymany. Przesłuchiwali go prokurator Krajewski z Laurą Fijałkowską. Zjawa zdecydował się podjechać na komendę, kiedy okazało się, że jest sporo roboty.

– Czy mogę się czegoś napić? – zapytała Zofia, poprawiając długie czarne włosy. Twarz, mimo że nosiła ślady pobicia, wyglądała już trochę lepiej. Czas leczył rany.

– Oczywiście – odpowiedział Daniel, wstając. – Zaraz wrócę.

– Albo nie trzeba – stwierdziła z nagłą determinacją Zofia. – To mój mąż mnie pobił. Powiem to, zanim się rozmyślę.

Podgórski usiadł z powrotem na krześle. Musiał się bardzo powstrzymywać, żeby nie spojrzeć w stronę Mari Carmen. Chciał zobaczyć jej minę. Zapowiadało się naprawdę dobrze. Niespodziewanie dobrze. Oby tak dalej, to może nastąpi przełom w sprawie.

– Tak przypuszczałem, kiedy przyniosła mi pani tę opaskę fitness – powiedział. – Dlaczego nie powiedziała pani tego wprost?

Zapytał, ale znał odpowiedź. Wiele razy miał do czynienia z ofiarami przemocy. Niestety bite żony często odmawiały występowania przeciwko mężowi.

– Bałam się – szepnęła zgodnie z jego przypuszczeniami Zofia.

– Czy mąż bił panią regularnie? – zapytała Mari Carmen.

Zofia Dąbrowska pokręciła głową.

– Nie, nie. To zdarzyło się pierwszy raz. Ale nie jest dobrym człowiekiem. Skoro w końcu go państwo zatrzymali, to państwo pewnie wiedzą, czym on się zajmuje i co zrobił...

– Co? – zapytała niewinnie Mari Carmen.

To był dobry ruch, przyznał Daniel. Lepiej niczego nie sugerować. Było tyle powodów, dla których Jakub Dąbrowski powinien być zatrzymany. Długo by wyliczać. Handel narkotykami, zlecenie zabójstwa Emilii...

– Zabił moją córkę i Roberta Janika – powiedziała Zofia Dąbrowska. – Znaczy co do mojej córki jestem pewna. Co do Roberta na dziewięćdziesiąt dziewięć procent. No i mnie pobił. Można powiedzieć, że doprowadził do śmierci Franciszka Sadowskiego.

– Może zacznijmy po kolei – poprosił Daniel.

Serce biło mu coraz szybciej. Trudno było powstrzymać ekscytację, kiedy człowiek czuł, że jest o krok od rozwiązania sprawy. A właściwie s p r a w. Bo przecież tak naprawdę było ich tu najwyraźniej kilka. Być może właśnie dostali odpowiedź, kto zabił kolejne osoby. Informacja, że Jakub Dąbrowski zabił Julię Szymańską lub zlecił jej zabójstwo, potwierdziłaby wcześniejsze przypuszczenia policjanta. Mężczyzna chciał pozbyć się też Emilii, by nie dotarła do prawdy. Natomiast to, że Jakub zabił Roberta Janika, było całkiem nieoczekiwaną nowością.

– Spróbuję, przepraszam – powiedziała Zofia Dąbrowska. – To mnie wiele kosztuje. I pewnie zamkną mnie państwo za współudział. A ja… No ja się bałam cokolwiek powiedzieć. Że Jakub mnie zabije. Sam pan widział, jak mnie pobił.

– Spokojnie – odezwała się Mari Carmen. – Zaopiekujemy się panią.

– Spróbujmy ułożyć wydarzenia chronologicznie – poprosił Daniel. – Powiedziała pani, że mąż zabił pani córkę. Julię, prawda? To było dwa lata temu?

Sławomir Kwiatkowski zeznał, że jego syn Beniamin wynajął Julię Szymańską, żeby udawała Hannę. Dla żartu. Ale Julia nie zjawiła się na miejscu. Beniamin powiedział Sławomirowi, że nie wie, co się z nią stało ani kto mógł ją zabić. Może teraz się dowiedzą.

– Tak, Julka. Szymańska – uściśliła Zofia. – Bo nazwisko miała po moim pierwszym mężu.

– Dlaczego Jakub ją zabił?

– To znaczy właściwie to jej nie zabił. On sobie rąk nie brudzi takimi rzeczami. No oprócz Roberta... To Paweł Krupa zabił Julkę – doprecyzowała Zofia Dąbrowska. Łzy napłynęły jej do oczu, a głos stał się jeszcze bardziej chraplwy. – Mąż mu to zlecił, a Paweł jest do niego bardzo przywiązany. Dlatego że Jakub wyciągnął go od Franciszka Sadowskiego. Ten typ ich wszystkich gwałcił pod pretekstem pomagania biednym chłopcom. Akurat on zasłużył sobie na śmierć...

Na chwilę zapadło milczenie.

– Dlaczego pani mąż zlecił pracownikowi zabicie Julii? – zapytała Mari Carmen.

Siedziała na krześle w nieco niedbałej pozie. Machała nogą założoną na drugą. To nie był szybki ruch z rodzaju nerwowych albo niecierpliwych. To był powolny, wystudiowany ruch świadomej siebie kobiety. Do Daniela dotarło, że Sikora chce w ten sposób zwrócić jego uwagę, i poczuł, że się czerwieni.

– Julia nie umiała dogadywać się z Jakubem – wyjaśniła Zofia. – Kłócili się. Jako dziecko była z nim dość związana, ale jak zaczęła dorastać, to zobaczyła jego wady. Że jestem sterroryzowana. Że Jakub siedzi w narkobiznesie. Że prawdopodobnie Jakub zabił mojego pierwszego męża. To mu zarzucała.

– A zrobił to? – zapytał Daniel.

Starał się skupić na rozmowie, ignorując poczynania Mari Carmen. Nie było to wcale takie łatwe.

– Nie wiem. Mąż spadł z rusztowania na budowie. Ale były różne podejrzenia. Między innymi podejrzanym był swojego czasu Oliwier Pietrzak. To był wówczas pracownik Franciszka Sadowskiego. Nikt nie podejrzewał mojego męża, ale on miał swoje sposoby, żeby nikt nawet nie pomyślał, że mógł mieć z tym cokolwiek wspólnego. Może dogadał się z Oliwierem Pietrzakiem albo mu zapłacił. Albo chciał go wrobić. Nie wiem. W każdym razie o to ciągle się kłócili. No i w końcu Julia postanowiła odejść. Zaczęła pracować właśnie u Oliwiera. Bo on założył firmę z hostessami. To też zdenerwowało Jakuba, bo nie lubił Oliwiera.

– Uważa pani, że kłótnie pomiędzy pani mężem a Julią i jej oskarżenia były powodem zlecenia morderstwa? – zapytał Daniel powoli.

– Może jednym z powodów. Ale córka najbardziej zdenerwowała męża tym, że wykradła mu narkotyki, które miały iść do sprzedaży. To był prawie kilogram amfetaminy. Potem chyba ta pana koleżanka znalazła ten towar w mieszkaniu Julki. Nie wiem, co Julka chciała z tą amfetaminą zrobić. Może tylko zamierzała Jakuba zdenerwować. A może chciała sama sprzedawać i zarobić. Nie wiem. Ale potwornie go zdenerwowała. No i zapadł wyrok. Wykonany przez Pawła Krupę. I muszę przyznać, że Julka miała po prostu pecha, bo może by nie zginęła tamtego wieczoru.

Głos Zofii się załamał. Daniel postanowił dać jej czas na uspokojenie. Kątem oka widział, że Mari Carmen siedzi teraz z lekko rozwartymi nogami. Nie podobało mu się to, co chyba próbowała zrobić. Była oczywiście atrakcyjną kobietą, a on przecież od dawna nie był z żadną. Ale nie był głupi. Mari Carmen miała nad nim władzę i była niebezpieczna. Z pewnością nie można było jej ufać.

– Bo Paweł Krupa tamtego dnia pojechał na Beskidzką, żeby spotkać się z Robertem Janikiem. On był dilerem męża. I podpadł, bo za mało sprzedawał. Paweł miał mu to uzmysłowić. Dlatego w ogóle tam się zjawił. A kiedy akurat Julka nadeszła, postanowił improwizować i wykonać zlecony przez Jakuba wyrok. Odwołał Janika i ją zabił. A tę myśl podsunął widok siekiery, która tam leżała. Tak po prostu w tym zagajniku. Uznał, że to idealna okazja. Potem uciekł, bo usłyszał, że ktoś nadchodzi. Później się okazało, że to był Ryszard Pietrzak. W każdym razie Paweł przyjechał do nas do zakładu. W międzyczasie okazało się, że ciało Julki znalazł Ryszard Pietrzak. Idealnie się złożyło, bo łatwo było na niego zrzucić winę. Tym bardziej że mąż miał na usługach Trawińskiego i Urbańskiego... I Ryszard Pietrzak poszedł siedzieć. A mój mąż z Urbańskim załatwili rekonstrukcję twarzy, żeby szybciej dało się Julkę zidentyfikować. Nie chcieli, żeby ktoś za długo w tym grzebał. Chcieli zamknąć sprawę i tyle. A do tego potrzebowali identyfikacji. Urbański miał jakiegoś znajomego antropologa. I on to zrobił poza kolejnością. A potem my się zgłosiliśmy, że niby zobaczyliśmy tę rekonstrukcję i rozpoznaliśmy Julkę. Tyle że potem ta policjantka zaczęła grzebać i grzebała. To się Jakubowi nie podobało. Więc... Najpierw zapłacił Ryszardowi Pietrzakowi dziesięć tysięcy złotych za przyznanie się do winy. Znaczy dali je jego żonie. Robert Janik podrzucił jej do pokoju. A Ryszardowi obiecali niższy wyrok. Menel to łyknął, bo Jakub zasugerował, że jego żonie może się coś stać, jeśli Pietrzak nie będzie współpracował. To margines, ale jednak chyba na żonie mu zależy. Straszenie, że coś się stanie rodzinie, to typowe postępowanie mojego męża. Tak samo straszył Trawińskiego. Wielokrotnie. Bo on chciał odejść, ale Jakub mu nie pozwolił.

Daniel pomyślał, że to się zgadza. Znaleźli pieniądze, które dostała Izabela Pietrzak. I wreszcie wyjaśnia, co robiły pod materacem w jej pokoju. Ale nie to było według niego najważniejsze.

– Pani mąż zlecił Trawińskiemu zamordowanie Emilii Strzałkowskiej? – zapytał Podgórski powoli. To było najważniejsze. Właśnie to.

– Tak… Tamta policjantka… Ona wyglądała na taką, która nie odpuści. Mąż uznał, że trzeba się jej pozbyć. Ja chciałam ją ostrzec i nawet umówiłam się na spotkanie, ale mąż miał mój telefon na podsłuchu i pojechał ze mną pod pretekstem, że sam ma jej do przekazania informację o Sadowskim. A tymczasem kazał ją zabić Trawińskiemu. Trawiński nie chciał. Ale Jakub straszył go, że mu zabije rodzinę. Pewnie dlatego biedak się złamał. To był dobry chłopak.

Podgórski przełknął ślinę. Dobry chłopak. Człowiek, który zabił Emilię. Daniel na pewno tak by go nie nazwał.

– Urbański poustawiał grafiki tak, żeby tamtego dnia Trawiński miał z tą Strzałkowską służbę. No i chłopak to zrobił. Zabił ją. A jak ta policjantka zginęła, to nastał spokój. Ale ostatnio… Mąż jest osobą, która na zemstę potrafi czekać latami. Tak było z tym Franciszkiem Sadowskim. Jakub zaczął realizować plan zemsty tuż po śmierci

Julii i tej policjantki poprzez faszerowanie Sadowskiego darmowymi narkotykami. Pomagał mu Robert Janik, który był jego wtyką w zajeździe. Chciał w ten sposób doprowadzić Sadowskiego do upadku. Za karę, że Franciszek ich molestował. Jakuba, Pawła, Oliwiera... Pewnie innych chłopaków, którym niby pomagał, też.

– Ta śmierć Sadowskiego...

Daniel nie dokończył zdania. Czekał, aż zrobi to Zofia.

– No i potem Jakub kazał Robertowi Janikowi dać Sadowskiemu wyjątkowo czysty towar. Sadowski przedawkował. Czyli jego też zabił. Pośrednio.

A więc kolejna tajemnica wyjaśniona. Przyczyną śmierci Sadowskiego faktycznie było przedawkowanie, ale zaplanowane przez Jakuba Dąbrowskiego.

– Nawet to spotkanie, które zorganizowano w zeszłą sobotę... – dodała Zofia. – Też było po to.

– W jakim sensie?

– Bo mąż nie miał pretekstu, żeby pojechać do zajazdu i się przyjrzeć upadkowi Sadowskiego. A chciał go zobaczyć i się tym nacieszyć. Dlatego zaproponował niby pojednawcze spotkanie dla wszystkich trzech firm. Nie u siebie, tylko u Sadowskiego. To było niby wyciągnięcie ręki, że nie chce robić tego na swoim terenie. A po prostu chciał zobaczyć upadek zajazdu i Sadowskiego. Dlatego się tak rozochocił, kiedy ujrzał, że wszystko się rozpada, bo to było po jego myśli. Jakub jest spokojnym człowiekiem, który umie odwlec zemstę i rozkosz w czasie. Ale tamtego wieczoru nawet on pił i się bawił.

– Czy Jakub zabił Izabelę Pietrzak? – zapytała Mari Carmen, mimo że mieli zeznania Sławomira, który był

778

pewien, że zabójczynią była Hanna. Chciała to sprawdzić. Sławomir pomylił się przecież co do Beniamina.

– O tym nic nie wiem. Raczej nie.

Daniel skinął głową. Czyli bilans był taki: Izabelę zabiła Hanna, Julię i Beniamina Paweł Krupa, Sadowskiego poniekąd Jakub, Emilię Trawiński na polecenie Jakuba. A Hannę Sławomir, mylnie sądząc, że to ona zabiła jego syna.

– Co z Robertem Janikiem? – zapytał policjant z nadzieją, że Zofia nie powie o tym, jak wypuścił Roberta. Możliwe, że o tym wiedziała. Dotąd w każdym razie się z tym nie zdradziła. O dziwo, Daniel nie czuł szczególnego lęku. Trudno. Najwyżej za to odpowie, ale przynajmniej nikogo nie zabił.

– No jestem niemal pewna, że tym razem mój mąż zrobił to własnoręcznie. Bo Paweł był w więzieniu. Kiedy Robert panu uciekł, skontaktował się od razu z moim mężem. Mieli ustalone miejsce spotkania, jakby coś się stało. To miejsce zaproponował Paweł Krupa. Opuszczona restauracja, w której kiedyś mieszkał. Należała wprawdzie do Hanny Kwiatkowskiej, ale ona tam już nie zaglądała. Nazywali to bezpiecznym miejscem. Gdyby zrobiło się niebezpiecznie, mieli się tam ukryć i czekać na pomoc. Taka była umowa. I dokładnie to zrobił Robert Janik. Uciekł i zadzwonił do mojego męża. Mąż pojechał tam sam. Jak wrócił… Zobaczyłam krew na mankiecie koszuli. No a potem wszędzie trąbiono, że jest kolejna ofiara. Dodałam dwa do dwóch. Jakub zabił Roberta.

– Dlaczego Jakub miałby zabić swojego człowieka? – zapytał Daniel powoli. – Wspomniała pani, że Robert Janik był dilerem pani męża.

– Bo Janik zrobił się niepokorny. I trochę męża straszył, że jak nie awansuje w hierarchii grupy, zacznie gadać z psami… To znaczy z państwem. Przepraszam. Bo już wtedy, jak Paweł Krupa odwołał z nim spotkanie, a potem wszyscy mówili o śmierci Julki, Robert połączył fakty i domyślił się, że to Krupa zrobił. Domyślił się, że na polecenie mojego męża, bo Paweł wszystko robił na polecenie mojego męża. Potem tamtej nocy Robert był na przyjęciu u Kwiatkowskich wezwany przez Beniamina, żeby gościom sprzedawał narkotyki. Cały czas się kręcił w okolicy. Wiedział, że policja znalazła ciało, zanim informacja się pojawiła w mediach. Więc Robert mógłby wiele wam wygadać. Oczywiście Jakub nie zamierzał tego tolerować. I wykorzystał okazję, która się nadarzyła. Pojechał do opuszczonej restauracji niby Robertowi pomóc, a go zabił.

– Niech pani opowie o pobiciu – poprosił Daniel.

– Jak już powiedziałam, Jakub umie długo czekać z zemstą. Teraz rozochocił się i postanowił mnie ukarać.

– Za co?

Zofia wzruszyła szczupłymi ramionami.

– Bał się, że wszystko powiem. Tak jak teraz – szepnęła. – I chciał mi pokazać, kto tu rządzi. Ale się przeliczył.

– Wspomniała pani o zemście – znów włączyła się do rozmowy Mari Carmen. – Za co chciał się na pani mścić?

– Może źle dobrałam słowa. Po prostu chciał mi pokazać, że nie powinnam myśleć o rozmowie z policją. Bo jak wspomniałam, wiedział z podsłuchu, że już dwa lata temu chciałam mówić z tą Strzałkowską. A jak przyniosłam tu opaskę, to musiałam to zrobić w drodze do fryzjera, żeby się nie zorientował.

– Proszę opowiedzieć o tym pobiciu – zasugerował Daniel.

– Jakub pobił mnie w domu. Obuchem siekiery. Później, niż powiedziałam, bo właśnie wróciłam ze spaceru.

– Dlaczego akurat takim narzędziem? – zapytała Mari Carmen.

– Chciał nawiązać do śmierci Julii. Nie wiedzieliśmy jeszcze wtedy, że będą kolejne trupy. Chciał po prostu zmylić policję. Dlatego też kazał mi powtarzać, że była dwójka sprawców. Tak na wszelki wypadek, żeby można było podejrzewać wszystkich. Kazał mi opowiadać bardzo ogólnie. A to po to, żebym się nie pomyliła w zeznaniach. Kazał mi powiedzieć, że zostałam pobita w samochodzie, bo samochód odjedzie i wtedy nie można sprawdzić miejsca zbrodni. Nie mielibyście co badać. Przyszło mu to pewnie do głowy, bo kiedyś rozmawiali z Pawłem o Tedzie Bundym. Że Bundy wciągał ofiary do samochodu. Jako zmartwiony i kochający mąż zabrał mnie potem do szpitala. I potem cały czas grał tę rolę, słuchając, jak opowiadam o rzekomych sprawcach. A ja mu pomogłam, bo się bałam... Przepraszam.

Zofia znów zaczęła płakać.

– Nie ma za co przepraszać – zapewnił Daniel delikatnie. Czuł, że za bardzo naciskać nie wolno.

– Ale próbowałam dawać panu znaki – załkała Zofia. – Znaczy najpierw z tym naszyjnikiem. To wpadło mi do głowy, jak byłam na obdukcji w szpitalu.

– W jaki sposób to mogło sprawić, że kolega się domyśli? – zapytała Mari Carmen, kiwając głową w stronę Daniela.

– Bo… Wpadłam na pomysł, że powiem, że ta wymyślona dwójka sprawców ukradła mi bezwartościowy naszyjnik. A naszyjnik wyrzuciłam po prostu do śmieci w szpitalu. Mąż był zły, że nie trzymam się jego planu, ale nie zorientował się, o co mi chodzi. Myślał, że improwizowałam. A rabunek nawet pasował do całej historii.

– Ale jaki właściwie był pani plan? – zapytała Mari Carmen z uśmiechem. – Bo nadal nie rozumiem.

– Chciałam dać policji do myślenia – wyjaśniła Zofia Dąbrowska. – By zaczęli grzebać. Skoro nie mogłam nic powiedzieć wprost, to miałam nadzieję, że sami odkryją, że coś jest nie tak. Bo musieli się zastanawiać, po co ktoś by kradł bezwartościowy naszyjnik z kamieniem.

Daniel znów skinął głową. Faktycznie Zofia odniosła sukces. Podgórski i reszta główkowali już dłuższy czas.

– A potem, jak szłam do fryzjera, udało mi się na chwilę wymknąć i przynieść tę opaskę fitness. Naprawdę przeczytałam artykuł, że gdzieś w Stanach Zjednoczonych policja rozwiązała sprawę na podstawie takiego urządzenia. I liczyłam, że to będzie kolejny element, który zwróci uwagę, i że mnie państwo z tego wyciągną… Tak samo później, jak dowiedziałam się, że Hanna nie żyje… No to powiedziałam panu, że to ona z Robertem Janikiem mnie zaatakowali. Też dlatego, że chciałam, żeby to się panu nie zgadzało. Żeby pan nie przestawał szukać. Żeby mi pan pomógł uciec od Jakuba. Wiem, państwo teraz powiedzą, że wiedziałam o przewinach mojego męża, a się nie zgłosiłam… Czyli jakby jestem współwinna… Ale ja się bałam, że mnie zabije. Tak bardzo, bardzo się bałam.

Zofia znów zaczęła płakać. Siedzieli w milczeniu. Daniel zerknął w stronę Mari Carmen. Siedziała wprawdzie nieruchomo, ale seksualne napięcie pomiędzy nimi i tak było wyczuwalne.

– A Beniamin Kwiatkowski? – zapytał, żeby przerwać ciszę.

– A co z nim? – zdziwiła się Zofia Dąbrowska.

– To, że też nie żyje – zaśmiała się Mari Carmen. To był dobroduszny śmiech. Jakby opowiadała właśnie jakąś pocieszną historyjkę o małych kotkach. – To z nim.

Mieli zeznanie Kaliny Pietrzak, że Paweł Krupa prawdopodobnie zabił Beniamina. Być może na polecenie swojego szefa. Krupę mieli niedługo przesłuchać, ale można było spróbować wyjaśnić to już teraz. Skoro Zofia tak bardzo się przed nimi otworzyła, była szansa, że powie wszystko, co wie.

– Wiem, że nie żyje – powiedziała cicho Zofia. – Ale… Państwo uważają, że to też mój mąż? O tym akurat nie wiedziałam.

– Dlaczego mógł chcieć go zabić? – zapytał Daniel.

– Nie wiem. Dzieciak Kwiatkowskich kiedyś kupował trochę marihuany… to wszystko. Nic nie przychodzi mi do głowy. Jakub nigdy o nim nie wspominał.

Podgórski przejechał w zamyśleniu ręką po brodzie. Może Paweł tym razem działał sam, a tego morderstwa akurat nie zlecił mu Jakub.

– A sam Paweł Krupa mógłby chcieć zabić Beniamina? Widzi pani jakiś możliwy motyw?

– Nie wiem. Ale są przecież prawie rodziną. Hanna była macochą ich obu.

– Chciałaby pani jeszcze coś dodać? – zapytała Mari Carmen nieoczekiwanie ostro. Wyglądało na to, że już teraz chce zakończyć przesłuchanie.

Daniel spojrzał na nią zaskoczony. Miał jeszcze sporo pytań.

– Ja… Nie… – odparła Zofia Dąbrowska. Chyba równie zdziwiona.

– Świetnie. Zostanie tu pani jeszcze trochę, bo trzeba to wszystko spisać. Podpisać. I tak dalej. Mój kolega zaraz tu przyjdzie i to załatwi.

– Dobrze – zgodziła się Zofia.

– Chodźmy – zakomenderowała Mari Carmen w stronę Daniela.

Uniosła brwi, jakby pytała, na co policjant czeka. Wstał i ruszył za nią. W drzwiach minęli się z milczącym typem, który tu z nią przyjechał.

– Grzesiu dokończy papierologię – szepnęła Mari Carmen do Daniela. – Jest w tym dobry.

Podgórski skinął głową. No proszę, już wiedział, jak nazywa się milczący funkcjonariusz.

– A my co? – zapytała Mari Carmen, kiedy wyszli na korytarz. – Już miałam dosyć siedzenia tam i ględzenia. Robimy to?

– Nie rozumiem.

– Gdzie jest łazienka?

– Na piętrze, ale…

– Tam będzie dobrze? – zapytała, robiąc znaczący ruch biodrami.

Daniel rozejrzał się po korytarzu. Nikogo nie było, ale ich głosy niosły się po całym budynku. Takie miał wrażenie.

– Coś taki zaskoczony – zaśmiała się Mari Carmen, przechodząc płynnie na ty. – Wy faceci czasami mnie rozbrajacie. Niby tacy jesteście mocni w gębach, a jak spotkacie kobietę, która wie, czego chce, to nagle jaja znikają. Choć mam nadzieję, że ty masz je na swoim miejscu. Tak jak i fiuta. Bo teraz mamy czas na szybki numerek. Zanim dalej ruszymy z robotą.

Podgórski zupełnie osłupiał. Nie wiedział nawet, co odpowiedzieć. Rozejrzał się nerwowo. Mari Carmen mówiła to wszystko tak zwyczajnie. Nawet nie zniżyła głosu do szeptu.

– No co? Nie uważasz mnie za atrakcyjną?

– Jest pani niewątpliwie bardzo atrakcyjną kob…

– Lubię takich z brzuszkiem – przerwała mu Mari Carmen w pół słowa. Klepnęła go prosto w brzuch. – Macie w sobie jakiś taki niewymuszony seksapil. Jakbyście już nie musieli się przejmować ani starać, bo i tak znacie swoją wartość. Dla mnie to bardziej podniecające niż te wszystkie wypocone na siłę six-packi. To całe gadanie o *dad bod*. Też mi odkrycie. Mam to od lat przerobione. Faceci z brzuchem to najlepsi kochankowie. To jak? Jestem napalona, więc wolałabym szybciej niż później. Idziemy?

ROZDZIAŁ 130

Blok Trawińskich. Wtorek, 25 lutego 2020.
Godzina 9.45.
Weronika Podgórska

Jestem siostrzenicą Bolka Urbańskiego – wyjaśniła Maja Trawińska, kiedy schodziły we trzy do piwnicy.

Maria została na górze z dziećmi, a Weronika i Klementyna poprosiły, żeby Trawińska pokazała im, gdzie jest Malwina Górska. Oczywiście poprosiły miało w przypadku Kopp zupełnie inne znaczenie, niż gdyby chodziło o innych ludzi.

Tak czy inaczej, Podgórska cieszyła się, że podziałało. Nie chciała, żeby Malwinie coś się stało. Miała wyrzuty sumienia, że wplątały ją w coś dziwnego. Choć może nic się tu niepokojącego nie działo. Wszak dźwięk suszarki do sałaty uznały za groźny. Teraz zaś zwykłą pralkę. Może były przewrażliwione.

Zastanowiło ją to, że pisarka koniecznie chciała iść porozmawiać z Trawińską sama. Przypływ odwagi i prawdziwa chęć niesienia pomocy Danielowi czy może Malwina miała jakiś swój własny interes?

– Wuj Bolek zostawił coś u mnie dla Górskiej – ciągnęła opowieść Maja Trawińska. – Na wypadek gdyby coś mu się stało. Jak dziś tu przyszła, to pomyślałam, że chce odebrać te rzeczy. No bo z tego, co wiem, wuj został zatrzymany.

No i proszę, pomyślała Weronika. Była bardzo ciekawa, czy Malwina chciała tu sama wejść właśnie dlatego. Urbański dał jej monetę, którą pisarka chowała za obrazem. Górska chyba wspomniała, że były kochanek kiedyś obiecał jej coś jeszcze.

– Co to za rzeczy, co? – zapytała Kopp.

– Nie wiem – odparła Trawińska. – To jest w sejfie w piwnicy. Tam to zamknął. Nie zaglądałam. Mimo że zaufał mi, dając hasło. Powiedziałam jej, jakie ono jest, i poszła. Ja zostałam z dziećmi. Tak jak już mówiłam. Nic złego jej nie zrobiłam. Mój mąż został zamordowany i generalnie nie mam nawet ochoty, żeby…

– Spoko – ucięła Klementyna.

Jej ostry ton sugerował wyraźnie, że nie chce słuchać wynurzeń Trawińskiej. Kobieta umilkła, ale minę miała niezbyt zadowoloną. Zeszły w milczeniu na najniższy poziom budynku.

Drzwi do piwnic były uchylone. Na ten widok Weronikę ogarnął lęk. Podziemia zawsze budziły w niej niepokój. Miała w pamięci piwnice w starych blokach i kamienicach Warszawy, skąd pochodziła. Tu było zupełnie inaczej. Czysto i schludnie. Pachniało nowością. Choć dało się oczywiście rozróżnić delikatny zapach wilgoci. Mimo to się bała.

– Malwina? – zawołała Kopp.

Odpowiedziała jej cisza.

– Zaplanowałaś dla nas jakieś sztuczki, co? – krzyknęła Klementyna. Zdawała się mówić jeszcze szybciej niż zwykle. Nawet Weronice trudno było ją zrozumieć.

Trawińska pokręciła głową. Kopp pchnęła ją w stronę uchylonych drzwi.

– Wchodzimy. A ty na wszelki wypadek pójdziesz przodem. Jakby jednak miało się coś dziać.

– Nic tam nie zaplanowałam – broniła się Trawińska.

– No to nie powinnaś się wzbraniać, żeby iść przodem – odparła Kopp z tym swoim krzywym uśmieszkiem na pomarszczonych ustach.

Ruszyły za Trawińską w głąb piwnicy. Już z daleka widać było otwarte wejście do jednego z pomieszczeń.

– To nasza piwnica – szepnęła Trawińska niepewnie.

Podeszły tam ostrożnie. Boks nie był zbyt duży. Wypełniono go rzeczami, których można było się spodziewać w większości piwnic. Nieużywany mebel. Trochę przetworów. Pozostałości płytek z łazienki. Pewnie na wszelki wypadek, gdyby któraś pękła. Dwa małe rowery.

Tylko jedna rzecz się wyróżniała. W kącie pomieszczenia stał przykurzony sejf. Był otwarty. W środku Weronika zobaczyła garść monet. Być może takich jak ta, którą Malina Górska chowała za swoim obrazem.

– Spoko. Ale! Gdzie jest pisareczka, co?

ROZDZIAŁ 131

Komenda Powiatowa Policji w Brodnicy.
Wtorek, 25 lutego 2020. Godzina 10.00.
Aspirant Daniel Podgórski

W pomieszczeniu obok pokoju przesłuchań było duszno, mimo że byli tu tylko we dwoje z Fijałkowską. Patrzyli bez słowa, jak Mari Carmen i prokurator Krajewski zaczynają przesłuchiwać Pawła Krupę. O tym, żeby Daniel brał udział w przesłuchaniu, nie było już mowy. Nie po tym, jak odmówił Mari Carmen.

Propozycja policjantki była oczywiście kusząca. Podgórski skłamałby, gdyby powiedział, że nie uważa jej za atrakcyjną. Ale kochał Emilię. Strzałkowska nie żyła od dwóch lat, ale czy to coś zmieniało? Nie. Nie był gotowy zbliżyć się z jakąkolwiek inną kobietą. Jeszcze nie teraz. A kto wie, może już nigdy.

Mari Carmen przyjęła jego grzeczną odmowę ze spokojem. Widział jednak w jej oczach, że przekroczył granicę, której nie powinien. Mari Carmen się nie odmawiało. Była urażona. Z urażonymi kobietami nie było żartów. A już na pewno z takimi jak Sikora.

Zjawa też był wściekły, bo przesłuchanie Jakuba Dąbrowskiego, które prowadził, gdy oni rozmawiali z Zofią Dąbrowską, okazało się klapą. Jakub wszystkiemu zaprzeczył i dodał, że bez adwokata nie powie ani słowa więcej. Co prawda mieli zeznanie Zofii Dąbrowskiej i Kaliny Pietrzak, ale prokurator chciał chyba więcej.

Należało przesłuchać jeszcze Darię Urbańską i Maję Trawińską. Podobno wysłano już po nie ludzi. Ale Daniel szczerze wątpił, żeby mieli tyle szczęścia, co z Zofią. Dąbrowska chciała mówić, bo była poszkodowana. Daniel podejrzewał, że Trawińska i Urbańska raczej będą chroniły mężów.

Szkoda, że Malwina Górska nie chciała zeznawać, pomyślał. Już wcześniej broniła Urbańskiego, który pracował dla Jakuba. Daniel nie znał jej dobrze, ale mimo wszystko ją rozumiał.

Spojrzał przez weneckie lustro. Paweł Krupa oparł olbrzymie umięśnione przedramiona na metalowym stole. Głowę miał spuszczoną. Wyglądał na przegranego. Jeszcze bardziej, niż gdy Podgórski widział go ostatnio w Starych Świątkach. Pobyt w zakładzie karnym już odcisnął na nim swoje piętno.

– Lubi pan Kalinę Pietrzak? – zapytała Mari Carmen.

Podgórski i Fijałkowska słyszeli ją przez głośnik. Jej głos był nieco zniekształcony, ale miał tę spokojną słodycz, która tak niepokoiła policjanta. Krótkie: *Aha*, które mu rzuciła, po czym oddaliła się korytarzem, kiedy powiedział, że nie będzie uprawiał z nią seksu w łazience, brzmiało dokładnie tak samo. Spokojna słodycz podszyta wściekłą urazą.

Paweł Krupa nie odpowiedział.

– Lubi pan? – zapytała więc funkcjonariuszka BSW raz jeszcze.

Krupa wpatrywał się w blat stołu.

– To ja panu coś powiem – rzuciła Mari Carmen niezrażona jego milczeniem. – Jeżeli nie będzie pan mówił, to Kalina Pietrzak pójdzie siedzieć. Jechała samochodem, w którym znaleziono narzędzie zbrodni, zakrwawione ubrania oraz dłonie i stopy jednej z ofiar.

Nie było to do końca zgodne z prawdą, bo w samochodzie przecież tych rzeczy nie było. Ale Kalina zeznała, że wyrzuciła torbę, którą potem znalazła Malwina Górska. Mari Carmen widać trzymała się tej wersji, żeby wywrzeć nacisk na Krupę.

– To nam wystarczy, żeby wsadzić ją do takiego miłego miejsca, w jakim pan przebywa. Powiedzmy na… – Mari Carmen odwróciła się do Zjawy. – Na ile, panie prokuratorze?

Zanim Krajewski zdążył odpowiedzieć, Paweł Krupa uniósł głowę.

– Nie – powiedział cicho. – Kalina nie zasłużyła, żeby być w więzieniu.

– Świetnie – ucieszyła się Mari Carmen. – Wiedziałam, że się zrozumiemy. Więc jak to było? Niech mi pan powie, a będzie pan mógł liczyć na znaczne złagodzenie kary. No i oczywiście obroni pan Kalinę. Ma pan moje słowo.

Daniel się wzdrygnął. Pomyślał, że jeśli chodzi o Mari Carmen, różnie z tym słowem może być. Paweł Krupa widocznie jej uwierzył, bo aż mu się oczy zaświeciły.

– Naprawdę?

– Oczywiście – Mari Carmen uśmiechnęła się. – Proszę opowiedzieć.

– Poprosiłem, żeby Kalina zabrała stamtąd samochód. Tylko tyle. Namówiłem jednego z gadów, żeby mnie z nią połączył. Ona nie ma z tym nic wspólnego. Ja zabiłem Beniamina Kwiatkowskiego. Zadowolona pani?

– Bardzo – odparła Mari Carmen. – To znaczy nie z pana poczynań, ale z tego, że nie będzie pan nikogo wrabiał, tylko sam poniesie karę. To wzorowe postępowanie.

– Ale z niej suka – szepnęła Fijałkowska.

Daniel nie odpowiedział, chociaż się z nią zgadzał. Mówiąc szczerze, wcześniej podobnie myślał o Fijałkowskiej. Natomiast teraz, zważywszy na porównanie z Sikorą, określenie *suka* nabierało nowego znaczenia.

– Zrobił to pan na polecenie swojego szefa? – zapytał tymczasem Zjawa. Jego czerwone oczy aż błyszczały. Chyba bardzo chciał usłyszeć coś, co oskarżałoby Jakuba Dąbrowskiego.

– Nie – mruknął Paweł Krupa. – Sam tego chciałem.

Dlaczego, chciał zapytać Daniel. Tak długo wierzył w niewinność Krupy, że nawet teraz nie mógł wyobrazić sobie młodego mężczyzny uderzającego siekierą i pozostałymi narzędziami w ciało Beniamina Kwiatkowskiego. Mimo że przecież znaleźli go z siekierą w dłoniach.

– Dlaczego? – zapytała Mari Carmen.

– Chciałem ukarać Hannę – wyjaśnił cicho Paweł Krupa.

– Za co?

– Za to, że mnie odrzuciła… Wie pani, jak to jest, kiedy nikt człowieka nie kocha? Kiedy ojciec zginie w wypadku, a macocha, która obiecywała być matką, odchodzi dosłownie do nowej rodziny, a ciebie oddaje do dziadka... Który nie ma pojęcia... A potem każe mieszkać w zupełnej ruinie... Chciałem, żeby Hanna mnie kochała. Dusiłem w sobie te wszystkie uczucia latami, ale na tym spotkaniu w zeszłą sobotę... Widziałem ich razem. I to sprawiło, że pękłem.

– Kogo ma pan na myśli? – zapytał Zjawa. – Kogo pan widział?

– No Hannę i Beniamina oczywiście. Jej nowego syna. Tego, którego wybrała zamiast mnie. Chciałem, żeby go nie było. Chciałem, żeby ona cierpiała. I chciałem, żeby wiedziała, że to ja zrobiłem. Potrzebowałem jasnego sygnału, żeby ona od razu zrozumiała, ale żeby nie odkryła mnie policja. Pierwsze, co przyszło mi do głowy, to nawiązanie do jej wierzeń. Dlatego zostawiłem te kurze łapki zamiast dłoni i stóp. Do tego nagranie dźwięku wrzeciona. Bo ona tyle razy mówiła, że wrzeciono kikimory przynosi nieszczęście, a nawet śmierć.

– Jak pan nagrał dźwięk? – zapytała Mari Carmen. – Był pan u niej w domu?

Paweł Krupa westchnął głośno.

– Nie, no co też pani. Znalazłem nagranie w Internecie. To był filmik, jak ktoś pracuje na średniowiecznym kołowrotku. I po prostu nagrałem to na dyktafon. Kupiłem najprostszy w sklepie. Wszyscy tak się swojego czasu napalili, żeby mieć tę pisarkę jako klientkę. Jeszcze dwa lata temu na targach widziałem, jak łaziła wszędzie z dyktafonem. Chyba dlatego wpadło mi to do głowy.

Daniel skinął głową sam do siebie. Widział kątem oka, że Fijałkowska zrobiła to samo. Czyli szef techników miał rację. Na dyktafonie rzeczywiście było nagranie nagrania.

– Wszystko po to, żeby Hanna wiedziała, że to odniesienie do jej pieprzonych przesądów – zawołał niemal Krupa. – O takiej zbrodni musiało być głośno. Byłem pewien, że o tym usłyszy. Nawet jeżeli śledczy nie zdradziliby jej szczegółów. A zresztą jak policja każe im identyfikować ciało, to i tak się dowiedzą. Nie przypuszczałem, że będą jakieś trupy w zajeździe. I nie chciałem, żeby Hanna umarła. Nadal chciałem, żeby była moją matką. Jak dawniej. Wiem, że to może dziecinne. Ale każdy potrzebuje matki, prawda?

– Dlaczego na ciele były ślady aż trzech narzędzi zbrodni? – zapytał Zjawa, ignorując jego pytanie.

Paweł Krupa zaśmiał się pod nosem.

– Cóż. Nie wszystko poszło zgodnie z planem.

– A jaki był plan? – zapytała Mari Carmen.

– Prosty. Na spotkaniu w sobotę wszyscy opowiadali, jakie mają hobby i takie tam głupoty. Beniamin pochwalił się, że robi zdjęcia. I wspomniał, gdzie je robi. Znałem ten teren, bo kiedyś chodziłem tam z dziadkiem na ryby. Wiedziałem, że to miejsce odosobnione. Czyli Beniamin właściwie sam mi się podłożył. Wiedziałem, gdzie i kiedy zaatakuję. Pozostało pytanie, jak się do tego zabrać.

Paweł Krupa zamilkł. Może czuł ulgę, że wreszcie opowie komuś o tym wszystkim. Byli ludzie, którzy potrafili popełniać najgorsze przestępstwa, a potem wracać do domu i oglądać z dziećmi kreskówki albo iść do baru i się nachlać z kolegami. Nie myśleć o tym. Byli też tacy, których zjadały wyrzuty sumienia. Tacy nie mieli szans wytrzymać zbyt długo i milczeć. Czasem sami zgłaszali się w ręce policji. Chcieli odbyć karę.

– Przy opuszczonej restauracji, gdzie Hanna pozwoliła mi mieszkać, stał ten stary volkswagen – podjął Krupa po chwili. – Postanowiłem go wykorzystać. Chodziło o to, że gdyby nawet ktoś zobaczył to auto, nikt raczej nie pomyślałby o mnie. Nie mogłem pojechać moim samochodem ani autem szefa. Volkswagen nie był na chodzie, ale ja lubię dłubać i go uruchomiłem. Czyli miałem już środek transportu.

– Co z narzędziami zbrodni? – zapytał Zjawa.

– Uznałem, że jak podjadę na polankę, to Beniamin może się przestraszyć albo coś. Może nie jestem wysoki, ale… – Krupa uniósł rękę i napiął olbrzymi biceps. – Chciałem, żeby Beniamin uważał mnie za zupełnie niegroźnego. Dlatego pierwszym pomysłem było wykorzystanie czegoś podobnego do tego, co stosował Ted Bundy. Trochę o nim ostatnio czytałem. On atakował swoje ofiary, udając na przykład, że ma złamaną rękę. To sprawiało, że uznawały go za niegroźnego. Mój szef lubi różne sztuczki i też podobało mu się takie podejście. Kiedyś kazał mi zrobić kilka lasek z ukrytym ostrzem. Nożem, szpikulcem… Dał je kilku osobom. Ja zostawiłem sobie taką ze szpikulcem do lodu. Bardziej dla zabawy. Teraz wiedziałem, że przyszła na nią pora. No bo szpikulec był trochę jak wrzeciono. Czyli wszystko się idealnie składało.

A nie mówiłem, chciał powiedzieć Daniel. Przecież już wcześniej przyszło mu to do głowy. Ślad, który został przy ciele, Klementyna i reszta uznały w pewnym momencie za odcisk laski. Wspomniała mu o tym Weronika. Myślały, że to laska Darii Urbańskiej, którą ta zresztą dostała chyba od Dąbrowskiego. A tymczasem był to Paweł Krupa.

– Podjechałem tam i udawałem, że boli mnie noga. Że mam kontuzję i jestem w kiepskiej formie. Stąd laska. Beniamin chyba to łyknął. Wcisnąłem mu kit, że musimy pogadać, bo mam dla niego propozycję. Zauważyłem w zeszłą sobotę, że ma kiepskie stosunki z ojcem, więc postanowiłem właśnie w tę nutę uderzyć. Powiedziałem mu, że mam dla niego ofertę i muszę mu pokazać coś w bagażniku. Podszedł. Wtedy chciałem go zaatakować, ale szpikulec nie wysunął się z laski. Całe szczęście na wszelki wypadek wziąłem jeszcze nóż. Zadźgałem Beniamina, ale była we mnie złość... Nie żył, ale to mi nie wystarczyło. Wstydzę się, jak o tym mówię.

– Nie musimy mieć przed sobą żadnych tajemnic – powiedziała Mari Carmen słodko.

Paweł Krupa spojrzał na nią podejrzliwie.

– Ale dotrzyma pani słowa?

– Oczywiście.

– No więc zadźgałem Beniamina nożem, ale to mi nie wystarczyło. Jak był już martwy, to wyszarpałem w końcu ten szpikulec i zadałem mu kolejne rany. Bo jak miało być wrzeciono, to było. A potem to samo zrobiłem siekierą. Siekierę wziąłem, żeby odrąbać dłonie i stopy do tej inscenizacji, którą zaplanowałem z ptasimi nóżkami.

– A skąd miał pan te nóżki?

– Od Roberta Janika.

– Sam panu dał?

– Nie. Podkradłem mu, kiedy dawał je psu w sobotę podczas imprezy. Miał tego cały woreczek. Nawet nie zauważył, że cztery zniknęły.

– A aparat fotograficzny? Też był elementem inscenizacji? – zapytał prokurator. – Chciał pan fotografować
trupa?

– Co? – zdziwił się Krupa. – Nie. To był aparat Beniamina. Nawet go nie dotknąłem.

– Dlaczego w takim razie trup leżał dokładnie przed
obiektywem?

– Co?… Ja nawet o tym nie pomyślałem. Zaniosłem
ciało na te kamienie, bo tam było łatwiej podłożyć coś,
żeby odrąbać dłonie i stopy. Nie jestem nienormalny, żeby
fotografować takie rzeczy.

Znów nastała cisza. Daniel czuł na sobie spojrzenie
Fijałkowskiej. Pomyślała chyba o tym samym. *Nie jestem
nienormalny, żeby fotografować takie rzeczy*, mówi osoba,
która odrąbała komuś dłonie i nagrała dźwięk wrzeciona,
żeby ukarać swoją macochę. Bo to jest przecież najzupeł-
niej normalne, prawda?

– Starałem się bardzo uważać – podjął po chwili Paweł
Krupa. – Zabrałem nawet pierdolony papierek, bo to był
batonik pawełek. A ja nazywam się Paweł. Nie chciałem
kusić losu, żeby ktoś pomyślał, że to ja. Zabrałem głupi
papierek! No ale i tak kurwa popełniłem w tych emocjach
kardynalny błąd!

Daniel uśmiechnął się do siebie. Nie mógł się powstrzymać. Ziółkowski na pewno będzie aż kipiał z dumy, że ten
znikający papierek jednak miał znaczenie.

– Jaki? – zapytał Zjawa.

– Siekiera, oczywiście. Zebrałem wszystko, a przynajmniej tak mi się wydawało. Wsiadłem do volkswagena
i pojechałem. Ale potrzebowałem chwili, żeby się uspokoić.

Dlatego skręciłem w ostoję dla zwierząt. Uznałem, że tam nikt nie będzie mnie niepokoił. Znam to miejsce, bo naprawdę czasem tamtędy biegam. Wiedziałem, że tam potem jest taka wąska droga, gdzie właściwie nikt się nie zapuszcza. Tam stanąłem, żeby ochłonąć, przebrać się i tak dalej. Zdjąłem zakrwawione ubranie i włożyłem dres, który ze sobą przywiozłem. Wrzuciłem szmaty do torby na śmieci, gdzie wsadziłem po odrąbaniu te dłonie i stopy. Nóż i szpikulec też tam wrzuciłem. Dopiero wtedy zrozumiałem, że zapomniałem najważniejszego. To było tak absurdalne, że aż nie mogłem uwierzyć. Nie wziąłem siekiery! Kiedy sprzątałem, odrzuciłem ją na bok. Bo nawet przez moment nie przyszło mi do głowy, że mogę o niej zapomnieć. O wszystkim, ale nie o pierdolonej siekierze! Kurwa, wziąłem nawet nic nieznaczący śmieć, a nie wziąłem czegoś, co tak się rzuca w oczy.

– Cóż, najciemniej pod latarnią. Uznał pan, że po nią wróci? – zgadywała Mari Carmen.

– Dokładnie tak. Ale bałem się pojechać tam samochodem. Byłem w dresie i adidasach. Wyglądałem jak biegacz. Postanowiłem więc, że po prostu tam pobiegnę. Przy odrobinie szczęścia nikogo nie spotkam. Nie zamierzałem zabierać siekiery z powrotem do samochodu. Dziwnie by wyglądał biegacz z zakrwawioną siekierą, gdybym jednak się na kogoś natknął... Co ostatecznie się stało... W każdym razie chciałem wrzucić ją do jeziora. Uznałem, że tam nikt jej nie będzie szukał. Wszystko robiłem w rękawiczkach, więc nawet nie było szans na ślady. Chciałem tylko, żeby nie leżała na widoku. Teraz, jak o tym myślę, to była głupota. Trzeba było ją po prostu zostawić w cholerę i odjechać... Ale byłem w emocjach. Nie myślałem trzeźwo. Zostawiłem wszystko w samochodzie. Kluczyki położyłem za oponą, bo w razie czego nie chciałem, żeby ktoś mnie z tym samochodem kojarzył. Dlatego potem Kalina mogła je wziąć i uruchomić volkswagena. Telefon został w biurze. No i pobiegłem. Kiedy wziąłem siekierę i chciałem ją wrzucić do jeziora, akurat zjawiła się pani Maria i ta łysa wytatuowana kobieta. Musiałem improwizować. Wymyśliłem tę historię, którą powiedziałem. Że przebiegałem i znalazłem siekierę. Miałem straszne wyrzuty sumienia wobec pani Marii. Nie miałem nigdy z dziadkiem szczególnie dobrych kontaktów, ale wiem, że ona starała się mu dobrze doradzać. Resztę znacie.

– No właśnie. Znamy – powiedziała Mari Carmen.

– Wiemy na przykład, że zabił pan też Julię Szymańską. Dwa lata temu.

Teraz Paweł Krupa zbladł. Tego chyba się nie spodziewał.

– Na polecenie swojego szefa – dodał prokurator Krajewski. Nadal bardzo cięty na Jakuba Dąbrowskiego.

Krupa spojrzał na Zjawę przeciągle. Zaśmiał się.

– Co w tym zabawnego? – zapytał Zjawa.

– Na polecenie mojego szefa? – odpowiedział pytaniem Paweł Krupa. – Tak uważacie? To jednak nic nie wiecie.

ROZDZIAŁ 132

Blok Trawińskich. Wtorek, 25 lutego 2020.
Godzina 10.00.
Klementyna Kopp

Spoko. Ale! Gdzie jest pisareczka, co?

– Nie mam pojęcia – zapewniła Trawińska. – Przysięgam! Miała zejść tu i zabrać sobie te monety. No ale same widzicie, że zostały w sejfie. Nie wzięła ich, chociaż go otworzyła.

Kopp miała wrażenie, że Trawińska mówi prawdę. Nie wiedziała, gdzie jest Malwina Górska. Nie pozostawało więc nic innego, jak spróbować ją znaleźć. Klementyna przeszła piwniczny korytarz wzdłuż i wszerz. Ale! Pisarki nigdzie nie było.

– Co teraz? – zapytała Weronika.

– Sprawdzamy na zewnątrz.

Emerytowana komisarz wbiegła po schodach na parter. Słyszała, że Weronika i Trawińska biegną za nią. Jeżeli Malwina poszła na dwór, to przecież nie odeszła daleko. Przyjechały tu samochodem Klementyny. Musiała oddalić się na piechotę. Chyba że znów wsiadła do cudzego auta.

Wypadły przed klatkę. Kopp zobaczyła Malwinę Górską. Pisarka stała pochylona, z rękami opartymi o kolana. Wyglądała, jakby płakała. Kiedy je zauważyła, przetarła twarz. Najwyraźniej zawstydziła się, że widziały jej łzy.

Klementyna nakazała Weronice i Trawińskiej, żeby zostały. Podeszła do pisarki sama.

– Wszystko w porządku, co? – zapytała ostrożnie. Nigdy nie wiedziała, jak radzić sobie z takimi sytuacjami.

– Tak. Tylko to dla mnie dużo emocji – powiedziała Górska cicho. – Obawiam się, że trochę mi nie wyszła ta nasza misja.

– Spoko. Trawińska powiedziała nam, że poszłaś do piwnicy.

– Tam w piwnicy… Nie spodziewałam się, że Bolek naprawdę coś dla mnie zostawi. Myślałam, że tylko tak gadał. Nie chodzi o to, że miał mnie zabezpieczać finansowo. Radzę sobie. Raczej o to, że c h c i a ł. Zależało mu… Możesz się śmiać, ale to dla mnie ważne.

Przez chwilę żadna z nich nic nie mówiła.

– Kochałam go bardzo – szepnęła pisarka.

Klementyna wyciągnęła rękę i klepnęła Malwinę delikatnie po plecach. Nie wiedziała, co jeszcze mogłaby zrobić.

W tym momencie z obwodnicy zjechał w ich stronę radiowóz. Zatrzymał się tuż przy nich. Z samochodu wysiadł młody umundurowany policjant. Łukasz, syn Daniela. Chłopak był podobny do ojca jak dwie krople wody. Pusty pagon posterunkowego, który miał na ramionach, wyglądał na razie biednie. Kopp ciekawa była, czy chłopak sobie poradzi w służbie. Będzie policjantem jak ojciec, dziadek i matka czy zrezygnuje.

– Co tam, młody, co? – rzuciła, zasłaniając nieco Malwinę, żeby mogła jeszcze otrzeć twarz.

– Przyjechaliśmy po panią Trawińską – wyjaśnił Łukasz.

– Po mnie? – zdziwiła się Trawińska, podchodząc. – Dlaczego?

– Trzeba wyjaśnić kilka spraw – powiedział chłopak oględnie.

Drzwi radiowozu otworzyły się nieznacznie.

– Łuki – zawołał towarzysz Łukasza z patrolu. Był wyraźnie podekscytowany. – Chłopaki z komendy mi napisali. Podobno wiadomo, kto zabił Trawińskiego.

ROZDZIAŁ 133

Komenda Powiatowa Policji w Brodnicy.
Wtorek, 25 lutego 2020. Godzina 10.30.
Aspirant Daniel Podgórski

Czego nie wiemy? – zapytała jak zwykle spokojnie Mari Carmen. Nie wyglądała na ani trochę zbitą z tropu.

– Bo mówicie, że zrobiłem to na polecenie Jakuba – mruknął Paweł Krupa. – A to było...

Nagle do salki przesłuchań wszedł mężczyzna, który przyjechał z Mari Carmen z Bydgoszczy. Teraz Daniel wiedział już, że cichy policjant ma na imię Grzegorz. Podgórski podszedł do weneckiego lustra, żeby lepiej widzieć. Fijałkowska zrobiła to samo.

– Co się dzieje? – szepnęła.

– Nie wiem – odpowiedział równie cicho Podgórski.

Grzegorz skinął głową w stronę Mari Carmen, jakby ją wołał. Nic jednak nie powiedział. Słyszeliby przecież przez głośnik. Tak jak przed momentem mogli śledzić całe przesłuchanie Pawła Krupy.

– Przepraszam na chwilę – powiedziała Mari Carmen do Zjawy.

To usłyszeli dokładnie. Daniel patrzył, jak funkcjonariuszka BSW opuszcza salkę przesłuchań. Ciekawe, co się stało. Prokurator w każdym razie wyglądał na wściekłego, że im przerwano.

– No więc? – zapytał. Najwyraźniej zamierzał kontynuować sam. – Kto w takim razie kazał ci zabić Julię Szymańską?

– Zofia Dąbrowska – oznajmił Paweł Krupa, patrząc tęsknie na drzwi. Jakby czuł się lepiej w obecności Mari Carmen. A może po prostu też chciał wyjść.

– Zofia Dąbrowska? – upewnił się Zjawa. – Żona Jakuba? Matka Julii? Ona to zleciła?

Prokurator był wyraźnie zaskoczony. Daniel wcale mu się nie dziwił. Sam czuł się zdezorientowany. Przecież dopiero co rozmawiali z Zofią. Opowiadała o wszystkim tak szczerze i chętnie. Czyżby ich oszukała? Chciała wrobić męża, zanim on wrobi ją?

– Tak. Kazała zabić własną córkę, jeśli o to pan pyta. To nie Jakub mi kazał, tylko ona.

Prokurator odchrząknął.

– Tego nie wiedzieliście, co? – dodał Krupa z lekką satysfakcją.

– Proszę o tym opowiedzieć – poprosił Zjawa.

Fijałkowska odwróciła się do Daniela.

– Pójdę załatwić, żeby sprowadzili tu Zofię z powrotem. Może jeszcze nie wyszła – powiedziała cicho zastępczyni naczelnika. – Skoro i tak zbieramy wszystkie żony, to ją też możemy. Ty posłuchaj, o czym oni gadają.

Daniel skinął głową. Znów skupił się na lustrze weneckim i na tym, co działo się w pokoju przesłuchań.

– Zmanipulowała mnie – tłumaczył właśnie Paweł Krupa. – Powiedziała mi, że to szef chce, żebym zabił Julkę.

804

Zaufałem jej. Pojechałem pogadać sobie z Robertem Janikiem. Kiedy czekałem na niego na Beskidzkiej, znalazłem siekierę. Chwilę później nadeszła Julka i wykorzystałem okazję. I tak miałem rękawiczki i tak dalej, bo nie byłem pewny, czy nie będę musiał ostrzej pogadać z Robertem. Tak że byłem poniekąd przygotowany. Potem ktoś nadszedł, więc uciekłem. Okazało się, że to Ryszard Pietrzak.

To się zgadzało z tym, czego dotychczas się dowiedzieli i co powiedziała sama Zofia przed chwilą.

– Pojechałem do szefa, żeby mu powiedzieć, że to zrobiłem. No i ostrzec, że możemy mieć problemy, bo ktoś od razu znajdzie ciało. Wtedy zaczęła się awantura. Okazało się, że nie szef kazał mi to zrobić. To był tylko i wyłącznie pomysł Zofii. Oszukała mnie, kiedy niby przekazywała mi wiadomość od Jakuba. A ja głupi jej uwierzyłem. Bo nawet nie przyszło mi do głowy, że ona może mnie tak oszukać. Gdybym wiedział, że to jej plan, Julka by żyła. Ale nie przyszło mi do głowy, że Zofia może kłamać w takiej sprawie... A Jakub naprawdę wspierał Julkę. Ukradła nam towar, ale on tylko dołożył jej więcej. Wszedł do mieszkania, bo mieli z Zofią dodatkowy klucz, i dołożył jeszcze więcej. Oczywiście zrobił to w rękawiczkach. Wszystko robimy w rękawiczkach. Trochę się martwił, że zauważył go jakiś mały chłopiec, ale zostawił go w spokoju. Jakub to dobry człowiek. Nieważne... Chciał, żeby Julka miała z czego żyć. Ona nawet nie wiedziała, że jej dodał tych dragów. Znalazł jej skrytkę w opakowaniu po mące. Była dość przewidywalna. I dołożył, tak że miała ponad siedemset gramów. To mogło na jakiś czas wystarczyć, jakby sprzedała. Robert dał znać, że nawet wypytywała go, jak to zrobić.

– Dlaczego Zofia chciała zabić własną córkę? – zapytał prokurator. Nie wyglądał na przekonanego.

– No właśnie. To wydaje się zbyt okropne, prawda? Okropne, żeby matka kazała zabić córkę!

Podobnie jak zamordowanie jej i Beniamina, przebiegło Danielowi przez myśl. Najwyraźniej Paweł oceniał takie rzeczy z innej perspektywy i własne uczynki usprawiedliwiał, a krytykował zbrodnie dokonane przez innych. Może to był mechanizm obronny Krupy.

– Szef się wściekł, ale trzeba też było szybko reagować. Zadzwonił do swoich ludzi na komendzie. Czyli do Trawińskiego i Urbańskiego. Będę nazywał ich po nazwisku, bo wszyscy mówią, że wiecie. Więc mówię wprost. No i udało się zrzucić to morderstwo na Ryszarda Pietrzaka. Na koniec szef mu nawet zapłacił, żeby się przyznał. Dziesięć tysięcy. Ja bym za taką sumę nie chciał garować, ale dla Rycha to chyba była fortuna. Zapakowałem pieniądze w gazetę i dałem Robertowi Janikowi, żeby podłożył jego żonie w pokoju.

– Ano proszę – uśmiechnął się prokurator. – Znalazłem te pieniądze ostatnio.

Zjawa wyglądał na bardzo dumnego z siebie.

– Potem Jakub kazał Urbańskiemu zrobić coś, żeby szybciej zidentyfikowano ciało. Mnie trochę poniosło i pokaleczyłem jej twarz. Przyznaję. Poza tym odrąbałem dłonie i stopy… Nie wiem. Chyba chciałem mieć coś na pamiątkę. Dużo czytałem o seryjnych mordercach. Że biorą trofeum. I chciałem zobaczyć, jak to będzie. Wybrałem dłonie i stopy, bo po pierwsze łatwo je usunąć, a po drugie są takie osobiste. Każdy ma inne odciski palców. Chciałem zabrać coś takiego indywidualnego... Początkowo zamroziłem je w restauracji. Potem podrzuciłem Oliwierowi Pietrzakowi, żeby było na niego, jak ta Emilia Strzałkowska za bardzo drążyła. No i to zainspirowało mnie teraz, jak tworzyłem tę inscenizację dla mojej macochy... Nieważne. Julki w każdym razie nie dało się zidentyfikować. A szef chciał, żeby identyfikacja nastąpiła jak najszybciej, żeby zamknąć sprawę.

Daniel znów skinął głową sam do siebie. To o tym mówiła Zofia, czyli częściowo trzymała się prawdy. Przemilczała jednak swój udział w całej sprawie.

– Naczelnikowi udało się pozałatwiać, żeby jakiś dawny znajomy antropolog zrobił rekonstrukcję twarzy. A jak wypytywała nas ta Emilia Strzałkowska, to staraliśmy się zrzucić winę na Sadowskiego. Wymyśliłem nawet kłótnię pomiędzy Sadowskim a Julką, żeby ją zmylić. Cały czas podsuwaliśmy jej Sadowskiego. Przy każdej możliwej okazji. Bo mu się należało. Bardzo nas skrzywdził. No i potem szef z Zofią zgłosili się na policję, że niby rozpoznali Julkę. Nie spodziewaliśmy się, że zgłoszą się Kwiatkowscy. No ale to nie szkodziło. Zofia współpracowała, bo bała się odezwać. Że szef ją ukarze za to, że mnie oszukała. Szef był bardziej wściekły na nią niż na mnie. Bo wiedział, że zabiłem Julkę w dobrej wierze.

Daniel się wzdrygnął. Spokojne stwierdzenie, że Krupa zabił Julię Szymańską w dobrej wierze, zabrzmiało dość cynicznie.

– Teraz ją pobił, żeby ją ukarać? – zapytał Zjawa powoli.

To było dobre pytanie. Zofia faktycznie zeznała, że pobicie było zemstą. Starała się z tego wybrnąć, ale teraz Daniel wiedział już dlaczego. Naprawdę był już chyba zmęczony, że dał się oszukać tylu osobom. Jeszcze raz obiecał sobie, że po zakończeniu dochodzenia pójdzie wreszcie na urlop.

– Dokładnie tak – przyznał Paweł Krupa. – Szef jest cierpliwy. Zofia myślała, że uniknie kary za niesubordynację. Ale nie uniknęła. Jakub pobił ją siekierą. Padło właśnie na siekierę, żeby ten atak przypomniał, jak zginęła Julia. Też jako kara dla Zofii. Trochę żeby zmylić was. Nie chciał, żebym przy tym był, bo powiedział, że to sprawa pomiędzy nim a jego żoną.

Daniel pamiętał, jak porównywał swoje obrażenia zadane przez Roberta Janika z tymi, które miała Zofia. Pomyślał wtedy, że jego rany są mistyfikacją, a jej nie. Tymczasem do pewnego stopnia były.

– Czyli wiedział pan, że szef planuje pobicie żony? – zapytał Zjawa tonem pogawędki. Był na najlepszej drodze, żeby faktycznie wyciągnąć z Krupy wszystkie informacje.

– Jo. No więc mnie przy tym nie było, ale miałem mu zapewnić alibi. Że niby cały czas z nim byłem. Dlatego mój telefon został w biurze, mimo że ja miałem wolne. W razie gdyby policja sprawdzała, gdzie byłem.

– I jak pan miał wolne, pojechał pan zabić Beniamina Kwiatkowskiego – bardziej stwierdził niż zapytał prokurator.

Paweł Krupa wyglądał, jakby się zastanawiał, czy jednak nie za wiele powiedział. Westchnął. Na tyle głośno, że słychać to było w głośniku. Daniel czuł się teraz, jakby siedział obok nich w salce przesłuchań.

– Tak. Akurat dobrze się składało, bo ja wykorzystałem ten czas, żeby zabić Beniamina. Czyli przy okazji Jakub zapewniał alibi mnie, chociaż o tym nie wiedział. Bo skoro ja mówiłem, że byłem z nim w biurze, to on mówił, że był ze mną. Czyli ja miałem alibi, że byłem w biurze, nie nad jeziorem. Nie powiedziałem mu, jakie mam plany wobec Beniamina.

– Dlaczego? Skoro najwyraźniej jesteście wobec siebie szczerzy.

– Bałem się, że szef będzie chciał mnie powstrzymać. Bo on nie lubi niepotrzebnego przelewu krwi. Naprawdę każe zabijać tylko w ostateczności. Ale to nieważne. Już mówiłem wcześniej o mojej winie. Natomiast to nie on jest winny śmierci Julki Szymańskiej, tylko Zofia. Nigdy nie pozwolę, żebyście mu to przyklepali. Niech ta suka za to odpowie, jak jest taka mądra.

– Ale nadal nie powiedział pan, jaki Zofia miała motyw, żeby zlecić zabójstwo Julii. Niezbyt to dla mnie jasne, czemu chciałaby zabić własną córkę.

– Bała się.

– Czego?

– Myślała, że Julka zagrozi jej pozycji. Zofia jest dużo starsza od Jakuba i zawsze zazdrościła córce młodości. Jakub naprawdę był przywiązany do Julki. Już mówiłem, że nawet się nie pogniewał, kiedy gwizdnęła nam białego za kilkadziesiąt kafli. I zakradł się tam i jej jeszcze dołożył, żeby miała więcej. Taki był do niej przywiązany. Sam pan widzi. Ale nigdy o niej nie myślał w ten sposób, jak podejrzewała Zofia. Jakub naprawdę traktował Julkę jak córkę. A głupia Zofia była zazdrosna o własne dziecko. I teraz pożałowała. Nieźle ją stłukł.

Przez chwilę panowała cisza. Daniel miał wrażenie, że emocje w pokoju przesłuchań aż kipią. Paweł Krupa tłumił je w sobie tak długo, że chyba musiały znaleźć w końcu ujście.

– Ale Zofia nie pierwszy raz robi taki numer – odezwał się w końcu Krupa. – Już wcześniej szef podejrzewał, że dogadała się z Franciszkiem Sadowskim, żeby zabić pierwszego męża. Zepchnąć go z rusztowania. Była zakochana w Jakubie i chciała nowego męża. Ale nie chciała Jakuba w to mieszać. Wydawał jej się niewinny. Jeszcze wtedy faktycznie był.

– Zaraz – wtrącił się prokurator. – Mówi pan, że Zofia Dąbrowska jest też współwinna śmierci swojego pierwszego męża, Tomasza Szymańskiego?

– Jakub tak podejrzewał. Policja podejrzewała Oliwiera Pietrzaka. Ktoś go tam widział. A Oliwier robił dla Franciszka Sadowskiego. Bardzo możliwe, że Zofia namówiła Sadowskiego, żeby kazał swojemu człowiekowi zabić Tomasza Szymańskiego. Zrzucić go z rusztowania. A ponieważ Sadowski ostro z Szymańskim konkurował, to się zgodził. Potem Sadowski zapewnił Oliwierowi alibi, a Zofia tłumaczyła, że jego ślady pozostały, bo był tam wcześniej. Jakub uznał, że to dziwne, ale dał jej spokój. Czy tak było, to pewnie nie da się wyjaśnić. Ona nabrała wody w usta, bo nikt z pozostałych już nie żyje.

– Ale potwierdza pan, że Jakub Dąbrowski współpracował z naczelnikiem Bolesławem Urbańskim i sierżantem sztabowym Robertem Trawińskim? Że oni dla niego pracowali.

– Potwierdzam. Jak pan widzi, współpracuję. Mam nadzieję, że będzie pan o tym pamiętał. I że dotrzymacie słowa, które dała mi ta policjantka, co wyszła.

Prokurator znów odchrząknął niepewny chyba, co powiedzieć. Najwyraźniej nie był taki skłonny do zobowiązań jak Mari Carmen.

– Śmierć Emilii Strzałkowskiej – powiedział tylko. Najwyraźniej liczył, że Krupie wystarczy podrzucić nowy temat.

– Wykonane przez Trawińskiego, przy wsparciu Urbańskiego.

– Zlecone przez Jakuba Dąbrowskiego?

– Tak – przyznał Krupa z westchnieniem. – Ale proszę dotrzymać słowa i dać mi łagodny wyrok. Ta policjantka drążyła. Wyglądało na to, że nie wierzy w winę Ryszarda Pietrzaka. Trzeba było znaleźć kogoś na zewnątrz, kto mógłby to zrobić. Dlatego podrzuciłem Oliwierowi Pietrzakowi te dłonie i stopy, mimo że chciałem je zostawić dla siebie. A on, zdaje się, potem próbował się ich pozbyć... No a sam później miał wypadek, więc nie wypaliło.

Daniel wiedział już, że wypadek Oliwiera Pietrzaka wcale wypadkiem nie był. To Kwiatkowscy spowodowali wypadek, bo Oliwier ich szantażował. Myślał, że to oni zabili Julię Szymańską. Oni z kolei myśleli, że zrobił to ich syn, i chcieli go chronić.

Przy większości dużych spraw, które Danielowi zdarzało się prowadzić w ostatnich latach, ofiar było wiele, ale sprawca na koniec tylko jeden. Tym razem widać było inaczej. Wiele morderstw, wielu sprawców, choć przez długi czas dali się oszukać Zofii, że szukają współpracującej ze sobą dwójki. Ale wszystko w jakiś sposób prowadziło jedno do drugiego lub było przyczyną kolejnych zdarzeń. Wszystko było ze sobą powiązane.

Julia Szymańska została zabita przez Pawła Krupę, ale na polecenie Zofii Dąbrowskiej. Choć ta kłamała, że winny jest jej mąż. Zofia być może już wcześniej namówiła kogoś do morderstwa, żeby pozbyć się pierwszego męża.

Oliwier Pietrzak myślał, że Julię zamordował Beniamin Kwiatkowski, który z kolei tylko wynajął dziewczynę, by udawała jego macochę. Chciał zadrwić z Hanny. Kwiatkowscy chcieli nie dopuścić do szantażu i doprowadzili do wypadku, w którym zginął Oliwier.

Natomiast Jakub Dąbrowski chciał zatuszować śmierć Julii i uznał, że trzeba uciszyć Emilię, która za bardzo interesowała się tą sprawą. Strzałkowska zginęła z rąk Trawińskiego, który pracował dla grupy Jakuba.

Potem Dąbrowski, rozochocony nierozwiązaną sprawą śmierci Emilii, zaczął wdrażać w życie plan zniszczenia Franciszka Sadowskiego i przy pomocy swojego człowieka, Roberta Janika, uzależnił Sadowskiego od narkotyków. Janik z kolei odkrył prawdę o śmierci Julii i na tym próbował budować swoją pozycję w grupie przestępczej. W końcu przesadził i za to zginął z rąk swojego szefa. Sadowski natomiast naprawdę przedawkował. Tak jak chciał tego Jakub.

Zbiegiem okoliczności stało się to tego samego wieczoru, kiedy zginęła Izabela Pietrzak. Ona z kolei została zabita przez Hannę Kwiatkowską, która myślała, że żona Ryszarda podsłuchała jej kłótnię z Beniaminem dotyczącą wypadku Oliwiera Pietrzaka. Hanna chciała uciszyć świadka. Potem jeździła też za Malwiną Górską, być może szukając okazji do zabicia jej. Myślała, że pisarka też coś usłyszała. Malwina zaś podejrzewała, że prześladuje ją Daria Urbańska, żona jej kochanka. Tymczasem to była Hanna.

Sama Hanna Kwiatkowska zginęła z rąk swojego męża Sławomira, który wprawdzie trafnie domyślił się, że zabiła

Izabelę Pietrzak, ale popełnił błąd w dalszym toku rozumowania. Był pewien, że żona zabiła Beniamina, a mordercą był Paweł Krupa. W międzyczasie Sławomir o mało nie wmieszał w to wszystko Kaliny Pietrzak, zapisując jej wszystko w testamencie jako zadośćuczynienie za to, że Beniamin ją zgwałcił.

Ale i tak została w to wszystko wciągnięta. Przez Pawła Krupę, który poprosił ją o pomoc w usuwaniu dowodów. A ona czuła się zobowiązana, żeby to zrobić, bo Krupa jako jedyny zaopiekował się nią w noc gwałtu. Poza tym przez kilka lat byli razem.

Krupa zabił Beniamina, żeby ukarać Hannę. Miał jej za złe, że go zostawiła i wolała czarnowłosego syna Sławomira. Ale nawet ta zbrodnia wiązała się z pozostałymi. Być może gdyby Jakub Dąbrowski nie zorganizował spotkania w zeszłą sobotę, Krupa nie zobaczyłby swojej dawnej macochy z jej nowym pasierbem. Być może nie wyzwoliłoby to w nim gniewu potrzebnego do dokonania zemsty. Z kolei do spotkania w ogóle by nie doszło, gdyby Jakub nie chciał sprawdzić, czy Franciszek Sadowski jest już wystarczająco uzależniony. A Jakub może w ogóle nie zrealizowałby planu niszczenia życia Sadowskiego, gdyby nie to, że śmierć Emilii została uznana za samobójstwo, co zachęciło go do dalszych działań i łamania prawa.

Natomiast Kalina Pietrzak odegrała w tym dwuznaczną rolę. Chciała pomóc mordercy, ale de facto nie zdążyła tego zrobić, bo przeszkodził jej w tym Daniel. Była więc winna czy nie? To znaczy nie licząc ataku na Klementynę, no i nielegalnej aborcji, ale o tym Daniel nie zamierzał nikomu wspominać. Pamiętał, że Malwina Górska opowiedziała mu to w sekrecie, i nie uważał, że to ma jakieś znaczenie dla sprawy. Czy też s p r a w. Co do Kaliny dopiero zapadnie decyzja.

Tak samo jeśli chodzi o jej ojca. Ryszard Pietrzak co prawda nie zabił Julii Szymańskiej, ale przyjął pieniądze za to, że wziął winę na siebie. A więc wprowadził w błąd wymiar sprawiedliwości. Daniel cieszył się, że nie on musi podejmować decyzje dotyczące tych dwóch osób.

Tak więc istniała wielka sieć wzajemnych powiązań. Tak naprawdę zostawało chyba tylko jedno pytanie. Kto w takim razie zabił Radka Trawińskiego? Tylko tego nie wiedzieli.

W tym momencie drzwi do salki obok pokoju przesłuchań otworzyły się. Do środka zajrzała Mari Carmen.

– Zapraszam pana, Danielu – powiedziała.

Na pełnych ustach znów malował się niepokojąco spokojny uśmiech. To wraz z przejściem na pan zdecydowanie się Podgórskiemu nie podobało.

– Jeśli chodzi…

– Nie, nie chodzi o seks, na który usiłował mnie pan namówić. Oczywiście o tym molestowaniu mnie przez pana też pogadamy. To niedopuszczalne, żeby pan składał mi takie propozycje.

– Ja składałem pani propozycje? – wydusił Daniel, choć widział w jej twarzy, że jakiekolwiek zaprzeczanie jest obecnie bez sensu.

– Na pewno pan za to odpowie. Teraz natomiast jest pan zatrzymany za zabójstwo sierżanta sztabowego Radosława Trawińskiego. Idzie pan dobrowolnie czy mam przyprowadzić pańskich kolegów, żeby pana wyprowadzili?

* * *

2020
Przed Komendą Powiatową Policji w Brodnicy.
Wtorek, 25 lutego 2020. Godzina 9.30.
Podinspektor Grzegorz Witczak

Podinspektor Grzegorz Witczak wyszedł na papierosa. Mari Carmen nie miała nic przeciwko temu. Chciał rozprostować kości, więc postanowił, że przejdzie się chociaż do samochodu i z powrotem.

Wtedy właśnie zobaczył kopertę za wycieraczką.

Włożył rękawiczki. Zawsze miał je przy sobie. Człowiek nie znał dnia ani godziny, kiedy mogły się przydać. Wziął kopertę ostrożnie. Pod palcami czuł, że w środku było coś małego. Nie była zaklejona, więc zajrzał. Pendrive. Zwykły pendrive.

Ale przecież nikt nie podrzuca zwykłego pendrive'a, uznał funkcjonariusz BSW. A już na pewno nie pustego. Coś musiało na nim być zapisane. Kiedy tylko przyjeżdżali do jakiejś jednostki, z reguły wcześniej czy później ktoś się łamał. Donosy, dowody i tak dalej. Mieli w czym wybierać. Sprawy ciągle napływały. Choć oczywiście to Mari Carmen grała pierwsze skrzypce. On wolał się jej podporządkować. Nie była osobą, z którą chciałby zadrzeć. Dlatego z reguły wolał milczeć.

Rzucił niedopałek papierosa na chodnik. Mari Carmen była w trakcie przesłuchania, ale chyba nie będzie zła, jeżeli Grzegorz chociaż sprawdzi, co jest na pendrivie.

* * *

CZĘŚĆ 13
2020

ROZDZIAŁ 134

Komenda Powiatowa Policji w Brodnicy.
Wtorek, 25 lutego 2020. Godzina 12.50.
Aspirant Daniel Podgórski

Podgórski miał wrażenie, jakby znalazł się w matriksie. Jeszcze przed chwilą w pokoju przesłuchań siedział Paweł Krupa. Teraz jego miejsce zajął Daniel. Krupę zabrano do PdOZ* albo może z powrotem do Starych Świątek. Tego policjant nie wiedział.

– Nie zabiłem Trawińskiego – powiedział Daniel głośno i dobitnie.

Miał ochotę to wykrzyczeć. Czuł jednak, że to nie jest najlepszy moment na tracenie panowania nad sobą. Zwłaszcza biorąc pod uwagę zimne spojrzenie Mari Carmen. Podgórski wzdrygnął się. Ta drobniutka kobieta go przerażała.

Zerknął w stronę weneckiego lustra, jakby w poszukiwaniu ratunku. Po drugiej stronie pewnie byli Fijałkowska, Zjawa, no i może zebrało się więcej osób z komendy.

* Pomieszczenie dla Osób Zatrzymanych.

Niektórzy dlatego, że musieli tam być. Inni, żeby obserwować jego upadek.

Może nawet był tam Urbański, przebiegło Danielowi przez myśl. Zanim rozpoczęło się przesłuchanie, Podgórski usłyszał, jak ktoś mówił, że naczelnikowi znacznie „poluzowano". Pozwolono mu nawet porozmawiać z żoną przywiezioną tu w celu złożenia wyjaśnień. Wszelkie wyjaśnienia w innych sprawach zeszły na dalszy plan, skoro Mari Carmen najwyraźniej miała teraz na celowniku Daniela.

– Skąd ta nagła zmiana, pani podinspektor? – zapytał Podgórski. Może i ona była ostrą zawodniczką, ale on nie zamierzał poddać się bez walki. – Czyżby dlatego, że to pani proponowała mi stosunek seksualny, a ja pani odmówiłem? Ma pani wyższy stopień i funkcję. Może ja powinienem mówić, że to pani mnie molestowała.

Daniela nie obchodziło, że wszyscy słuchają. Niech wiedzą.

– Ja molestowałam pana? – zapytała Mari Carmen niewinnie.

Z jej twarzy biła pewność siebie maskowana przez udawany ból. Bazowała oczywiście na tym, że trudno byłoby uwierzyć, że mierząca sto pięćdziesiąt centymetrów kobieta może wykorzystywać seksualnie dwumetrowego mężczyznę.

Daniel miał głęboko w dupie, czy ktoś ze słuchających mu uwierzy. Opanował go dziwny spokój, mimo że sytuacja nie wyglądała różowo. Tak jakby cały gniew, który zebrał się w nim od momentu śmierci Emilii, teraz znalazł ujście. A może lepiej powiedzieć implodował. Bo to nie był wybuch złości. Gniew paradoksalnie spowodował spokój i całkowitą obojętność na dalszy los. Przebrała się miarka i niech będzie, co ma być.

Zresztą to niemożliwe, że nikt nie słyszał rozmowy jego i Mari Carmen na korytarzu. Proponowała Danielowi seks tak głośno, że chyba było to słychać w Warszawie. Może wśród kolegów znajdzie się świadek. Nawet jeśli tak, to pytanie, czy odważy się mówić. Nie zawsze można było przecież liczyć na koleżeńską solidarność.

– Nawet pani nie dotknąłem, pani podinspektor – powiedział Daniel. Nadal bardzo powoli i spokojnie. – Tak że skupmy się może na tym, na jakiej podstawie uznała pani teraz, że to ja zabiłem Trawińskiego.

Paluchy na pistolecie Trawińskiego, pomyślał w nagłym olśnieniu. Tak się tego bał. To musiało być to. Bo co innego? Mari Carmen uśmiechnęła się nieznacznie. Nie wydawała się ani trochę zbita z tropu tym, że Daniel nie spanikował. Może uznała to jedynie za drobną niedogodność, która nie przeszkodzi jej w drodze do celu.

– Mamy odciski pańskich palców na siekierze – odparła z uśmiechem.

O pistolecie nie wspomniała. Czyli Ziółek jeszcze go nie sprawdzał. Tylko czy to coś zmieniało. Mari Carmen wyglądała na niesłychanie pewną siebie. Coś jeszcze musiała mieć w zanadrzu.

– Już tłumaczyłem. Wziąłem tę siekierę, bo obawiałem się, że ktoś może mnie nią zaatakować.

– Albo tak tylko pan mówi – uśmiechnęła się znowu funkcjonariuszka BSW. – Ileż to razy słyszałam takie zapewnienia. Ja tylko to, ja tylko tamto. Z faktami się nie dyskutuje. A fakty są takie, że na narzędziu zbrodni są pana ślady. Poza tym wiemy o pańskim konflikcie z Trawińskim.

– Sam wam o tym powiedziałem, więc trudno, żebyście nie wiedzieli.

Mari Carmen uśmiechnęła się jeszcze szerzej.

– No i doszły mnie słuchy, że jak sierżant sztabowy Radosław Trawiński nie dotarł do pracy, bo był martwy, to pan usilnie wszystkim wmawiał, że on nie przyszedł, bo się źle czuje.

Daniel otworzył szerzej oczy. Jak widać, zdążyła już porozmawiać z Urbańskim. Daniel faktycznie tak naczelnikowi powiedział.

– Nie wiedziałem wtedy, że on nie żyje. Myślałem, że się upił albo coś. Chciałem go chronić.

– Och, chroniłby pan pijanego kolegę? Bardzo źle pojęta solidarność zawodowa. Martwi mnie pańska postawa, Danielu. I to bardzo. Nie ma w naszej formacji miejsca dla takich ludzi jak pan.

– Nie zabiłem go.

– No i brakuje naboju w pańskim magazynku – dodała z satysfakcją.

Daniel nie mógł uwierzyć w to, co słyszy.

– Przecież mówiłem, że strzeliłem w oponę, żeby zatrzymać Kalinę Pietrzak. Zresztą nie wiem nawet, co pani insynuuje. Przecież Trawiński nie został zastrzelony.

– Powiedział nam pan, że zapytał Trawińskiego, czy ten zabił młodszą aspirant Emilię Strzałkowską, i potem dyskutowaliście – oznajmiła Mari Carmen, ignorując jego słowa. – Trawiński zaprzeczył, jakoby to zrobił. Pan mu uwierzył. On pojechał do domu. Pan został w zajeździe i odkrył kopertę za obrazem. Czy tak?

Daniel skinął głową. To była wersja, którą przedstawił naczelnikowi, a potem to samo powtórzył na odprawie. Oczywiście nie powiedział, że mierzył do Trawińskiego ze służbowej broni. I teraz nie zamierzał o tym wspominać.

– Podtrzymuje pan wersję, że tak to wyglądało? – dopytywała się Mari Carmen.

– Tak. Podtrzymuję, bo tak było.

Mari Carmen cmoknęła głośno i pokręciła głową, jak to się robi, kiedy małe dziecko jest niegrzeczne.

– Ale dlaczego pan tak brzydko kłamie, panie Danielu? Może dlatego, że pan zabił kolegę?

– Nikogo nie zabiłem – zapewnił Daniel bardzo powoli.

Nie podobał mu się jej ton i to, że rozmowa zmierzała w złym kierunku. Naprawdę wyglądało to tak, jakby Mari Carmen miała coś w zanadrzu. Jakby coś więcej wiedziała. Ale skąd mogła wiedzieć? Byli tam z Trawińskim tylko we dwóch. Trawiński pojechał na działkę, obiecując, że nikomu nie powie o sprawie. Może powiedział? Może tej osobie, z którą był tamtego wieczoru umówiony? Kto to był?

Nagle Daniel zrozumiał. Naczelnik Urbański! To z nim musiał być umówiony tamtego wieczoru Trawiński. Przecież współpracowali. Obaj zdradzili. Może tym razem Jakub zlecił śmierć Trawińskiego. To byłoby pozbycie się niewygodnego świadka wcześniejszego zabójstwa Emilii. Być może Urbański wykonał rozkaz. Dziś naczelnik był taki zadowolony i pewny siebie. Straszył Daniela, jakby miał jakiegoś asa w rękawie.

Pozostawało pytanie, czy Mari Carmen też z nimi współpracuje, czy jest czysta i jak dowie się, jakie są fakty, porzuci krucjatę przeciwko Danielowi. Podgórski uznał, że szanse nie są wielkie, zważywszy na jej obecne nastawienie do niego. Postanowił jednak chwycić się choćby i brzytwy.

– Ziółkowski wspomniał, że na siekierze były jeszcze czyjeś paluchy – przypomniał. – Sprawdźcie, czy nie pasują do Urbańskiego. Trawiński był z kimś tamtego wieczoru umówiony. Mam podejrzenie, że to mógł być naczelnik…

– Niech pan nawet nie próbuje zrzucać winy na kogoś innego – przerwała mu Mari Carmen. – Mamy dowody przeciwko panu.

– Już przecież powiedziałem…

– Nie tylko odciski pańskich palców na siekierze, że pozwolę sobie użyć tego kolokwialnego określenia.

Daniel spojrzał na nią uważnie. Znów czekał, aż powie o paluchach na pistolecie Trawińskiego. Będzie musiał wyjaśnić, że po prostu go trzymał. Nie może przecież powiedzieć, że odebrał koledze broń, a potem mierzył do niego z własnej.

– Nagranie – poinformowała, zanim policjant zdążył coś powiedzieć.

Daniel poczuł, że serce bije mu szybciej. O czym ona kurwa mówiła. Starał się oddychać spokojnie. Nie chciał wyglądać na przestraszonego.

– Nagranie? – zapytał.

– Owszem. Czy też jo, jak wy tu mówicie – zaśmiała się nieco szydercżo Mari Carmen. – Nagranie, na którym widać, że nie powiedział nam pan prawdy i bardzo brzydko pan kłamie. A jak pan kłamie w jednej sprawie… O, to już cały domek z kart się sypie.

– O czym pani do cholery mówi? – warknął Podgórski. Już nie mógł się powstrzymać przed okazaniem choć odrobiny emocji.

Mari Carmen uśmiechnęła się triumfująco.

– O tym, że wprawdzie opowiedział nam pan o swojej konfrontacji z sierżantem sztabowym Radosławem Trawińskim, ale nie wspomniał pan ani słowem, że groził mu pan ze służbowej broni i kierował pan wobec niego słowne groźby karalne.

Daniel nie odpowiedział. Nie miał pojęcia, o jakim nagraniu mogła mówić. Nawet jeśli Trawiński powiedział o wszystkim naczelnikowi Urbańskiemu, zanim ten go zabił, nie było przecież nagrania. Chyba że Robert Janik włączył jednak z powrotem monitoring w zajeździe. Ale nie, to było niemożliwe. Już był w tym czasie martwy.

Podgórski znów spojrzał w stronę weneckiego lustra, jakby podświadomie szukał tam obrony albo odpowiedzi. Co to za nagranie? Skąd je kurwa jego mać mogli mieć?! Wcale by się nie zdziwił, gdyby je spreparowali...

– Coś pan blady się zrobił – powiedziała z udanym zmartwieniem Mari Carmen. Kiwnęła w stronę lustra. – Zaraz panu pokażę to nagranie, żeby odświeżyć panu pamięć.

Po chwili do pokoju przesłuchań wszedł milczący Grzegorz. Niósł włączonego laptopa. Ustawił go ekranem w stronę Daniela. W gniazdo wetknięty był pendrive. Już sama stop-klatka, która była na ekranie, sprawiła, że Daniel zadrżał. Kiedy funkcjonariusz nacisnął play, Podgórski widział już, że tego nie zmanipulowali. To było prawdziwe nagranie. Jego własne histeryczne słowa i lufa służbowej broni wycclowana w Trawińskiego.

Nagranie nie było najlepszej jakości. Trzęsło się nieco i... Zaraz! Daniel przypomniał sobie trzaśnięcie drzwi, które usłyszał, kiedy Trawiński już wyszedł z zajazdu. Podgórski pomyślał wtedy, że to kolega wraca, bo czegoś zapomniał. A co, jeśli tam był ktoś jeszcze? Ktoś, kto słyszał kłótnię? To był szalony pomysł. Ale albo to było to, albo spreparowali nagranie. Ale ta druga ewentualność raczej odpadała. Ktoś więc nagrał tę rozmowę komórką. Kto to mógł być? I dlaczego ich nagrywał?

Czyżby Trawiński jednak podejrzewał, że Daniel chce mu coś zrobić? Może powiedział komuś o wszystkim? Może nawet naczelnikowi Urbańskiemu, który go potem zabił.

– Kierował pan groźby karalne w stosunku do osoby, która niedługo potem została zabita – oznajmiła Mari Carmen. Tym razem na jej twarzy nie pojawił się uśmiech. – O tym, że Trawiński rzekomo był z kimś umówiony, wiemy tylko od pana. Tak samo jak o powodzie, dla którego pańskie odciski palców są na siekierze, którą zadano Trawińskiemu obrażenia. Wiemy też, że Trawiński zamordował kobietę, którą darzył pan szczególnym uczuciem. Myślę, że wyłania się z tego całkiem jasny obraz wydarzeń z niedzieli. Zamordował pan kolegę w akcie zemsty za śmierć kochanki. Potem ustawił pan opóźnienie wysyłania wiadomości, żeby następnego dnia niby dostać esemesa i móc wszystkim wmawiać, że nie wiedział pan, że coś się stało. Potem udawał pan zmartwionego, że kolegi nie ma, i pojechał do niego, żeby niby przypadkiem odkryć ciało. Bardzo dogodnie wziął pan siekierę w ręce, twierdząc, że bał się ataku. Podejrzewam, że zrobił pan to po to, żeby zamaskować ewentualne ślady, które pan tam wcześniej zostawił podczas aktu morderstwa. Podobnie jak Paweł Krupa. I też obróci się to przeciwko panu. Zapewniam.

– Nie zabiłem go!

– Cóż, fakty wskazują inaczej, a jak wiemy, z nimi się nie dyskutuje. Ma pan coś jeszcze do dodania?

Podgórski poczuł, że zimny pot spływa mu po plecach. Każdy, kto tego słuchał, przyznałby jej rację. Nie wiedział nawet, co jeszcze mógłby powiedzieć.

– Tak myślałam – zaśmiała się Mari Carmen. – Szczerze mówiąc, nie zazdroszczę panu. W zakładach karnych niezbyt lubią policjantów. Ale też cieszę się, że kolejny raz odniosłam sukces. I odseparuję czarną owcę od reszty stada. Po to właśnie służę w naszej formacji.

Ostatnie zdanie wypowiedziała tak, jakby czekała na owacje na stojąco. Być może mówiła to dla osób zgromadzonych za weneckim lustrem.

– Przejebane, co? – szepnęła ledwo dosłyszalnie, pochylając się nad nim, i podarowała mu kolejny ze swoich uśmiechów.

Daniel wiedział, że te słowa przeznaczone były wyłącznie dla niego.

ROZDZIAŁ 135

Przed Komendą Powiatową Policji w Brodnicy.
Wtorek, 25 lutego 2020. Godzina 13.30.
Weronika Podgórska

I co teraz będzie? – lamentowała Maria.

– Spokojnie. Klementyna próbuje dostać się do środka
– odpowiedziała Weronika.

Starała się uspokoić byłą teściową, ale sama była przerażona. Podobno Daniel został zatrzymany za zamordowanie Trawińskiego. Podgórska nie chciała nawet brać pod uwagę, że to może być prawda. Oczywiście kiedy tylko kolega Łukasza z patrolu im o tym powiedział, postanowiły natychmiast przyjechać na miejsce i rozeznać się w sytuacji. Żadna z nich nie chciała zostawić Daniela samego.

Przyjechały z lekkim opóźnieniem. Łukasz i jego kolega musieli zatrzymać Trawińską w celu złożenia wyjaśnień. Nikt przecież tego rozkazu nie odwołał. Maria siedziała z dziećmi wdowy. Musiały więc najpierw zorganizować sąsiadki do opieki.

Kiedy Weronika, Maria, Malwina i Klementyna dotarły wreszcie na miejsce, w wejściu do komendy minęły się z Darią Urbańską. Żona naczelnika została akurat przywieziona przez inny patrol. Pewnie też w celu złożenia wyjaśnień. Urbańska nawet nie spojrzała w ich stronę. Weronika była ciekawa, czy Daria oskarży je o porwanie. No ale to był teraz najmniejszy problem. Trzeba było najpierw wyciągnąć z kłopotów Daniela.

– Wraca! – rzuciła Malwina Górska.

Faktycznie od strony komendy nadchodziła Kopp. I niestety wcale nie wyglądała na zadowoloną.

– Nie wpuszczą nas – oznajmiła, zanim któraś z nich cokolwiek powiedziała. – Wszyscy mają lekkiego schiza, bo na miejscu są wewnętrzni. I każdy się boi, że gromy spadną na niego. Ale! Dowiedziałam się, że mają jakieś nagranie. Ktoś je podrzucił na samochód tych z wojewódzkiej. Na wycieraczce zostawiono pendrive. Tam jest filmik, jak Daniel celuje do Trawińskiego z gnata.

– I co będzie? – zapytała Maria. – Danielek nikomu nic nie zrobił!

– Spoko. Ale! To samo mówiłaś o Pawle Krupie – mruknęła Kopp. – Tymczasem dowiedziałam się też, że Krupa właśnie był słuchany i przyznał się do morderstwa Beniamina.

Maria zrobiła wielkie oczy, ale milczała. Weronika podejrzewała, że obecnie sama ma taką minę jak eksteściowa. Klementyna kopnęła jakiś kamień z wściekłością.

– Chyba nie uważasz, że Daniel naprawdę go zabił – zapytała Podgórska z niedowierzaniem.

Może i były mąż ją zdradził. Może i nie zawsze był w porządku. Ale nie widziała go w roli mordercy. Nie, w to nigdy nie uwierzy. Nawet jeżeli Kopp się od niego odwróci, Weronika tego nie zrobi.

– I co teraz? – zapytała pisarka. – Nie wierzę, że jest winny. Znam się trochę na ludziach. Podzwonić po znajomych z Warszawy? Może trzeba szukać adwokata?

Weronika spojrzała na Malwinę z wdzięcznością.

– Spoko. Ale! Tak się znasz na ludziach, że gziłaś się z facetem, który się zeszmacił – powiedziała Kopp ostro.

– Nie wybierasz, kogo kochasz – odparła Malwina. – A teraz jak mu pomożemy?

– Okej. No dobra. Dajcie mi pomyśleć.

Przez chwilę żadna z nich nic nie mówiła. Wpatrywały się wyczekująco w Klementynę. Jakby od jej decyzji wszystko zależało.

– Różowa, ty dzwoń do swoich ludzi. A wy zadzwońcie po Łukasza – postanowiła Kopp. – Ciężko coś zrobić, jak stoimy pod budynkiem i patrzymy w ścianę. Dobrze by było mieć oczy i uszy szeroko otwarte. Tam w środku.

– Oni są skłóceni – przypomniała Weronika. – Łukasz…

– Zadzwonię do niego. To mój wnuk – powiedziała Maria. – Teraz nie ma czasu na głupie kłótnie. Łukaszek na pewno to zrozumie.

Maria wydobyła nieco staroświecką komórkę i zsunęła okulary z nosa. Wyciągnęła rękę i zaczęła coś naciskać sztywnym palcem. W końcu udało jej się chyba wybrać numer Łukasza. Całe szczęście, bo Weronika miała ochotę wyrwać jej telefon i sama wybrać połączenie.

Była teściowa zaczęła nerwowo tłumaczyć wnukowi, o co chodzi. W miarę jednak jak mówiła, jej głos coraz bardziej stawał się kategoryczny. Malwina też się z kimś połączyła. Odeszła kilka kroków, żeby nie przeszkadzać Marii w rozmowie.

– Ale jak to wiesz, kto podrzucił ten film? – zapytała Maria, krzycząc do telefonu.

Weronika odwróciła się w jej stronę.

ROZDZIAŁ 136

Komenda Powiatowa Policji w Brodnicy.
Wtorek, 25 lutego 2020. Godzina 13.30.
Aspirant Aleksander Ziółkowski

Ziółkowski ostrożnie odstawił różowy kubek z napisem *Policja*. Tuż obok siekiery. Kiedy po komendzie poszła fama, że Daniel jest przesłuchiwany, postanowił pójść popatrzeć. Panował taki rozgardiasz, że Fijałkowska chyba nie miała głowy, żeby mu zakazać. Szef techników wykorzystał to skwapliwie.

Nie podobała mu się ta Mari Carmen Sikora. Nie tylko dlatego, że przyjechała z wojewódzkiej i się panoszyła. Ziółkowski słyszał, co powiedziała Podgórskiemu na korytarzu. Chciała się z nim pieprzyć w łazience na piętrze. Technik aż zatrzymał się w pół kroku speszony, kiedy to usłyszał. Zupełnie nie wiedział, co robić. Odetchnął dopiero, kiedy Daniel odmówił Sikorze i oboje odeszli spod pokoju przesłuchań. A teraz Daniel był oskarżany o coś, czego być może nie zrobił. Przypadek?

Ziółkowski wcale nie wykluczał winy Podgórskiego. Lubił Daniela, ale lubienie nie miało tu nic do rzeczy.

Natomiast nie lubił robić rzeczy po łebkach. Jak usłyszał przez głośnik, że Podgórski prosi o sprawdzenie paluchów naczelnika, technik nie mógł tego zignorować. Mimo że prośba nie padła bezpośrednio do niego.

Wymknął się z pomieszczenia obok pokoju przesłuchań. Nikt nie zwrócił na to uwagi, bo też nikt go tam nie zapraszał. Potrzebował czegoś, czego dotykał naczelnik, żeby porównać z niezidentyfikowanymi do tej pory paluchami z siekiery, którą Daniel znalazł na działce Trawińskiego.

Dlatego Ziółkowski poszedł prosto do gabinetu, gdzie jeszcze chwilę wcześniej trzymano naczelnika. Teraz Urbańskiego wypuszczono. Ta szybkość zmian decyzji też się szefowi techników niezbyt podobała. Panował jeden wielki chaos.

Wszedł do pustego pokoju, mijając bez słowa sekretarkę naczelnika. Na biurku stał kubek. Idealnie. Helena Rylska chyba chciała zapytać, o co chodzi. Czym prędzej się oddalił. Nie chciał nawet przypadkiem natknąć się na tę całą Mari Carmen ani tego milczącego gościa, który z nią przyjechał.

Szybko poradził sobie z różowym kubkiem. Niestety okazało się, że nie jest tak dobrze, jak miał nadzieję. Na naczyniu znalazł trzy zestawy odbitek linii papilarnych. Dotykały go więc trzy osoby. Jedną mogła być Rylska, to pewnie sekretarka przyniosła picie naczelnikowi. Jedną był sam Urbański. No i jeszcze był ktoś trzeci.

Trzeba było natychmiast ustalić, czyje paluchy są czyje, bo jedna z trzech osób miała też w rękach siekierę z działki Trawińskiego.

ROZDZIAŁ 137

Przed Komendą Powiatową Policji w Brodnicy.
Wtorek, 25 lutego 2020. Godzina 13.45.
Klementyna Kopp

Ja to zrobiłem. Przepraszam – powiedział Łukasz zdławionym głosem. – Przepraszam!

Kilka minut po telefonie od Marii Łukasz wyszedł z komendy. Już kiedy zmierzał w ich stronę nieco ociężałym krokiem, Kopp widziała, że coś jest nie tak. Ale! Tego się nie spodziewała. To on podrzucił film wewnętrznym!

Chłopak był na granicy płaczu. Nie zwiastowało to nic dobrego. Zwłaszcza jeśli trzeba było radzić sobie z nieoczekiwanymi sytuacjami. No i proszę. Granatowy mundur, kamizelka taktyczna i wszystko, co Łukasz na siebie pozakładał, nie pomogło mu przestać być małym chłopcem. Do tego najwyraźniej była jeszcze długa droga.

Kopp uderzyła Łukasza otwartą dłonią w twarz. Nie dlatego, że była wściekła, że Łukasz wrobił ojca. Chciała po prostu zmusić go do uspokojenia się. Nie potrzebowała teraz, żeby się mazał. Chłopak chwycił się za policzek. Policyjna furażerka zjechała mu na czoło.

– Jeszcze może powiesz, że nie chciałeś, co? – rzuciła.

Zawodzenia Marii też nie pomagały. Starsza pani raz chlipała, że jej syn jest aresztowany, raz próbowała pocieszać wnuka, który do tego się przyczynił. Trzeba było uciąć te płacze w zarodku, jeżeli chciały komukolwiek pomóc.

– Po kolei – rozkazała Kopp.

Łukasz Strzałkowski trzymał się dłonią za policzek. Ale! Chyba trochę wziął się w garść. Nie spodziewał się chyba uderzenia. Zaskoczenie i ból podziałały otrzeźwiająco. Może różowa Malwina Górska znała się na ludziach, a ruda Weronika była psychologiem. Ale! Kopp za to wiedziała, kiedy komuś przyłożyć. I tego zamierzała się trzymać.

– Byłem na ojca zły – wyjaśnił Łukasz. – Za mamę. Myślałem, że przez niego się zabiła i…

– To wiemy – ucięła Kopp.

– Ostatnio jak ojca widziałem właśnie tu na parkingu… No to miałem wrażenie, że on coś wie. Jakby mi chciał coś powiedzieć. Zaczął coś mówić o mamie. Powiedział, że nie popełniła… Tylko tyle. Czego mogła nie popełnić. Musiało chodzić o samobójstwo. A jeżeli tak, to musiałem to sprawdzić. Pojechałem za nim, żeby zobaczyć, co zamierza. Pojechał do zajazdu. Tam był Trawiński. Początkowo chciałem sobie pójść, ale potem coś mnie tknęło. Nie wyglądało mi na to, żeby ojciec jechał tam pracować. Wszedłem ostrożnie do środka. Słyszałem ich rozmowę. Nagrałem ją nawet. Teraz ciągle się mówi, żeby wszystkie interwencje nagrać. Żeby nie wykorzystano tego przeciwko tobie. No to nagrywałem.

– Co dokładnie nagrałeś, co? – zapytała Klementyna. Chciała mieć wszystko czarno na białym, żeby nie było niedomówień.

– No jak się kłócili. Ojciec wyciągnął broń i powiedział Trawińskiemu, że Robert Janik zeznał mu, że to Trawiński zabił mamę. Trawiński zaczął zaprzeczać. Aż w końcu ojca przekonał, że tego nie zrobił. Ale mnie nie przekonał. Widziałem po nim, że kłamał. On naprawdę mamę zabił. A ponieważ ojciec mu odpuścił, wiedziałem, że ja muszę działać.

– Zabiłeś tego policjanta, Łukaszku? – wykrztusiła Maria. Zrobiła się biała jak płótno. – Ty zabiłeś tego Trawińskiego?

– Po kolei – przerwała jej Klementyna. Widziała, jak dolna szczęka chłopaka zaczyna drżeć, jakby zaraz miał znów się rozpaść. Kolejny policzek mógł już nie pomóc tak łatwo.

– Pojechałem za nim – szepnął Łukasz. – Znaczy za Trawińskim… Zaparkowałem kawałek za jego działką, więc nawet się nie zorientował. Tam jest taki opuszczony pegeer, łatwo się schować. No więc wiedziałem już, gdzie go znaleźć. No ale nie miałem czym go zabić. Mogłem strzelić do niego ze służbowej broni, ale uznałem, że łatwo doprowadzi śledczych do mnie. Ostatnio było tyle morderstw z siekierami, że wpadło mi do głowy, że szybko pojadę i kupię ją w markecie budowlanym. Kupiłem siekierę i na wszelki wypadek sznur, gdybym musiał go związać. Byłem w rękawiczkach. I pojechałem z powrotem w okolice tej działki i…

Łukasz zamilkł i przełknął ślinę głośno.

– Już dobrze – powiedziała Malwina Górska uspokajająco. – Będzie dobrze.

Łukasz uśmiechnął się smutno.

– No nie wiem…

– Spoko. Ale! Nie mamy czasu. Co było dalej, co?

– Zaskoczyłem Trawińskiego przy bramie. Miał bramę na pilota, a jak wszedłem, to się otworzyła. I tak kilka razy. Chciałem wykurzyć go z samochodu. Faktycznie wysiadł sprawdzić, czy wszystko okej. Wtedy zobaczył mnie. Myślał chyba, że to ojciec. Pomylił nas w ciemności, bo zapytał, czy to Daniel. Nawet nie odpowiedziałem. Wziąłem się od razu do rzeczy. Dość łatwo udało mi się go obezwładnić. Nie bardzo się bronił. Przywiązałem go do ławki. Żeby łatwiej z nim rozmawiać i łatwiej… i łatwiej go zabić. Żeby się nie wyrywał. Pomyślałem o wszystkim. Nawet ustawiłem na jego telefonie wiadomość do ojca, która miała się wysłać z opóźnieniem. Jak Trawiński już nie będzie żył. Żebym miał alibi. Ja… pomyślałem o wszystkim…

– O wszystkim. Ale! Nie o tym, jak trudno jest zabić człowieka, co? – zapytała Kopp.

Tym razem sama mówiła cicho. Wiedziała, jak to jest. A wiele by dała, żeby nie wiedzieć. To uczucie wracało w najmniej odpowiednich momentach.

– Tak – przyznał chłopak. – Uciekłem stamtąd…

– Czyli go nie zabiłeś? – ucieszyła się natychmiast Maria.

Łukasz pokręcił głową.

– Zostawiłem go tam żywego. Tylko przywiązanego do ławki.

– To kto go w takim razie zabił? – zapytała Weronika.

– Myślałem, że ojciec. Dlatego podrzuciłem to nagranie. Byłem… Ja… Nie wiem, co myślałem. Przepraszam!

Kopp miała ochotę walnąć Łukasza jeszcze raz w twarz. Może jednak zadziała.

837

– Klementyna! – krzyknęła niemal Maria, przewidując chyba jej ruch.

Nie zdążyła jednak jej powstrzymać. Dłoń wylądowała na drugim policzku chłopaka. Furażerka spadła na chodnik. Łukasz nawet się po nią nie schylił.

– To żebyś następnym razem pomyślał, zanim będziesz robił – oznajmiła Kopp. – Podnieś czapkę. To element munduru.

– Tak jest – powiedział Łukasz. Jakby znów był uczniakiem w szkole policyjnej.

Kopp miała ochotę westchnąć. Powstrzymała się jednak.

– Okej. No dobra. Czyli zostawiłeś Trawińskiego przywiązanego do ławki, co? Żywego?

– Tak. Już było mi wszystko jedno, że może komuś powiedzieć, że go zaatakowałem. Siekierę też zostawiłem. Skoro i tak byłem w rękawiczkach, to moich odcisków na niej nie było. Nie chciałem jej mieć. To wszystko.

Kopp pokiwała powoli głową i spojrzała na budynek komendy. Okej. No dobra. Znały już dużą część historii. Ale! Kto w takim razie zabił Trawińskiego, co?

ROZDZIAŁ 138

Komenda Powiatowa Policji w Brodnicy.
Wtorek, 25 lutego 2020. Godzina 14.00.
Aspirant Aleksander Ziółkowski

Ziółkowski pędził korytarzem. Musiał natychmiast po-rozmawiać z Laurą Fijałkowską. Udało mu się dowiedzieć, kto mógł dotykać kubka. Wystarczyło podpytać Helenę Rylską. Sekretarka Urbańskiego miała takie rzeczy w ma-łym palcu.

Trzy osoby.

W tym jedna dotykała również siekiery, która była na miejscu zbrodni.

Żadną z nich nie był Daniel Podgórski.

Tak jak Ziółkowski przypuszczał, pierwszą osobą z kub-ka była sama Helena. Technik nie chciał wychodzić przed szereg, ale uważał, że poczciwą sekretarkę można z tej układanki wykreślić. Mimo to pobrał jej paluchy. Dla porządku. Żeby były do porównania.

Drugą osobą był naczelnik Urbański. Zgodnie z przy-puszczeniami Daniela Podgórskiego. Należało pobrać paluchy i zobaczyć, czy to on dotykał siekiery.

Jeżeli okaże się, że to jednak nie Urbański, to pozostawała jeszcze jedna osoba.

Jego żona.

Ona też dotykała różowego kubka. Darię przywieziono
na komendę, żeby złożyła zeznania. Pozwolono jej zajrzeć
do męża. Sekretarka szefa widziała, jak piła z tego kubka.
A to oznaczało jedno. Trawiński prawdopodobnie zginął
albo z rąk Urbańskiego, albo jego żony. Teraz trzeba było
tylko ustalić, które z tej dwójki jest zabójcą.

* * *

2020
Działka Trawińskiego.
Niedziela, 23 lutego 2020. Godzina 20.00.
Daria Urbańska

Daria Urbańska zaparkowała w pewnej odległości za opuszczonym dworem. Samochód krył się teraz pomiędzy budynkami zniszczonego pegeeru. Nawet jeśli w dzień byłoby ją tu widać, to ciemność nocy robiła swoje. To była teraz kryjówka doskonała.

Przyjechała na spotkanie z Trawińskim wcześniej, niż się umówili. Obserwowała. Jego dom wydawał się pusty. Potem zobaczyła samochód. Właściwie najpierw usłyszała, bo podjechał ze zgaszonymi reflektorami. To nie był Trawiński, tylko jakiś wysoki chłopak w czerwonym mini cooperze. Autko niezbyt pasowało do jego wielkiej sylwetki. Zdawało się raczej należeć do kobiety. Miała wrażenie, że go kojarzy. Wtedy nagle ją olśniło. To musiał być Łukasz Strzałkowski w samochodzie po matce. Syn tej policjantki, którą kazał zamordować Jakub Dąbrowski.

Daria pamiętała, że Bolek bardzo przeżywał, że musiało do tego dojść. Przecież mimo wszystko chodziło o kogoś od nich. Mimo to pomógł w przeprowadzeniu całej operacji. Poprzestawiał grafiki tak, żeby Trawiński miał służbę ze Strzałkowską i mógł wykonać zadanie. Udało się. Można wręcz powiedzieć, że był to pełny sukces, bo wszyscy rzeczywiście uznali śmierć policjantki za samobójstwo.

Daria czuła, że wtedy coś w jej mężu pękło. Od tamtego momentu chciał z tym wszystkim skończyć. Może to był też wpływ Trawińskiego. On był zupełnie wytrącony z równowagi. Bez względu na powody Daria zamierzała stać u boku męża i pomóc mu zerwać współpracę z Dąbrowskim.

Początkowo Bolek nie okazywał, jak bardzo to przeżywa. Daria cierpliwie patrzyła, jak mąż załatwił Łukaszowi Strzałkowskiemu uczestnictwo w kursie podstawowym i potem przyjęcie do jednostki. Myślała, że Bolek poczuje się lepiej, że zrobił coś dla syna Emilii. Niestety problem był głębszy. I zupełnie nie taki, jak Daria się spodziewała.

W końcu mąż się przed nią otworzył i wyznał, co jeszcze go gryzło. Powiedział jej o kochance, którą miał od bardzo długiego czasu. Daria długo nie mogła tego zaakceptować, mimo że od lat żyli właściwie bardziej jak przyjaciele niż mąż i żona. Nie spali razem od co najmniej piętnastu lat. Chodziło nie tylko o seks. Mieli nawet oddzielne sypialnie. Nie było między nimi żadnej bliskości.

Mimo to czuła gniew, kiedy Bolek przyznał jej się do zdrady. Nie było wcale najgorsze, że sypiał z tamtą kobietą. On ją kochał, a tego Daria nie mogła znieść. To była największa zdrada. Przez długi czas nienawidziła tej Malwiny całym sercem. Wysłała jej kilka śmiesznych wiadomości z groźbami. Potem było jej głupio. Jak mogła zniżyć się do takiego poziomu.

Kiedy pierwsze emocje opadły, Daria zrozumiała, że nie tędy droga. Złością męża nie przekona, żeby przestał się z tą babą spotykać. Bo że powinien o Malwinie zapomnieć, to było oczywiste. Daria zaczęła się starać. Bardziej i bardziej. Doszło do tego, że kilka razy przyszła nawet do jego łóżka. Ich małżeństwo odżywało. Jednocześnie wbijała mu do głowy absolutną konieczność skupienia się na rodzinie. Przecież mieli córkę. Musieli zostać razem dla niej. Chociaż córa była już pełnoletnia i Daria pozwalała jej jeździć swoim samochodem, ale nadal była ich małą dziewczynką. A przecież rodzina to mama i tata, prawda? Nie ma tam miejsca dla tej trzeciej.

Dobrze, że Bolek to zrozumiał i w końcu zostawił kochankę. Najpierw jej to napisał, żeby wiedziała. A potem jak przyjechała na jakieś spotkanie autorskie do Brodnicy, jeszcze się z nią ostatecznie pożegnał. Pewnie mina jej zrzedła. Plotkom, że mąż sypiał również ze swoją zastępczynią, Laurą Fijałkowską, Daria nie dawała wiary. Fijałkowska, owszem, wkupiła się w łaski Bolka przysługami i dobrym traktowaniem, ale z nią nie sypiał. Ich małżeństwo było uleczone. Choć ona w międzyczasie popełniła z tego stresu kilka idiotycznych błędów. Na przykład podkradła pieniądze z kasy za te cholerne pączki. Sama nie wiedziała, co ją podkusiło. Chyba potrzebowała przejąć się czymś innym niż to, co najważniejsze.

W każdym razie, pomyślała Daria z satysfakcją, uleczyła ich małżeństwo. Teraz chciała uleczyć karierę męża. Tym bardziej że to trochę przez nią wszystko się zaczęło. To ona poznała Bolka z odpowiednimi ludźmi. Jeszcze w Warszawie. Potem, jak przenieśli się z powrotem do Brodnicy, okazało się, że tamta grupa przestępcza ma tu mniejszy odłam, który z nimi współpracuje. Dlatego właśnie Bolek szybko znalazł wspólny język z Jakubem Dąbrowskim. A składało się dobrze, bo Trawiński był mężem siostrzenicy Bolka. Wszystko wydawało się więc działać jak w zegarku.

Do momentu śmierci Strzałkowskiej.

Zgoda. Mieli pieniądze ze współpracy ze złymi. To było to, co Daria chciała osiągnąć. Ale nie kosztem zdrowia psychicznego męża. Poza tym Bolek miał niedługo przejść na emeryturę. A źli mieli to do siebie, że byli kapryśni. Póki było się potrzebnym, póty współpracowali. Potem mogło być inaczej. Dlatego Daria wpadła na pewien plan.

Trzeba pozbyć się Jakuba Dąbrowskiego. Ci w Warszawie mieli to w dupie. To on stanowił zagrożenie. Trzeba to zrobić, ale nie jego metodami. Nie zabójstwem. Według planu Darii mąż miał skontaktować się z komendą wojewódzką i twierdzić, że od dłuższego czasu rozpracowywał Dąbrowskiego. Wtedy wszystkie ewentualne dowody, które Dąbrowski mógł mieć na ich współpracę, można było wytłumaczyć próbą przeniknięcia do grupy przestępczej i zyskania ich przychylności. Być może dowódcy trochę by marudzili, że to było samowolne działanie, ale Bolek miał znajomych, którzy by ich przekonali i stanęli za nim murem. Byłoby dwa w jednym. Dąbrowski i jego ludzie poszliby siedzieć, a Bolek byłby bohaterem. Plan idealny.

Była tylko jedna osoba, która mogła to popsuć. Urbańska spojrzała w stronę tonącego w ciemności starego domu, który zajmował teraz Trawiński. Trawiński. Właśnie on był teraz jedyną przeszkodą. Mąż był na tyle naiwny i na tyle miał miękkie serce, że chciał Radka namówić do współpracy w realizacji tego planu. Że niby rozpracowywali szajkę we dwóch. Trawiński też zostałby bohaterem. Ale ten nieszczęsny chłopak był już chyba tym wszystkim tak skołowany, że zaczął coś kręcić. Że nie, że on chce powiedzieć prawdę.

Daria skontaktowała się wtedy z Mają Trawińską. Wiedziała, że siostrzenica męża ma podobne podejście jak ona. Do tego lubiła luksus. Chciała pieniędzy. Musiała jednak zrozumieć, że Jakub Dąbrowski na dłuższą metę może być niebezpieczny i lepiej go wyeliminować, póki ich mężowie jeszcze jakoś się trzymają psychicznie i nie jest za późno.

844

Maja próbowała przekonać męża do planu, ale nic z tego nie wyszło. Tylko się pokłócili, a Trawiński wyprowadził się na działkę. Coraz częściej mówił, że sam się zgłosi do BSW i powie o swoich przewinach. Miał wyrzuty sumienia. Że zabił, że udawał przyjaciela Daniela Podgórskiego, że się sprzedał. Poza tym żywił chyba urazę, że sam musiał zabić Emilię, a rola Bolka sprowadziła się tylko do ustawienia grafiku.

Nie brał pod uwagę, że Bolek również musiał wiele wziąć na barki: odpowiednie ustawienie grafiku to fakt, ale też granie roli przywódcy i gaszenie pożarów. Tak żeby wszyscy naprawdę myśleli, że to samobójstwo. Już nie mówiąc, ile jej mąż musiał się starać, żeby śmierć Julii Szymańskiej została przypisana temu menelowi, którego zamknięto w Starych Świątkach. A potem ciągle pilnował, żeby przydzielać Trawińskiemu służby z Danielem i w ten sposób mieć oko na Podgórskiego, czy czegoś się nie domyśla. To była robota głową. Nie mniej ważna i stresująca jak pociągnięcie za spust, które wykonał Trawiński, prawda?

I to Bolek musiał poniekąd wydać wyrok na Emilię, mówiąc Dąbrowskiemu, że policjantka nie przestanie węszyć. Choć z reguły to Trawiński kontaktował się z bossem, jak go nazywali. Daria wiedziała, że mąż czuł się winny, że oddał Strzałkowskiej tę sprawę, ale wtedy była osiemnastka ich córki… Sama wtedy naciskała, żeby na tym się skupił. To też sprawiało, że miała wyrzuty sumienia. Nieważne. Teraz to naprawi.

Darii Trawiński zdawał się wrakiem, ale Bolek chciał dać mu jeszcze szansę. Ona wiedziała, że to tak nie działa. Jeżeli Trawiński gadał takie rzeczy o BSW, to już był spalony. Trzeba było się go pozbyć. I musiała to ona zrobić. Bolek by się nie zgodził. Nie na tym etapie, a Maja, rzecz jasna, też nie. Trawiński był jej mężem. Daria musiała działać sama.

Plan miała prosty. Znów będzie prowadzić grę na dwa fronty. Pomówiła z Dąbrowskim, żeby przekonać go, że Trawiński chce ich wydać. Miała nadzieję, że gangus załatwi to za nich. Nawet nie wiedząc, że oni tymczasem zasadzali się na niego. Żeby uśpić jego czujność, zaczęła nawet kupować od nich niewielkie ilości marihuany.

Niestety nie poszło jej tak dobrze, jak chciała. Ale też nie tak źle. Dąbrowski uznał, że Daria ma rację i trzeba zabić Trawińskiego. Poddał jej nawet pomysł, jak można łatwo to zrobić. Wystarczy go otruć. Na przykład amfetaminą. Wystarczy dosypać odpowiednią ilość do słodkiej kawy. Młody policjant wypije roztwór i nawet nie będzie wiedział, że przedawkował.

Daria zgodziła się to zrobić. Tak naprawdę była skłonna zrobić wszystko, żeby pomóc Bolkowi, a jak się zastanowić, to otrucie właściwie nie było morderstwem. Nie będzie nawet musiała Trawińskiego dotykać. Dąbrowski przywiózł jej narkotyk, akurat kiedy przyjechały te zwariowane kobiety. Dobrze, że rozmawiali też o budowie budki na narzędzia. Przynajmniej nie zorientowały się, w czym rzecz.

Przestraszyła się, kiedy znalazły tę głupią marihuanę. Nie chciała, żeby mąż wiedział o kupowaniu tych narkotyków od Dąbrowskiego. Mógłby wyciągnąć mylne wnioski. Albo, co gorsza, domyślić się, że Daria coś knuje. Całe szczęście te kobiety znalazły tylko marihuanę i mogła kłamać, że to na ukojenie nerwów. Gdyby wiedziały, że ma jeszcze amfetaminę, byłoby pewnie gorzej. A tak mogła kontynuować swój plan.

Umówiła się z Trawińskim na spotkanie, kiedy wpadła któregoś dnia na komendę z pączkami. Ciągle tam bywała, niby przychodząc do męża. Złapała kiedyś Radka na korytarzu.

Nie chciała do niego dzwonić, żeby nie zostawiać żadnego śladu. Jeżeliby nawet komuś powiedział, że był z nią umówiony, to mogła się wypierać.

Umówiła się z Trawińskim pod pretekstem zwykłej rozmowy. O dziwo, zgodził się bez większych problemów. Chyba było z nim gorzej, niż sądziła. No chyba że jednak ją wykiwał. Zerknęła na zegarek. Dobrze, że miał podświetlane wskazówki, bo bała się włączyć ekran telefonu. Ten Łukasz Strzałkowski mógłby dostrzec światło w ciemności.

Z Trawińskim była umówiona na dwudziestą. Było już kilka minut po. Do tego ten chłopak, który zjawił się tu ze zgaszonymi światłami. To było co najmniej podejrzane. I gdzie jest Trawiński?

Nagle, jak na zawołanie, z daleka dało się widzieć światła reflektorów. Tym razem to musiał być Trawiński. Daria widziała, że Łukasz skrył się wśród krzaków. Dopiero teraz, w poświacie reflektorów nadjeżdżającego auta, zauważyła, co chłopak ma w rękach. To była siekiera! Poczuła, że serce bije jej szybciej. Czyżby nie była jedyną osobą, która chce się pozbyć Trawińskiego? Może dzieciak dowiedział się, że Trawiński zabił jego matkę? Tak musiało być. Bo po co czaiłby się z siekierą w ciemności? Daria nie mogła uwierzyć we własne szczęście!

Patrzyła, jak Trawiński podjechał pod bramę. Światełko czujnika zaczęło migać, czyli musiał nacisnąć guzik pilota, żeby ją otworzyć. Brama nie drgnęła. Sytuacja powtórzyła się kilka razy, aż w końcu urządzenie zaskoczyło. Trawiński wjechał do środka. Chciał chyba zamknąć bramę z powrotem, ale wtedy Łukasz ruszył przez ciemność. Brama zatrzymała się w pół ruchu i z powrotem otworzyła. Musiała mieć czujniki zapobiegające uderzeniu w kogoś.

Trawiński znów spróbował zamknąć bramę, drgnęła, ale znów się zatrzymała, wyczuwając stojącego w ciemności młodego mężczyznę. Wtedy Trawiński wysiadł z samochodu.

– Daniel? – zapytał. W tym odludnym miejscu było tak cicho, że Daria słyszała go, jakby krzyczał.

Najwyraźniej pomylił w ciemności ojca z synem. Faktycznie Łukasz był bardzo do Podgórskiego podobny. Obaj wysocy i postawni. O pomyłkę nie było trudno. Ale Trawiński zaraz przekona się, że się pomylił. Chłopak ruszył biegiem w jego stronę, wymachując siekierą. Teraz zobaczyła, że w drugiej ręce też coś ma. Sznur?

Ogarnięta ekscytacją czekała na jatkę. Byłoby tak wspaniale, gdyby ktoś zrobił to za nią. Nie wyszło z Dąbrowskim, to może teraz się uda. Nie zawahałaby się oczywiście zabić przeciwnika swojego męża, ale zawsze lepiej tego nie robić własnymi rękami, prawda?

Niestety Łukasz odrzucił siekierę. Obezwładnił tylko Trawińskiego i przywiązał go do ławki. Zaklęła pod nosem. Wiedziała już, że dzieciak nie zrobi tego, co trzeba. I faktycznie. Już po chwili wbił siekierę w pieniek i pobiegł do samochodu, zostawiając Trawińskiego przywiązanego do ławki. Żywego. Potem odjechał.

Daria westchnęła. Czyli jednak wszystko będzie musiała zrobić sama. Zostawiła laskę opartą o siedzenie pasażera. Właściwie już jej nie potrzebowała. Po dawnej kontuzji nie było śladu. Ale nosiła ją zawsze ze sobą. Nigdy nie wiadomo, kiedy się przyda. Zwłaszcza że laska była podrasowana. Traf chciał, że według pomysłu Jakuba Dąbrowskiego. Miała ukryty w rączce nóż. Tak więc Urbańska w razie czego mogła go wyciągnąć i zaatakować. Nie umiała się jakoś szczególnie bić, ale ta świadomość zawsze dodawała jej otuchy.

– Pomocy! Pomocy!

Trawiński najwyraźniej usłyszał trzaśnięcie drzwi jej samochodu, bo zaczął nawoływać. Poszła szybkim krokiem w jego kierunku. Dlaczego ona tyle musiała mieć na głowie? Nawet te informacje o testamencie, które kazała mężowi przekazać jego współpracownikom. Nawet o takich rzeczach musiała myśleć. To budowało wizerunek Bolka jako człowieka obrotnego, zdobywającego informacje. Współpracującego z właściwą stroną. To przede wszystkim.

– Pani Daria? – zawołał Trawiński. – Co za ulga. Dobrze, że pani jest!

Uśmiechnęła się pod nosem. Chyba nie zdawał sobie sprawy, co go czeka. Rozgorączkowana chwyciła siekierę i zaczęła go okładać. Pieprzyć amfetaminę. Może dawka była za mała, może i tak by się nie otruł i co wtedy? A tak będzie pewność. Równie dobrze mogła wykorzystać to, co rozpoczął przed chwilą Łukasz. Media aż huczały od informacji o mordercy z siekierą, więc czemu nie dopisać mu jeszcze jednego trupa do kolekcji.

Uderzała siekierą z całej siły. Nawet nie wiedziała, że tyle ma pary w rękach. Może to była adrenalina. Na koniec z okrzykiem satysfakcji wbiła narzędzie z powrotem w pieniek. Nigdy nie czuła się taka silna. Nigdy.

Dopiero po chwili zorientowała się, że nie ma rękawiczek. To była głupota pierwszej wody! Euforia z miejsca opadła.

– Kurwa – powiedziała, choć rzadko przeklinała. Podstawowy błąd.

Spróbowała wyrwać siekierę z pieńka, ale siły chyba zupełnie już odpłynęły. Nie dała rady. To było szaleństwo! Jak mogła zrobić taką głupotę!

– Spokojnie – tłumaczyła samej sobie, jakby mówiła do kogoś innego. – Twoich odcisków nie ma w żadnych policyjnych systemach. Nic na ciebie nie znajdą. A poza tym dlaczego mieliby podejrzewać ciebie. Jesteś bezpieczna.

Przetarła trzonek rękawem. Kto wie, może uda jej się zamazać te ślady. Co jeszcze mogła zrobić? Rozejrzała się. Zobaczyła starą studnię. Może nie będzie zamarznięta! Woda by się przydała. Trzeba tu trochę ogarnąć, zanim odjedzie. Po pierwsze warto, żeby trupa nie było widać od razu z drogi. Zawsze lepiej, żeby odkryto go później niż wcześniej.

Wróciła do samochodu po rękawiczki. Jeden błąd popełniła, ale lepiej już więcej nie kusić losu. Zamierzała dopilnować, żeby jej śladów nie było tu na miejscu nigdzie poza tą nieszczęsną siekierą. Wzięła też nóż ukryty w lasce. Przyda się do przecięcia więzów.

Wróciła do poranionego trupa Trawińskiego. Przecięła sznur i zaczęła ciągnąć mężczyznę na tył obejścia. Tam będzie mniej widoczny. Nie trzeba go było nawet chować. Bez przesady. Następnie napełniła wiadro w studni i zmyła krew z ławki. Potem zabrała resztki sznura i było po sprawie. Mogła wrócić do domu. Sznur wywali, a amfetaminę po prostu spuści w toalecie. I po sprawie. Bolek może zobaczyć krew na ubraniu, bo jest po wszystkim i już jej nie powstrzyma. I tak będzie musiała mu powiedzieć, co zrobiła. Żeby się nie martwił. Mogli kontynuować plan i twierdzić, że rozpracowywał szajkę.

Jeszcze raz spojrzała na pustą ławkę i siekierę wbitą w pieniek. Może nie poszło, jak planowała, ale było po wszystkim. Załatwione. A teraz do domu. Do męża.

Trawiński nie żył. Ale uznała, że to była potrzebna, lecząca śmierć. Cóż. Nikt nie mówił, że życie to same łatwe decyzje. Daria nie bała się trudnych.

CZĘŚĆ 14

2020

ROZDZIAŁ 139

Przed Komendą Powiatową Policji w Brodnicy.
Środa, 26 lutego 2020. Godzina 9.00.
Podinspektor Mari Carmen Sikora

Mari Carmen wyszła z Komendy Powiatowej Policji w Brodnicy z myślą, że jeszcze tu wróci. Nie należała do osób, które odpuszczają. Jak nie teraz, to kiedy indziej, ale Podgórski nie wywinie jej się z rąk. Matka powiedziała jej kiedyś, że jest zbyt pamiętliwa. Cóż. Nie wszyscy byli idealni. A ta cecha sprawiała, że Mari Carmen była bardzo, ale to bardzo skuteczna.

– Poradzicie sobie? – zapytała.

Prokurator Bastian Krajewski zmierzył ją przeciągłym spojrzeniem. Chyba za nią nie przepadał. Jednocześnie nie mógł się powstrzymać, żeby nie patrzeć na jej piersi. Natomiast aspirant sztabowy Laura Fijałkowska to była inna historia. Mari Carmen czuła, że być może znajdą jeszcze wspólny język.

– Raczej tak – powiedział prokurator cierpko. – Darię Urbańską zatrzymaliśmy. Sławomira Kwiatkowskiego też. Jakuba Dąbrowskiego, Zofię Dąbrowską, Pawła Krupę.

Kalinę Pietrzak na razie też. Trzeba będzie zdecydować, co zrobić z nią i jej ojcem.

– Świetnie – uśmiechnęła się Mari Carmen. – A sytuacja komisarza Bolesława Urbańskiego być może jeszcze się zmieni.

– Chyba pani nie wierzy w to, że rozpracowywał szajkę... – zaczęła z nieoczekiwaną odwagą Fijałkowska. Baba jednak jakieś tam jaja miała.

– Nie bądźmy naiwni. To, w co ja wierzę, nie ma znaczenia – odparła spokojnie Mari Carmen. Ona już dawno wyzbyła się zarówno skrupułów, jak i ideałów. Tak człowiekowi było zdecydowanie łatwiej. – No to czas na mnie. Grzesiu już na mnie czeka w samochodzie.

Ruszyła przez parking szybkim krokiem. Obcasy jej wysokich szpilek stukały o kostkę. Zanim wsiadła do samochodu, odwróciła się raz jeszcze w stronę budynku komendy. Wiedziała, że Podgórskiego tam teraz nie było.

– Jeszcze po ciebie wrócę – powiedziała mimo to.

Uśmiechnęła się zadowolona, jak bardzo przesadnie to zabrzmiało. Bardzo lubiła przesadę.

Bardzo.

ROZDZIAŁ 140

Dworek Weroniki w Lipowie.
Środa, 26 lutego 2020. Godzina 9.00.
Weronika Podgórska

Nie ma tego złego, co by na dobre nie wyszło – powiedziała Maria sentencjonalnie, krojąc ciasto. – Serniczek z mango! Doskonały. Kilka dni temu znalazłam przepis. Taki wesoły, bo przecież prawie już wiosna. Musicie spróbować!

– Do wiosny jeszcze daleko – mruknęła Weronika.

Pozwoliła jednak, żeby Maria położyła jej kawałek ciasta na talerzu. Pięknie pachniało. Nawet Klementyna się skusiła.

Usiadły we cztery w kuchni Weroniki. Brakowało Kaliny, a byłyby w pełnym składzie. Pietrzak czekała jeszcze na decyzję, jak zostanie zaklasyfikowane to, że chciała pomóc Pawłowi Krupie. Kopp nie zamierzała oficjalnie zgłaszać, że Kalina ją zaatakowała, więc o to nie zostanie oskarżona. Podgórska podejrzewała, że polubiła blondynkę. A może trochę się wstydziła, że została wykiwana.

A właściwie to były w pięć, bo była tu jeszcze maleńka Emilka. A może i sześć, licząc Bajkę. Weronika bujała córeczkę na kolanach. Dziewczynka uśmiechała się szeroko. Chyba po raz pierwszy tak szeroko na jej widok. Weronika poczuła, że ogarnia ją błogość. Jakby lęki, które ją gnębiły wcześniej, nareszcie zniknęły. Bajka machała ogonem, dodatkowo wprawiając Podgórską w dobry nastrój. Wszystko się dobrze kończyło.

– No i kto by pomyślał, co? – powiedziała Kopp. Też zdawała się rozluźniona.

Wczoraj wszystko wydawało się iść na opak. Sytuacja zmieniła się jednak zupełnie nieoczekiwanie. Daniel był przesłuchiwany na komendzie. One stały na zewnątrz budynku, nie mogąc nic zrobić. Łukasz opowiedział im, jak próbował zabić Trawińskiego. Malwina zdołała się wprawdzie dodzwonić do jakiegoś adwokata, ale wszystkie czuły, że trzeba zrobić coś jeszcze. Tu, teraz, natychmiast.

Kopp zdecydowała w końcu, że trzeba Łukasza wysłać z powrotem do budynku na zwiady. Syn Daniela wydawał się zupełnie rozedrgany emocjonalnie, ale kilka siłowych argumentów ze strony Klementyny podziałało na niego mobilizująco. Poszedł na komendę i wrócił z wieściami, że nieoczekiwanie Ziółkowski rzucił nowe światło na sprawę. Mógł ograniczyć krąg osób, które oprócz Daniela dotykały siekiery porzuconej przez Łukasza. Sekretarka naczelnika, sam Urbański lub jego żona Daria.

Funkcjonariuszka BSW, mimo że niechętna Danielowi, nie mogła uniemożliwić pobrania odbitek linii papilarnych od naczelnika i jego żony. Analiza porównawcza wykazała, że siekiery dotykała Daria Urbańska. Z tego, co Weronika wiedziała, naczelnikowa początkowo do niczego się nie przyznawała. Ale potem pękła i opowiedziała swoją historię. Podgórski nie został zatrzymany, ale na wszelki wypadek miały w pogotowiu adwokata od Malwiny.

– Wszystko dobre, co się dobrze kończy – powtórzyła jeszcze raz Maria.

Przez chwilę w kuchni słychać było tylko odgłosy stukania łyżeczek o talerzyki. Wszystkie delektowały się sernikiem teściowej.

– A skoro tak dobrze nam się pracuje – dodała jeszcze Maria – to słyszałam od sąsiadki o jednej dziwnej sprawie. Chodzi o autobus, który zaginął w dość dziwnych okolicznościach. Wchodzicie w to? Trzeba jej pomóc.

Weronika uśmiechnęła się. Banda szalonych bab. Tak chyba nazwała je Daria Urbańska. Faktycznie stanowiły chyba najdziwniejszą grupę detektywów, jaka kiedykolwiek istniała. Emerytowana policjantka o charakterystycznym wyglądzie. Starsza pani, która wszystkich karmi. Świeżo upieczona mama. I…

– A gdzie jest Malwina?

Nawet nie zauważyły, kiedy pisarka swoim zwyczajem gdzieś się ulotniła.

ROZDZIAŁ 141

Cmentarz w Lipowie. Środa, 26 lutego 2020.
Godzina 9.30.
Aspirant Daniel Podgórski

Daniel odetchnął głębiej, przechodząc przez kutą bramę nekropolii. Na cmentarzu było sporo osób. Może ze względu na Środę Popielcową. A może chodziło o to, że dziś słońce wyglądało wreszcie zza chmur. Zawsze z powodu jakichś okazji albo kiedy aura się poprawiała, ludzie tłumnie tu zaglądali. Podgórski miał porównanie. Przez ostatnie dwa lata bywał tu przecież codziennie. Bez względu na okazję, pogodę czy niepogodę.

Minął grupkę osób. Dyskutowali o wirusie, który zaczynał szerzyć się na świecie. Jak dotąd nie mieli jeszcze w Polsce potwierdzonego przypadku. Policjant minął ich szybko, żeby nie zaczęli go wypytywać, co o tym sądzi. Nie miał ochoty na rozmowy.

Już od wejścia widział, że przy grobie Emilii stoi Łukasz. Wspomnienie sytuacji sprzed kilku dni paliło. Syn kazał wtedy Danielowi spierdalać i nie wracać na grób matki. Daniel wiedział już, że to Łukasz był w zajeździe i że potem podrzucił film na samochód Mari Carmen i Grzegorza. Nie rozmawiali jeszcze o tym.

Daniel próbował do syna dzwonić zarówno wczoraj, jak i dziś, ale syn nie odbierał. Najwyraźniej nie pragnął kontaktu. Mimo to policjant podszedł ostrożnie do chłopaka w nadziei na jakiś cud. Łukasz spojrzał na niego, ale milczał. I tak dobrze. Stali we dwóch w milczeniu. Wpatrzeni w nagrobek Strzałkowskiej.

Przez te dwa lata Podgórski przychodził tu z myślą, że kobieta, którą kochał, popełniła samobójstwo. P r z e z n i e g o. Teraz wiedział już, że tego nie zrobiła. Została zamordowana. A jej morderca nie żył. Trawiński nie żył... Podgórski nie był pewny, czy ta myśl przynosi mu ulgę. I tak miał wrażenie, że zawiódł. Powinien był Emilię uchronić.

– Spójrzcie, jaka piękna śreżoga – dobiegło go zza pleców.

Odwrócił się. Nawet nie usłyszał, kiedy nadeszła Malwina Górska, mimo że bransoletki i kolczyki pisarki jak zwykle pobrzękiwały przy każdym jej ruchu.

– Śreżoga? – zapytał.

– Tak niektórzy mówią o tym świetle, które prześwieca przez mgłę. Ja tak mówię o tym, które ukazuje się pomiędzy gałęziami wczesną jesienią. Ale teraz też jest. Zobaczcie. Zawsze czuję wtedy spokój.

Górska skinęła głową w stronę drzew otaczających cmentarz. Pomiędzy ich grubymi konarami faktycznie przeświecało słońce. Wyglądało to jak lekka migocząca mgiełka. Ś r e ż o g a. Daniel słyszał to słowo po raz pierwszy. Brzmiało pięknie i jednocześnie złowrogo.

Odwrócił się z powrotem w stronę grobu Emilii. Patrzył, jak delikatne światło pada na kamień.

– Będę zeznawała przeciwko Bolkowi, jeżeli to będzie potrzebne – obiecała cicho pisarka.

Daniel skinął głową. Zebrali już co prawda sporo materiału na byłego naczelnika, ale nigdy nie zaszkodziło mieć więcej.

– Dziękuję – szepnął.

– Muszę pozwolić mu odejść – dodała Malwina jeszcze ciszej.

Daniel to rozumiał, ale nie wiedział, co powiedzieć. Pisarka wyciągnęła rękę i wykonała na jego piersi ten sam gest, co wcześniej. Teraz już wiedział, że to runa ochronna.

– Wy też pozwólcie jej odejść – szepnęła. – Obaj.

Podgórski odwrócił się do syna. Łukasz płakał bezgłośnie. Daniel nie miał pojęcia, co zrobić. Malwina Górska pokazała głową chłopaka, jakby pokazywała policjantowi kierunek. Podgórski objął syna. Wszystkie mięśnie miał napięte. Bał się, że syn znów go odtrąci.

Nie zrobił tego. Stali tak we dwóch przytuleni. Ojciec i syn. Z jakiegoś powodu Daniel był pewien, że gdyby Emilia była tu obok, przewróciłaby oczami i powiedziałaby tylko:

– Nareszcie.

Daniel poczuł tak wielką ulgę, jakby wszystkie emocje tych dwóch lat wreszcie po nim spłynęły. Odwrócił się, żeby podziękować Malwinie, ale pisarki nigdzie nie było. Odeszła równie bezgłośnie, jak się pojawiła. Został tylko delikatny słoneczny poblask.

Śreżoga.

OD AUTORKI

Pokrzydowo, 2020

To nasza dwunasta wspólna wizyta w Lipowie! Kochani Czytelnicy, dziękuję, że jesteście tu ze mną. Zarówno na kartach tej powieści, jak i podczas spotkań autorskich, Zlotów w Lipowie czy na moich profilach w mediach społecznościowych. Nigdy nie spodziewałam się, że tyle osób będzie chciało mi towarzyszyć w tej literackiej przygodzie. Dziękuję #TeamLipowo! Bez Was to wszystko nie miałoby sensu.

Dziękuję z całego serca mojemu mężowi, Krzyśkowi. Zawsze mogę na niego liczyć. Nawet w najtrudniejszych sytuacjach. Z wieloma sprawami zupełnie bym sobie bez niego nie poradziła. Dziękuję mojej Mamie, Tacie i całej Rodzinie oraz dwóm super hiper dziewczynom, supermankom i wojowniczkom – mojej siostrze (z innych rodziców), Magdzie, i wiedźmie (w dobrym znaczeniu tego słowa!) Ani. Uwielbiam Was!

Dziękuję Policjantom, których zasypywałam pytaniami związanymi z zagadnieniami policyjnymi, które się tu pojawiły. Są za skromni, żeby się przyznać, ile pracy włożyli, i przyjąć podziękowania. Wiecie, że to do Was. Dzięki za cierpliwość i tony rozmów i wymienionych wiadomości. Wszystkie błędy są moje. Poza tym pisarz musi czasem troszkę pozmyślać (taka rola i przywilej!). Jak zwykle również wielkie dzięki dla całej (prawdziwej) ekipy Komendy Powiatowej Policji w Brodnicy za ich codzienną służbę. I cierpliwość do mnie i moich wymyślonych historii! Bo jak za każdym razem dodam dla porządku, że wszystkie wydarzenia i osoby opisane w tej książce są całkowicie fikcyjne i powstały w mojej wyobraźni jedynie na potrzeby tej opowieści. Wszelkie ewentualne podobieństwo personaliów i zdarzeń jest zupełnie przypadkowe.

Dziękuję też następującym osobom: Annie Derengowskiej, Maciejowi Makowskiemu, Mirze Olejarskiej i całemu działowi promocji, Elżbiecie Kwiatkowskiej oraz reszcie naprawdę fantastycznej ekipy wydawnictwa Prószyński Media; dziękuję też Małgorzacie Grudnik-Zwolińskiej, Maciejowi Korbasińskiemu oraz Mariuszowi Banachowiczowi za ich wkład w ostateczny wygląd tej książki.

Dziękuję również wszystkim recenzentom, redaktorom portali internetowych dotyczących literatury oraz blogerom książkowym, którzy aktywnie uczestniczą w popularyzowaniu polskiej literatury. Dziękuję moim patronom medialnym oraz pisarzom, którzy mnie wspierają.

Lipowo. Jak wiecie, to miejsce fikcyjne. Ale! (jak powiedziałaby Kopp) bazuje na prawdziwej miejscowości, Pokrzydowie. Jak zawsze powtarzam, to moje ukochane miejsce na ziemi i bardzo się cieszę, że mogę pokazywać Wam je trochę na kartach moich książek. Na żywo całe szczęście nie uświadczycie tu trupów, a jedynie piękną przyrodę i życzliwych ludzi. Jeżeli będziecie mieli kiedyś okazję, to zajrzyjcie w te okolice koniecznie.

A może będziecie mieli ochotę wpaść na Zlot w Lipowie? W tym roku odbył się już po raz czwarty, choć po raz pierwszy (ze względu na wiadome okoliczności) w odsłonie online. Jak zwykle olbrzymie brawa i podziękowania dla ekipy organizatorów Zlotów. W tym roku byli to: Małgorzata Wierzbowska, Tomasz Piotrowski, Lucyna Kaczyńska, Emilia Grochowska oraz Marcin Jadziński. Kolejność przypadkowa, wszyscy jesteście super!

Tak więc po raz dwunasty pozostaje mi tylko raz jeszcze serdecznie Wam wszystkim podziękować. I do zobaczenia przy okazji kolejnej historii!

Kasia Puzyńska